(개정판) 표준 국어 음운론

표준 국어 음운론

지은이 양순임

발 행 초 판 2020년 07월 1일
개정판 2024년 07월 31일
펴낸이 양순임
펴낸곳 상지랑
출판사등록 2020.02.11.(제2020-000003호)
주 소 서울특별시 영등포구 영등포로 79길 8
이메일 sangjirang@gmail.com

ISBN 9791196967857

© (개정판) 표준 국어 음운론 2024
본 책은 저작자의 지적 재산으로서 무단 전재와 복제를 금합니다.

표준 국어 음운론

양순임

상지랑

머리말

책명에 '표준'을 쓴 것은 이 책이 음운론을 규범문법의 관점에서 연구한 것이기 때문이다. 규범문법을 이루는 핵심은 학교문법, 어문규범, 표준국어대사전이다. 학교문법은 어문규범과 연계되어야 하고, 음운론과 불가분의 관계에 있는 어문규범은 음운론적 관점에서 이해하고 설명할 수 있어야 한다. 한국어 사용자, 교육자, 연구자의 관점에서 봤을 때 음운론이 어문규범, 사전과 연계되어야 할 필요성은 뚜렷하다. 일례로 한글 낱글자는 음소에, '어법에 맞도록' 쓴 표기형은 기저형에 해당한다. 이미 수능을 비롯한 국가 차원의 많은 평가들이 '학교문법, 어문규범, 사전', 이 셋의 유기적 관계 속에서 이루어지고 있다는 점에서도 통합적 연구가 필요하다.

이런 생각은 외국인을 위한 음운교육을 다룬 『한국어 발음교육의 내용과 방법』에는 적극적으로 반영되었다. 그러나 『말소리』에는 '학교문법의 이해'라는 부제를 달고서도 부분적으로만 반영되었다. 천성이 소심하여 어정쩡하게 서양 주류 이론에 한쪽 발을 담근 채 생각을 일관성 있게 밀고 나가지 못했다. 『한국어 어문규범 연구』를 쓰면서 음운론과 문법교육이 개념과 현장을 공유해야 할 필요성, 어문규범, 사전과 연계되어야 할 필요성을 절감하였다.

이 책은 2018년 『국어 음운론-어문규범과 함께 보는』을 출판하고 3학기 동안 교재로 사용하며 수정을 거듭한 것이다. 많은 내용이 필자의 앞선 논문과 저서를 토대로 한 것이다. 그러나 '학교문법, 어문규범, 표준국어대사전'과의 유기적 관계 속에서 본 음운론은 그 틀이 달라져서 책 전체의 얼개와 서술 태도는 사뭇 달라졌다. 예컨대 음운변동을 표기형과 관련지어 두 장으로 나누어 기술했는데 6장은 주로 표준 발음법과, 7장은 한글 맞춤법과 맞물려 있다.

나는 어딘가 써먹겠다는 생각보다 그저 읽고 쓰며, 생각을 더하고 덜며, 학적 체계를 세우는 기쁨이 우선인 학자다. 그러나 배워서 나누는 보람으로 사는 선생이기도 하다. 쓰는 내내 염두에 둔 주 독자는 나의 '현장'을 그 누구보다 열정적으로 채워줬고 教學相長의 기쁨을 선사했던 제자들이었다. 이 책은 '大學之道 在明明德 在新民 在止於至善'하는 내 나름의 작은 실천이다. 책을 매개로 同學을 만나고 농밀한 소통의 기쁨을 맛볼 수 있기를 고대한다.

차 례

제3장

음소와 음소체계

제4장

음절

제5장

운소

제6장

음소 변동과 규칙

제7장

표기에 반영된 음소 변동

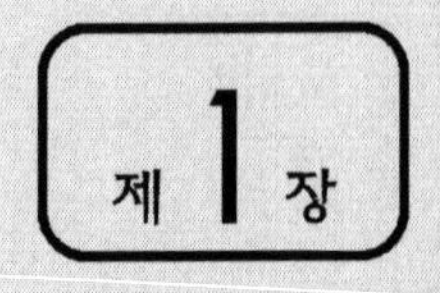

음운론과 어문규범

1. 음운론의 연구 대상과 목표

1.1. 연구 대상

한국어 음운론의 연구 대상은 한국어에 사용되는 말소리이다. 우리는 '생각' 자체를 주고받을 수 없기 때문에 이것을 전달할 수 있는 다양한 방법을 동원한다. 내가 아무리 누군가를 사랑한다 해도 그 사람에게 내 마음을 직접 보여줄 수는 없는 노릇이다. 그래서 우리는 생각, 주장, 경험 내용 등을 남과 소통할 수 있는 수단이 필요하다. 그 수단은 인간의 감각기관을 통해 인지 가능한 것이어야 한다. 눈으로 전달되는 그림, 귀로 전달되는 음악 등도 소통의 수단이 된다. 이렇게 생각을 소통하는 수단을 통틀어 기호(記號, sign)라 한다. 언어는 인간이 사용하는 기호의 일종이다. 모든 기호에는 소통하고자 하는 '내용'이 있고, 그것을 소통하는 수단인 '형식'이 있다. 언어에서 내용은 의미이고, 형식은 말소리다. 양자를 갖추어야 소통 행위의 매체가 된다. 의미(뜻)는 있지만 말소리가 없으면 전달 불가능하고, 말소리는 있으나 의미가 없으면 무의미하다. 그래서 한국어 말소리 연구는 국어학 연구의 주요 축이 된다.

'말소리'는 '소리' 중 인간의 발음기관을 통해 만들어진 소리로 한정된다. 따라서 바람 소리처럼 자연의 소리는 음향이긴 하나 말소리는 아니다. 바람 소리 자체는 언어음이 아니지만, '휘잉'은 바람 소리를 표현한 말소리다. '발자국 소리, 손뼉 소리, 웃음소리' 등도 사람 몸에서 만들어진 소리지만 발음기관으로 만든 말소리는 아니다. 그러나 의성어 '뚜벅뚜벅, 짝짝, 호호'는 발음기관을 통해 만들어진 말소리다.[1]

'말소리'는 여타 소리와 달리 분절 가능한 속성을 지닌다. '휘잉'은 자연의 소리와는 달리 '휘', '잉'이라는 음절로, 또 음절 '휘'는 자음 'ㅎ'과 모음 'ㅟ'로 분절 가능하다. 개 짖는 소리 자체는 몇 개의 소리로 되어 있는지 분절할 수 없다. 그러나 이를 '멍멍'이라는 말소리로 바꾸어 말했다면 이것은 이미 개의 것이 아니라 한국어이고 분절할 수 있다. 어떤 언어를 분절할 수 있다고 하는 것은 해당 언어의 음이나 뜻을 알고 있을 때 가능하다. 전혀 모르는 언어를 들었을 때, 무슨 말인지 하나도 안 들린다는 반응을 하는 것은 그 언어음이나 뜻을 몰라서 문법단위로든 음운단위로든[2] 분절할 수 없기 때문이다. 유한한 분절 단위로 무한히 많은 문장을 생성할 수 있다는 점에서 분절성은 인간 언어의 특성 중 하나이다. '으앙'은 [ㅡ], [ㅏ], [ㅇ] 세 개의 소리로 분절할 수 있는 말소리고, [ㅇ]을 [ㄱ]로 바꾸면 '으악'이라는 새로운 단어가 만들어진다.

말소리는 인간 언어에 사용되는 소리이므로 언어음(speech sound)이라고도 한다. 한국어 음운론의 연구 대상은 인간의 발

1 필자의 저서나 논문에서 인용한 경우 주석을 생략했다.

2 문법단위는 소리와 의미를 갖춘 형태소, 단어, 구, 절, 문장을 가리키는 용어로 음소, 음절과 같은 음운단위와 상대되는 개념이다. 음운단위와 문법단위를 합쳐서 언어단위라 한다.

음기관을 통하여 만들어지고, 한국어에 사용되는 분절 가능한 언어음이다.

분절성(分節性) 분절성은 두 가지 의미로 사용된다. 첫째, 한 호흡단위로 발음되는 언어단위는 물리적으로는 연속적 신호인데, 언어 사용 주체인 인간들은 심리적으로 이 연속적 신호를 분절하여 불연속적인 단위로 인식한다는 의미로 사용된다. 중간에 휴식 없이 이어 발음한 '나는 당신을 사랑합니다.'라는 문장은 물리적으로는 연속적 신호이다. 그런데 들을이는 이 연속적 신호를 불연속적 형태로 분절한다. 의미를 가진 덩이로도 분절 가능하고, 의미와는 상관없이도 분절 가능하다. 의미를 가진 덩이로 문장을 분절하는 것을 1차 분절이라 하는데, 1차 분절한 문법단위로는 '단어, 형태소' 등이 있다. 그 자체로는 의미가 없는 소리 단위로 분절하는 것을 2차 분절이라 하는데, 2차 분절한 음운단위로는 '음절, 음소'가 있다.

둘째, 우리가 대상이나 사건을 단어로 언어화하는 방법이 분절적이라는 의미로도 사용된다. 예컨대 실제 대상인 무지개 빛깔은 연속적이지만, 이를 표현한 색채어 '빨강, 주황, 노랑…' 등은 연속적인 대상을 불연속적 단위로 분절하여 언어화한 것이다. '손가락, 손마디, 손등, 손바닥, 손목, 팔' 등 각각 별개의 단어로 인식하는 대상도 실제로는 하나의 덩어리다. '1월 1일'과 '1월 2일'로 분절하여 언어화하지만 실세계의 시간 흐름 속에 어떤 분명한 경계가 있는 것은 아니다.

〈校〉의 뜻을 [학교]로 표현하기도 하고, [*핵교]로 표현하기도 한다. [학교]는 [다녀] 오고, [*핵교]는 [*댕겨] 오더라도 '다녀오는' 것이나, '*댕겨오는' 것이나 소통하고자 하는 의미는 같다. 언어는 지역, 연령, 성, 사회 계층 등 여러 가지 요인에 따라 다양한 변이(variation)가 존재한다. 중부방언과 동남방언의 차이는 공간 차이에 따른 것이고 이러한 이질성을 지역방언이라 한다. 10대 말과 60대 말은 사회 집단에 따른 차이이고 이러한 이질성을 사회방언이라 한다. 언어 내 분화와 이질성을 막고, 언어 공동체의 동질성을 확보하기 위해 인위적으로 정한 것이 바로 표준어다. 표준어는 공적(公的) 생활에 사용되는 공용어(公用語, official language)이자 '두루 쓰는' 공통어(共通語, common language)로서 주로 학교 교육을 통해 학습된다. 이 책에서 다루는 말소리는 표준발음을 대상으로 한다. 그러나 표준이 아니라도 통용음은[3] 연구 대상에 포함하는데, 통용음은 특정한 지역적, 사회적 변인에 매이지 않고 광범위하게 사용되는 비표준발음이다.

언어는 서로 관련 없는 개체들의 집합이 아니라, 각 개체들이 서로 간의 관계 속에서 서로의 값을 능동적으로 규정하는 체계다. 하나의 체계는 시간, 공간, 사회 집단을 어느 정도 균일화한 상태의 것이고 이를 공시태라 한다. 표준어는 '교양 있는 사람들

3 통용음은 필자의 앞선 연구에서 '현실 발음'이라 불러왔던 것과 같은 개념이다. 통용음은 『사전』에 등재된 단어인데 '어법에는 어긋나지만 널리 쓰여 일반의 버릇으로 굳어진 소리. '하고'를 '하구'로 발음하는 따위이다.'로 뜻풀이가 되어 있고 '습관음'과 유의어다. 표준 발음법 1항에서 표준발음을 정하는 기준을 밝힐 때 쓴 '실제 발음'과의 혼동을 피하기 위해 '통용음'이라 바꿔 불렀다.

이 두루 쓰는 현대 서울말'로 정의되는데, 이는 사회 집단을 '교양 있는 사람들'로, 시간을 '현대'로, 공간을 '서울'로 잡은 특정 공시태이다. 특정 공시태를 연구 대상으로 하는 언어학을 공시 언어학이라 한다. 통시태는 공시태와 상대되는 개념이다. 통시태는 시간의 흐름에 따라 변천하는 언어의 변화상을 말하고 이를 연구하는 것을 통시 언어학이라 한다. 이 책은 표준어를 주 대상으로 하는 공시적 연구다. 그러나 시간 축을 이동하여 옛말을 참조할 수도 있다. 현대국어는 역사적으로 변천해온 수많은 공시태가 누적된 것이어서 옛말이 현대국어 음운현상의 직접적 원인이 되기도 하기 때문이다.

한글은 음소문자이고 한글 맞춤법(이하 「맞춤법」으로 약칭)은 '소리대로' 적는 것을 원칙으로 하기 때문에 종종 우리는 '표기형'인 문자언어(written language)와 '발음형'인 음성언어(spoken language)를 혼동한다. 지금 필자가 소통 수단으로 삼고 있는 것은 문자언어이다. 독자와 나는 지금 음성을 주고받을 수 없는 상황이기 때문이다. 그래서 부득이 음성언어도 문자언어로 표현할 수밖에 없다.

(1) 나무꾼은 정말 무서웠지만 엎드려 호랑이한테 절을 하면서 이렇게 말했습니다.
[나무꾸는 ‖ 정말무서워찌만 ‖ 업뜨려 호랑이한테 저를하면서 ‖ 이러케마래씀미다]

음운변동을 대략적으로 말하면 (1)처럼 표기형과 발음형 간에 존재하는 차이라 할 수 있다. 표기형과 발음형은 서로 다르지만 또 한편으로는 긴밀히 연계되어 있고 서로 영향을 주고받는다. 예컨대 모국어로서 한국어를 습득한 사람은 문자보다 음성을 먼저 익혔기에 문자 초보자들은 소리 나는 대로, 들리는 대로 적으려는 경향이 있다.

(2) *가지 안아요, 물이 끌어요, 괜찬을꺼다, 시골에 갇다왔다, 해염을 쳤더니, 동내 한 박퀴, 그레서, 그런대, 실래화 씬기

(2)는 초등학교 2학년 학생의 받아쓰기에 나타난 맞춤법 오류인데 먼저 습득한 음성언어가 문자언어에 영향을 미친다는 것을 보여준다. 그러나 문자 학습이 어느 정도 이루어지고 나면 거꾸로 문자가 발음에 영향을 미치기도 한다. 예를 들어 음성언어가 아니라 문자언어로 배운 '신라'와 같은 단어를 아이들은 한동안 표기형대로 발음하거나, '띄어쓰기'를 표기대로 발음하려다 [*뛰---]로 발음하기도 한다. 표준 발음법(이하 「발음법」으로 약칭)에서도 표기형을 기준으로 해서 발음형을 설명하고, 성인 외국인에게 외국어로서 한국어를 가르칠 때도 대부분 문자에서 출발하여 그것의 발음을 가르친다.

대부분의 음운론 연구서에서 음운론의 연구 대상은 음성언어이지 문자언어가 아님을 강조한다. 그러나 이 책에서는 발음형뿐 아니라 표기형을 적극적으로 연구 대상에 포함할 것이다. 왜냐하면 한글은 음소와 거의 일대일로 대응하고, 어법에 맞도록 적은 표기형은 형태소의 음상으로서 머릿속에 기억·저장되는 기저형에 해당하기 때문이다. 이런 점에서 음운론은 음성언어인 발음형뿐 아니라 문자언어인 표기형, 그리고 양자의 관계를 연구 대상으로

포함할 필요가 있다.

1.2. 연구 목표

국어학의 한 분야인 음운론은 한국어에 존재하는 언어음을 대상으로 다음과 같은 내용을 밝히는 연구 분야이다.

첫째, 말소리의 조음, 음향, 청취적 특성을 연구한다. '음성'에 대한 이해는 다양한 질문에 답할 수 있는 근거를 제공한다. 예컨대 조음 음성학은 왜 [ㅂ], [ㄷ]에 비해 [ㅅ], [ㄹ]의 음가를 습득하는 데 아이들이 어려움을 겪는지 답할 수 있게 한다.

둘째, '음소, 운소' 개념을 바탕으로 음운 목록을 밝힌다. 음운은 음소와 운소를 아울러 이르는 말이다. 음소는 일반적으로 말하는 자음, 모음처럼 분절 가능한 말소리고, 운소는 [말ː]〈言〉과 [말]〈馬〉을 변별해 주는 '길이'처럼 의미 변별에 관여하긴 하나 음소나 음절에 얹혀서 실현된다. 흔히 한국어의 자음은 19개, 모음은 10개라 하는데, 이때 19개인 자음, 10개인 모음은 음소를 말한다. 이는 음소와 한글 낱자 사이에 일대일 대응 관계가 있음을 말한다. 그러나 '밥 비벼'의 'ㅂ'은 각각 그 물리적 음가는 달라서 발음기호를 써서 표기하면 [p a p˺ p i b j ə]와 같다. 한국어에서 음성 [p], [b]의 차이는 단어 의미를 구별하는 기능을 하지 못하므로 심리적으로 구별되지 않는다. 한국어에서 [p]와 [b]의 음성 차이는 'ㅂ'과 'ㅃ'의 음소 차이와는 차원이 다르다. 'ㅂ'과 'ㅃ'의 음가 차이는 '방'과 '빵'을 두 단어로 구별할 수 있게 하지만, [p]와 [b]의 차이로 의미가 구별되는 단어는 없다. 음성 중에서 의미 변별에 관여하는 것을 음운이라 한다. 음소의 개념에 대한 이해는 왜 한국인들은 'ㅂ', 'ㅃ', 'ㅍ'은 구별하면서 [b]와 [p]는 구별하지 못하는지, 거꾸로 영어권 화자들은 'b'와 'p'는 구별하면서 [ㅂ]와 [ㅍ], [ㅂ]와 [ㅃ]는 구별하지 못하는지에 대한 답을 제공할 것이다.

셋째, 각 음운들이 서로 어떤 관계를 이루며 체계를 형성하는지 설명한다. 목록 내 각 음소는 다른 음소와 관계 속에서 구별된다. 예를 들어 'ㅂ'과 'ㅍ', 'ㄷ'과 'ㅌ', 'ㅈ'과 'ㅊ', 'ㄱ'과 'ㅋ'의 구별 요인은 같다. 음소 간 관계를 드러내는 데는 '변별자질(distinctive feature)' 개념이 사용된다. 음운 목록을 이루는 개체들이 관계 속에서 이루어내는 전체를 체계라 하는데, 자질을 이용하여 한국어 음운 체계를 밝히는 것이 음운론의 연구 목표 중 하나다.

넷째, 음소들이 결합하여 음절, 형태소, 단어, 어절 등 상위 단위를 형성하는데 이때 어떤 제약이 있는지를 밝힌다. 예를 들어 자음 중 'ㅇ[ŋ]'은 음절 초성으로 쓰이지 않고, [ㅋ]는 종성으로 발음되지 않는다. 한국어의 음절구조를 알면 영어에서 1음절어인 'spring'을 왜 한국인은 3음절 '스프링'으로 발음하는지 설명할 수 있다. 음소 결합제약은 '가져'의 표준발음이 [-저]이고, '*비젼'이 아니라 '비전'으로 써야 하는 원인을 설명할 수 있게 한다. 또, '능금'[능금]처럼 [ㅇㄱ]는 형태소 내부에서 결합 가능한 발음형이지만, '늑대'[늑때]처럼 [ㄱㄷ] 연쇄로는 발음되지 않는다.

형태소 내부에서 음소 결합제약을 위반하는 표기형은 몇몇 예외적 경우를 제외하면 원칙적으로는 없다. 그러나 형태소와 형태소가 결합할 때 표기형은 음소 결합제약을 위반하는 경우가 대부분이다. 예컨대 명사 형태소 '꽃'에 조사 '도', '만'이 결합된 '꽃도', '꽃만'은 각각 [꼳또], [꼰만]으로 발음된다. 이는 형태소 경계에서 'ㅊ'과 'ㄷ', 'ㅊ'과 'ㅁ'의 결합에 제약이 있기 때문이다. 제약을 위배한 표기형에는 음운변동이 일어난다. 이러한 음운변동을 관찰하여 형태소가 결합할 때 어떤 음운변동이 일어나는지, 음운변동이 일어나는 원인은 무엇인지, 음운변동의 결과를 어떤 기준으로 분류하고 규칙화할 것인지는 음운론의 주요 연구 목표가 된다.

한국어를 모어로 하는 화자들은 표기형 '꽃이, 꽃도, 꽃만'을 [꼬치, 꼳또, 꼰만]으로 발음하고, 발음형 [꼬치, 꼳또, 꼰만]을 듣고 무의식적, 자동적으로 머릿속에서는 '꽃이, 꽃도, 꽃만'을 떠올린다. 변동규칙은 이러한 무의식적 기제에 대한 언어학적 설명이다. 표기형과 발음형을 매개하는 기제로서의 변동규칙, 표기형과 기저형의 공통점을 이해함으로써 국어학에 대한 이해를 심화하고 이를 교육 등 다른 분야에 활용할 수 있게 될 것이다. 또한 한국인이 'good news'를 [굳뉴스]보다 [군뉴스]로, 'in line'을 [인라인]보다 [인나인]이나 [일라인]으로 발음하는 경향에 대해서도 설명할 수 있다.

다섯째, 음운론을 국어학의 다른 분야와 독립적으로 연구하는 것이 아니라 전체와 체계적으로 연계한다. 이 책은 '규범문법'을 학교문법, 어문규범, 『사전』을 아우르는 상위개념으로 쓰고, 국어 음운론을 규범문법의 전체적 틀 안에서 고찰하고자 한다. 문법교육은 어문규범과 연계되어야 하고, 음운론은 각 규정과 불가분의 관계에 있어서 음운론적 관점에서 이해하고 설명할 수 있어야 한다는 것이 이 책의 관점이다. 이는 일반적으로 음운론 연구서에서 취하는 태도는 아니나, 음운론과 문법교육이 개념과 현장을 공유해야 할 필요성, 문법교육이 어문규범, 『사전』과 연계되어야 할 필요성을 바탕으로 한 것이다.

국어 음운 교육은 학교문법(school grammar)에서 다루어지는데,[4] 국어과 교육과정 중 '국어지식' 영역에서 주로 이루어진다. 국어지식 교육의 목표는 해당 지식 자체에 대한 체계적인 탐구와 이해, 이를 활용한 언어사용 능력 신장에 기여하는 것이다. 따라서 음운론 연구 결과는 음운 교육 분야에 활용되고, '표준 발음법, 한글 맞춤법, 외래어 표기법, 국어의 로마자 표기법'과 같은 어문규범 교육과, '듣기, 말하기, 읽기, 쓰기' 기능 영역 전반에 걸쳐 사용된다. 어문규범과 음운론의 접점을 밝힘으로써 양자를 더 깊이 이해하고 설명할 수 있다. 예컨대 '늑대, 갑자기'와 같이 형태소 내 경음을 왜 경음자 'ㄸ, ㅉ'으로 적지 않는지, '통닭을'의 통용음 [*통다글]은 왜 표준발음이 아닌지, 왜 '*쥬스'가 아니라 '주스'로 적어야 하는지, 왜 '종로'를 '*Jongro'가 아니라

4 학교문법은 규범문법과 비슷한 개념으로도 썼고(최형용: 2003), 구별하기도 했다(임홍빈: 2000). 이 책에서 학교문법은 '학생들을 가르치기 위한 실용적인 목적으로 서술한 문법'이라는 사전적 의미로 규범문법의 하위 개념이다. 주로 7차 국어과 교육과정 시기의 국정 교과서인 고등학교 『문법』과 교사용 『지도서』, 현행 검인정 교과서의 내용을 가리킨다. 검인정 교과서 체제하에서는 교과서의 종류가 많고 그 내용 또한 같지 않다. 그러나 7차 교육과정과 이후 개정 교육과정, 수능, EBS 연계 강좌가 강력한 통일 역할을 하고 있다고 본다. 학교문법의 역사는 고영근(2000), 1985년 이전까지 학교문법 교과서의 변천 과정은 새국어생활 편집실(1985) 참조.

'Jongno'로 적어야 하는지는 음운론적 설명이 있어야 한다.

기호 및 약어 여기서 사용한 기호 및 약어는 다음과 같은 의미를 지닌다.

「맞춤법」: 한글 맞춤법
「발음법」: 표준어 규정 2부 표준 발음법[5]
「표칙」: 표준어 규정 1부 표준어 사정 원칙
「외표」: 외래어 표기법
「로표」: 국어의 로마자 표기법
『사전』: 표준국어대사전
「해설」: 국립국어원 누리집에서 제공하는 어문규범에 대한 상세 설명
『규정집』: 『국어 어문 규정집』(문화체육관광부)
『조선』: 『조선말규범집』(조선민주주의인민공화국 국어사정위원회)
『문법』: 『고등학교 문법』(교육인적자원부)
『수특』: EBS 수능연계교재인 2021학년도 『수능특강-국어영역 화법·작문·언어』
[ ] 안의 한글: 한글을 발음기호로 쓴 것이다. 이때 발음형은 변이음 또는 음성 차원의 표기가 아니라 음소 차원의 것이다.
*: 어법에 맞지 않거나 어문규범에 어긋나는 것임을 뜻한다.
C, V: C는 자음(consonant), V는 모음(vowel)을 뜻한다.

5 「발음법」은 「사정한 조선어 표준말 모음」(1936)에는 없던 것인데, 1988년 고시본에서부터 추가되었다. 제1부 2항(외래어는 따로 사정한다.)에서 밝힌 것처럼 표준어 사정은 고유어와 한자어에 대해서만 이루어졌고, 「발음법」에서도 외래어는 다루지 않았다.

'VC.CV'에서처럼 .는 음절 경계를 뜻한다.

【 】: 『사전』의 어원 정보6

붙임표 (-): 붙임표는 세 가지 의미로 사용되었다. 첫째, '-었-, -는'처럼 의존형태소임을 나타낸다. 둘째, '콧물[콘-]'처럼 [ ] 안에 있는 붙임표는 해당 음절의 발음형이 표기형과 동일함을 뜻한다. 셋째, 직접 구성성분(immediate constituent) 또는 형태소 경계를 표시할 때 사용했다.

+: '+'는 끊어 발음한 자리임을 뜻한다. 또, 형태소 경계를 붙임표로 했을 때 시각적으로 잘 드러나지 않는 경우 붙임표 대신 사용하기도 했다.

점선 네모: 어문규범은 점선 네모 안에 넣어서 본문과 분리했다. 특히 논의가 필요하거나 관심을 기울여야 할 부분은 밑줄로 표시했고, 학교문법과 관련지어 봤을 때 밀접한 관계가 있는 항은 묶어서 제시했다. 원문 그대로 인용하되, 각 항의 용례는 원문에 없는 분류기준을 추가하거나, 배열을 달리하거나, 일부를 생략한 것도 있다. 추가 분류는 표제 문자를 ①, ②…로 표시했다.

실선 네모: 실선 네모 안에 넣어 기술한 것은 용어의 개념 등 명확한 정의가 필요한데 글의 흐름에 방해가 되어 따로 독립시키기 위한 것도 있고, 좀 더 깊은 논의가 필요한데 그것이 개론서의 성격을 벗어난다고 판단되었을 때 본문과 분리하기 위한 것도 있다.

6 어원 정보는 감자01【<甘藷】처럼 단지 어원만 제공하기도 하고,【←달-+-ㄴ+무+지[<디이<디히<가언>]】,【<지와[<-瓦] 지새<디새<석상>←딜+새】처럼 어원적 분석과 역사적 변천, 최초 출현형을 보여주기도 한다.

2. 어문규범과의 관계

학교문법은 어문규범과[7] 함께 '규범'의 성격을 공유한다. 어문규범은 전공자만을 대상으로 한 것이 아니라 한국인 모두를 대상으로 한 것이어서 어문규범의 이론적 배경은 학교문법이다. 학교문법과 이론문법이 별개의 것은 아니지만, 특정 이론이나 학자의 견해에 따른 것이라기보다 본디 우리에게서 시작되었거나 바깥에서 들어온 것이라도 충분히 논의되어 대체적인 합의에 이른 것이어야 하기 때문이다. 어문규범은 음운론, 형태론, 통사론, 의미론, 화용론, 방언학, 국어사 등 국어학 전반과 연계되어 있다. 이런 점에서 학교문법의 지식영역은 어문규범과의 유기적 관계 속에서 연계하여 연구하고 교육해야 할 필요가 있다.

학교문법이 어문규범의 이론적 배경 역할을 하고 있다면, 학교문법에서 설명하고 어문규범에서 규정되는 질서를 담고 있는 형태소, 단어의 구체적 목록은 『사전』에서 제공된다. 『사전』은 표준어를 「맞춤법」에 따라 적어야 하므로 어문규범을 참조한다. 『사전』 올림말은 원칙적으로 단어이거나 단어보다 작은 문법단위인 형태소(접사, 어미)이다. 어문규범에서 다루는 언어단위도 대

7 이 책에서 사용한 어문규범은 2020년 4월 기준 최종 고시본인 한글 맞춤법(문체부 고시 제2017-12호), 표준어 규정(문체부 고시 제2017-13호), 외래어 표기법(문체부 고시 제2017-14호), 국어의 로마자 표기법(문체부 고시 제2014-42호)이다.

부분 단어이되, 접사와 어미도 다룬다. 학교문법과 어문규범에 일일이 명시되지 않은 용례는 『사전』을 통해 구체화되므로 『사전』과[8] 학교문법, 어문규범은 적극적으로 서로를 참조한다. 이런 점에서 학교문법은 어문규범, 『사전』과 통합적으로 고찰되어야 한다.

규범문법의 큰 틀에서 봄으로써 학교문법, 어문규범, 『사전』의 연결 고리에서 일관성을 잃은 부분을 드러낼 수 있다. 학교문법, 어문규범, 『사전』은 언어생활의 지침 역할을 하는데 동일 대상이나 현상을 여기서는 옳다 하고 저기서는 그르다 하거나, 여기서는 A라 하고 저기서는 B라 기술한다면 규범으로서의 일관성을 잃게 된다. 적어도 어문규범, 학교문법, 『사전』 간에는 특별한 이유가 있지 않는 한 일관성을 잃지 않아야 한다. 학교문법을 어문규범, 『사전』과 함께 규범문법이라는 통합적이고 균형 잡힌 관점에서 연구하는 것은 규범문법 연구라는 자체의 목표뿐 아니라 문법교육의[9] 효율성을 높이는 데도 유용하고 필요하다. 문법교육이 어문규범과 연계되어야 함은 민현식(2008), 조창규(2015) 등에서 주장된 바 있고, 이는 이미 중·고등학교 교과서, 수능을 비롯한 국

8 언어가 변화한다는 것을 감안하면 『사전』은 영원히 미완성일 수밖에 없는 속성을 갖고 있다. 누리집에서 제공되는 『사전』은 종이 사전에 비해 수정이 용이하다. 국립국어원에서는 2014년부터 수정 내용을 『새국어생활』과 누리집에 분기별로 공지하고 있다. 이 책에서 사용한 『사전』 정보는 2020년 4월까지 확인된 것이다.

9 '문법'은 좁은 뜻으로는 문법단위를 다루는 형태론과 통사론을 가리키고, 넓은 뜻으로는 음운론, 의미론 등을 포함하는 '국어학'의 뜻이다. '문법교육, 학교문법'에서 '문법'도 넓은 뜻이다.

가 주관 평가 시험에 반영되고 있다.

음운론은 「발음법」과 직접적으로 관련된다. 그러나 「맞춤법」, 표준어 규정, 외래어 표기법(이하 「외표」로 약칭), 국어의 로마자 표기법(이하 「로표」로 약칭)은 각각 독립된 규정이면서 서로 유기적으로 얽혀 있어서 결국 음운론은 어문규범 전체와 관련된다. 예컨대 '쫓아요, 쫓고, 쫓는'으로 어간의 원형을 밝혀 쓰는 「맞춤법」 총칙 1항은 「발음법」 13항 연음규칙, 9항 평파열음화, 23항 경음화, 18항 비음화 변동규칙이[10] 발음형 [쪼차요, 쫃꼬, 쫀는]을 매개할 수 있음을 전제로 한다.

'*쥬스'로 쓰면 안 되고, '주스'로 써야 하는 「외표」 규정은 「발음법」 5항 다만 1(용언의 활용형에 나타나는 '져, 쪄, 쳐'는 [저, 쩌, 처]로 발음한다.)과 연계되어 있다. '종로'를 'Jongno'로 로마자화하는 것도 「발음법」 19항(받침 'ㅁ, ㅇ' 뒤에 연결되는 'ㄹ'은 [ㄴ]으로 발음한다.)을 전제로 한다. 따라서 「발음법」만 독립적으로 고찰하거나, 음운론과 연계되는 어문규범을 「발음법」으로 한정하는 것은 문법교육의 관점에서 바람직하지 않다.

학교문법, 어문규범, 『사전』 간 기술에 불일치를 보이는 경우도 있다. 같은 용어를 쓰고 있지만 개념이 다른 경우도 있고, 서로 목적과 관점의 차이가 있어서 결과적으로 체제가 달라지는 경우도 있다. 예컨대 학교문법의 불규칙활용과 「맞춤법」 18항의 차이가 그러하다.[11] 따라서 어문규범, 학교문법, 『사전』 간의 유기

10 변동규칙을 음운규칙(phonological rule)이라 부르기도 하지만, 음운규칙은 변동규칙과 이음규칙을 아우르는 개념으로 쓰일 때도 있다. 이 책에서는 음소 간 바뀜은 변동규칙, 변이음 간 바뀜은 이음규칙으로 구별해서 쓴다.

적 관계를 밝히고 그 관계망 이면에 있는 관점의 차이, 용어 사용의 차이, 설명 방법의 차이 등에 대한 면밀한 고찰이 필요하다.

이 장에서는 각 규정별로 음운론과의 통합적 연구 및 교육의 필요성에 대해 그 일단을 보이고자 한다.[12]

2.1. 한글 맞춤법과 음운론

「맞춤법」 총칙 1항(한글 맞춤법은 표준어를 소리대로 적되, 어법에 맞도록 함을 원칙으로 한다.)의 '어법에 맞도록'은 각 형태소를 분철하여 대표 형태로 고정한다는 뜻이다. 이는 한 형태소당 표기형이 하나임을 말한다. 어법에 맞도록 적은 표기형을 '단수 표기형'이라 부르겠다. '어법에 맞도록'은 그 추상성 때문에 항상 추가 설명이 필요하다. 이에 비해 '단수 표기형'은 용어가 가리키는 의미가 상대적으로 투명하여 개념 전달에 용이하기 때문이다. 또한 '단수 표기형/복수 표기형'은 「표칙」에서 사용하고 있는 '단수 표준어/복수 표준어'와 용어 형성 방법도 같아서 규범문법에 쓰기에 무리가 없다.

11 자세한 논의는 7장 9. 불규칙활용 참조.

12 이 장은 통합적 관점의 필요성에 대한 것이어서 쉽게 읽히지 않을 가능성이 크다. 건너뛰고 책 전체를 다 읽고 난 뒤에 읽어도 무방하다.

(1) ㄱ. 앞이, 앞, 앞만 / 흙을, 흙도, 흙만
ㄴ. 덮어, 덮다가, 덮는 / 밟아라, 밟고, 밟는
ㄷ. 덮이다, 덮개, 덮치다, 덮밥
ㄹ. 가고, 먹고, 좋고

(1)은 단수 표기형의 예다. '앞'은 [아ㅍ, 압, 암]으로, '흙'은 [흘ㄱ, 흑, 흥], '덮-'은 [더ㅍ, 덥, 덤]로, '밟-'은 [발ㅂ, 밥, 밤]으로 발음되지만 [아ㅍ, 흘ㄱ, 더ㅍ, 발ㅂ]를 대표형태로 삼고 형식형태소와 분철하여 '앞, 흙, 덮-, 밟-'으로 표기형을 단일화한 것이다. 실질형태소와 마찬가지로, (1ㄹ)의 형식형태소 '-고'도 [고, 꼬, 코]로 실현되지만 [고]를 대표형태로 삼아 표기형을 단일화한 것이다.

(1)에서 형태소 '앞, 흙, 덮-, 밟-', '-고'의 발음형은 여럿이지만 표기형을 단일화할 수 있는 까닭은 표기형과 발음형을 매개하는 규칙이 있기 때문이다. [아ㅍ, 흘ㄱ, 더ㅍ, 발ㅂ]는 모음 앞에서 연음규칙이, [압, 흑, 덥, 밥]은 휴지나 자음 앞에서 평파열음화와 자음군단순화가, [암, 흥, 덤, 밤]은 비음 앞에서 비음화 규칙이 표기형과 발음형을 매개한다. [꼬]는 불파음 뒤에서 경음화, [코]는 'ㅎ' 뒤에서 격음화 규칙이 표기형과 발음형을 매개한다.

「발음법」은 단수 표기형을 설명 대상으로 하여 변동규칙으로 발음형을 설명한다. 따라서 (1)과 같은 단수 표기형과 발음형의 관계는 생성음운론의[13] 기저형(underlying form)과 표면형

13 Chomsky & Halle(1968)에서 시작된 변형생성문법 이론에 바탕을 두고 있는 음운 이론으로 특히 추상적인 기저 음운 체계에 관심을 가진다.

(surface form) 관계와 동일하다. 기저형은 머릿속에 언어지식의 일부로 저장되어 있는 형태소, 낱말, 문장의 음성형을 말한다. 기저형은 한 형태소가 표면적으로 다양한 형태로 실현되는 것을 음운론적으로 설명하기 위해 설정한 것이다. 형태소를 구성하는 음운이 곧 기저형이고, 이 기저형에 규칙이 적용되어 도출된 결과가 표면형이다.

'1 형태소 : 1 표기형'인 단수 표기형이 기저형과 동일함은 음운론을 「맞춤법」과 연계하여 살핌으로써 포착할 수 있는 것이다. '단수 표기형'은 '기저형'보다 투명하고 명료한 개념이어서 문법교육의 수월성을 높이게 할 것이고, 아울러 어문규범과의 통합적 관점은 문법교육의 효과를 제고할 것이다. 자세한 내용은 6장에서 다룬다.

(2) ㄱ. 살다/사는, 예쁘다/예뻐, 주어라/줘라
ㄴ. 먹으니까/가니까, 잡아라/접어라/서라
ㄷ. 걷다/걸은, 걸으니까, 걸어서, 걸어요

(1)과 달리 (2)는 '어법에 맞도록'을 충족하지 못한 표기형이다. (2ㄱ, ㄷ)의 어간 형태소 표기는 '살-/사-', '예쁘-/예ㅃ', '주-/ㅈw', '걷-/걸-'로 이원화되었다. (2ㄴ)의 어미 형태소 표기형도 '-으니까/-니까', '-아라/-어라/-∅라'로 복수이다. 한 형태소가 복수의 표기형을 가진 경우이고 이를 '복수 표기형'이라 부르겠다.

그러나 (2)도 한 형태소의 발음형이 여럿이라는 점에서는 단수 표기형인 (1)과 같다. 그런데 (1)은 한 형태소당 표기형이 하나인데 (2)는 왜 여럿인지 설명할 수 있으려면 어문규범을 음운론과 함께 살펴야 한다. 이는 어문규범과 음운론을 더 정밀하고 깊이 있게 이해하는 길이 될 것이다. 여기서는 단순하게 말하자면 표기형에서 발음형을 매개할 변동규칙이 없을 때 복수 표기형이 쓰인다고 할 수 있다. 예컨대 표기형을 '*살는, 예쁘어, 주어라, 가으니까, 잡어라, 걷은'으로 단일화하면 [사는, 예뻐, 줘라, 가니까, 자바라, 걸은]을 매개할 수 있는 변동규칙이 없기 때문에 복수 표기형이 쓰인다.

변동규칙이 없다 함은 단일어에서는 허용 가능한 음소 결합인데 음운변동이 일어났음을 뜻한다. 복수 표기형은 이형태 각각이 표기에 반영된 것이다. 이런 점에서도 음운론이 「맞춤법」과도 밀접한 관계를 맺고 있음이 확인된다. 예컨대 어간 끝 'ㅡ'탈락, 반모음화 등은 「발음법」이 아니라 「맞춤법」에 규정된다. 왜냐하면 「발음법」의 변동규칙으로 표기형 '*크어', '주어서'에서 발음형 [커], [줘서]를 이끌어 낼 수 없기 때문이다. 이는 '크+어, 주+어서'의 형태소 경계 음소는 형태소 내부에서는 허용 가능한 결합임에도 일어나는 현상이기 때문이다. (2)의 복수 표기형에 실현되는 음소 변동은 7장에서 다룰 것이다.

(2ㄱ, ㄴ)은 규칙적(regular) 현상이어서 이론적으로는 단일 기저형을 설정하고 규칙(rule)으로 설명할 수도 있다. 예컨대 '-어'를 기저형으로 보고 '-아'는 '어 → 아 / ㅏ, ㅗ____'로 표현되는 양성모음화로 도출할 수도 있다.[14] 그러나 '사어, 고어'처럼 [ㅏ

14 '-어'를 기저형으로 보는 것은 '-어'가 '-아'보다 분포의 제약이 덜하고, '크-, 쓰-, 뜨-'처럼 'ㅡ'로 끝나는 어간은 모음어미와 연결되면 'ㅡ'가 탈락하여 모음이 없는 상태인데, 이때도 '-어'가 선택되기 때문이다.

ㅓ], [ㅗㅓ]의 결합은 제약이 없어서 /잡어서/에서 [잡아서]를 예측할 수 없다. 심지어 불규칙용언 어간 기저형도 단일화하기도 하지만, /춯/, /추w/와 같은 기저형은 현대국어 음소체계에는 없는 /ㅸ/나 /uw/가 포함되어 있다는 점에서 지나치게 추상적이며, 일반성이 없는 특수한 규칙을 설정해야 한다는 점에서 사용자들의 언어 직관에 맞지 않다는 문제점이 있다. 그래서 어미 /-으니까/와 /-니까/, /-어/와 /-아/, 어간 /걷-/과 /걸-/처럼 복수 기저형을 설정하기도 하는데 이는 복수 표기형을 쓰는 것과 동일한 이유이다.

대표형태, 표기형, 기저형, 원형 형태론 용어인 '형태소, 대표형태', 음운론 용어인 '기저형'에 해당하는 「맞춤법」 용어는 '원형'이다. 「맞춤법」에서 '원형'은 15, 19, 20, 21, 23, 25, 27항에서 사용되었다. 15항 붙임 2처럼 복합어가 아닌 경우에도 사용되었지만,[15] 거의 다 복합어 표기를 설명할 때 사용되었다. 이때 원형은 복합어 구성요소가 단일어로 쓰일 때의 형태이므로 원형은 '형태소의' 원형이고 대표형태를 뜻한다.

15항 붙임 2(종결형에서 사용되는 어미 '-오'는 '요'로 소리 나는 경우가 있더라도 그 원형을 밝혀 '오'로 적는다.)

19항(어간에 '-이'나 '-음/-ㅁ'이 붙어서 명사로 된 것과 '-이'나 '-히'가 붙어서 부사로 된 것은 그 어간의 원형을 밝히어 적는다.) 다만(어간에 '-이'나 '-음'

15 「표칙」 5항 다만(어원적으로 원형에 더 가까운 형태가 아직 쓰이고 있는 경우에는, 그것을 표준어로 삼는다.)에 사용된 '원형'은 어원적 형태를 뜻한다.

이 붙어서 명사로 바뀐 것이라도 그 어간의 뜻과 멀어진 것은 원형을 밝히어 적지 아니한다.) 붙임(어간에 '-이'나 '-음' 이외의 모음으로 시작된 접미사가 붙어서 다른 품사로 바뀐 것은 그 어간의 원형을 밝히어 적지 아니한다.)

20항(명사 뒤에 '-이'가 붙어서 된 말은 그 명사의 원형을 밝히어 적는다.) 붙임('-이' 이외의 모음으로 시작된 접미사가 붙어서 된 말은 그 명사의 원형을 밝히어 적지 아니한다.)

21항(명사나 혹은 용언의 어간 뒤에 자음으로 시작된 접미사가 붙어서 된 말은 그 명사나 어간의 원형을 밝히어 적는다.)

23항('-하다'나 '-거리다'가 붙는 어근에 '-이'가 붙어서 명사가 된 것은 그 원형을 밝히어 적는다.) 붙임('-하다'나 '-거리다'가 붙을 수 없는 어근에 '-이'나 또는 다른 모음으로 시작되는 접미사가 붙어서 명사가 된 것은 그 원형을 밝히어 적지 아니한다.)

25항('-하다'가 붙는 어근에 '-히'나 '-이'가 붙어서 부사가 되거나, 부사에 '-이'가 붙어서 뜻을 더하는 경우에는 그 어근이나 부사의 원형을 밝히어 적는다.) 붙임 2(어원이 분명하지 아니한 것은 원형을 밝히어 적지 아니한다.)

27항(둘 이상의 단어가 어울리거나 접두사가 붙어서 이루어진 말은 각각 그 원형을 밝히어 적는다.)

원형을 밝혀 적은 '앉으시오(15항 붙임 2), 같이, 길이, 묶음, 밝히(19항), 곳곳이, 바둑이(20항), 값지다, 덮개(21항), 오뚝이, 살살이(23항), 곰곰이, 급히(25항), 꽃잎, 웃옷(27항)'은 모두 형태소 경계대로 분철 표기되고 각각 대표형태와 일치한다.

'노름(19항 다만), 너무, 주검(19항 붙임), 끄트머리(20항 붙임), 개구리, 얼루기(23항 붙임), 반드시(25항 붙임 2)'는 공시적으로 단일어이고 발음형이 곧 대표형태이고 기저형이고 표기형이다. 이를 원형을 밝혀 적지 않는다고 했을 때 원형은 통시적 관점이고, 공시적으로는 단일어이므로 이 자체가 대표형태이다.

형태소, 대표형태, 기저형, 원형은 이론문법에서는 다른 층위에서 사용되거나 약간의 개념 차이를 지니는 말들이다. 그러나 이미 학교문법에서 형태소 개념을 교육하고 있기 때문에 국어교육을 포함한 규범문법에서는 '무엇의' 원형인지를 명확히 할 필요가 있다. 그래야 「맞춤법」과 음운론에 대한 종합적 이해를 도울 수 있다. 공시적 관점에서 원형은 형태소의 원형이고 대표형태이다.

어문규범에서 '형태소'는 「발음법」 15항(받침 뒤에 모음 'ㅏ, ㅓ, ㅗ, ㅜ, ㅟ'들로 시작되는 실질형태소가 연결되는 경우에는, 대표음으로 바꾸어서 뒤 음절 첫소리로 옮겨 발음한다.)에서 단 한 번 사용되었다. 이는 가능한 전문 용어를 쓰지 않고 쉽게 풀어 설명하려는 어문규범의 기본 태도 때문이기도 하지만 무엇보다 각 규정이 만들어진 시기와 참여자가 달랐기 때문일 것이다. 「맞춤법」이 만들어진 시기에는 아직 '형태소'라는 개념이 국어학계에 충분히 받아들여지기 이전인 데 반해 「발음법」은 1988년에 첨가된 것이다.

'기본형(태)'도 '형태소, 대표형태, 원형'과 같은 뜻으로 혼용되고 있다. 그러나 『사전』에서 기본형의 의미는 〈활용형의 기본이 되는 형태〉여서, 가변어(inflected word)인 용언과 서술격 조사에만 적용되고, 모두 '-다'의 꼴을 지니고, 『사전』의 표제어(올림말)로 쓰이는 것이다. '원형, 형태소, 대표형태, 기저형'이 형태소 단위를 전제로 한다면, 『사전』 표제어로서 '기본형'은 어미 '-다'를 포함한다. 기본형에서 '-다'를 뺀 것이 어간 형태소이고 기저형이고 원형이다. 이 책에서 기본형은 『사전』의 정의와 같은 뜻으로 쓴다.

2.2. 표준 발음법과 음운론

표준어 규정의 일부인 「발음법」은 규정 전체가 음운론적 내용이다. 1항(표준 발음법은 표준어의 실제 발음을 따르되, 국어의 전통성과 합리성을 고려하여 정함을 원칙으로 한다.)은 표준발음을 정하는 원칙인데, 여기서 '합리성'은 한국어 변동규칙에 따른다는 뜻으로, 경음화, 비음화, 유음화, 구개음화 등의 규칙에 부합하는 발음을 표준발음으로 보는 것이다.

표준발음 선정 원칙 표준발음은 '실제 발음'을 주 기준으로 하고, '전통성, 합리성'을 고려한다. 실제 발음은 교양 있는 사람들이 두루 쓰는 현대 서울말의 발음을 뜻한다. '밟다가, 밟고, 밟는'을 [*발따가, 발꼬, 발른]으로 발음하는 지역도 많지만 [밥:따가, 밥:꼬, 밤:는]으로 발음하는 서울말을 표준발음으로 삼는다.

실제 발음이 통일되어 있지 않을 때는 전통성, 즉 국어의 역사를 고려한다. 젊은 세대로 갈수록 길이를 구별하지 않는 경향이 강하지만, 역사적으로 보면 소리의 길이를 구별해 온 전통을 가지고 있다. 길이에 대한 규정을 포함하고 있는 것은 이러한 전통성에 바탕을 둔 것이다.

합리성은 「맞춤법」에서 어법에 맞게 적는다는 것과 맞먹는 조건으로 한국어 변동규칙에 따른다는 뜻이다. 경음화, 비음화, 유음화, 구개음화 등의 규칙에 부합하는 발음을 표준발음으로 보는 것이다.

실제 발음과 합리성이 일치하지 않을 때도 있다. 이 경우 크게 세 가지 방법 중 하나를 쓴다. 첫째, '곬이[골씨]'처럼 합리성보다 실제 발음을 취한다. 이는 연음규칙에 비추어보면 합리성에 어긋나는 특수한 경우이다. 둘째, [마딛따/마싣따]처럼 복수 표준발음을 허용한다. '맛있다'는 실제 발음에서는 [마싣따]가 자주 쓰이지만, '있다'가 실질형태소이므로 '옷 안[오단]'처럼 평파열음화와 연음규칙이 순차적으로 적용된 [마딛따]가 합리적인 발음이다. 셋째, '통닭을[통달글]'처럼 합리성을 취하고 실제 발음을 버리는 경우도 있다. '통닭을'의 통용음은 대부분 [*통다글]이지만 표기형을 '*통닥'으로 바꾸지 않는 이상 [통달글]이 연음규칙에 부합하는 표준발음이다.

「발음법」 2항(표준어의 자음은 다음 19개로 한다.), 3항(표준어의 모음은 다음 21개로 한다.), 4항('ㅏ ㅐ ㅓ ㅔ ㅗ ㅚ ㅜ ㅟ ㅡ ㅣ'는 단모음(單母音)으로 발음한다.), 5항('ㅑ ㅒ ㅕ ㅖ ㅘ ㅙ ㅛ ㅝ ㅞ ㅠ ㅢ'는 이중 모음으로 발음한다.)은 자음소와 모음소 목록이다. 3장 음의 길이에 속해 있는 6, 7항은 운소와 운소 변동에 관한 것이다. 8항(받침소리로는 'ㄱ, ㄴ, ㄷ, ㄹ, ㅁ, ㅂ, ㅇ'의 7개 자음만 발음한다.)에서 받침소리는 발음형의 종성을 뜻하고 이 조항은 발음형의 음절 끝 자음 목록을 제시한 것이다.

「발음법」 9항~29항의 설명 대상은 단수 표기형이고, 이는 '소리대로'와 '어법에 맞도록' 두 기준을 다 충족한 것이다. 단수 표기형과 발음형 차이는 변동규칙으로 설명된다. 생성음운론에서는 음운변동을 기저형에 일련의 규칙을 적용시켜 표면형을 도출하는 과정으로 설명하는데, 단수 표기형은 기저형에, 발음형은 표면형에 해당한다. 따라서 「발음법」은 1항부터 29항까지 모두 음운론적 내용이다.

사이시옷이 표기된 예를 다룬 30항도 음운론적 내용이긴 하나 「발음법」 체계 내에서 이질적이다. 일단 표기된 '찻길[차낄]'류, '콧날[콘날]'류, '뒷윷[뒨:뉻]'류의 사이시옷이 각각 '씻고, 씻는, 첫윷'의 본디 받침 'ㅅ'과 동일한 변동을 보인다면 「발음법」에서 따로 언급할 대상이 아니다.[16] '갈고~가는'에서의 'ㄹ'탈락, '예쁘고~예뻐'에서 'ㅡ'탈락, '피었다/폈다'의 반모음화처럼 표기에 반영되는 변동은 「발음법」이 아니라, 「맞춤법」의 설명 대상이다.

(1)은 단수 표기형에 적용되는 음소 변동을 결과에 따라 '대치, 탈락, 축약, 첨가'로 분류하고, 「발음법」 조항 9~29항 중 어디에 해당하는지를 밝힌 것이다.

(1) 변동규칙과 「발음법」

대분류	소분류 (관련 「발음법」)	개념	예
음절 경계	연음규칙 (13~16항)	VC.V → V.CV	겉으로[거트-] 앉아[안자]
대치	평파열음화 (9항)	장애음 → 평파열음	잎[입], 있고[읻꼬] 부엌[-억]

16 '찻길'은 '씻고'와 같은 유형의 경음화이므로 23항에서, '콧날'은 '씻는'과 같은 유형의 비음화이므로 18항에서, '뒷윷'은 '첫윷'과 같은 유형의 'ㄴ'첨가이므로 29항에서 다루어질 내용이다. 자세한 논의는 6장 3.3, 7장 8 참조.

대치	비음화(18항)	폐쇄음 → 비음	밥만[밤-], 짓는[진-] 먹는[멍-]
	규칙적 경음화 (23~27항)	평음 → 경음	씻고[씯꼬] 안고[안:꼬] 발전[-쩐], 할 것[-껃]
	불규칙적 경음화 (28항)	평음 → 경음	산길[-낄], 등불[-뿔]
	구개음화(17항)	치조 파열음 → 경구개음	굳이[구지], 붙이고[부치-]
	'ㄹ'비음화 (19, 20항 다만)	ㄹ → ㄴ	생산력[--녁] 능력[-녁], 국력[궁녁]
	유음화(20항)	ㄴ → ㄹ	권력[궐-], 설날[설:랄]
	자음 위치동화 (21항)	치조음 → 양순음 → 연구개음	감기[*강-], 옷감[*옥깜] 문법[*뭄뻡]
탈락	자음군단순화 (10, 11항)	CC → C	값[갑], 앉고[안꼬]
	'ㅎ'탈락 (12항 4)	ㅎ → ∅	좋은[조-], 싫어[시러]
축약	격음화(12항 1)	ㅎ평음 → 격음 평음ㅎ → 격음	좋고[조코] 입학[이팍]
첨가	'ㄴ'첨가(29항)	∅ → ㄴ	부산 역[--녁], 서울 역[--력]
	'j'첨가(22항)	∅ → j	피어[--/-여]

2.3. 외래어 표기법과 음운론

학교문법에서 한국어 어휘를 어종(語種)에 따라 '고유어, 한자어, 외래어'로 나누듯이 외래어도 표준어에 포함된다는 점에서 우리말 질서를 준수하는 것이 원칙이다.

예컨대 'Christmas'는 영어에서 2음절어지만, 외래어 '크리스마스'는 5음절어다. 이런 차이는 원음을 보존하되, 우리말 음절구조제약(syllable structure constraint)에[17] 맞추어 받아들이면서 생긴 것이다. 초성 자리의 자음군은 표기로도 발음으로도 허용되지 않기 때문에 'ㅋ리'로 할 수 없고 두 자음의 음가를 유지하기 위해서는 두 모음이 필요하다. 또한 's'를 '크릿', '맛'처럼 'ㅅ' 받침으로 표기하면 음성형은 [크릳], [맏]이 되어 [s]의 음가를 살릴 수 없다. 우리말 음절구조에서 [s]는 초성에서만 실현되므로 'ㅅ'을 초성으로 쓰고 'ㅡ'를 첨가한 것이다. 'hint, spring'도 '힎, ㅅ프링'으로 적을 수 없다. 이 경우 한국어 음절구조제약을 지키려면 초성과 종성은 각각 최대 하나만 쓰고 나머지는 버리거나, 원지음의 음가를 살리려면 초성으로 적고 모음을 첨가해야 한다. 이때 첨가하는 모음은 대부분 'ㅡ'다. 「외표」 2장 표기 일람표에 따르면 자음 앞 또는 어말의 자음 'p/f, b/v, t, d/ð, k, g, s/θ, z/dz, ts, r, h/x'는 'ㅡ'를 첨가하여 각각 '프, 브, 트,

17 각 언어에는 음소가 음절을 구성할 때 작용하는 음절구조제약이 있다. 한국어는 발음형에서 하나의 음절에는 중성 하나가 필수적이고, 초성과 종성은 없거나 최대 하나가 올 수 있다. 초성 자리에는 'ㅇ/ŋ/'을 제외한 18개 자음이 올 수 있고 종성 자리에는 7개만 올 수 있다.

드, 크, 그, 스, 즈, 츠, 르, 흐'로 적는다.

(1) ㄱ. 「외표」 1장 3항
받침에는 'ㄱ, ㄴ, ㄹ, ㅁ, ㅂ, ㅅ, ㅇ'만을 쓴다.
ㄴ. 커피숍(*커피숖), 로켓(*로켄, *로켙)

(1ㄱ)에서 외래어 받침을 'ㄱ, ㄴ, ㄹ, ㅁ, ㅂ, ㅅ, ㅇ'으로 제한하는 근거는 「맞춤법」 총칙 1항(한글 맞춤법은 표준어를 소리대로 적되, 어법에 맞도록 함을 원칙으로 한다.)이다. [아피, 아플, 아페서]에서 조사를 분리하면 추출되는 '아ㅍ'이 원형이고 대표형태이므로 '앞'으로 분철 표기한다. 따라서 '*커피숖'으로 쓰려면 '*커피숖이, 커피숖에서'가 [*쇼피, 쇼페서]로 소리 나야 한다. 그러나 [쇼비, 쇼베서]로 발음하므로 '커피숍'이라 쓰는 것이다. '*로켄, 로켙'이 아니라 '로켓(rocket)'이라 쓰는 근거도 [로케시, 로케슬, 로케스로]에서 조사 '이, 을, 으로'를 분리하면 '로켓'이 남지 '*로켄'이나 '*로켙'을 추출할 수 없기 때문이다.

(2) ㄱ. 「맞춤법」 39항. 어미 '-지' 뒤에 '않 -'이 어울려 '-잖-'이 될 적과 '-하지' 뒤에 '않 -'이 어울려 '-찮-'이 될 적에는 준 대로 적는다.
ㄴ. 「발음법」 5항 다만 1. 용언의 활용형에 나타나는 '져, 쪄, 쳐'는 [저, 쩌, 처]로 발음한다.

(2)의 규정은 모두 'ㅈ, ㅉ, ㅊ'과 'ㅣ'계 이중모음의 결합제약과 관련된 것이다. (2ㄱ)에 따라 '변변하지 않다'의 준말을 '*변변

찮다'가 아니라 '변변찮다'로 적는다. '가지어'에서 '-지어'의 축약을 '-져'로 적지만 (2ㄴ)에 따라 표준발음은 [*-져]가 아니라 [-저]이다. 경구개 자음과 'ㅣ'계 이중모음이 결합한 음절이 어두 음절인 단어는 '쳐다보다'처럼 준말인 경우를 제외하면 없다. 어중에도 '가져(←가지어)'처럼 축약형임을 표기에 남길 때를 제외하고는 쓰지 않는다.

(3) ㄱ. 「외표」 3장 1절 3항 3. …모음 앞의 [ʒ]는 'ㅈ'으로 적는다.
ㄴ. 「외표」 3장 1절 4항 2. 모음 앞의 [tʃ], [dʒ]는 'ㅊ', 'ㅈ'으로 적는다.

(3)도 (2)와 마찬가지로 'ㅈ, ㅉ, ㅊ'과 'ㅣ'계 이중모음의 결합 제약을 준수하기 위함이다. '*비젼, 쥬스, 챠트, 쵸콜렛'으로 적는 경우가 많지만 각각 '비전, 주스, 차트, 초콜릿'으로 적어야 한다.

외래어와 음운론 외래어도 한국어로서 질서를 지키는 것이 원칙이지만, 현행 외래어는 고유어나 한자어가 따르는 음소 배열 제약이나 변동규칙을 벗어나는 경우가 많다. 예컨대 '로브스터'처럼 어두의 'ㄹ', '블루종'처럼 'ㅂ'과 'ㅡ'가 결합한 음절은 외래어에서만 나타난다. 또 표기형 '로커'와 실제 발음 [*라카]처럼 변동규칙이 양자를 매개할 수 없는 경우가 많다. 이는 현행 「외표」의 문제점에 기인하는 경우가 대부분이다.

(1) 네스트(nest), 캣(cat), 북(book), 셋백(setback)

(2) ㄱ. 로브스터/랍스터(lobster), 블루종(blouson), 케이프 (cape), 스크램블(scramble), 인터로크(interlock)
ㄴ. 로페 데베가/베가(Lope de Vega), 노리스·라과디아-법(Norris-La Guardia法)

(3) 로커[*라카], 팸플릿[*팜-렛], 보디[*바-], 배터리[*바떼-]

(1)은 「외표」에 제시된 예지만 『사전』에는 없다. 「외표」는 인명과 지명을 다룬 4장 외에도 (1)과 같은 예가 다수이고 이들은 표준어 사정 없이 표기법만 풀이한 것이다. 현행 「외표」는 '외래어'라는 용어의 『사전』 정의와[18] 달리 외국어 표기법을 겸하고 있다. 외래어인지 외국어인지의 구별이 「외표」에서 불분명하다면 『사전』을 참조할 수 있으면 괜찮겠지만 그렇지도 못하다. (2ㄱ)은 일반명사, ㄴ은 고유명사로 『사전』에 등재된 예이다. 방언, 비표준어 등으로 표준어가 아님을 명시하지 않은 이상 『사전』에 등재된 말은 표준어여야 함에도 불구하고 사용빈도로 보나 필요성으로 보나 외래어가 아니라 외국어로 보이는 예들이 많아서 현재로서는 『사전』으로도 외래어와 외국어를 구별하기 어렵다. 현행 「표칙」에서 외래어는 빠져 있고 「표칙」 1장 2항(외래어는 따로 사정한다.)은 그 실천 여부가 불명확하다. 이는 「맞춤법」이 표준어 적기 규정이어서 「표칙」과 긴밀하게 연계되어 있는 것과 대조적이다.

(3)은 모두 원지음과 다르다는 이유로 통용음처럼 모음을 표기하는 것은 규범적으로는 오류다. 단일어는 표준어의 실제 발음

18 『사전』에서 외래어(外來語)는 '외국에서 들어온 말로 국어처럼 쓰이는 단어. 버스, 컴퓨터, 피아노 따위가 있다.'로 정의되어 있고 유사한 말로 '들온말, 전래어, 차용어'가 제시되어 있다.

대로 적는 것이 「맞춤법」 총칙의 '소리대로'가 뜻하는 바다. 발음형이 [하늘]이어서 '하늘'로 적는 것이다. 따라서 실제 발음이 [*라카]라면 '로커'로 표기하는 것은 「맞춤법」 총칙에 어긋난다. 고유명사를 포함한 외국어 표기는 최대한 원지음을 반영한 전음법을 택할 수 있다. 그러나 외래어는 원지음이 아니라 한국인의 실제 발음을 따라야 한다. 원지음을 쫓느라 한국인의 실제 발음과 동떨어진 표기형은 기저형으로 보기도 어렵고, 토착화를 막는 역기능을 하고 있다. 더구나 원지음 그대로 표기하는 것은 어차피 불가능한 일이다. 그 이유는 1) 원지음과 한글 대조는 음소 층위에서 이루어지는데 음소는 본질적으로 개별언어적 언어단위이고, 2) 원지음이 단일하지 않고 이 중 하나가 표준으로 정해지지 않은 경우가 많고, 3) 애초에 간접 차용되어 원지음이 어딘지 모르는 경우도 많고, 4) 어차피 언어는 변화하고 원지음 또한 그러하기 때문이다.

2.4. 국어의 로마자 표기법과 음운론

국어를 로마자화하는 대상은 「로표」 1장 1항(국어의 표준 발음법에 따라 적는 것을 원칙으로 한다.)에 따라 표기형이 아니라 발음형이다. 이런 점에서 음운론과 「로표」의 관련성은 명백하다.

(1) ㄱ. 구미Gumi, 백암Baegam, 합덕Hapdeok, 호법Hobeop, 벚꽃[벋꼳]beotkkot, 한밭[한받]Hanbat

ㄴ. 구리Guri, 설악Seorak, 칠곡Chilgok, 임실Imsil

(1)은 「로표」 2장 2항의 예 중 일부다. 'ㄱ, ㄷ, ㅂ, ㄹ'은 발음형에서 초성이면 'g, d, b, r'로, 종성이면 'k, t, p, l'로 구별해서 적음을 알 수 있다.

(2) ㄱ. 백마[뱅마] Baengma
ㄴ. 신문로[신문노] Sinmunno, 종로[종노] Jongno
ㄷ. 별내[별래] Byeollae, 신라[실라] Silla
ㄹ. 해돋이[해도지] haedoji
ㅁ. 학여울[항녀울] Hangnyeoul

(2)는 「로표」 3장 1항의 예를 재분류한 것이다. 표기형이 아니라 발음형을 로마자화했음을 알 수 있다. (2ㄱ)은 비음화, ㄴ은 'ㄹ'비음화, ㄷ은 유음화, ㄹ은 구개음화, ㅁ은 'ㄴ'첨가가 적용된 발음을 로마자화한 것이다.

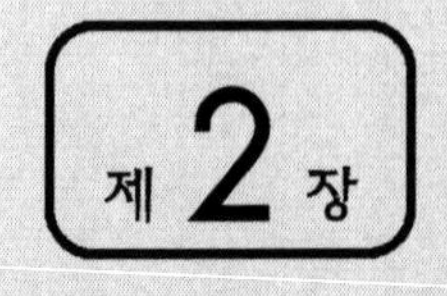

음성학과 음성

1. 음성학

말소리가 의미를 실어 나르는 소통의 매체가 되기 위해서는 복잡한 과정을 밟아야 한다. 소통 참여자는 언어능력을 포함하는 인지능력과, 특정 언어에 대한 언어지식을 공유하고 있어야 한다. 말소리 생성은 말할이가 뇌로 표현할 내용을 정하는 심리적이고 언어적인 과정과 발음기관의 운동으로 말소리를 생성해 내는 생리적인 과정을 통해 일어난다. 생성된 말소리는 공기를 통해 음파의 형태로 들을이의 귀에 도달하고 또 말할이 자신의 귀에도 되돌아가 자신의 말소리를 점검할 수 있다. 말소리는 공기 중의 음파 형태로 눈에 보이지 않으나 소리 에너지로 들을이의 귀에 도달한다. 말소리 인식은 귀로 말소리를 받아들이고, 이를 청신경을 통해 뇌로 전달하는 생리 작용과, 소리를 의미로 해석하는 심리 언어적인 과정을 통해 일어난다.

말소리는 세 가지 측면에서 연구할 수 있는데, 각각을 조음 음성학, 음향 음성학, 청취 음성학이라 한다. 조음 음성학은 말할이의 입장에서 어떻게 말소리를 만들어 내는지를 연구한다. 음향 음성학은 음파 자체의 물리적 특성이 주된 연구 대상이다. 청취 음성학은 들을이의 입장에서 말소리를 어떻게 지각하는지에 대해 연구한다.

그러나 말할이의 음성 생성, 물리적으로 인간의 외부에 존재하는 음파, 들을이의 음성 인식은 서로 긴밀하게 연관되어 있어서 음성학의 세 분야도 상호 참조한다. 예를 들어 [이미]라고 발음할 때 말할이는 [ㅣ]를 발음하기 위해 성대를 진동시키고 구강 모양을 모음 [ㅣ]를 생성할 수 있는 특정한 형상으로 만든다. 이로 인해 주기파가 만들어지고, 이 주기파는 특정한 주파수대에서 증폭되어 스펙트로그램에서 포르만트(formant)로 나타난다. 들을이는 이 주기파를 청각기관으로 듣고 [ㅣ]의 음가를 지각한다.

(1) 어금닛소리 ㄱ은 혀뿌리가 목구멍을 막는 꼴을 본떴고(牙音ㄱ 象舌根閉喉之形), 혓소리 ㄴ은 혀가 윗잇몸에 붙는 모습을 본떴다(舌音ㄴ 象舌附上顎之形). 입술소리 ㅁ은 입모양을(脣音ㅁ 象口形), 잇소리 ㅅ은 이의 모양을(齒音ㄴ 象舌附上顎之形), 목구멍소리 ㅇ은 목구멍을 본떴다(喉音ㅇ 象喉形).

조음 음성학적 연구는 가장 오랜 역사와 전통을 지니고 있어서 가장 많은 연구 결과가 축적되었다. (1)은 『훈민정음』에서 기본자 'ㄱ, ㄴ, ㅁ, ㅅ, ㅇ'을 해당 자음을 발음할 때의 발음기관 모양을 본떠 만들었음을 밝힌 것이다. 훈민정음은 조음 음성학적 연구가 바탕이 된 결과물임을 알 수 있다.

이 장에서는 조음, 음향, 청취 음성학에 대한 대략적인 소개만 하고, 다음 장에서 조음 음성학적인 방법으로 음성의 본질에 대해 살필 것이다.

1.1. 조음 음성학

조음 음성학(articulatory phonetics)은 말할이가 말소리를 어떻게 생성하는가를 살펴 말소리의 특성을 연구하는 분야로, 생리 음성학이라고도 불린다. 말소리는 우리 몸에서 만들어지므로 우리 몸은 말소리를 만드는 악기 역할을 한다.

(1) 발음기관(그림 출처: https://en.wikipedia.org)

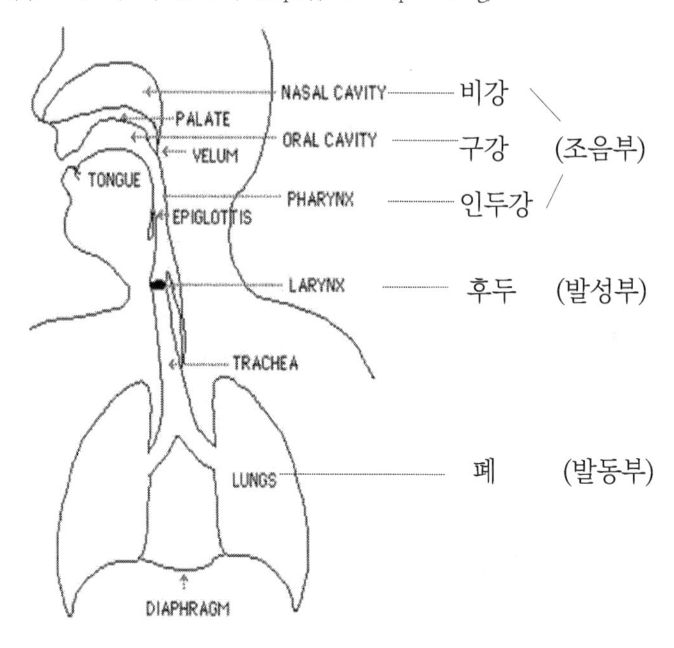

피리에서 소리가 만들어지기 위해서는 무엇보다 에너지 원천에 해당하는 공기가 피리 속을 통과해야 한다. 우리 몸에서 공기 에너지가 나가고 들어오는 곳은 폐이다. 공기가 폐에서 시작하여

기관(氣管, trachea)과, 후두에 있는 성문을 지나 구강과 비강을 통과하여 입이나 코로 나오면 이것이 날숨[호기(呼氣)]이다. 기류의 방향이 날숨과 반대로 입 바깥에서 안으로 들어오면 들숨[흡기(吸氣)]이 된다. 이 공깃길이 우리 몸 중에서 말소리를 만드는 데 관여하는 기관이다. 그래서 폐에서 입 또는 콧구멍까지의 공깃길을 발음기관(음성기관, vocal organ)이라고 한다.

말소리를 만들 때 발음기관에서 하는 일은 그 기능에 따라 발동, 발성, 조음작용으로 나눌 수 있다. 말소리를 생성하기 위한 에너지는 기류이다. 말소리의 에너지 원천(source) 역할을 하는 기류 생성 작용을 발동작용(initiation process)이라 한다. 발동작용만으로는 특정한 음가를 지닌 음성이 만들어지지 않지만, 말소리 생성을 위해 반드시 필요한 과정이다. 발동작용이 이루어지는 곳을 발동부라 하는데, 한국어 음성을 만들 때 사용되는 발동부는 폐(허파)이다.

한국어뿐 아니라, 대부분의 언어음은 폐가 발동부이고 날숨 기류로 만들어진다. 뽀뽀할 때 나는 소리, 혀 찰 때 나는 소리 등은 날숨이 아니라 들숨으로 만들어지는 소리고, 발동이 일어나는 위치도 구강 뒤쪽이다. 그러나 '뽀뽀할 때 나는 소리, 혀 찰 때 나는 소리' 자체는 언어음이 아니다. 의성어(소리흉내말) '쪽, 쯧쯧'은 날숨으로 만들어지는 언어음이다.

폐에서 올라온 날숨 기류가 성문을 통과할 때 겪는 일차적인 기류 조정 작용을 발성작용(phonation process)이라 한다. 기관보다는 성문이 좁기 때문에, 기류는 어떤 식으로든 성문을 통과할 때 변형을 겪게 된다. 발성작용이 이루어지는 곳을 발성부라 하는데, 후두가 바로 이에 해당한다. 후두(larynx)는 성대, 성문

뿐 아니라 주변의 연골과 근육을 아울러 가리키는 개념이다. 마치 방패처럼 성대를 보호하고 있는 갑상연골(방패여린뼈)도 후두의 일부분이다. 성대(목청, vocal folds)는 서로 마주보고 있는 두 개의 근육이고, 이 두 근육 사이를 성문(glottis)이라 하는데, 기류는 성문을 통과하여 후두 위로 올라간다.

성문을 통과할 때 후두가 어떻게 작용하느냐에 따라 음색이 달라진다. 예를 들어 성대를 진동하면서 기류를 내보내면 유성음, 진동 없이 내보내면 무성음이 된다. 발성작용은 폐에서 올라온 기류를 조정하여 '유성음, 무성음', '유기음, 무기음', '후두 긴장음, 비긴장음'과 같은 소리의 종류를 결정한다. 발성작용으로 인한 기류는 음성의 기본적 성격을 결정짓지만, 이것만으로 특정 음가를 지닌 개별 음성이 되지는 못한다.

조음작용(articulation process)은 혀나 입술처럼 능동적으로 민첩하게 움직일 수 있는 기관을 이용하여 후두에서 올라온 기류를 다양한 방법으로 재조정하여 특정한 음가를 지닌 음성을 생성하는 작용을 말한다. 주로 후두 위의 발음기관에서 일어난다. 조음작용을 거침으로써 드디어 자음 [ㅂ], 모음 [ㅏ]와 같이 특정한 음가를 지닌 개별 음성이 생성된다. 발동작용, 발성작용, 조음작용이 모두 어우러져야 하나의 음성이 생성되는 것이다. 어떤 조음작용을 통해 어떤 음성이 생성되는가에 대해서는 장을 달리하여 상술할 것이다. 조음작용이 이루어지는 곳을 조음부라 하는데, 대부분 조음부는 후두 위에 있는 발음기관이다. 후두 위의 발음기관을 성도(聲道, 소릿대, vocal tract)라고도 한다.

'ㅎ'의 조음부 'ㅎ'을 '후음, 후두음, 성문음, 목청소리' 등으로 부르는데, 이는 발성작용에 따른 것이 아니라, 'ㅎ'의 조음위치가 후두라는 뜻이다. 조음위치로서 '후두, 목청, 성문'은 같은 뜻으로 혼용된다. 'ㅎ'의 조음위치가 후두라면 이때 후두는 발성부가 아니라 조음부로 기능한다. 후두가 조음부가 되는 소리는 'ㅎ'과 더불어 중세국어의[1] 'ㆆ'도 그렇다. 그러나 대부분의 말소리에서 후두가 조음부가 되는 경우는 드물다. 그래서 일반적으로 조음부라 하면 후두 위의 발음기관을 뜻한다.

조음부는 인두강(목안, pharyngeal cavity), 구강(입안, oral cavity), 비강(코안, nasal cavity), 순강(脣腔)으로 나눌 수 있다. 이들은 공명강(共鳴腔, resonant chamber)으로서 역할을 한다. 하나의 공간으로 되어 있는 피리나, 후두의 위치가 목 바로 밑이어서 인두강이 형성되지 않는 침팬지와 견주어 보면 말소리를 내는 인간의 발음기관은 아주 정교한 악기임을 알 수 있다.

1.2. 음향 음성학

음향 음성학(acoustic phonetics)에서는 음파(sound wave)

1 중세국어 시기를 학교문법에서는 10~16세기로 본다.(『수특』: 210) 이 책에서 중세국어는 훈민정음 창제 이후부터 16세기 말까지의 후기 중세국어를 말한다.

자체의 물리적 특성을 밝힘으로써 말소리의 본질에 도달하고자 한다. 음파는 눈에 보이지 않기 때문에, 음향분석기(sound spectrograph)와 같은 기계를 이용하여, 눈에 보이지 않는 말소리를 가시적인 형태로 바꾸어 놓고 말소리의 음향적 특성을 연구한다. 스펙트로그램(spectrogram)은 말소리의 주파수(frequency)와 진폭(amplitude)이 시간의 변화에 따라 어떻게 달라지는가를 시각적으로 보여주는 3차원 그림이다. 음향분석기를 이용해 찍은 소리 사진인 셈이다. 스펙트로그램에서 x축은 시간, y축은 주파수를 나타내며, 진하기의 정도는 진폭을 나타낸다.

음향적으로 음성은 공명음(共鳴音, 향음, sonorant)과 장애음(障碍音, 비공명음, obstruent)으로 나눌 수 있다. 공명음은 주기파(periodic wave)를 가진 소리이고, 본디 유성음인 모음과 비음, 유음이 이에 해당한다. 공명음은 공명강 역할을 하는 조음부 모양에 따라 스펙트로그램에 각기 다른 공진(共振) 성분의 피크군(peak群)인 포르만트를 보여준다.

장애음은 비주기파(aperiodic wave)를 가진 소리로서 공명자음인 [ㅁ, ㄴ, ㅇ, ㄹ]를 제외한 자음이 이에 해당한다. 장애음을 순수 자음, 진자음(true consonant)이라고도 한다. 장애음은 소음 원천(noise source)에 따라 스펙트로그램 상에 나타나는 형태가 다르다. 마찰음 [ㅅ]는 약 3000Hz 이상의 고주파수 대에 비주기파를 보이는데, 이런 마찰 소음(friction noise)은 마찰음 [ㅅ]를 발음할 때 혀끝이 잇몸에 아주 가까이 접근하여 좁은 틈으로 기류가 빠져나가기 때문이다. 파열음은 에너지가 없는 묵음 구간이 있는데, 이는 파열음 [ㅌ]를 발음하기 위해 혀끝을 잇몸에 붙여서 기류를 폐쇄하는 조음작용 때문이다. [타]를 발음하면 묵음 구간 직후 순간적인 파열 소음(burst noise)과 유기음 [ㅌ]의 기 소음(aspiration noise)이 뒤따른다. 파열 소음은 잇몸에 붙었던 혀끝을 개방할 때 막혔던 기류가 터져 나오기 때문이고, 기 소음은 구강 내 조음부는 개방이 이루어졌지만, 성대는 아직 뒤따르는 모음을 위한 진동이 이루어지지 않아서 성대진동시작시간(voice onset time)이 지연되는 무성 구간이다.

1.3. 청취 음성학

청취 음성학(auditory phonetics)은 말소리를 어떻게 지각(知覺, perception)하는지 연구함으로써 말소리의 본질에 도달하고자 한다. 물리적으로 봤을 때 음가가 완전히 같은 음성은 없어서 모든 음성의 음가는 일회적이다. 그러나 역설적으로 우리의 청각기관은 모든 음성의 차이를 지각할 정도로 정밀하지는 못해서 의사소통에 지장을 받지는 않는다. 우리는 물리적 소리 정보에 균등하게 반응하는 것이 아니라 선별적으로 반응함으로써 특정 정보에 선택과 집중을 보인다. 어떤 음성의 차이는 알아듣지만, 어떤 음성의 차이는 인식하지 못한다. 예를 들어 한국인은 '불, 뿔, 풀'에서 'ㅂ, ㅃ, ㅍ'의 차이는 알아듣지만, '바보'에서 [p]와 [b]의 차이는 인식하지 못한다.

이는 지각이 뇌에서 선택하고 해석하는 주관적, 심리적인 현상임을 뜻한다.[2] 들을이가 귀로 말소리를 받아들이고, 이를 청신경을 통해 뇌로 전달하는 생리적 작용과, 소리를 의미로 해석하는 심리적이고 언어적인 인지작용을 통해 일어난다. 이런 점에서 뇌과학, 심리학 등과의 학제적 연구의 필요성이 높은 분야이다.[3]

(1) ㄱ에 비하여 ㅋ은 소리 나는 게 조금 세기 때문에 획을 더하였다(ㅋ比ㄱ 聲出稍厲故加劃). ㄴ에서 ㄷ, ㄷ에서 ㅌ, ㅁ에서 ㅂ, ㅂ에서 ㅍ, ㅅ에서 ㅈ, ㅈ에서 ㅊ, ㅇ에서 ㆆ, ㆆ에서 ㅎ으로 그 소리(의 세기)를 바탕으로 획을 더한 뜻은 모두 같다(ㄴ而ㄷ ㄷ而ㅌ ㅁ而ㅂ ㅂ而ㅍ ㅅ而ㅈ ㅈ而ㅊ ㅇ而ㆆ ㆆ而ㅎ 其因聲加劃之義 皆同).

(1)은 『훈민정음』 제자해(制字解)의 일부다. 이는 '가획'의 원리로 불리는데 글자를 만드는 데 있어서 말소리의 지각적 특성을 활용한 것이다. 'ㅋ, ㅌ, ㅍ, ㅊ'을 'ㄱ, ㄷ, ㅂ, ㅈ'과 구별하는 속성이 소리의 세기라 보고 이를 획을 더함으로써 글자 모양에 반영한 것이다. 의성어 '졸졸-쫄쫄-촐촐'을 듣고 느끼는 어감상의 차이도 소리의 지각적 속성에 연유한 것이다.

2 지각이 수집된 정보를 해석하는 과정인 반면, 감각(sensation)은 외부 물리적 세계의 정보를 수집하는 것이다(신성만 외 옮김 2012: 105~116).

3 인지과학과 같은 학제적 연구에서 '음성 인식'이라는 이름으로 연구가 활발히 이루어지고 있다. 음성 인식 연구는 실험실 기술이나 소리에 대한 뇌의 반응을 직접 연구할 수 있는 뇌파 및 fMRI와 같은 방법을 사용한다. 언어학은 음성 합성(speech synthesis)과 음성 인식(speech perception)의 기초과학으로서 밀접한 관계를 맺고 있다. 언어학과 달리 이들은 인간 간 소통뿐 아니라 인간과 기계, 기계 간 소통을 염두에 둔 기술 과학이다.

(2) ㄱ. ·는 혀가 오그라져 소리가 깊다(·舌縮而聲深).
ㅡ는 혀가 조금 오그라져 소리가 깊지도 얕지도 않다(ㅡ舌小縮而聲不深不淺).
ㅣ는 혀가 오그라지지 않아 소리가 얕다(ㅣ舌不縮而聲淺).
ㄴ. 살랑살랑:설렁설렁, 빨갛다:뻘겋다
오목오목:우묵우묵, 졸졸:줄줄, 노랗다:누렇다

제자해에서는 (2ㄱ)처럼 모음 음가를 '聲'의 '深淺'으로 설명하고 있는데, 이는 소리가 '깊다, 얕다'는 뜻으로 말소리의 지각적 속성을 기술한 것이다. (2ㄴ)의 어감 차이 또한 양성모음 '아, 오'와, 음성모음 '어, 우'가 주는 지각적 속성에 기인한다.

지각적 속성 연구는 그 역사가 오래되었지만, 연구 결과를 객관화하기 어렵다는 문제가 있다. 음성의 생성과 음향은 연속적이고 아날로그적이지만, 지각은 분절적이고 디지털 방식으로 이루어진다. 그래서 여러 음향적 특성 중 어떤 것이 말소리 각각을 구별하여 지각하는 데 단서로 기능하는지에 대한 실험 등, 음향음성학과 연계한 청취 음성학적 연구가 활발하다. '아바, 아빠, 아파'에서 [ㅂ], [ㅃ], [ㅍ]는 모두 조음적으로는 입술소리고 파열음이다. 그래서 음향적으로는 모두 묵음 구간이 있고 파열 소음이 나타난다. 그런데, [아바]의 파형에서 묵음 구간을 늘이면 [아빠]로, [아빠]에서 묵음 구간을 줄이면 [아바]로 인식하는 비율이 높아진다. 그러므로 묵음 구간은 [ㅂ]와 [ㅃ]를 구별하는 단서가 된다는 식으로 설명하는 것이다. 이때 청취 음성학은 음향적(물리적) 특성과 청자의 반응 간 관계에 주목한다.

2. 음성

발동, 발성, 조음작용이 어우러져 독립된 음가를 지닌 하나의 음성이 만들어진다. 일반적으로 음성을 자음(子音, 닿소리, consonant)과 모음(母音, 홀소리, vowel)으로 분류한다. 자음과 모음을 가르는 조음 음성학적인 차이는 폐에서 올라오는 기류가 조음부에서 방해를 받고 나가는가, 방해 없이 나가는가이다. 폐에서 올라온 날숨 기류가 조음부의 특정한 위치에서 마찰음이 생길 정도의 협착이나 완전 막음과 같은 방해를 받고 만들어지면 자음, 그렇지 않으면 모음이라 한다. [ㅂ, ㄷ, ㅈ, ㄱ]를 발음해 보면 각각 아랫입술이 윗입술에, 혀끝이 잇몸에, 앞 혓바닥이 센입천장에, 뒤 혓바닥이 여린입천장에 완전히 닿았다가 떨어지면서 만들어진다. 또 [ㅅ]는 혀끝이 잇몸에 아주 가까이 접근해서 만들어진다. 이렇게 공기가 지나가는 길을 완전히 막거나 아주 좁히는 것은 공기 흐름에 방해가 된다.

이에 비해 [ㅣ, ㅜ, ㅏ]와 같은 모음은 자음에서와 같은 기류 방해가 없어서 입안에서 공기 흐름이 상대적으로 자유롭다. 조음 음성학적으로 기류 방해는 유무의 개념이 아니라 정도의 개념이어서, 모음에 기류 방해가 없다고 함은 자음과 비교했을 때의 상대적인 의미다. 조음부에서 아무런 방해도 없이 기류가 통과한다면 이는 그냥 숨소리지 특정한 음가를 지닌 말소리는 될 수 없을 것이다. 예컨대 [ㅣ]는 [ㅏ]보다 구강이 더 좁혀지지만, [ㅅ]를 발음할 때보다는 통로가 더 넓고 공기 흐름이 자유로워서 구강에서 공명이 일어난다.

조음부를 완전히 막거나 마찰음이 생길 정도로 좁히는 조음작용 없이 산출되는 것이 모음이다. 이러한 조음 음성학적 특성의 결과로 모음을 발음할 때 구강은 공명실 역할을 하게 된다. 이것이 모음의 음향적 특성이다. 모음은 구강에 생기는 공간의 모양에 따라 각각 다른 방법으로 공명하면서 나는 소리다. 모음을 발음할 때 구강은 마치 기타의 빈 통과 같은 역할을 해서 소리를 증폭시킨다.

(1) 모음의 조음위치에 따른 공명실 모양

ㄱ. [ㅣ] ㄴ. [ㅏ]

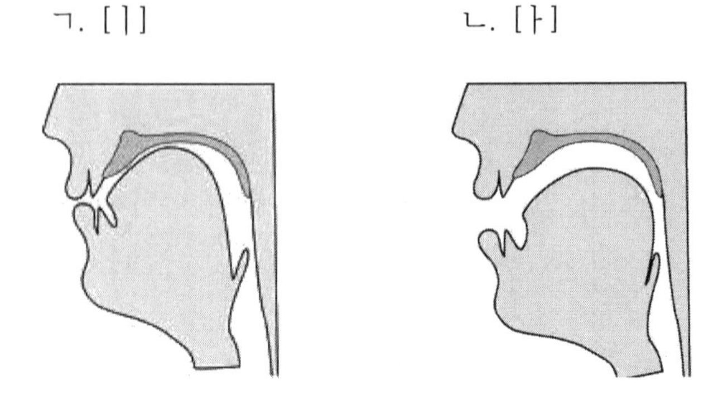

(1)의 구강측면도를 보면, [ㅣ]는 구강의 앞부분이 좁고 뒤에 넓은 공명실이 형성됨에 비해, [ㅏ]는 인두강이 좁혀지는 대신 구강은 방해를 가장 덜 받고 공명실이 최대화됨을 알 수 있다. 이는 마치 부피가 거의 일정한 물 풍선의 앞부분을 누르면 뒤가 불룩해지고, 뒷부분을 누르면 앞이 불룩해지는 것과 같은 이치다. 구강 공명실이 최대화되는 [ㅏ]는 공명도가 가장 크고 가장 잘

들리는 소리다.

모음에 비해 자음은 구강의 특정 위치에서 특정 방법으로 적극적인 기류 방해를 통해 음가가 생성되므로 구강이 공명실로 기능하지 않는다. 그래서 자음은 모음 없이 단독으로 발음하면 잘 들리지 않는다. 우리말 자음은 모두 단독으로는 음절을 형성할 수 없고 모음과 결합하여야 발화 단위가 된다. 이에 비해 모음은 홀로 발음해도 잘 들리므로 모음 하나하나가 독립된 음절을 형성할 수 있다. '홀소리, 모음'과 '닿소리, 자음'이라는 용어는 음절을 이룰 때 이들의 기능에 초점을 두고 만든 것이다. 홀소리(모음)는 홀로 음절을 이룰 수 있는 소리, 닿소리(자음)는 홀소리에 닿아야 들리는 소리라는 뜻을 담고 있다.

이중모음 '야, 여'에 있는 [j]와, '와, 워' 등에 있는 [w]는 기류 방해의 정도가 자음보다는 덜하고 모음보다는 심한 소리다. 그래서 이들을 반모음, 또는 반자음이라 부른다. 자음 중에서 [ㄹ]는 구강에서 공명이 이루어진다는 점에서 음향적으로 모음적 성격이 강하다. 기류 방해 정도가 자음과 모음의 중간 정도인 반모음이 존재하고, 구강 공명이 이루어지는 자음 [ㄹ]가 존재한다는 것은 음성학적으로 자음과 모음은 경계가 단절되지 않고 연속적임을 뜻한다. [ㅁ, ㄴ, ㅇ, ㄹ]는 공명음이어서 단독으로 음절을 형성하는 언어도 있다는 점에서, [ㅍ, ㅌ, ㄱ] 따위보다는 비전형적인 자음이다. [ㅍ, ㅌ, ㄱ]와 같은 비공명자음 즉 장애음을 순수자음, 진자음이라 부르는 것도 이 때문이다.

2.1. 국제음성기호

국제음성기호(International Phonetic Alphabet)는 모든 언어의 음성을 표기하기 위해 고안한 표음문자이면서 음성문자이다. 음성을 표기하기 위한 문자 체계가 필요한 이유는 기존 문자는 음소문자라 해도 소리만 나타내는 것이 아니라, 의미와도 연관되므로 완전히 소리대로 적는 문자는 없기 때문이다. 예컨대 영어 'knife'의 'k', 한국어 '값도'의 'ㅅ'은 전혀 음가가 없는데도 표기되어 있다. 또 서로 다른 언어의 음가를 비교·대조하기 위해서도 음성을 표기하는 문자가 필요했다. 국제음성기호는 IPA로 약칭되는데, 로마자를 기본으로 해서 모자라는 경우 부가 기호를 붙이거나 변형시켜서 만든 것이다. IPA를 이용하여 발음대로 적는 것을 전사(transcription)라 하는데, 하나의 음소를 하나의 IPA로 표기하면 간략 전사, 하나의 음성을 하나의 IPA로 표기하면 정밀 전사라 한다.

(1) 폐장 날숨 자음 기호

THE INTERNATIONAL PHONETIC ALPHABET (revised to 2005)

CONSONANTS (PULMONIC) © 2005 IPA

	Bilabial	Labiodental	Dental	Alveolar	Postalveolar	Retroflex	Palatal	Velar	Uvular	Pharyngeal	Glottal
Plosive	p b			t d		ʈ ɖ	c ɟ	k ɡ	q ɢ		ʔ
Nasal	m	ɱ		n		ɳ	ɲ	ŋ	ɴ		
Trill	ʙ			r					ʀ		
Tap or Flap		ⱱ		ɾ		ɽ					
Fricative	ɸ β	f v	θ ð	s z	ʃ ʒ	ʂ ʐ	ç ʝ	x ɣ	χ ʁ	ħ ʕ	h ɦ
Lateral fricative				ɬ ɮ							
Approximant		ʋ		ɹ		ɻ	j	ɰ			
Lateral approximant				l		ɭ	ʎ	ʟ			

Where symbols appear in pairs, the one to the right represents a voiced consonant. Shaded areas denote articulations judged impossible.

(1)은 발동부가 폐이고 날숨 기류로 만들어지는 자음(pulmonic egressive sound)의 국제음성기호다. 가로 기준은 조음위치, 세로 기준은 조음방법과 관련된다. 같은 칸에 두 개의 문자가 있는 경우, 조음위치와 조음방법은 같은데 왼쪽 것은 무성음, 오른쪽 것은 유성음이다. 음영으로 표시된 칸은 해당 조음위치와 조음방법으로 생성되는 음성은 논리적으로 있을 수 없다는 뜻이고, 빈 칸은 조음 가능하긴 하나 발견된 언어음이 없다는 뜻이다.

(2) 기타 기호(OTHER SYMBOLS)

ʍ	Voiceless labial-velar fricative	ɕ ʑ	Alveolo-palatal fricatives
w	Voiced labial-velar approximant	ɺ	Alveolar lateral flap
ɥ	Voiced labial-palatal approximant	ɧ	Simultaneous ʃ and x
ʜ	Voiceless epiglottal fricative	k͡p t͡s	Affricates and double articulations can be represented by two symbols joined by a tie bar if necessary.
ʢ	Voiced epiglottal fricative		
ʡ	Epiglottal plosive		

(2)의 기타 기호는 대부분 조음작용이 두 개인 소리들이다. 예를 들어 [ㅘ, ㅝ]에 들어 있는 반모음 [w]는 여린입천장과 입술, [ㅟ]를 이중모음으로 발음할 때 나타나는 반모음 [ɥ]는 센입천장과 입술 두 군데서 동시조음(coarticulation)되는 소리다. [ʦ]는 파찰음 기호로 파열과 마찰 두 조음방법이 순차적으로 일어나는 소리다. [s, ʃ]의 조음위치는 (2)에서 각각 치조음(alveolar), 후치조음(postalveolar)인 반면, ɕ는 전경구개음(alveolo-palatal)이다. 이 책에서 한국어 경구개 파찰음 'ㅈ'을 [ʦ]나 [ʧ]가 아니라 [ʨ]로 표시한 이유이다.

(3) 부가 기호

DIACRITICS Diacritics may be placed above a symbol with a descender, e.g. ŋ̊

◌̥	Voiceless	n̥ d̥	◌̤	Breathy voiced	b̤ a̤	◌̪	Dental	t̪ d̪
◌̬	Voiced	s̬ t̬	◌̰	Creaky voiced	b̰ a̰	◌̺	Apical	t̺ d̺
ʰ	Aspirated	tʰ dʰ	◌̼	Linguolabial	t̼ d̼	◌̻	Laminal	t̻ d̻
◌̹	More rounded	ɔ̹	ʷ	Labialized	tʷ dʷ	◌̃	Nasalized	ẽ
◌̜	Less rounded	ɔ̜	ʲ	Palatalized	tʲ dʲ	ⁿ	Nasal release	dⁿ
◌̟	Advanced	u̟	ˠ	Velarized	tˠ dˠ	ˡ	Lateral release	dˡ
◌̠	Retracted	e̠	ˤ	Pharyngealized	tˤ dˤ	˺	No audible release	d˺
◌̈	Centralized	ë	◌̴	Velarized or pharyngealized ɫ				
◌̽	Mid-centralized	e̽	◌̝	Raised	e̝	(ɹ̝ = voiced alveolar fricative)		
◌̩	Syllabic	n̩	◌̞	Lowered	e̞	(β̞ = voiced bilabial approximant)		
◌̯	Non-syllabic	e̯	◌̘	Advanced Tongue Root	e̘			
˞	Rhoticity	ɚ a˞	◌̙	Retracted Tongue Root	e̙			

(3)의 부가 기호는 로마자에 기호를 부가하여 여러 가지 음성을 좀 더 세밀하게 표기하고자 한 것이다. 대부분의 언어에서 파열음은 유, 무성으로 변별된다. 그러나 우리말에서 어두의 [ㅍ]와 [ㅂ]는 둘 다 무성음이어서 유, 무성으로는 구별되지 않는다. [ㅍ]는 [ㅂ]보다 격음성(aspirated)이 강하다는 점이 특징인데, 격음성은 해당 음성 기호의 오른쪽 어깨에 [ʰ]를 부가하여 [pʰ]와 같이 나타낸다. '잎, 잎도'에서 'ㅍ'은 불파음으로 발음된다. 파열소음이 들리지 않는 불파음(no audible release)은 해당 음성 기호의 오른쪽 어깨에 [˺]를 붙여서 [p˺]로 나타낸다.

우리말 파열음은 모두 무성음이면서 '예사소리, 된소리, 거센소리' 세 가지로 구별되는데, IPA에 우리말 된소리를 나타낼 수 있는 부가기호는 없다. 이는 파열음의 3항 대립이 다른 언어에는 거의 없는 특징적인 현상임을 단적으로 보여준다. 해당 음성 기호의 어깨에 [']를 붙여 된소리를 나타내는 경우가 많지만, IPA에서 이 기호는 본디 발동부가 폐가 아니라 후두인 방출음(ejective)을 나타내는 것이다. 이 책에서는 된소리의 부가 기호로 [']를 쓰지 않고 [ˀ]로 표시하겠다.

(4) 단모음의 음성기호

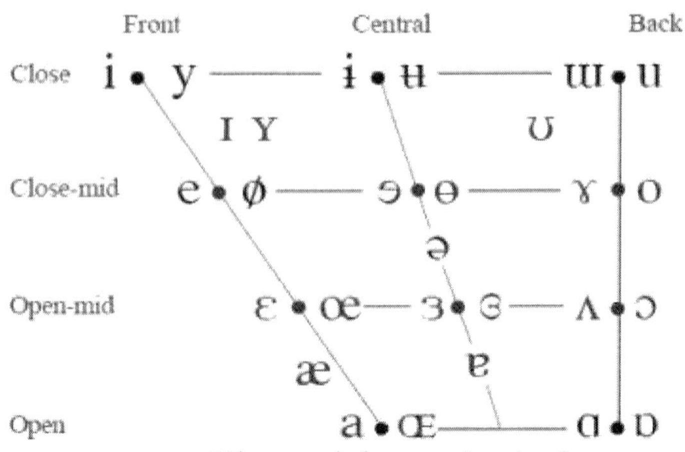

단모음의 음성기호는 (4)처럼 모음사각도 위에 나타내었다. 가로 기준은 혀의 앞뒤, 세로 기준은 혀의 높낮이 또는 입벌림의

정도(개구도)이다. 혀와 입천장 사이의 거리가 가장 좁혀지는 지점을 혀의 최고점(the highest point of tongue)이라 한다. (4)에서 전설(front), 중설(central), 후설(back)은 혀의 최고점의 전후 위치에 따른 것이다. 폐(close), 반폐(close-mid), 반개(open-mid), 개(open)모음은 개구도를 기준으로 한 용어인데, 혀를 기준으로 하면 각각 '고, 반고, 반저, 저모음'에 해당하고, 이는 최고점의 상하 위치에 따른 것이다. (4)에서 [i]와 [y]처럼 혀의 앞뒤, 혀의 높낮이가 같은데 기호가 두 개 배당된 경우, 왼쪽은 평순모음, 오른쪽은 원순모음을 나타낸다.

(5) 입술 모양과 개구도

ㄱ. 평순모음과 개구도

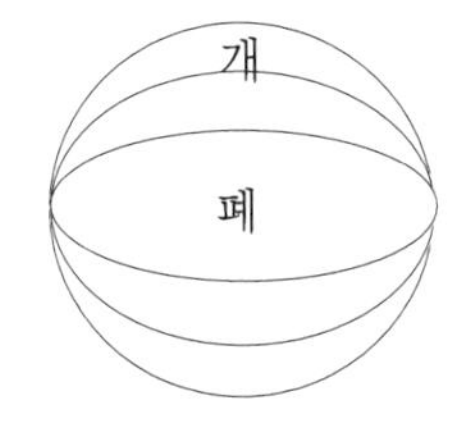

ㄴ. 원순모음과 개구도

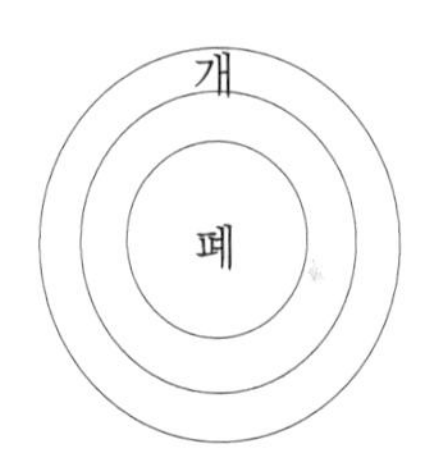

(5)처럼 개구도가 커질수록 입술을 둥글게 하나 하지 않으나 조음부 모양에 큰 변화가 없어서 원순성 대립이 잘 드러나지 않는다. 개모음에서 원순성 대립이 없거나 대립에 따른 차이가 상대적으로 약해지는 것은 조음 음성학적 요인에 따른 보편적 현상이다. 한국어도 개모음에는 원순성 대립이 없고, 원순성에 따른 음가 차이는 중모음인 'ㅓ'와 'ㅗ'보다 폐모음인 'ㅡ'와 'ㅜ'가 더 크다.

국제음성기호는 모든 언어에 나타나는 음성을 가능한 총망라한 것이다. 그러나 음성 또한 어느 정도 추상화된 언어단위여서 IPA로 구체적인 모든 음가의 차이를 다 나타낼 수 있는 것은 아니다. 아주 구체적인 단계까지 내려가면 모든 말소리의 음가는 1회적이다. 내 동생과 내 목소리도 다르다. 따라서 동생이 발음한 [사랑해]와 내가 발음한 [사랑해]는 음가가 서로 다른 별개의 음성이다. 또한 내가 발음한 [사랑해]도 감기 걸렸을 때와 건강할 때 말한 [사랑해]는 음가가 서로 다르다. 이렇게 일회적인 음가를 가진 말소리도 여러 가지 언어 외적인 정보를 전달한다. 그러나 이 정도로 구체적인 음가를 모두 전사하려면 무한대의 문자가 필요할 것이다.

2.2. 자음

2.2.1. 조음위치

자음은 기류가 조음부의 특정 위치에서 상당한 방해를 받으면서 나는 소리이다. 기류가 공깃길을 통과할 때 최대한 방해를 받는 위치를 조음위치(place of articulation)라 한다. 조음위치가 어디냐에 따라 음가가 달라진다. '앞, 앗, 악', '감, 간, 강'을 발음해 보면 음절 끝 자음의 조음위치 변화를 느낄 수 있다.

고정부와 능동부 조음위치에 따른 음가 차이를 나타내기 위해서는 조음부 위치별로 이름을 붙일 필요가 있다. 위에 있는 조음부는 아래에 있는 것보다 움직임이 자유롭지 못하다. 그래서 조음부 위쪽을 고정부 또는 조음점, 아래쪽을 능동부 또는 조음체라 한다.

(1) 고정부와 능동부

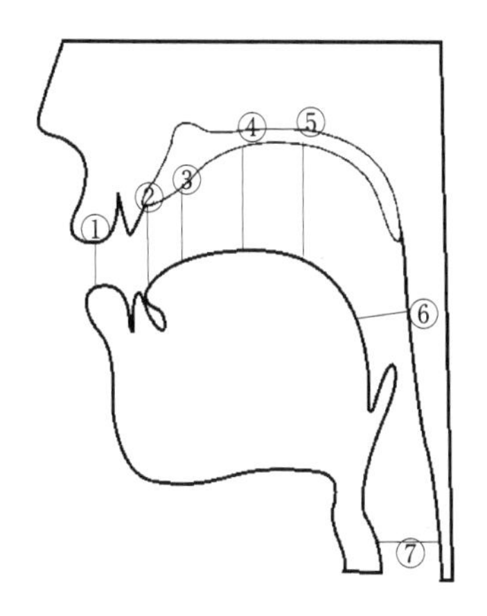

<table>
<tr><th>고정부(조음점)</th><th colspan="2">능동부(조음체)</th></tr>
<tr><td>① 윗입술</td><td colspan="2">① 아랫입술</td></tr>
<tr><td>② 윗니 뒤쪽</td><td rowspan="2">혀끝</td><td>② 설첨</td></tr>
<tr><td>③ 잇몸</td><td>③ 설단</td></tr>
<tr><td>④ 센입천장</td><td rowspan="2">혓몸</td><td>④ 전설</td></tr>
<tr><td>⑤ 여린입천장</td><td>⑤ 후설</td></tr>
<tr><td>⑥ 인두벽</td><td colspan="2">⑥ 혀뿌리</td></tr>
<tr><td>⑦ 목청</td><td colspan="2">⑦ 목청</td></tr>
</table>

능동부에 비해 고정부는 부위별로 특징이 있어서 분할하기가 더 수월하다. 고정부는 (1)처럼 윗입술(upper lip), 윗니 뒤의 볼록한 부위인 잇몸(치조, 치경, alveolar ridge), 입천장으로 나눌 수 있다. 입천장은 가장 높은 지점을 중심으로 굳뼈가 있는 앞부분을 센입천장(경구개, hard palate), 물렁뼈가 있는 뒷부분을 여린입천장(연구개, soft palate)이라 한다. 물론 이들은 분리되지 않고 연속되어 있다. 그래서 센입천장소리와 여린입천장소리의 경계가 뚜렷하지 않고, 센입천장소리라 해도 그 영역 안에서 조금 앞에서 발음되기도 하고, 조금 뒤쪽에서 발음되기도 한다.

그럼에도 불구하고 조음부를 분할하여 이름을 부여하는 것은 조음위치 차이로 인해 음가가 달라지고, 그 음가 차이가 의미 변별에 관여하기 때문이다.

이에 비해 능동부인 혀는 그 구분이 쉽지 않다. 그래서 자연스럽게 입을 다물었을 때, 잇몸과 마주보는 부위를 혀끝(blade of the tongue), 센입천장과 마주보는 부위를 전설(前舌, 앞혀, front of the tongue), 여린입천장과 마주보는 부위를 후설(後舌, 뒤혀, back of the tongue)이라 한다. 가장 민첩하게 움직일 수 있는 혀끝은 설첨(舌尖, tip of the tongue)과 설단으로 세분하기도 한다(Catford 1989: 82). 설첨은 혀의 가장 끝 뾰족한 부분을 말한다. 전설과 후설을 아울러 부를 때는 혓몸(body of the tongue)이라 한다.

(2) [ㅂ, ㅈ, ㄱ]의 조음위치

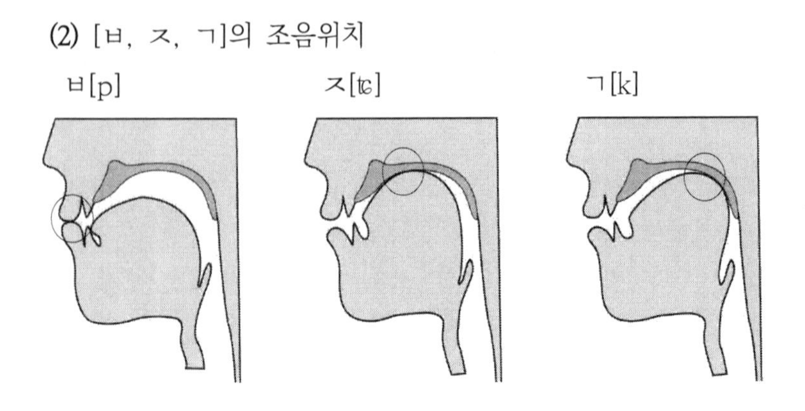

(2)는 각각 입술, 센입천장, 여린입천장에서 발음되는 자음 [ㅂ, ㅈ, ㄱ]의 조음위치 차이를 보여준다.

학술용어의 의미 '잇몸'은 용어 때문에 오해가 있을 수 있다. 『사전』에 따르면 '잇몸'은 '치경(齒莖)'과 유의어로 '이뿌리를 둘러싸고 있는 살'을 뜻한다. '치조(齒槽)'는 '이틀'과 유의어이고 '이가 박혀 있는 위턱 아래턱의 구멍이 뚫린 뼈'를 뜻한다. 그러므로 사전적 의미의 '잇몸, 치조, 치경' 등은 지금 우리가 말하는 조음위치를 가리키지 못한다. '잇몸소리(치조음, 치경음)'라 했을 때 고정부는 윗니 뒤에 입천장이 시작되는 부위로 약간 볼록하게 솟아있으며, 면이 고르지 않고 약간 울퉁불퉁한 부위를 뜻한다.

입술소리 윗입술과 아랫입술이 각각 고정부와 능동부가 되어 만들어지는 소리다. 우리말에서는 '불, 뿔, 풀, 물'의 ㅂ[p], ㅃ[pˀ], ㅍ[pʰ], ㅁ[m]이 이에 해당한다.

잇몸소리 고정부가 잇몸이고 능동부가 혀끝인 소리다. 우리말은 이 위치에서 가장 많은 자음이 생성된다. ㄷ[t], ㄸ[tˀ], ㅌ[tʰ], ㄴ[n], ㅅ[s], ㅆ[sˀ], ㄹ[ɾ]는 모두 잇몸소리다. 음가는 인접음과 결합하면서 서로 영향을 주고받는다. 그래서 잇몸소리 ㄴ[n], ㅅ[s], ㅆ[sˀ], ㄹ[ɾ]는 뒤 모음이 전설-센입천장으로 발음되는 [i]나 반모음 [j]이면 이에 동화되어 센입천장소리 ㄴ[ɲ], ㅅ[ɕ], ㅆ[ɕˀ], ㄹ[ʎ]로 발음된다.

(3) 혀끝의 조음작용

ㄹ [ɾ]

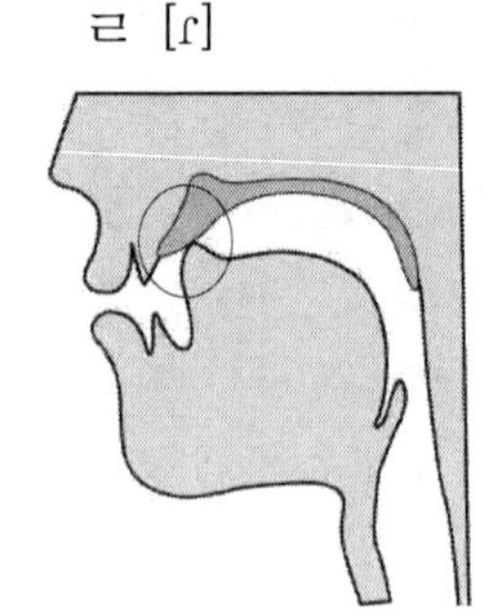

ㅌ $[t^h]$

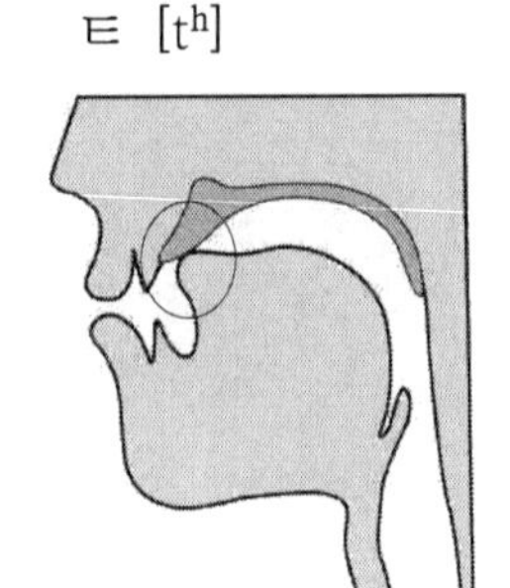

(3)은 혀끝의 조음작용을 나타낸 것이다. 혀끝은 능동부 중 가장 민첩하게 움직일 수 있는 부위다. 혀끝의 어느 부위를 사용하여 음성을 생성하느냐에 따라 음가가 달라지는데, 탄설음 [ㄹ]는 설첨으로 발음되고, 그 외의 혀끝소리 [ㄷ, ㄸ, ㅌ, ㄴ, ㅅ, ㅆ]는 설단으로 발음한다.

탐구 학습 배우고 익히는 것은 머리로만 하는 것이 아니라, 온몸으로 해야 한다. 지금 읽고 있는 부분은 음운론을 공부할 때 가장 어렵게 느껴지는 것 중에 하나이고, 아마 책을 덮고 싶은 생각이 굴뚝같을지도 모르겠다. 이 책의 설명을 눈으로만 읽고 이해하려 하지 말고, 직접 발음해 보고 다른 사람의 발음을 귀 기울여 들으면서 탐구해 봐야 한다. 예를 들어 [ㄹ]는 설첨으로, [ㅌ]는 설단으로 발음한다는 말은 '라, 타'의 형태로 직접 발음하면서 느껴봐야 알 수 있다.

센입천장소리 고정부가 센입천장이고 능동부가 전설인 소리로 [ㅈ, ㅉ, ㅊ]가 이에 해당한다. 젊은 세대로 올수록 센입천장과 잇몸 사이에서 발음되는 경향이 강해서 후치조(postalveolar)에서 [ʧ], [ʧˀ], [ʧʰ]로 발음하는 경우가 많다. 그러나 표준발음은 센입천장소리 ㅈ[ʨ], ㅉ[ʨˀ], ㅊ[ʨʰ]이다.

여린입천장소리 고정부가 여린입천장이고 능동부가 후설인 소리로, ㄱ[k], ㄲ[kˀ], ㅋ[kʰ], ㅇ[ŋ]가 이에 해당한다. [ㄱ, ㄲ, ㅋ, ㅇ]는 뒤따르는 모음이 전설-센입천장으로 발음되는 [i]나 반모음 [j]이면 조음위치가 센입천장 쪽으로 이동한다. 그래서 '가을'의 [ㄱ]보다 '기름, 겨울'에서의 [ㄱ]는 더 앞 쪽에서 발음된다.

목청소리 마주보는 두 성대 근육이 조음부가 되는 소리로 우리말에서는 'ㅎ[h]'가 이에 해당한다. 그러나 [ㅎ]는 고정된 조음위치가 없어서 뒤따르는 모음에 따라 입술에서 목청까지 위치가 이동한다. 예를 들어 '해, 호'처럼 대체로 개모음 앞에서는 인두에서 조음되어 목머리소리(인두음) [ħ]가 된다. '히'처럼 전설모음 앞에서는 센입천장에서 조음되어 센입천장소리 [ç]로 나고, '후'에서처럼 원순모음 앞에서는 입술에서 마찰이 이루어져서 입술소리 [ɸ]가 된다.

(4) 조음위치에 따른 자음 분류와 용어

용어			고정부	능동부	우리말 예
순우리말	한자말	영어			
입술소리	순음(脣音) 양순음(兩脣音)	bilabial	윗입술	아랫입술	ㅂ, ㅃ, ㅍ ㅁ
잇몸소리 혀끝소리	치조음(齒槽音) 치경음(齒莖音) 설단음(舌端音)	alveolar	잇몸	혀끝	ㄷ, ㄸ, ㅌ ㅅ, ㅆ ㄴ, ㄹ
센입천장소리	경구개음(硬口蓋音)	palatal	센입천장	전설	ㅈ, ㅉ, ㅊ
여린입천장소리	연구개음(軟口蓋音)	velar	여린입천장	후설	ㄱ, ㄲ, ㅋ ㅇ
목청소리	후음(喉音) 후두음(喉頭音) 성문음(聲門音)	glottal	목청	목청	(ㅎ)

(4)는 조음위치에 따른 한국어 자음 분류와 각각에 대한 순우리말, 한자말, 영어 용어를 정리한 것이다. 『문법』에서는 순우리말 용어인 '입술소리, 잇몸소리, 센입천장소리, 여린입천장소리, 목청소리'를 사용하고 있다. 조음위치를 나타내는 용어는 대체로 고정부의 이름을 따라 지은 것이다. 다만, 잇몸소리와 같은 뜻으로 사용하는 혀끝소리는 능동부의 이름을 딴 것이다. 후두는 성대(목청), 성문뿐 아니라 주변의 연골과 근육을 아울러 가리키는 개념이어서 '후음, 후두음, 성문음'은 목청소리와 같은 뜻으로 쓰인다.

순우리말 용어와 한자말 용어 학교문법에서 사용하는 용어는 순우리말도 있고 한자말도 있다. '거센소리, 된소리, 예사소리, 긴소리, 짧은소리, 입술소리, 잇몸소리, 센입천장소리, 여린입천장소리, 목청소리' 등은 순우리말로 된 용어이고, '파열음, 마찰음, 파찰음, 비음, 유음, 자음, 모음' 등은 한자말 용어이다. 또한 같은 책에서 '울림소리, 유성음'처럼 두 가지 용어를 함께 쓰고 있는 경우도 있다.

이는 어문규범도 마찬가지다. 한글 맞춤법의 '맞춤법'과 외래어 표기법의 '표기법'은 같은 개념이다. 「발음법」 6, 7항에서 '긴소리'라 부른 것을 「외표」 7항에서는 '장음'이라 하고, 「맞춤법」 21, 28, 29, 40항에서는 '끝소리'라 한 것을 「발음법」 11항에서는 '말음'이라 한다. 이처럼 규정 간에 용어 사용이 통일되어 있지 않은 경우가 더러 있다. 어문규범은 오랜 시간 다듬어져 온 것이고, 각 규정은 제각각의 목적을 갖고 있고, 만들어진 시기와 참여자가 달랐기 때문이다.

어떨 때 순우리말 용어를 쓰고 어떨 때 한자말 용어를 쓰는지 어떤 규칙이 있는 것은 아니므로, 두 가지 용어를 함께 익혀두는 것이 좋다. 또한 대부분의 용어에는 그것이 가리키는 대상의 특성이 상징적으로 표현되어 있으므로 다양한 용어에 대한 이해가 필요하다.

2.2.2. 조음방법

[다]와 [사]를 발음하면서 [ㄷ]와 [ㅅ]의 조음작용 차이를 관찰해 보면, [ㄷ]는 혀끝이 잇몸 부위를 완전히 막는 반면, [ㅅ]는 혀끝이 잇몸에 가까이 접근하지만 완전히 막지는 않아서 기류 방해

의 정도 또는 방법이 다름을 알 수 있다. 이러한 기류 방해의 정도 또는 방법을 조음방법(manner of articulation)이라 한다. 조음위치가 같아도 조음방법이 다르면 음가가 달라진다.

파열음 파열음은 폐쇄음으로도 불리는데 능동부가 고정부에 완전히 붙어서 기류가 폐쇄되었다가 터지면서 나는 소리다. '아파'의 [ㅍ]처럼 모음 사이에 있는 자음의 조음과정은 세 단계로 나눌 수 있다.

(5) 파열음의 조음과정과 조음방법

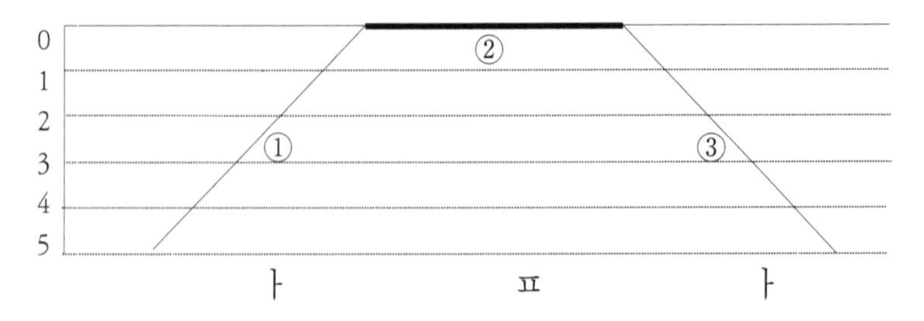

(5)는 파열음의 조음과정을 도식화한 것이다. 왼쪽의 0~5 수치는 능동부와 고정부 간의 거리를 나타낸다. 가장 위의 실선은 고정부를, 오르내리는 실선은 능동부를 뜻한다. 능동부를 드러내는 선 중 ①은 모음을 조음하기 위해 벌린 입을 능동부와 고정부 간 거리가 0이 되도록 완전히 막는 '폐쇄 단계'이고, ②는 이 폐쇄를 지속하는 '폐쇄·지속 단계'이고, ③은 뒤따르는 모음을 발음하기 위해 폐쇄를 개방하는 '개방 단계'이다. 모음 사이에 있는 파열음은 '폐쇄–폐쇄·지속–개방'의 세 단계를 거쳐 조음된다.

파열음은 ③ 단계를 중시하여 붙인 이름이다. 'ㅂ, ㅃ, ㅍ'의 구별은 ③ 단계에서 파열 소음이 실현되어야 가능하다. 그러나 세 단계 조음과정 중 해당 음성의 본질적인 특성은 ② 단계인 폐쇄·지속 단계이다. ① 단계는 인접음에서, ③ 단계는 인접음으로의 미끄럼(gliding) 단계여서 인접음에 따라 실현되지 않을 수도 있다. 그러나 굵은 선으로 표시한 ② 단계는 필수적이다. 폐쇄음은 ② 단계를 중시하여 붙인 이름이다. 폐쇄음은 ② 단계에서 능동부와 고정부 간 거리가 0인 소리다.

(6) 음운 환경에 따른 파열음의 조음과정 실현 양상

조음과정 \ 환경	모음 사이	어두	음절 끝
① 폐쇄 단계	+		+
② 폐쇄·지속 단계	+	+	+
③ 파열 단계	+	+	

(6)은 '폐쇄-폐쇄·지속-파열'의 3단계 조음과정 중 폐쇄단계와 파열단계의 실현 여부는 음운 환경에 따라 가변적임을 보여준다. '바위, 빵, 파도'에서처럼 어두 파열음은 입을 닫은 채로 시작하면 폐쇄 단계는 실현되지 않을 수도 있다. '잎, 잎도, 입'에서처럼 음절 끝에서는 파열 단계가 실현되지 않는다. 우리말 파열음은 음절 끝에서는 '먹다'의 'ㄱ'처럼 파열 단계가 실현되지 않거나, '입사'의 'ㅂ'처럼 조음적으로는 파열 단계가 실현되더라도 인지하기 어려울 정도로 파열 소음이 약하다. 이런 소리를 불파음(미파음, 닫음소리, 닫힘소리)이라 한다.[4] 이는 한국어에 나타나

4 내파음은 후두에서 들숨으로 발동이 이루어지는 implosive의 역어이므

는 특징적 현상 중의 하나다. [˺]는 불파음을 나타내는 부가 기호다.

파열음은 조음과정 중 기류를 완전히 막는 단계가 있으므로 가장 장애가 심한 소리다. 우리말에서는 ㅂ[p], ㅃ[pˀ], ㅍ[pʰ], ㄷ[t], ㄸ[tˀ], ㅌ[tʰ], ㄱ[k], ㄲ[kˀ], ㅋ[kʰ]가 이에 해당한다. 영어에는 [b, p, d, t, g, k]가 있다. 일반적으로 파열음은 2항 대립을 보이는 언어가 많은 데 비해, 한국어 파열음의 3항 대립은 한국어의 음운적 특질 중 하나다. [ㅂ], [ㅃ], [ㅍ]의 차이는 발성방법에 따른 분화인데 이에 대해서는 후술하겠다.

비음 비음은 능동부가 고정부에 완전히 붙어서 구강 기류가 폐쇄된다는 점에서는 파열음과 같다. 차이는 파열음은 폐쇄 동안 기류가 조음기관 밖으로 나오지 못하는 반면, 비음은 콧길이 열려 있어서 구강 폐쇄 동안에도 코로 공기가 나오는 소리라는 데 있다.

우리말에서는 ㅁ[m], ㄴ[n], ㅇ[ŋ]가 비음이다. 초성에서 발음되는 비음 'ㅁ, ㄴ'의 입안 조음과정은 '폐쇄-폐쇄·지속-개방'의 세 단계를 거친다는 점에서는 파열음과 같다. 즉, 비음도 구강 내 특정 위치를 폐쇄하여 폐쇄·지속 단계에서 능동부와 고정부 간 거리가 0이 되는 소리다. 다만, 비음은 비강으로 기류가 흐르는 소리라는 점에서 파열음과 다르다. 폐에서 나온 공기가 구강뿐 아니라 비강을 통과하여 입과 코로 나가거나, 코로만 나가는 소리를 비음(콧소리)이라 한다.

로, 불파음을 내파음으로 부르는 것은 적절치 않다.

(7) 구강음과 비강음의 구강측면도

ㄱ. 구강음 [ㅂ]

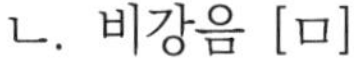

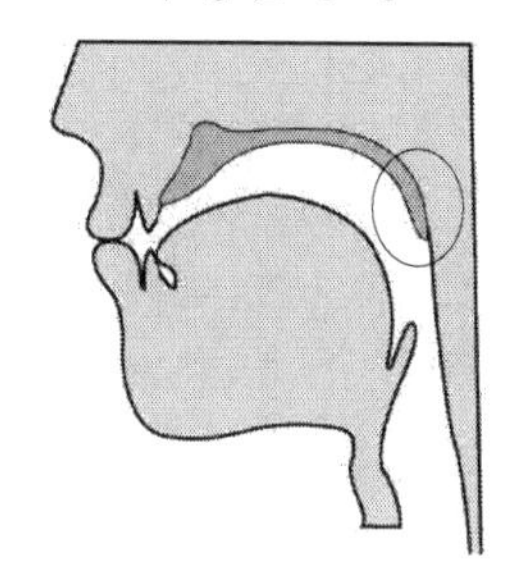

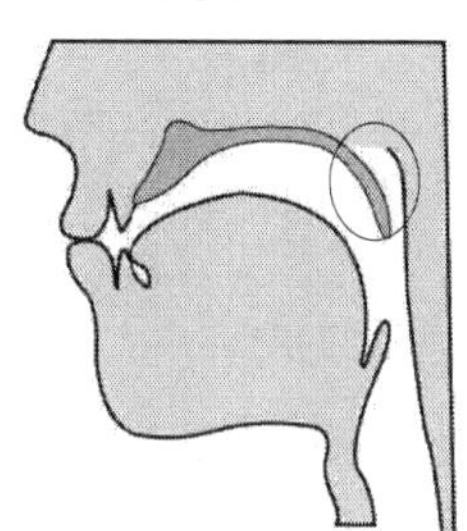

(7ㄱ)은 여린입천장과 목젖이 인두벽에 붙어서 콧길을 막고 있으므로 구강음을 발음할 때의 모습이고, (7ㄴ)은 비음을 발음할 때 여린입천장과 목젖이 아래로 내려와 콧길이 열려 있는 모습이다. 비음은 코를 막고 발음하면 이상하게 들린다. 이에 비해 기류가 입으로만 나오는 구강음은 코를 막고 발음해도 별 문제가 없다. 예를 들어 비음이 없는 '아버지'는 코를 막고 발음하나 떼고 하나 음가가 유사하지만, 두 개의 비음이 들어 있는 '어머니'는 코를 막고 발음하면 코맹맹이 소리가 나서 정상적인 음성과 많이 다르다. 콧길을 여닫는 역할을 하는 것은 여린입천장과 목젖이다.

유음 유음(流音, 흐름소리)은 [ㄹ]뿐이다. 유음은 혀끝을 잇몸에 가볍게 대었다가 떼거나, 잇몸에 댄 채 공기를 그 양옆으로 흘려 보내면서 내는 소리로 청각적 인상에 따른 용어이다. 그런데 '나라'에서의 [ㄹ]와 '달'에서의 [ㄹ]는 조음방법이 꽤 다르다.

(8) 탄설음의 조음과정과 조음방법

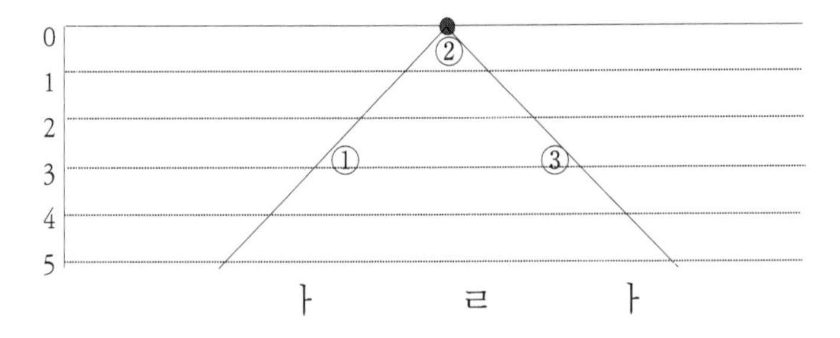

'아라'에서처럼 초성 [ㄹ]는 혀끝(설첨)을 들어서 위로 구부려 윗니 뒷부분을 톡 치고 떨어진다. 그래서 탄설음(두들김소리)이라 부르고, [ɾ]로 전사한다. (8)은 탄설음의 조음과정을 나타낸 것이다. 탄설음은 혀의 조음방법이 특징적인데, 우리말에서 설첨을 내리지 않고 위로 올려서 조음하는 것은 탄설음뿐이다. 또 같은 조음위치의 [ㄴ]와 비교하면, [ㄴ]는 설단 부위를 잇몸에 붙이는 데 비해 ㄹ[ɾ]는 설첨을 잇몸에 붙이고 발음한다. 설단이 아니라 설첨이 능동부가 되는 탄설음 [ɾ]는 ② 단계에서 능동부와 고정부의 접촉 면적이 가장 좁다.

종성 [ㄹ]도 능동부가 혀끝이긴 하나 설첨이 아니라 설단이어서, 설첨으로 조음되는 [ɾ]보다 조금 더 뒤쪽에서 조음되고, 설첨을 위로 올리지 않고 발음한다. 종성 [ㄹ]는 설단이 잇몸에 닿아 있는 동안에도 혀의 양옆으로 기류가 나가는 소리라는 점에서 설측음(혀옆소리)이라 부르고 [l]로 전사한다. 탄설음은 초성에서만 나타나고, '달라'처럼 [ㄹ]가 겹쳐 날 때는 모두 설측음으로 발음된다. [l]은 잇몸소리지만 '흘리다, 달력'처럼 후행음이 [i]나 반모음 [j]이면 센입천장 설측음 [ʎ]로 실현된다.

파열음은 조음부를 폐쇄하고 있는 동안에는 발음기관 바깥으로 기류가 유출되지 않는 반면에, 비음은 조음부를 폐쇄하고 있는 동안에도 코로 공기가 나오는 소리다. 설측음도 조음부를 폐쇄하고 있는 동안에도 기류가 발음기관 바깥으로 유출된다. 다만 비음이 코로 공기가 나오는 반면, 설측음은 혀옆으로 기류가 나온다. [음, 은, 응, 을]은 발음기관 바깥으로 기류가 계속 유출되는 소리여서 꽤 오랫동안 이 발음을 지속할 수 있다. [읍, 읃, 윽]을 발음할 때는 발음기관 바깥으로 기류가 나가지 못하고 막혀 있어서 발음을 오래 지속하기 어렵다. 그래서 '줄줄'처럼 유음으로 끝난 의성어에서는 계속성이, '주르륵'처럼 불파음으로 끝난 경우에는 단속성이 느껴진다.

설측음은 구강에서 공명이 이루어진다는 점에서 가장 비전형적 자음이고 모음에 가까운 음향적 특성을 지니고 있다. 설측음의 이러한 성질은 '청주로, 서울로', '부산으로, 밀양으로'처럼 명사 말음이 'ㄹ'이나 모음일 때는 '-로'가 선택되고, 'ㄹ' 이외의 자음일 때만 '-으로'가 선택되는 것에서도 드러난다.

마찰음 마찰음은 능동부가 고정부에 아주 가까이 접근하여 기류의 통로가 좁혀진 상태에서 조음되는 소리다. 우리말에서는 ㅅ[s], ㅆ[sʔ], ㅎ[h]가 마찰음에 해당한다. 영어에서는 [f, v, θ, ð, s, z, ʃ, ʒ, h]가 모두 마찰음이다. 파열음과 달리 마찰음의 목록이 적은 것도 한국어의 음운적 특질 중 하나다.

(9) 마찰음의 조음과정과 조음방법

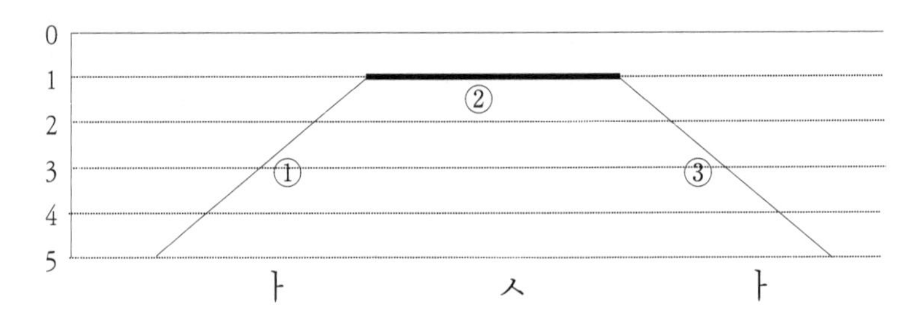

(9)는 마찰음 [ㅅ]의 조음과정과 조음방법을 도식화한 것이다. 파열음과는 달리 능동부와 고정부가 완전히 붙지 않고 그 사이에 좁은 틈이 있다. 해당 조음위치의 통로를 아주 좁힘으로써 마찰성 기류가 생성된다. 마찰음에서도 세 단계의 조음과정을 생각할 수 있다. 첫째, 능동부가 고정부에 접근하는 동작, 둘째, 고정부에 접근한 능동부가 그 상태를 유지하는 동작, 셋째, 앞 단계의 동작을 개방하는 동작으로 이루어진다. 다만 마찰음은 지속 단계에서 능동부가 고정부에 완전히 붙는 것이 아니므로 첫 단계를 '폐쇄'라 할 수는 없다. 마찰음의 첫 단계는 '접근', 마지막 단계는 '개방'이라 하면, 마찰음의 본질적 조음과정은 '접근·지속'이다. 마찰음의 조음과정은 '접근–접근·지속–개방'의 세 단계로 이루어진다고 하겠다.

[ㅎ]는 뒤따르는 음이 열림도가 큰 모음인 경우 마찰음 고유의 속성인 조음부 협착이 잘 이루어지지 않는다. 예를 들어 '하'에서 [ㅎ]와 [ㅏ]는 조음부의 형상에 변화가 거의 없다. 다만 [ㅎ] 부분은 성대 진동이 없고, [ㅏ] 부분은 성대 진동이 있는 유성음이다. 그래서 [ㅎ]를 무성모음이라 부르기도 한다.

파찰음 파찰음은 ② 단계에 두 가지 특성, 즉 파열음의 특성인 '폐쇄·지속'과 마찰음의 특성인 '마찰·지속'이 함께 실현되는 소리다. 파찰음에서 이 두 가지 특성은 인접한 분절음이 무엇이냐에 따른 가변적 속성이 아니라, 파찰음의 내재적 속성이다.

(10) 파찰음의 조음과정과 조음방법

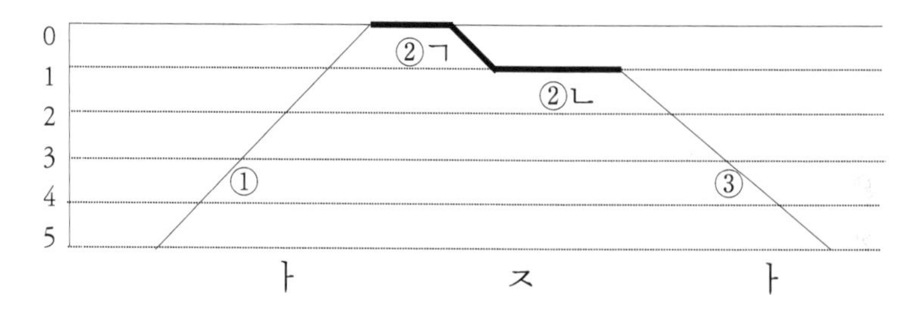

(10)은 파찰음이 파열음과 마찰음의 특성을 함께 지님을 보여준다. (10)에서 ②ㄱ은 '폐쇄·지속', ②ㄴ은 '마찰·지속'을 나타낸다. 파찰음은 파열음보다 능동부와 고정부의 접촉 면적이 더 넓어서 파열할 때 시간이 더 오래 걸리기 때문에 마찰음적 속성이 생긴다. 그래서 파찰음은 파열음보다 본질적으로 조음 시간(duration)이 더 길다. 파찰음 'ㅈ'는 [ʧ] 또는 [ʨ]로 전사하는데 이 음성기호 자체도 파열음 기호와 마찰음 기호를 함께 나타낸 것이다. 우리말에서는 [ㅈ, ㅉ, ㅊ]가 파찰음에 해당한다.

(11) 조음방법에 따른 자음 분류와 용어

<table>
<tr><th colspan="2" rowspan="2">순우리말</th><th colspan="2" rowspan="2">한자말</th><th rowspan="2">영어</th><th colspan="2">조음방법</th><th rowspan="2">예</th></tr>
<tr><th>입길</th><th>콧길</th></tr>
<tr><td colspan="2">터짐소리
터뜨림소리</td><td colspan="2">파열음(破裂音)
폐쇄음(閉鎖音)
정지음(停止音)</td><td>stop
plosive</td><td>닫기</td><td>닫기</td><td>ㅂ, ㅃ, ㅍ
ㄷ, ㄸ, ㅌ
ㄱ, ㄲ, ㅋ</td></tr>
<tr><td colspan="2">콧소리</td><td colspan="2">비음(鼻音)</td><td>nasal</td><td>닫기</td><td>열기</td><td>ㅁ, ㄴ, ㅇ</td></tr>
<tr><td rowspan="2">흐름소리</td><td>혀옆소리</td><td rowspan="2">유음</td><td>설측음(舌側音)</td><td>lateral</td><td>혀옆 열기</td><td>닫기</td><td>ㄹ</td></tr>
<tr><td>두들김소리</td><td>탄설음(彈舌音)</td><td>tap,
flap</td><td>조금 닫기</td><td>닫기</td><td>ㄹ</td></tr>
<tr><td colspan="2">갈이소리</td><td colspan="2">마찰음(摩擦音)</td><td>fricative</td><td>조금 열기</td><td>닫기</td><td>ㅅ, ㅆ, ㅎ</td></tr>
<tr><td colspan="2">붙갈이소리</td><td colspan="2">파찰음(破擦音)</td><td>affricate</td><td>닫기+
조금 열기</td><td>닫기</td><td>ㅈ, ㅉ, ㅊ</td></tr>
</table>

조음방법에 따른 자음 분류와 그에 따른 용어를 정리하면 (11)과 같다. 『문법』에서는 한자말 용어인 파열음, 비음, 유음, 마찰음, 파찰음을 사용하고 있다.

2.2.3. 발성방법

유성음과 무성음 유성음(울림소리, voiced sound)은 허파에서 나온 기류가 성문을 지날 때 성대가 진동하면서 생성되는 소리이고, 무성음은 성대 진동 없이 나는 소리다. 이는 발성작용에 따른 차이이다. 탄성이 있는 근육인 성대는 성문 상하의 기압과 같은 물리적인 조건이 충족되면 초당 백 번 이상 열렸다 닫혔다를 반복할 수 있고 이 규칙적인 운동으로 인해 진동이 일어난다. 목의 중간 쯤 성대가 있는 부분에 손가락을 살짝 대거나 귀를 막고, '아리랑 아리랑 아라리요'를 불러보거나 타잔처럼 '아아아~' 하고 소리를 내 보면, 성대의 진동을 느낄 수 있다. 이에 비해 무성음 'ㅋ, ㅌ, ㅍ, ㅊ, ㅅ' 따위를 발음할 때는 이런 성대 진동을 느낄 수 없다.

성대 진동과 음의 높이 초당 성대 진동수를 기본주파수(fundamental frequency)라 하는데, 기본주파수가 높을수록 즉 성대 진동이 빠를수록 고음으로 들린다. 청각적으로 음의 높이(pitch)로 받아들여지는 것은 주로 기본주파수와 관련된다. 기본주파수는 초당 성대 진동수이므로 무성음에서는 나타나지 않는다. '어디 가?'가 판정 의문문이면 설명 의문문일 때보다 문장 끝부분의 피치가 더 올라간다. 음의 높이는 대체로 아이들이 가장 높고, 여자 성인, 남자 성인의 순으로 낮아진다. 이는 성대의 길이나 두께 때문이다. 아기들이 고음을 내는 것은 성인에 비해 성대의 길이가 짧고 가늘기 때문이다. 마치 대롱이 가늘고 짧은 피리가, 굵고 긴 피리보다 고음을 내는 것과 같은 이치다.

국어의 음성 중 모든 모음과 반모음, 비음, 유음은 유성음이다. 모음은 모두 유성음이므로 유·무성의 차이는 모음의 음가를 변별하는 데 관여하지 못한다. 모음, 반모음, 비음, 유음은 발음할 때 발음기관 밖으로 공기가 계속 유출되는 소리여서 성문 아래의 기압(subglottal air pressure)이 성문 위의 기압(supraglottal air pressure)보다 높다. 그래서 이들 소리는 성문 위로 기류가 계속 나오면서 성대 진동이 가능한 상태이고 본디 유성음이다. 이에 비해 무성음 'ㅋ, ㅌ, ㅍ, ㅊ' 따위는 구강 어딘가에 기류에 대한 심한 방해가 있는 소리여서 성문 위 기압이 아래 기압보다 높아진다. 이로 인해 성문 위로 기류가 계속 나올 수 없어서 성대 진동이 일어나기 어렵다.

비음과 유음을 제외한 자음은 무성음이라 했으나, [ㅅ]를 제외한 예사소리 즉, [ㅂ,ㄷ, ㄱ, ㅈ]는 '아버지, 아들, 아가, 부자'에서처럼 유성음 사이에서 발음될 때는 대개 유성음으로 되어 [b, d, g, dʑ]로 실현된다. 모음도 본디 유성음이지만 무성음화할 수 있다. '식칼, 칙칙폭폭'과 같은 단어를 발음할 때는 모음이 있음에도 불구하고 대개 성대 진동이 일어나지 않는다. 이는 인접한 전형적인 무성음인 [ㅅ, ㅋ, ㅊ, ㅍ]의 영향 때문이다. 이들 소리를 발음할 때 성문은 다른 음성을 낼 때보다 많이 열려 있다. 성문이 많이 열려 있을수록 성대를 여닫으며 발생하는 진동이 일어나기 어렵다.

유기음과 무기음 유기음은 숨이 거세게 나오는 자음으로 [ㅍ, ㅌ, ㅋ, ㅊ]가 이에 해당한다. 유기음은 '격음, 거센소리, 기음'이라고도 한다. 성문은 개폐 운동을 할 수 있는데, 큰기침을 하거나 한숨을 쉴 때는 성문이 많이 열린다.

(12) 성문의 개폐(Brosnahan & Malmberg: 1976, 35)

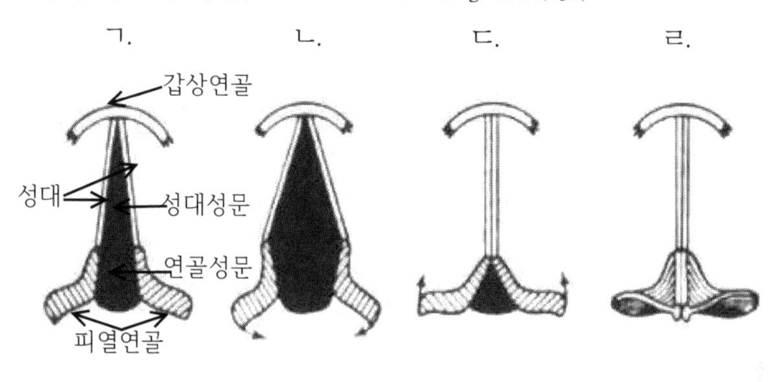

(12)는 성문의 개폐 상태를 그린 것으로, (12ㄱ)은 보통 호흡, (12ㄴ)은 심호흡할 때이다. (12ㄷ)은 성대성문은 닫히고 연골성문은 열려 있는 불완전 진동 상태로 속삭임소리(whispered voice)가 만들어질 때, ㄹ은 완전 진동이 가능한 상태로 유성음이 만들어질 때의 성문 모습이다.

성대 진동 유무에 따라 음가가 달라지는 것처럼, 성문의 개폐 운동을 통해서도 음가가 달라질 수 있다. '바, 빠, 파'를 발음하기 위해 입술을 붙였다 뗄 때 성문 열림의 정도를 성문 열림도라 한다면, '예사소리, 된소리, 거센소리' 중 거센소리 [ㅍ, ㅌ, ㅋ, ㅊ]의 성문 열림도가 가장 크고 예사소리, 된소리의 순이다. 이는 얇은 휴지나 손바닥을 입 앞에 대고 '바, 빠, 파'를 발음하면서 입 밖으로 나오는 기류의 양, 세기를 관찰해봄으로써 확인할 수 있다. '파'를 발음할 때 가장 기류의 양이 많고 세다. 그 다음이 '바'이며, '빠'를 발음할 때는 거의 기류의 유출을 느낄 수 없을 것이다. [ㅍ, ㅌ, ㅋ, ㅊ]는 각각 무성음 기호에 [^{h}]를 덧붙여 [p^h,

t^h, k^h, $tɕ^h$]로 전사한다.

거센소리 또는 격음은 기류의 양이 많고 센 청각적 인상에 따라 붙인 용어다. 거센소리를 유기음(有氣音)이라고도 하는데, 기(氣, aspiration)는 조음 음성학적으로는 조음작용과 발성작용의 시간 차이 때문에 생긴다. 조음작용인 조음부 개방이 이미 이루어진 시점에서, 후행 모음의 발성작용인 진동을 위해 닫혀야 하는 성대가 여전히 열려 있어서 생기는 특성이다. 음향 음성학적으로는 [파]에서 [ㅍ]의 파열 시점부터 [ㅏ]의 성대 진동이 시작되는 시점(voice onset time)까지의 무성 상태이다. 성대진동시점이 지연될수록 '기'의 길이는 길어진다. '기'도 거센소리가 가장 길고, 그 다음이 예사소리, 된소리 순이다. 이는 입 밖으로 나오는 기류의 양, 세기와 같다.

성문 열림의 정도가 클수록 성대 진동이 일어나기 힘들다. 거센소리는 된소리나 예사소리에 비해 성문 열림도가 크다. 그래서 이들 소리는 유성음 사이에서도 유성음화하지 않는다. '아버지'의 [ㅂ]는 유성음 [b]로 나지만, '아프다'의 [ㅍ]는 '파리'의 [ㅍ]와 마찬가지로 여전히 무성음이다.

후두 긴장음과 비긴장음 발성작용에 따라 음가 차이를 유발하는 또 하나의 방법은 성대를 긴장시키느냐 이완시키느냐이다. 무거운 것을 들어 올리거나 목에 힘을 줄 때 성대가 긴장하는 것을 느낄 수 있다. ㅃ[pˀ], ㄸ[tˀ], ㄲ[kˀ], ㅉ[tɕˀ], ㅆ[sˀ]는 후두 근육이 상당히 긴장된 상태로 발음하는 후두 긴장음이다. 후두 긴장음(glottalized sound)은 경음, 된소리라고도 한다. 된소리는 성문이 거의 닫힌 채 발음되므로 기식이 거의 없어서 기의 길이가 가장 짧은 무기음(無氣音, unaspirated sound)이다.

성대 근육이 유연하지 않고 팽팽하게 긴장된 상태에서는 진동이 일어나기 어렵다. 그래서 된소리는 유성음 사이에서도 유성음화하지 않는다. '아버지'의 [ㅂ]는 유성음 [b]로 나지만, '아빠'의 [ㅃ]는 '빵'의 [ㅃ]와 같이 여전히 무성음이다. 된소리는 거센소리와 마찬가지로 항상 무성음으로 발음한다.

(13) 발성작용에 따른 자음 분류와 용어

순우리말	한자말	영어	예
울림소리	유성음(有聲音)	voiced	ㅁ, ㄴ, ㅇ, ㄹ
안울림소리	무성음(無聲音)	unvoiced	ㅌ, ㅋ, ㅃ, ㄲ, ㅅ 등
거센소리	격음(激音) 유기음(有氣音)	aspirated	ㅍ, ㅌ, ㅋ, ㅊ
된소리	경음(硬音), 후두긴장음(喉頭緊張音) 무기음(無氣音)	glottalized	ㅃ, ㄸ, ㄲ, ㅉ, ㅆ
예사소리	평음(平音)	lenis	ㅂ, ㄷ, ㄱ, ㅈ, (ㅅ)

(13)은 발성작용에 따른 음성 분류와 그에 대한 용어를 정리한 것이다.

'ㅅ'은 예사소리인가, 거센소리인가? 'ㅅ'은 음운론적으로는 예사소리로 분류된다. 그러나 'ㅅ'은 거센소리 짝이 없어서 음성학적으로는 거센소리의 특성을 보이는 경우도 있다. 예를 들어 예사소리 'ㅂ, ㄷ, ㄱ, ㅈ'은 유성음 사이에서 유성음화하지만, 'ㅅ'은 그렇지 않다. 또 'ㅣ, ㅡ, ㅜ'와 같은 고모음은 거센소리처럼 성문 열림도가 큰 무성자음 사이에 있으면 무성음화하는 경우가 대부분인데, 'ㅅ'과 무성자음 사이에 있는 '식칼, 습도'의 'ㅣ, ㅡ'와 같은 고모음도 무성음화한다.

2.3. 모음

2.3.1. 단모음

단모음(單母音, monophthong)이란 발음하는 동안 조음부의 형상이 고정되어서 단일한 음가를 지닌 모음을 말한다. 짧은소리를 뜻하는 단모음(短母音)과 혼동을 피하기 위해 단순모음(simple vowel)이라 부르기도 한다. 모음사각도 위에 표시한 모음은 모두 그 음성을 내는 동안에 혀의 앞뒤, 혀의 높낮이, 입술 모양이 일정해서 하나의 음가를 지닌 단모음이다.

훈민정음 창제자는 자음 기본자는 해당 자음을 발음할 때 발음기관의 움직임을 관찰하고 이를 상형의 대상으로 삼았다. 그러나 중성 기본자 'ㆍ, ㅡ, ㅣ'는 조음위치와 조음방법을 인식하여 이를 상형의 대상으로 삼아 만든 글자가 아니라 각각 하늘, 땅, 사람(天地人)을 본뜬 것이다. 이는 자음의 조음위치는 직접적인 관찰로 충분히 알 수 있음에 비해, 모음은 그렇지 못하다는 데도 이유가 있을 것이다. 자음은 조음부 내에서 기류 방해가 최대로 일어나는 지점인 조음위치를 특정할 수 있고 조음방법을 관찰할 수 있음에 비해, 모음은 조음부 모양에 따른 공명으로 만들어지는 소리이기 때문이다.

혀의 위치 Jones, D.(1957)에서는 모음의 조음위치를 정확히 알기 위해 혀의 정 중앙선 위에 가는 납줄을 올려 둔 채로 모음을 발음하면서 X-ray를 촬영했다. 납줄을 올린 것은 혀의 움직임이 X-ray 상에 나타나게 하기 위함이었다. 가장 앞 쪽이면서 가장 위, 즉 혀를 구개에 최대한 접근시키되 자음이 되지 않게 해서 발음한 것을 모음 [i]라 하고, 가장 앞쪽이면서 가장 아래, 즉 혀와 구개의 거리를 최대화하여, 또는 턱을 최대한 내려서 발음한 것을 [a]라 했다. [u]는 가장 뒤쪽이면서 가장 위, 즉 혀를 구개에 최대한 접근시키되 자음이 되지는 않게 해서 발음한 것이고, [ɑ]는 가장 뒤쪽이면서 가장 아래, 즉 혀와 구개의 거리를 최대화하여, 또는 턱을 최대한 내려서 발음한 것이다. 혀와 입천장 사이의 거리가 가장 좁혀지는 지점을 혀의 최고점(the highest point of tongue)이라 했다.

모음사각도는 [i], [a], [u], [ɑ]의 혀의 최고점을 연결하여 만든 것이다. 모음사각도의 모양은 왼쪽 변이 오른쪽보다 길고, 윗변이 아래보다 길다. 이는 조음부의 모양을 반영한다. 즉 조음 가능 영역이 닫혀 있는 혀뿌리 쪽보다 열 수 있는 입 쪽이 더 크고, 위쪽인 구개가 아래쪽인 혀보다 더 넓음을 보여준다. 그 다음 [i]와 [a] 사이를 등거리로 나누어 [e], [ɛ]의 음가를, [u]와 [ɑ] 사이를 등거리로 나누어 [o]와 [ɔ]의 음가를 정했다. 이렇게 음가를 정한 [i, e, ɛ, a, ɑ, ɔ, o, u]를 1차 기본모음(primary cardinal vowel)이라 했다.

(1) 모음 영역

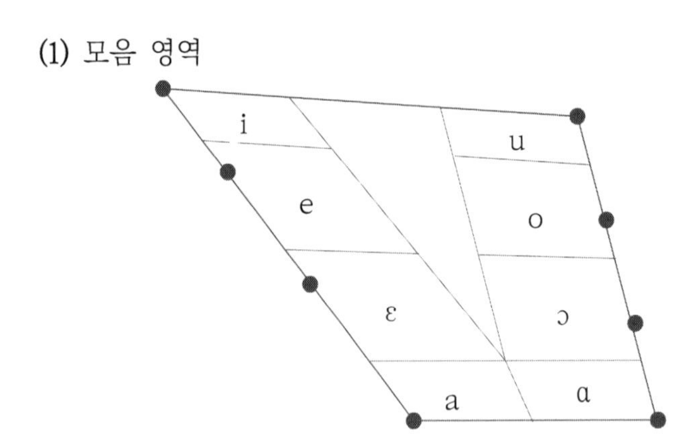

기본모음 사각도는 모든 언어의 모음을 기술하기 위한 기준점 역할을 한다. 모음사각도 위에서 각 모음은 점으로 표시되어 있지만, (1)처럼 영역을 분할하여 점을 중심으로 한 영역 안에 있는 소리들은 같은 기호로 쓰고, '불어의 [i]는 한국어 [i]보다 더 앞에서 더 위에서 발음한다.'는 식으로 설명한다.

혀의 최고점 위치를 혀(의) 위치(tongue position)라 하는데, 이는 모음사각도에서 가로축 위치와, 세로축 위치를 포괄하는 의미로 쓰였다. 『문법』(2004: 57)에서는 가로 위치를 혀의 앞뒤, 세로 위치를 혀의 높낮이라 불렀다. 혀의 앞뒤는 자음의 조음위치에 해당하고, 혀의 높낮이는 조음방법에 해당한다. 혀의 높낮이는 모음의 능동부인 혀와 고정부인 입천장과의 거리에 따른 개념이기 때문이다.

혀의 앞뒤 발음할 때 혀의 최고점이 입천장 앞쪽에 있으면 전설모음, 뒤쪽에 있으면 후설모음으로 양분하기도 하고, 전설, 중설, 후설로 삼분하기도 한다.

(2) 혀의 앞뒤에 따른 모음 분류와 용어

순우리말	한자말	영어	고정부	능동부	예
앞홀소리	전설모음 (前舌母音)	front vowel	센입천장	전설	ㅣ[i], ㅔ[e], ㅐ[ɛ]
가운데 홀소리	중설모음 (中舌母音)	central vowel	여린입천장	중설	ㅡ[ɯ], ㅓ[ə], ㅏ[a]
뒤홀소리	후설모음 (後舌母音)	back vowel	여린입천장	후설	ㅜ[u], ㅗ[o], (ㅓ[ʌ])

(2)는 혀의 앞뒤에 따라 삼분하고 각각에 대한 용어를 정리한 것이다. 만약 양분한다면 중설모음은 후설모음에 속한다. 이는 [ㅡ, ㅓ, ㅏ]의 최고점이 입천장의 뒤쪽에 있기 때문이고, 또 'ㅣ' 역행동화와 같은 변동에서 [ㅡ, ㅓ, ㅏ]는 [ㅜ, ㅗ]와 자연류를 형성하기 때문이다.

(3) ㄱ. 거ː리, 없ː다, 연ː기(演技), 방ː화(放火), 원ː근(遠近)
ㄴ. 거리, 업다, 연기(延期), 방화(防火), 원근(原根)

(2)에서 'ㅓ'는 중설모음 [ə]로도 표시하고 후설모음 [ʌ]로도 표시했다. 'ㅓ'는 (3ㄱ)처럼 긴소리일 때는 [ə]로, (3ㄴ)처럼 짧은소리일 때는 [ʌ]로 되기 때문이다. 'ㅓ' 뿐만 아니라 다른 모음들도 운소와 결합하여 약간의 음가 차이를 낸다. 예를 들어 /일ː/, /일/에서 [i], /말ː/, /말/에서 [a]의 음가가 동일하지는 않지만, 각각 [i], [a]의 영역에 든다. 그러나 /없ː다/에서는 중설 중모음 [ə]로, /업다/에서는 후설 반개모음 [ʌ]로 음가 차이가 상대적으로 크다.

혀의 높낮이 조음위치가 같아도 조음방법이 다르면 다른 음가가 만들어진다. 파열음은 조음과정 중 해당 음의 내재적 속성에 해당하는 ② 단계가 '폐쇄·지속'인데, 이는 상대적으로 능동부와 고정부의 거리가 먼 모음 사이에 있을 때 대조적으로 잘 드러났다.

(4) 모음의 조음과정과 조음방법

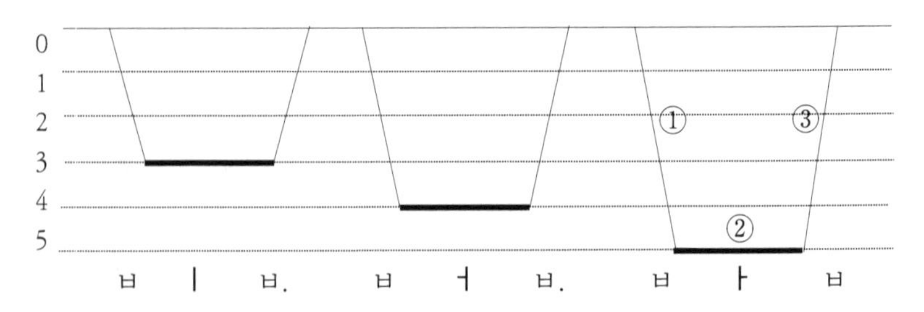

따라서 열림도가 큰 모음은 (4)처럼 열림도가 0도인 파열음 사이에 있을 때, ② 단계가 대조적으로 잘 드러나게 될 것이다. 파열음 사이에 있는 모음의 조음과정은 모음 사이의 자음과는 반대다. 즉 자음에서 ① 단계가 폐쇄 또는 접근, ③ 단계가 개방이라면, 모음에서는 ① 단계가 개방, ③ 단계가 폐쇄, 또는 접근이 될 것이다. 모음의 '지속'은 '개방·지속'이라 할 수 있고, 모음의 조음과정은 '개방-개방·지속-접근'의 세 단계로 이루어진다.

(5) 혀의 높낮이에 따른 모음 분류와 용어

순우리말	한자말	영어	예
높은홀소리 닫은홀소리	고모음(高母音) 폐모음(閉母音)	high close	ㅣ[i], ㅡ[ɯ], ㅜ[u]
반높은홀소리 반닫은홀소리	반고모음(半高母音) 반폐모음(半閉母音)	half-high half-close	ㅔ[e], ㅓ[ə], ㅗ[o]
반낮은홀소리 반연홀소리	반저모음(半低母音) 반개모음(半開母音)	half-low half-open	ㅐ[ɛ], (ㅓ[ʌ])
낮은홀소리 연홀소리	저모음(低母音) 개모음(開母音)	low open	ㅏ[a]

고모음, 반고모음, 반저모음, 저모음은 혀의 높낮이에 따른 용어이다. 혀가 높다는 말은 입천장에 더 많이 접근해 있다는 뜻이다. '고모음, 반고모음, 반저모음, 저모음'은 각각 '폐모음, 반폐모음, 반개모음, 개모음'으로도 불리는데, 이 용어는 입벌림의 정도에 따른 것이다. 혀의 높낮이에 따른 용어를 정리하면 (5)와 같다.

입술 모양 국제음성기호의 모음사각도에는 같은 조음위치, 조음방법인 음이 두 개씩 있다. [i]와 [y]는 둘 다 전설 고모음이다. 입술을 둥글게 해서 발음하는 모음을 원순모음, 그렇지 않은 것을 평순모음이라 한다. 본디 평순인 기본모음은 원순으로, 본디 원순인 기본모음은 평순으로 발음하여 그 음가를 정하고 이를 2차 기본모음(secondary cardinal vowel)이라 한다. [y]는 [i]와 같은 조음위치, 조음방법이면서 입술만 둥글게 한 것이다. [u]를 발음하다가 입술만 펴면 [ɯ]가 된다.

(6) 입술 모양에 따른 모음 분류와 용어

순우리말	한자말	영어	입술모양	예
둥근 홀소리	원순모음 (圓脣母音)	rounded	둥긂	ㅜ, ㅗ
안둥근 홀소리	평순모음 (平脣母音)	un-rounded	안둥긂	ㅣ, ㅡ, ㅔ, ㅓ, ㅐ, ㅏ

모음의 입술 모양에 따른 용어를 정리하면 (6)과 같다.

(7) 한국어 모음사각도

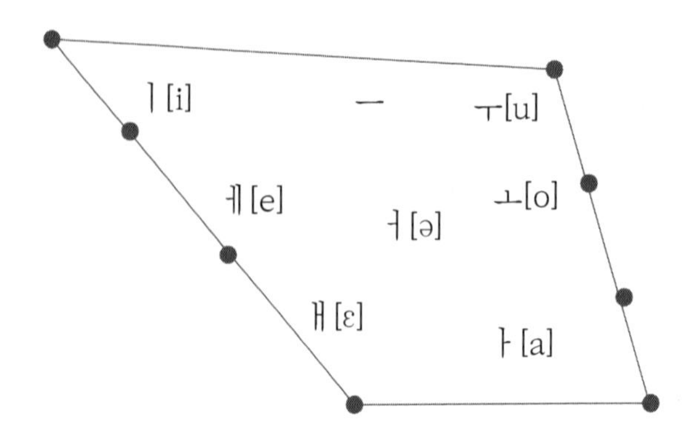

모음의 음가는 '혀의 앞뒤, 혀의 높낮이, 입술 모양'에 의해 결정된다. (7)은 모음사각도에 한국어 모음을 배치한 것이다.

2.3.2. 반모음과 이중모음

단모음은 발음하는 동안 조음부의 형상이 고정되므로 단일 음가이다. 이에 반해 [ㅑ, ㅕ, ㅘ, ㅝ]를 발음할 때처럼 혀나 입술 모양이 고정되어 있지 않고, 다른 상태로 옮겨가면서 발음되어 두 개의 음가가 결합된 모음을 이중모음(diphthong)이라 한다.

[ㅑ, ㅕ, ㅛ, ㅠ] 등은 홑글자이지만, 음가로는 반모음과 단모음 두 개의 음성이다. 이중모음을 형성하는 두 소리 중 열림도가 더 큰 소리가 더 잘 들리는 소리이고 이것이 단모음이다. 단모음의 앞 또는 뒤에 붙어있는 열림도가 더 작은 소리를 반모음 또는 반자음이라 부른다.

이중모음 [ㅑ, ㅕ, ㅛ, ㅠ, ㅖ, ㅒ]를 발음할 때는 단모음 [ㅣ]와 유사한 혀의 앞뒤, 혀의 높낮이, 입술 모양에서 출발한다. 이때 실현되는 반모음은 [j]로 전사한다. [ㅘ, ㅝ, ㅟ, ㅚ/ㅞ, ㅙ]를 발음할 때는 단모음 [ㅜ]와 유사한 혀의 앞뒤, 혀의 높낮이, 입술 모양에서 출발한다. 이때 실현되는 반모음은 [w]로 전사한다.[5] 이중모음 [ㅢ]는 발음 변이가 많은 소리여서 [ㅡ]를 반모음으로 발음하기도 하고, [ㅣ]를 반모음으로 발음하기도 한다. 단모음 [ㅡ]와 유사한 혀의 앞뒤, 혀의 높낮이에서 출발하는 반모음은 [ɰ]로 전사한다.

5 이중모음 'ㅟ'에 있는 단모음 [ㅣ]는 전설모음이어서 반모음을 발음할 때부터 전설-센입천장 위치에서 시작된다. 'ㅠ, ㅛ'에 있는 단모음 'ㅜ, ㅗ'도 원순모음이어서 처음부터 입술이 둥근 상태로 시작된다. 'ㅟ, ㅠ, ㅛ'에서처럼 [j], [w]는 후속 단모음에 따라 전설 원순 반모음 [ɥ]로 발음될 때도 있다.

(8) 반모음의 과도

ㄱ. /j/의 과도

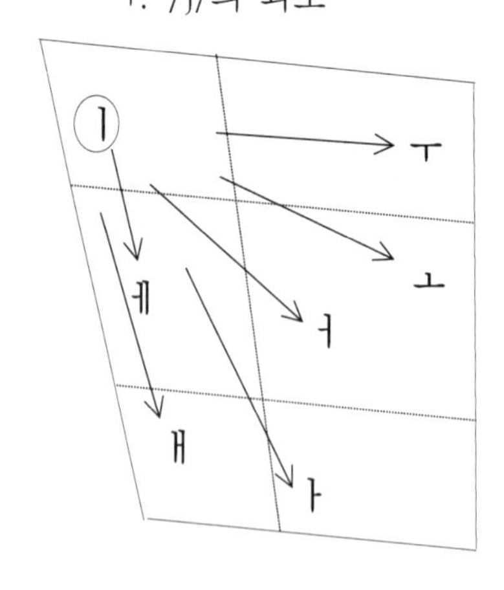

ㄴ. /w/의 과도

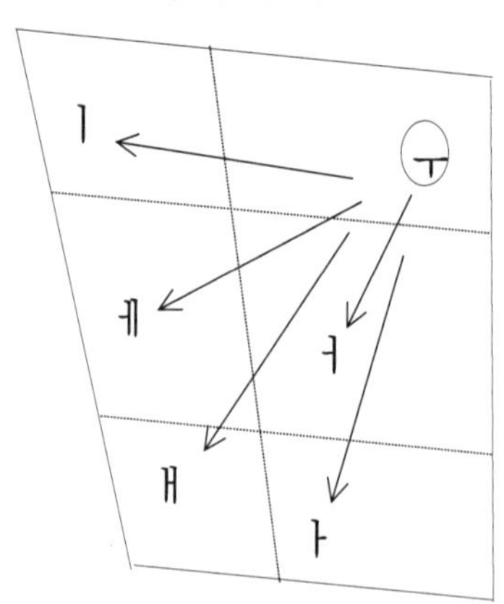

이렇게 반모음은 특정한 조음부의 형상에서 다른 소리로 이동하면서 음가가 드러난다는 점에서 과도음(미끄럼소리, gliding sound)이라고도 불린다. (8)은 /j/는 'ㅣ'의 자리에서 /w/는 'ㅜ'의 자리에서 후속 단모음으로 조음부가 이동하는 과정에서 음가가 실현되는 소리임을 보여준다.

[j, w]를 영어 음성학에서는 대부분 반자음이라 부르는데 비해, 한국어 음성학에서는 반모음이라 한다. 이는 한국어의 [j, w]는 다음과 같은 점에서 자음보다 모음과 더 유사하기 때문이다.

첫째, 문자 때문이다. 'ㅑ, ㅕ, ㅛ, ㅠ' 등의 문자에서 반모음은 단모음과 분리되지 않는다. 이에 비해 영어에서는 'ear', 'year'에서처럼, 단모음 [i]는 문자 'e'에 대응되는 반면, 이중모음 [ji]는 두 개의 문자 'ye'에 대응된다.

둘째, 반모음의 길이 때문이다. 영어와 비교하면 한국어 반모음은 과도의 길이가 짧다. 'queen, quiz'를 '퀸, 퀴즈'라 하면 영어권 화자의 귀에 어색하게 들린다. 그 까닭은 단모음으로 발음한 '쿠인, 쿠이즈'보다는 짧지만 그들의 [w]는 우리 것보다 길게 발음되기 때문이다. 영어에서는 [ji], [wu]가 있지만 한국어에는 없는 것도 과도의 길이가 짧아서 비슷한 위치에서 발음되는 [j]와 [i], [w]와 [u]가 연속되었을 때 반모음의 음가가 드러나지 않기 때문이다.

셋째, 음소 결합 방식 때문이다. 영어에서 부정관사의 선택은 모음 앞에서는 'an', 자음 앞에서는 'a'를 선택하는데 [j], [w] 앞에서도 'a year'처럼 'a'를 선택한다. 그러나 한국어에서 '일요일'은 [이료일]로 발음되는데 만약 [j]가 자음이라면 이때 [료]의 음절구조는 CCV가 되어 자음군(子音群)이 형성된다. 그러나 한국어는 음절 내부에 자음군을 허용하지 않는 언어다.

『훈민정음』의 '起於ㅣ'와 반모음 [j] 훈민정음 제자해에서 말하는 '起於ㅣ'는 [ㅣ]와 비슷한 상태에서 출발한다는 뜻으로, 반모음 [j]의 음가 설명에 해당한다.

ㅛ與ㅗ同而起於ㅣ(ㅛ는 ㅗ와 같으나 ㅣ에서 시작되고)
ㅑ與ㅏ同而起於ㅣ(ㅑ는 ㅏ와 같으나 ㅣ에서 시작되고)
ㅠ與ㅜ同而起於ㅣ(ㅠ는 ㅜ와 같으나 ㅣ에서 시작되고)
ㅕ與ㅓ同而起於ㅣ(ㅕ는 ㅓ와 같으나 ㅣ에서 시작된다.)

제 3 장

음소와 음소체계

1. 음성과 음소

음성이 말소리인 것처럼 음소도 말소리다. 그런데, '음성', '음소'로 각기 달리 부르는 까닭은 말소리가 동전의 양면처럼 서로 다른 두 가지 모습을 갖고 있어서 한 쪽 면은 '음성', 또 다른 한 면은 '음소'라 부르기 때문이다.

음성은 실제 부려 쓴 말소리로서 각각 고유의 음가를 지니고 있지만, 우리는 이들 각 음성을 모두 다르게 구별해서 발음하고 지각할 수는 없다. 예를 들어 한국어로 의사소통하는 한국인들은 ㅍ[p^h]와 ㅃ[p^ʔ]를 각각 다른 음가를 지닌 말소리로 인식한다. 영어에서도 pie는 [p^{h}aj]로, spy는 [sp^{ʔ}aj]로 발음하지만 영어권 화자들은 [p^h]와 [p^ʔ]를 같은 음가로 인식한다. '바다'의 [ㅂ]는 [p]로 '아버지'의 [ㅂ]는 [b]로 발음되지만, 한국인들은 [p]와 [b]의 차이를 인식하지 못하고 같은 말소리로 인식한다. 이처럼 물리적 말소리와 심리적 말소리는 일대일로 대응하지 않는다.

말소리 중 특정 언어 사용자들이 구별하여 인식할 수 있는 것을 음소(phoneme)라 한다. 음소는 사람들의 머릿속에 기억·저장된 추상적인 말소리다. 특정한 말소리를 머릿속에 기억·저장하는 것은 이들로 인해 해당 언어의 단어 의미가 달라지는 경우가 있어서, 의사소통에 유의미하기 때문이다. 음소는 어떤 언어에서 단어의 의미를 분화시키는 역할을 한다. 이를 음소의 변별적 기능(distinctive function)이라 한다. 의미와 상관없이 말소리는 모두 음성인 반면, 음소는 의미 변별에 관여하는 말소리다.

음소는 음성보다 더 추상화된 말소리다. 화자 간, 화자 내 발음 변이를 모두 반영한다면, 말소리 각각의 음가는 일회적이다. 국제음성기호로도 모든 물리적인 음가 차이를 다 전사할 수는 없다. 그러므로 음성도 음소에 비해 덜 추상적이긴 하나 완전히 구체적인 대상은 아니다. 그런데 음소는 그 음성에서 다시 의미 변별에 관여하는 말소리만 추린 것이어서 음성보다 더 추상화된 말소리이다. '음성'은 '뒷산 진달래'와 '앞산 진달래' 정도로, '음소'는 '진달래' 정도로 추상화된 개념이다. '진달래'는 무수히 피고 지는 진달래들에서 공통 속성만을 뽑아 추상화한 것이다. 지난주 막 꽃망울을 터뜨리던 진달래와 오늘 아침 활짝 핀 진달래 정도로 구체적인 음가 차이는 언어 사용에 유용하지 않다고 본다. '추상성'은 언어 기호의 주요 특성 중 하나다.

같은 소리로 인식하든 그렇지 않든, 단어의 의미를 분화시킬 수 있든 없든, 음가가 다른 말소리는 모두 각각 음성이다. 이에 비해 음소는 의미 변별에 관여하므로 해당 언어 사용자의 머릿속에 기억·저장되어 있어서 심리적으로 구별하여 인식할 수 있는 말소리다. 음성 [p, b, $p^{ʔ}$, p^{h}]는 한국어뿐 아니라, 영어에도 있고, 중국어에도 있다. 이에 비해 음소는 개별 언어에 따라 달리 설정된다. 음성 [p, b, $p^{ʔ}$, p^{h}]를 한국인은 /ㅂ/, /ㅃ/, /ㅍ/ 세 개의 음소로 인식하고, 영어권 화자들은 /p/, /b/ 두 개의 음소로 인식하기 때문이다.

'나라'의 [ㄹ]는 탄설음 [ɾ]로, '달'의 [ㄹ]는 설측음 [l]로 각기 다른 음가를 지닌 음성이지만, 한국어에서는 이 두 음성의 차이가 의미 변별에 관여하는 일이 없기 때문에 한국인들은 [ɾ], [l]

두 음성을 하나의 음소 /ㄹ/로 생각한다. 이에 비해 영어에서는 'rice'와 'lice'가 이 두 음성에 의해 뜻이 달라지므로 [ɾ], [l]는 각각 음소 /ɾ/, /l/가 된다.

'불'의 [ㅂ]는 [p]로, '뿔'의 [ㅃ]는 [p^{ʔ}]로 각기 다른 음성이고, 이 두 음성의 차이가 단어의 의미 변별에 관여하므로 한국인들은 [p]와 [p^{ʔ}]를 각각 음소 /p/와 /p^{ʔ}/로 구별하여 인식한다. 그러므로 [p], [p^{ʔ}]는 각각 음성이면서 음소 /p/, /p^{ʔ}/이다. 그러나 'park, spike'에서 'p'의 음가는 각각 무성 유기음 [p^{h}], 무성 무기음 [p^{ʔ}]이지만, 영어에서 이 차이로 인해 뜻이 달라지는 단어가 없어서 둘 다 무성음 /p/로 인식한다. 그러므로 영어에서 [p^{h}]와 [p^{ʔ}]는 하나의 음소 /p/이다.

한국어에서는 '커피'의 [ㅍ]를 마찰음 [f]로 하든, 파열음 [p^{h}]로 발음하든 의미의 차이가 없기 때문에, 하나의 음소로 인식된다. 이에 비해, 영어에서는 'fool/pool'에서처럼 단어의 의미를 변별하기 때문에 /f/와 /p/는 각기 다른 음소로 인식된다. 'coffee'의 'f'를 영어로 발음할 때는 [f]로 발음해야 하지만, 외래어 '커피'의 'ㅍ'는 [f]가 아니라, [ㅍ]로 발음하는 것이 표준발음이다. 한국어 말소리에는 [f]가 없기 때문이다. [s]와 [s^{ʔ}]는 '살/쌀'에서처럼 의미 변별 기능이 있으므로 한국어에서는 각각 음소가 된다. spike의 's'는 [s]로 site의 's'는 [s^{ʔ}]로 소리 나지만, 이런 차이로 인해 의미가 달라지는 영어 단어가 없으므로, 영어에서는 하나의 음소가 된다.

(1) 음성과 음소

말소리 / 특성	음성	음소
의미 변별 기능	없다	있다
추상성의 정도	약하다	강하다
특성	물리적, 보편언어적	심리적, 개별언어적
한국어 예	나라 [ɾ], 달 [l]	/ɾ/(ㄹ)
	불 [p], 뿔 [pˀ]	/p/(ㅂ), /pˀ/(ㅃ)
	커피 [f], 커피 [pʰ]	/pʰ/(ㅍ)
	살 [s], 쌀 [sˀ]	/s/(ㅅ), /sˀ/(ㅆ)
영어 예	rice [ɾ], lice [l]	/ɾ/, /l/
	pie [pʰ], spy [pˀ]	/p/
	fan [f], pan [pʰ]	/f/, /p/
	spike [s], site [sˀ]	/s/

(1)은 지금까지 설명한 음성과 음소의 차이점과 예를 정리한 것이다.

2. 음소 분석

앞 장에서 살펴본 자음 음성은 출현 빈도가 높고, 화자와 상관없이 실현되는 것으로 개인적이고 일회적인 것은 제외한 것이다. 음운 환경에 따라 거의 항상 실현되는 음성만 추려 봐도 50개가 넘는다. 이들 한국어 음성을 조음위치와 조음방법에 따라 배열하면 다음 (1)과 같다.

이들 음성을 대상으로 음소 여부를 확인하는 작업을 음소 분석(phonemic analysis)이라 한다. 음소 분석에 사용되는 개념으로 최소대립쌍, 상보적 분포, 유사 음성, 자유 분포 등을 들 수 있다. 우리말 자음을 19개라고 할 때 이는 자음 음성이 아니라, 자음 음소가 19개라는 말이다.

(1) 한국어 음성

조음위치 \ 조음방법	입술소리	잇몸소리 앞	잇몸소리 뒤	센입천장소리 앞	센입천장소리 뒤	여린입천장소리	목소리	목청소리
파열음	p b p̚ pˀ pʰ	t d t̚ tˀ tʰ				k g k̚ kˀ kʰ		
파찰음			ʧ ʤ ʧˀ ʧʰ	ʨ ʥ ʨˀ ʨʰ				
마찰음	ɸ	s sˀ		ɕ ɕˀ	ç	x	ħ	h ɦ
비음	m	n			ɲ	ŋ		
탄설음		ɾ						
설측음		l			ʎ			
반모음	(w)				j ɥ	ɰ w		
폐모음	(u)				i	ɯ u		
반폐모음	(o)				e	ə o		
개모음					ɛ	a ʌ		

2.1. 최소대립쌍과 음소

음소는 의미 변별에 관여하는 말소리라 했다. 어떤 음성이 의미 변별에 관여하는지 그렇지 않은지를 판단하는 방법으로 최소대립쌍 찾기가 있다.

(1) ㄱ. 굴, 꿀, 둘, 물, 불, 술, 줄, 풀
　ㄴ. 발, 벌, 볼, 불, 벨
　ㄷ. 밥, 밭, 박, 밤, 반, 방, 발

(1ㄱ)에서는 초성 'ㄱ, ㄲ, ㄷ, ㅁ, ㅂ, ㅅ, ㅈ, ㅍ'의 차이, (1ㄴ)에서는 중성 'ㅏ, ㅓ, ㅗ, ㅜ, ㅔ'의 차이, (1ㄷ)에서는 종성 'ㄱ, ㄷ, ㅂ, ㄴ, ㄹ, ㅁ, ㅇ'의 차이 때문에 각 단어의 의미가 달라진다. 따라서 이들 말소리는 각각 변별적 기능을 하는 음소다. 음소가 변별적 기능이 있다는 말은 음소 자체에 뜻이 있다는 게 아니라, 음소 차이로 인해 낱말 뜻이 달라진다는 뜻이다.

같은 위치에 있는 하나의 음소 때문에 의미가 다른 두 단어를 최소대립쌍(최소대립어, 준동음어, minimal pair)이라 한다. 최소대립쌍은 표기형이 아니라 발음형이 기준이다. 지적(指摘)과 지적(知的), tear[ter], tear[tɪr]은 동철이음어이고 최소대립쌍이다. 둘 이상의 철자 차이를 보이는 tug[tʌg]와 tuck[tʌk], nail[neɪl]과 tale[tʰeɪl], sin[sɪn]과 sick[sɪk]도 음소 차이는 하나이므로 최소대립쌍이다. 값과 갑, site와 cite는 이철동음어이므로 최소대립쌍이 아니다. 또 '고기'와 '사기'처럼 둘 이상의 음소가 달라서 의미 차이가 어느 음소 때문인지 알 수 없는 것은 최소대립쌍이 아니다. 최소대립쌍의 존재는 이를 가능케 하는 음성 각각이 음소의 자격을 지님을 확인할 수 있게 한다. '불, 뿔'에서 /ㅂ/와 /ㅃ/, '불, 풀'에서 /ㅂ/와 /ㅍ/는 각각 음소가 된다.

(2) ㄱ. p : p' : p^h 불 : 뿔 : 풀

t : t' : t^h 달 : 딸 : 탈

k : k' : k^h 기 : 끼 : 키

ㄴ. ʨ : ʨ' : $ʨ^h$ 자다 : 짜다 : 차다

ㄷ. s : s' 살 : 쌀

s : h 서리 : 허리

ㄹ. m : n : ŋ 감 : 간 : 강

ㅁ. n : ɾ 노비 : 로비

최소대립쌍 유무는 조음위치, 조음방법이 비슷한 음성들을 치환해 보면 알 수 있다. (2ㄱ)은 파열음, (2ㄴ)은 파찰음, (2ㄷ)은 마찰음, (2ㄹ)은 비음, (2ㅁ)은 잇몸에서 발음되는 공명자음끼리 치환했을 때 각각 의미가 다른 단어가 되는 예들이다. /p, p', p^h/, /t, t', t^h/, /k, k', k^h/, /ʨ, ʨ', $ʨ^h$/, /s, s', h/, /m, n, ŋ/, /n, ɾ/는 조음위치나 조음방법이 같은 음성을 묶은 것인데, 각각 최소대립쌍이 있으므로 모두 음소이다.

(3) ㄱ. i : e : ɛ 치 : 체 : 채

ɯ : ə : a 금 : 검 : 감

u : o 우리 : 오리

ㄴ. i : ɯ 일 : 을

e : ə 네 : 너

ɛ : a 개다 : 가다

ㄷ. ɯ : u 글 : 굴

ə : o 설 : 솔

(3ㄱ)은 혀의 앞뒤가 같은 모음끼리, (3ㄴ)은 혀의 높낮이가 같은 모음끼리, (3ㄷ)은 혀의 앞뒤, 혀의 높낮이가 같은 모음끼리 치환했을 때 각각 의미가 다른 단어가 되는 예들이다. (3)에서 음가가 비슷한 다른 음성과 최소대립쌍이 있는 /i, e, ɛ, ɯ, ə, a, u, o/는 모두 음성이면서 각각 서로 변별되는 음소이다.

(4) j : w　　　　　견 : 권
　　w : ɰ　　　　　위 : 의

(4)는 반모음으로 인한 최소대립쌍이다. 반모음 /j, w, ɰ/는 모두 음성이면서 각각 서로 변별되는 음소이다.

2.2. 배타적 분포와 결합 변이음

음성 중에는 같은 환경에서는 나타나지 않아 치환이 안 되는 것이 있다. [p]와 [b], [t]와 [d], [k]와 [g], [tɕ]와 [dʑ], [h]와 [ɦ]는 조음위치, 조음방법이 같으면서 성대 진동 유무에 따라 음가가 달라진 무성음과 유성음 쌍이다. '바다, 다리, 가을, 자유, 하늘'과 같이 어두의 /ㅂ, ㄷ, ㄱ, ㅈ, ㅎ/는 무성음 [p], [t], [k], [tɕ], [h]로, '아버지, 파도, 아기, 감자, 전화'에서처럼 어중 유성음 사이의 /ㅂ, ㄷ, ㄱ, ㅈ, ㅎ/는 유성음 [b], [d], [g], [dʑ], [ɦ]로 실현된다.

(1) 배타적 분포(상보적 분포)

음성 \ 위치	초성		종성
	어두	유성음 사이	
[p]	바다	–	–
[b]	–	아버지	–
[p˺]	–	–	입

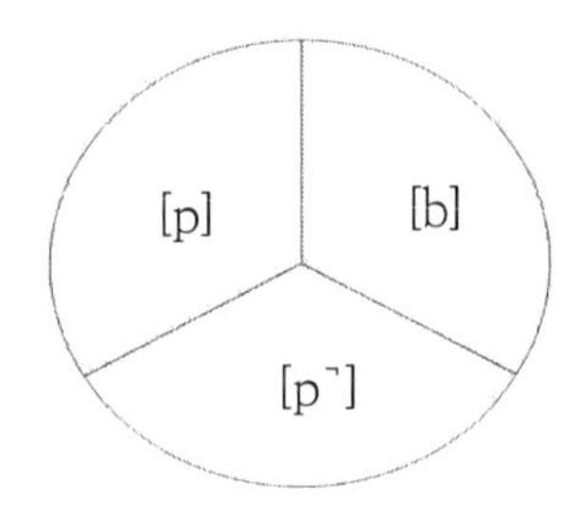

(1)처럼 불파음 [p˺]는 종성에서만 실현되고 [p], [b]는 초성에서만 실현된다. [p]는 어두 초성으로, [b]는 유성음 사이의 초성으로, 불파음 [p˺]는 종성으로만 실현된다. 이 세 소리처럼 서로 동일 환경에서 실현되지 않는 경우 배타적 분포(exclusive distribution)라 한다. [p], [b], [p˺]는 모두 한국인에게 /ㅂ/로 인식되고 이들이 모여야 (1)처럼 음소 /ㅂ/의 분포를 완성시키므로 상보적 분포(complementary distribution)라고도 한다. 배타적 분포와 상보적 분포는 같은 현상을 가리키는 다른 용어다.

배타적 분포를 보인다는 말은 이들 음성으로 인한 최소대립쌍이 없다는 뜻이다. 따라서 한국인들에게는 [p], [b], [p˺] 세 개의 음성이 하나의 음소로 기억·저장된다. 배타적 분포 관계에 있는 음성은 각각 별개의 음소가 아니라, 한 음소가 환경에 따라 달리 실현된 변이음이 된다. 그래서 음소 표기는 이들 중 대표음 하나를 뽑아서 한다. 대표음은 대체로 분포가 더 자유로운 것을 뽑는데 자음은 어두에 실현되는 것을 대표로 뽑는다. 배타적 분포를 보이는 [p, b, p˺], [t, d, t˺], [k, g, k˺], [tɕ, dʑ], [ɾ, l], [h, ɦ] 중 어두에 실현되는 것을 대표음으로 뽑고 이것으로 음소 표기를

하면 /p/, /t/, /k/, /ʨ/, /ɾ/, /h/가 된다. /p/는 [p, b, p˺], /t/는 [t, d, t˺], /k/는 [k, g, k˺], /ʨ/는 [ʨ, ʥ], /ɾ/는 [ɾ, l], /h/는 [h, ɦ]를 의미한다.

음소 /p/는 실제로는 [p], [b], [p˺]로 실현된다. 음성 [p], [b], [p˺]를 음소 /p/의 변이음(이음, allophone)이라 한다. 변이음은 음소를 전제로 하는 개념이고, 음소는 결국 변이음의 집합이다. 배타적 분포(상보적 분포)에 의해 형성된 변이음을 결합 변이음이라 하는데, 이는 말소리가 가로로 결합되면서 생긴 변이이기 때문이다.

뒷소리가 전설-센입천장에서 발음되는 [i, j]인 '남녀, 달리다, 실, 씨'의 'ㄴ, ㄹㄹ, ㅅ, ㅆ'는 센입천장소리 [ɲ, ʎ, ɕ, ɕ']로 실현된다. [ʎ]는 '달리다'에서처럼 뒷소리가 [i, j]이면서 'ㄹ'이 겹쳐 날 때 실현된다. [i, j] 외의 음이 뒤따를 때 'ㄴ, ㄹ, ㅅ, ㅆ'는 대체로 잇몸소리 [n, ɾ, s, s']로 실현된다. 그러므로 분포가 더 자유로운 잇몸소리 [n, ɾ, s, s']를 대표음으로 보아 [n, ɲ]는 /n/, [ɾ, ʎ]는 /ɾ/, [s, ɕ]는 /s/, [s', ɕ']는 /s'/로 나타낸다. 따라서 [n, ɲ]는 /n/, [ɾ, ʎ]는 /ɾ/, [s, ɕ]는 /s/, [s', ɕ']는 /s'/의 결합 변이음이다.

'ㅎ'은 '후비다'에서처럼 원순모음 앞에서는 입술소리 [ɸ]로, '힘, 혀'에서처럼 전설 고모음 앞에서는 센입천장소리 [ç]로, '흙'에서처럼 후설-여린입천장 모음 앞에서는 여린입천장소리 [x]로, '하늘, 호박'에서처럼 개구도가 넓은 모음 앞에서는 인두음 [ħ] 또는 목청소리 [h]로 실현된다. 이렇게 다양한 위치에서 발음될 수 있는 것은 'ㅎ'이 고정된 조음위치가 없기 때문이다. 이들 음성의 차이로 뜻이 달라지는 단어가 없어서 모두 하나의 음소로 인식한다. 그러므로 모두 변이음으로 처리해야 하는데, 이렇게 다양한 위치에서 실현되는 것을 설명하기 위해서 목청소리 /h/를 대표음으로 본다. 목청소리는 발성작용과 조음작용이 모두 후두에서 이루어지므로 구강 조음과 별 상관이 없어서 다양한 위치 변이가 가능하다. 음소 /h/는 변이음 [h, ɸ, ç, x, ħ]의 집합이다.

'ㅓ'는 긴소리일 때는 [ə]로, 짧은소리일 때는 [ʌ]로 되므로 분포가 배타적이고 [ə]와 [ʌ]의 음가 차이로 인한 최소대립쌍이 없어서 이 둘은 한 음소로 묶인다. 일반적으로 'ㅓ'의 음소에 해당하는 IPA 기호로 /ə/를 쓴다. 그러나 [ə]는 모음 조음 영역의 중앙에 위치하고 이는 혀의 앞뒤, 높낮이, 입술 모양에 있어 가장 중립적이어서 음가의 이동 범위가 넓다. 게다가 젊은 세대로 갈수록 장음이 실현되지 않고 있어서 'ㅓ'는 단모음 중 가장 음역이 넓다.

(2) ㄱ. 좋아요, 좋은, 많아요, 많은, 싫어요, 싫은
ㄴ. 종이, 강으로, 병은

상보적 분포를 보이고 최소대립쌍이 없다고 해서 항상 하나의 음소로 묶이지는 않는다. '좋아요'의 'ㅎ' 받침은 표기만 되지 발음으로는 탈락하고 초성일 때만 발음되며, '강이'의 연구개 비음 'ㅇ[ŋ]'도 연음되지 않고 종성에서만 실현되기 때문에 두 소리는 상보적 분포에 놓인다. 그러나 언중들은 두 소리를 별개의 것으로 인식하는데 이는 두 음성이 서로 비슷하지 않기 때문이다. [h]와 [ŋ]은 조음위치도, 조음방법도 일치하는 음성적 특성이 없다. 이에 비해 하나의 음소로 인식되는 [p], [b], [p˺]는 조음위치와 조음방법이 유사

한 음성들이다. 따라서 상보적 분포 검증은 음성 특성이 비슷한 쌍에서 이루어져야 한다.

> **'ㅎ'과 'ㅇ'** 'ㅎ'은 '하늘, 휘파람'에서처럼 초성일 때는 마찰음으로서 제 음가를 드러낸다. 그러나 받침 'ㅎ'은 격음화를 반영하기 위한 표기형일 뿐 실제로 제 음가를 드러내는 일은 없다. '덮어서'에서 받침 'ㅍ'이 제 음가를 지니고 있음은 연음될 때 드러나는데 받침 'ㅎ'은 연음되지 않고 탈락하기 때문이다. 'ㅎ' 받침은 용언 어간에만 사용되고 'ㅎ'의 이름인 명사 '히읗'이 유일한 예외다. 그러나 '히읗'은 자모 이름을 규칙적으로 만든 것일 뿐이고, 대표형태는 /히읏/이다.
>
> 문자 'ㅇ'은 초성일 때는 음가가 없고, 종성일 때는 연구개 비음 [ŋ]이다. 'ㅎ'과는 반대로 용언 어간 중에는 'ㅇ'으로 끝나는 예가 없고 체언 말음으로만 나타난다. '밖에서'는 [바께서]로 발음되어 명사 말음 /ㄲ/가 뒤 음절로 연음되는 데 비해 '강으로'의 /ㅇ/은 연음되지 않는다. 그러므로 여린입천장 비음 [ŋ]은 초성에서는 발음되지 않는다.

음성학과 음운론은 말소리를 보는 관점이 다르다. 음성학에서 [p], [b], [p˺]는 음가가 각각 다른 음성이므로 동등한 가치를 지닌다. 그러나 음운론에서는 이들이 변별적 기능을 못해서 언중들이 하나의 말소리로 인식하므로 [p], [b], [p˺] 중 대표음을 뽑아 하나의 음소 /p/로 나타낸다.

(3) ㄱ. 음성학: [p] 무성음, 입술소리, 파열음

[b] 유성음, 입술소리, 파열음
[p˺] 무성음, 입술소리, 불파음
ㄴ. 음운론: 세 음성 [p], [b], [p˺]는 음소로는 하나
대표음을 가려 /p/로 표기
[p], [b], [p˺]는 /p/의 변이음

(3ㄱ)은 음성학의 관점이고 (3ㄴ)은 음운론의 관점이다. 음운론에서는 음소 /p/는 환경에 따라 [p], [b], [p˺]로 실현된다고 설명하고, 이를 변이음이라 부른다. 변이음은 하나의 음소가 환경에 따라 꼴을 바꾼 것이다. 마치 진명이가 잘 때는 잠옷을 입고, 여자 친구를 만날 땐 양복을 빼입고, 수영장에서는 수영복을 입어서 상황에 따라 겉모습이 조금씩 달라지지만 본질은 진명인 것과 같다.

2.3. 자유 분포와 임의 변이음

최소대립쌍을 형성하는 음소는 같은 자리에서 치환할 수 있다. 그러나 같은 자리에서 치환된다고 해서 항상 의미 변별 기능을 하는 것은 아니다. '자주'를 [ʨaʥu]로도 발음하고 [ʧaʤu]로도 발음한다면 [ʨ]와 [ʧ], [ʥ]와 [ʤ]는 같은 자리에서 갈음되므로 배타적 분포가 아니다. 그렇지만 [ʨ]와 [ʧ], [ʥ]와 [ʤ]의 음가 차이로 의미가 변별되는 최소대립쌍은 없다. 이처럼 최소대립쌍을 형성하지는 못하지만 같은 음운 환경에 분포될 경우 이를 자

유 분포라 한다.

[tʃ]와 [tɕ], [dʒ]와 [dʑ], [tʃˀ]와 [tɕˀ], [tʃʰ]와 [tɕʰ]는 각각 조음 위치에 따라 음가가 달라지는 음성들이다. [tʃ], [dʒ], [tʃˀ], [tʃʰ]는 치조 뒷부분에서 발음되는 후치조음(postalveolar)이고, [tɕ], [dʑ], [tɕˀ], [tɕʰ]는 경구개 영역의 앞부분에서 발음되는 전경구개음(prepalatal)이다. 'ㅈ, ㅉ, ㅊ'으로 표기되는 음성은 조음위치 변이가 있어서 화자에 따라 치조음으로 발음하는 사람도 있고, 경구개음으로 발음하는 사람도 있다. 또한 동일 화자가 발화상황에 따라 'ㅈ, ㅉ, ㅊ'을 치조음으로 발음할 수도 있고 경구개음으로 발음할 수도 있다.[1]

자유 분포를 보이는 [tɕ]와 [ʧ]는 변별적 기능이 없으므로, 음소 단위로는 하나이다. 대표음은 사용 빈도가 더 높은 경구개음 [tɕ]로 본다. 자유 분포에 의한 변이음을 임의 변이음이라 한다. 대표음으로 음소 표기한 /tɕ/는 변이음 [tɕ], [dʑ], [tʃ], [dʒ]의 집합이다. [tɕ]와 [dʑ], [tʃ]와 [dʒ]는 배타적 분포를 보이는 결합 변이음인 반면, [tɕ]와 [tʃ], [dʑ]와 [dʒ]는 자유 분포를 보이는 임의 변이음이다.

---

1 자유 분포라 해서 각 변이음들의 분포에 아무런 질서가 없는 것은 아니다. 예컨대 [tʃ]와 [tɕ] 각각은 성, 연령, 발화상황과 같은 요인에 따라 일정한 경향성이 있을 가능성이 높다. 언어 외적 요인까지 포함하여 이러한 경향성을 밝히는 것은 사회언어학의 주요 연구 과제 중 하나이다. 여기서 자유 분포라 함은 음운 환경, 즉 언어 맥락에서 규칙화하기 어렵다는 뜻이다.

(1) IPA 모음사각도와 한국어 모음별 변이음

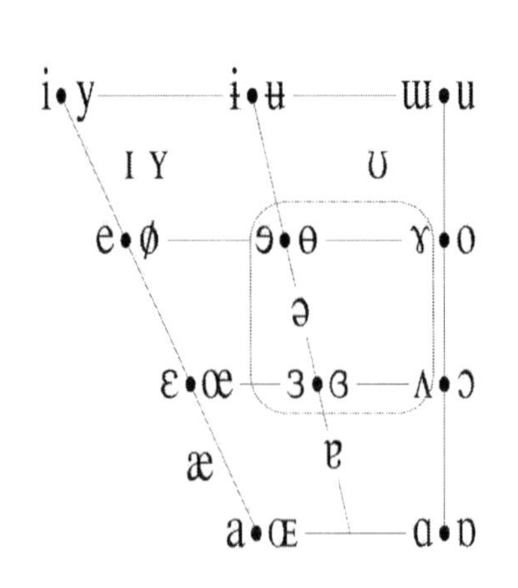

음소	변이음
/ㅣ/	[i, ɪ]
/ㅔ/~/ㅐ/	[e, ɛ]
/ㅡ/	[ɨ, ʉ, ɯ]
/ㅜ/	[u, ʊ]
/ㅗ/	[o]
/ㅓ/	[ə, ʌ, ɘ, ɵ, ɤ, ɜ, ɞ]
/ㅏ/	[a, ɑ]

(1)은 IPA 모음사각도를 기준으로 한국어 단모음의 변이음을 표시한 것이다. 'ㅓ'는 음성·음운론적 이유로 인해 단모음 중 가장 많은 변이음을 가진, 가장 음역이 넓은 소리로 실현되고 있다. 앞서 [ə]와 [ʌ]는 장단에 따른 'ㅓ'의 변이음으로 보았다. 그러나 통용음에서 장단 대립이 제대로 실현되지 않고 있음을 고려하면 모음의 변이음은 대부분 자유 분포를 보인다.

3. 음소 목록

치환 검증을 통해 최소대립쌍을 찾고, 유사 음성이 상보적 분포를 보이는지 확인하는 작업을 통해 음소 분석 작업을 했다. 상보적 분포를 보이는 유사한 음성들은 하나의 음소이며, 동일 위치에서 치환되지만 의미 변별기능이 없는 음성들도 하나의 음소임을 알 수 있었다. 하나의 음소로 묶이는 여러 음성 중 대표음을 뽑아 음소를 나타내는 기호로 삼았다. 음소는 환경에 따라 다른 꼴로 실현되는데 이를 변이음이라 불렀다. 상보적 분포를 보이는 변이음은 결합 변이음, 자유 분포를 보이는 것은 임의 변이음이라 했다. 이러한 작업을 통해 우리말 자음, 모음, 반모음 음소 목록(phoneme inventory)을 확정하면 (1)과 같다. 음성과 음소를 구별하기 위해 음성은 [ ], 음소는 / /에 싸서 나타낸다.

(1) ㄱ. /p , pˀ , pʰ, t, tˀ, tʰ, k, kˀ, kʰ, ʨ, ʨˀ, ʨʰ,
　　　s, sˀ, h, m, n, ŋ , ɾ/
　　　/ㅂ, ㅃ, ㅍ, ㄷ, ㄸ, ㅌ, ㄱ, ㄲ, ㅋ, ㅈ, ㅉ, ㅊ,
　　　ㅅ, ㅆ, ㅎ, ㅁ, ㄴ, ㅇ, ㄹ/
　ㄴ. /i , ɯ, u, e, ə, o, ɛ, a/
　　　/ㅣ, ㅡ, ㅜ, ㅔ, ㅓ, ㅗ, ㅐ, ㅏ/
　ㄷ. /j, w, ɰ/

그런데 (1ㄱ)의 자음소와 (1ㄴ)의 모음소 목록은 우리 문자 한글과 일대일로 대응한다. 이런 이유로 한글을 음소문자라 한다. 한글은 표음문자인데, 음성문자라 하지 않고 음소문자(phonemic writing)라 하는 까닭은 음성이 아니라 음소와 대응되기 때문이다. 우리가 인식하지 못하는 음성 차이까지 표기한다면 문자 생활이 너무 복잡해질 것이다. '밤밥'에서 /ㅂ/는 [pamː bap˺]으로 발음되는데, [p], [b], [p˺] 세 개의 음성이지만 모두 하나의 음소로 인식되므로, 모두 'ㅂ'으로 적는다. 한글은 규칙에 의한 변동을 제외하면, 음소와의 일대일 대응관계가 강해서 동일한 문자는 동일한 음소를 표상하는 경우가 대부분이다.

자모(字母, 낱자)는 음소문자[2] 체계에 쓰이는 낱낱의 글자를 뜻한다. 한글은 규칙에 의해 변동되는 경우를 제외하면 자모와 음소의 일대일 대응률이 높아서 자모가 발음 정보를 드러내는 정도가 높다. 반모음과 'ㅢ'를 제외하면 음소 목록은 한글과 일대일로 대응한다. 이 경우 한글 자모는 음소에 해당한다.

자모를 음소 표상 기능을 하는 이차적 기호 체계로 보고, 이를 자소(字素, grapheme)라 한다. 자소는 한 언어의 문자 체계에서 음소를 표시하는 최소의 변별적 단위로서 한글 자소는 음소와 일대일 대응한다.[3] 이하 자소와 음소가 일치할 때는 /ㅂ/와 같은

2 『사전』에는 음소문자와 유의어로 '낱소리글, 낱소리글자, 알파벳 글자, 알파벳 문자, 음소 글자, 자모 문자, 자모자'가 제시되어 있다.

3 음소문자라 해도 음소와 자소 간에 일대일 관계가 성립되지 않는 경우도 많다. 예를 들어 영어의 음소 /p/를 표시하는 데 사용되는 'pin'의 'p', 'hopping'의 'pp', 'hiccough'의 'gh'는 모두 한 자소의 변이자다. 변이자는 한 음소를 표기하는 문자가 출현 환경에 따라 두 가지 이상의 다른 모양을

음소 표기를 생략하고 'ㅂ'로 표시하겠다. 음소에 대응되는 자소가 없는 반모음은 /j/ 또는 'j', /w/ 또는 'w'로 표시할 것이다.

자·모음과 달리 반모음은 자소와 음소가 일치하지 않는다. 반모음 /j/는 독립된 음소이지만 'ㅑ, ㅕ, ㅛ, ㅠ'처럼 자소로는 단모음과 분리되지 않는다. 'ㅢ'는 한 자소이지만 표준발음이 /ɯi/, /i/, /e/ 세 개다.

(2) ㅗ與ㅏ同出於 · 故合而爲ㅘ
(ㅗ와 ㅏ는 둘 다 ·에서 나왔으므로 어울려서 ㅘ가 되고)
ㅜ與ㅓ同出於ㅡ 故合而爲ㅝ
(ㅜ와 ㅓ는 둘 다 ㅡ에서 나왔으므로 어울려서 ㅝ가 되고)

(3) 쿠알라룸푸르 → 콸라룸푸르, 에쿠아도르 → 에콰도르

'ㅘ, ㅝ'처럼 반모음 /w/는 'ㅗ' 또는 'ㅜ'로 표기된다. 'ㅘ, ㅝ'의 반모음은 둘 다 /w/이다.[4] 'ㅘ'에서는 'ㅗ'로, 'ㅝ'에서는 'ㅜ'

취할 때 그 각각의 자형(字形)을 이르는 말이다. 영어에 사용되는 로마자(라틴 문자, 알파벳)는 음소문자이지만, 'pin, hopping, hiccough'의 'p, pp, gh'가 한 음소 /p/에 대응되기도 하고, 'banana, cake, many, all'의 'a'처럼 한 글자가 여러 음소와 대응되기도 한다. 이럴 때는 음소문자라도 음소체계와 독립적인 체계로 보아야 할 필요성이 커진다(김종수 역: 2007, Christa Dürscheid 저).

4 반모음 /j/는 'ㅣ', /w/는 'ㅜ'와 같은 혀 위치, 혀 높이, 입술 모양으로 시작한다. 후속 단모음과 상관없이 시작점이 동일해도 음가가 크게 달라지지 않는다. 그러나 일상 발화에서 반모음의 첫 시작점은 뒤따르는 단모음에 따라 어느 정도 편차를 보인다. 예를 들어 /ㅑ/는 /ㅕ/보다, /ㅘ/는 /ㅞ/보다 혀가 더 낮은 상태에서 출발한다.

로 달리 표기하는 것은 음가 차이 때문이 아니라, (2)의 제자해 설명처럼, 훈민정음 창제자의 음양의 조화에 대한 생각이 반영된 것이다. 그래서 (3)처럼 '쿠알, 쿠아'가 한 음절로 축약될 때, '콸, 콰'로는 쓸 수 없고 '쿨, 쿼'로 표기된다.

3.1. 자음소와 어문규범

> 「발음법」 2항: 표준어의 자음은 다음 19개로 한다.
> ㄱ, ㄲ, ㄴ, ㄷ, ㄸ, ㄹ, ㅁ, ㅂ, ㅃ, ㅅ, ㅆ, ㅇ, ㅈ, ㅉ,
> ㅊ, ㅋ, ㅌ, ㅍ, ㅎ

「발음법」 2항은 자음소 목록을 규정한 것이다. 여기서 '자음'은 자음 글자가 아니라 '자음소'를 가리킨다.[5] 자음소 중 'ㅇ'은 초성에서는 음가가 없고 종성에서만 자음소이다. 자음소 19개 중 연구개 비음 'ㅇ[ŋ]'을 제외한 18개가 초성으로 사용된다.

(1) 가시[*까시], 건수[*껀쑤], 거꾸로[*꺼꾸로], 공짜[*꽁짜], 번데기[*뻔데기], 동그라미[*똥그라미], 닦다[*딲따], 소주[*쏘주],

---

5 반면, 「맞춤법」 4항에서 24 자모(字母, 낱자)는 음소문자 체계에 쓰이는 낱낱의 글자를 뜻한다. 즉 「발음법」 2항의 '자음'이 자음소인 것과 달리, 「맞춤법」에서 제시하는 자음 14개는 자음 글자를 뜻한다. 'ㄲ, ㄸ, ㅃ, ㅆ, ㅉ'은 음소로는 홑이지만 글자로는 복합자이기 때문에 이를 제외하면 자음자는 14개이다.

세다[*쎄다], 졸병[*쫄병], 작은형[*짜근형], 진하게[*찐하게]

어두 평음자는 평음으로 발음하는 것이 표준이다. 어두는 경음화가 적용될 환경이 아니기 때문이다. 그러나 (1)처럼 비표준발음이 빈번하게 사용된다. 어두 경음을 표준발음으로 인정하는 것은 '꾸기다, 뚜드리다, 똥그랗다, 쪼그맣다, 쪼금'처럼 아예 표기도 경음자로 한다. 현대국어에서 어두 경음화가 일어나는 것처럼 통시적으로도 어두 경음화가 지속적으로 있었다. '구짓다>ᄭᅮ짇다, 딯다>ᄶᅵᇂ다, 비븨다>ᄢᅵ븨다, 십다>씹다' 등은 15, 16세기에 일어난 것이고, 'ᄀᆞᆻ다>깎다, 닿다>땋다, 딕다>찍다' 등은 17세기 이후에 일어난 음운변화이다.

「발음법」 8항: 받침소리로는 'ㄱ, ㄴ, ㄷ, ㄹ, ㅁ, ㅂ, ㅇ'의 7개 자음만 발음한다.

8항은 발음형 종성을 '받침소리'라 하고 목록 7개를 제시한 것이다. 어문규범에서는 '초성, 중성, 종성'이라는 용어는 사용하지 않았고, 중성은 모음, 초성은 자음이라 불렀다. 중성과 모음은 일치하지만, 초성은 'ㅇ[ŋ]'을 제외한 자음이다. 종성은 표기형일 때는 '받침', 발음형일 때는 '받침소리'로 구별했다.

3.2. 모음소와 어문규범

「발음법」 3항: 표준어의 모음은 다음 21개로 한다.
ㅏ, ㅐ, ㅑ, ㅒ, ㅓ, ㅔ, ㅕ, ㅖ, ㅗ, ㅘ, ㅙ, ㅚ, ㅛ, ㅜ, ㅝ, ㅞ, ㅟ, ㅠ, ㅡ, ㅢ, ㅣ

3항에서 언급한 모음 21개는 단모음 10개와 이중모음 11개를 모두 이른 것이다.

3.2.1. 단모음 목록과 어문규범

「발음법」 4항: 'ㅏ ㅐ ㅓ ㅔ ㅗ ㅚ ㅜ ㅟ ㅡ ㅣ'는 단모음(單母音)으로 발음한다.
[붙임] 'ㅚ, ㅟ'는 이중 모음으로 발음할 수 있다.

4항은 단모음 음소 목록으로 최대 10개이다. 단모음은 발음하는 동안 조음부 형상의 변화가 없어야 한다. 'ㅟ'가 단모음이라면 'ㅣ'를 발음할 때의 혀의 앞뒤, 높낮이를 그대로 유지하면서 입술만 둥글게 한 전설 원순 고모음 [y]다. 'ㅚ'가 단모음이라면 'ㅔ'를 발음할 때의 혀의 앞뒤, 혀의 높낮이를 그대로 유지하면서 입술만 둥글게 한 전설 원순 중모음 [ø]다.

(1) ㄱ. 위장[wi-], 튀김[tʰwi-], 취재[ʨʰwi-], 귀[kwi]
ㄴ. 외모[we-], 뵈면은[pwe며는], 최대한[ʨʰwe--], 지회[-hwe]

'ㅟ, ㅚ'는 이중모음 [wi, we]로 발음해도 표준발음이다. 대부분의 화자들은 'ㅟ, ㅚ'를 (1)처럼 이중모음 [wi, we]로 발음한다. 'ㅚ'는 이중모음으로 발음하면 'ㅞ'와 글자는 다르지만 음가는 같아서 '금괴(金塊)'와 '금궤(金櫃)'가 표기로만 구별되고 음성으로는 동음어가 된다. 'ㅟ, ㅚ'는 15세기에는 하향 이중모음 [uj, oj]였다가 현대국어에서 단모음 [y, ø], 또는 상향 이중모음 [wi, we]로 실현된다.

단모음 글자는 각각 하나의 모음소와 대응되고 서로 변별된다. 그러나 통용음에서는 변별력이 약화되는 예들이 발견된다. 가장 대표적인 변별 약화는 'ㅔ'와 'ㅐ'이다.

(2) ㄱ. 떼/때, 제외/재외, 계발/개발, 결제/결재, 화제/화재
　　ㄴ. 때[*떼], 아래[*-레], 현재[*-제], 찌개[*-게], 결재[*-쩨]
　　ㄷ. 제출[*재-], 제작[*재-], 계발[*개-]

'ㅔ'와 'ㅐ'는 별개의 음소이고, (2ㄱ)과 같은 최소대립쌍을 형성한다. 'ㅔ'는 전설 평순 중모음 /e/이고, 'ㅐ'는 전설 평순 저모음 /ɛ/로 두 모음의 차이는 혀의 높낮이다. 'ㅐ'는 'ㅔ'보다 입을 더 열고 센입천장과 전설의 간격을 더 넓혀서 발음해야 한다. 그러나 이 두 발음은 (2ㄴ, ㄷ)처럼 지역 간, 세대 간 구분 없이 광범위하게 통합되어 가는 실정이다. 특히 두 번째 음절 이하에서는 거의 대립이 상실되었다. /ㅔ/와 /ㅐ/의 대립 상실은 표기에도 영향을 미쳐 '결제'와 '결재', '못 본 체했다'와 '불을 켠 채로 잤다'의 의존명사 '체'와 '채', '결혼한대'와 '예쁘데'에서 '-다고 해'의 준말인 '-대'와 '-더라'와 같은 의미인 '-데'가 발음뿐 아니라 표기도 잘 구별되지 않고 있다.

그러나 'ㅟ, ㅚ'의 이중모음화를 인정하는 것과는 달리 'ㅔ'와 'ㅐ'의 음가 통합 현상은 어문 규정에서 수용하기 힘들다. 'ㅟ'는 단모음으로 발음하든 이중모음으로 발음하든 의미 변별에 지장이 없고, 'ㅚ'를 이중모음으로 발음하면 'ㅞ'와 변별되지 않지만, 'ㅚ'와 'ㅞ'의 대립은 기능 부담량(functional load)이 그리 많지 않다. 기능 부담량이 적다는 것은 두 음소로 인한 최소대립쌍이 적다는 뜻이다. 반면에, 'ㅔ'와 'ㅐ'는 기능 부담량이 많아서 이들의 음가 통합 현상을 어문 규정에서 인정한다면 (2ㄱ)과 같은 예는 모두 동음이의어가 되기 때문이다.

(3) ㄱ. 그리/거리, 금/검, 글/걸, 들다/덜다
  ㄴ. 그러나[*거--], 하늘[*-널], 호르몬[*-러몬], 가든지 말든지[*-던지-던지]
  ㄷ. 얼마나[*을:--], 섣달[*슫:딸], 건강[*근:-], 더러워[*드:--]

둘째는 'ㅡ'와 'ㅓ'의 대립이다. /ㅡ/는 후설 평순 고모음 /ɯ/여서 /ㅓ/보다 혀 뒷부분을 여린입천장을 향해 더 높이 올려 발음해야 한다. /ㅡ/와 /ㅓ/는 (3ㄱ)처럼 변별적 기능을 하는 별개의 음소이지만 통용음에서는 (3ㄴ, ㄷ)과 같이 대립이 상실되는 예가 나타난다. 긴소리 /ㅓ/는 (3ㄷ)처럼 /ㅡ/로 발음하는 경우가 많다.

(4) ㄱ. 우리/오리, 줄다/졸다, 국/곡
  ㄴ. 삼촌[*-춘], 사돈[*-둔], 부조[*-주]
  ㄷ. 밥하고[*바파구], 나도[*-두], 진짜로[*--루],

됐다고[*돼따구]

셋째는 /ㅗ/를 /ㅜ/로 발음하는 경향을 들 수 있다. /ㅗ/와 /ㅜ/ 둘 다 후설 원순모음이지만 혀의 높낮이 차이로 (4ㄱ)과 같은 최소대립쌍을 형성한다. 그런데 (4ㄴ)과 같은 어휘나, (4ㄷ)의 '하고, 도, 로, -고'와 같은 형식형태소의 /ㅗ/를 /ㅜ/로 발음하는 경향이 강하다. 이는 서울·경기 방언에서 특히 많이 나타나는 현상이다.

3.2.2. 이중모음 목록과 어문규범

「발음법」 5항: 'ㅑ ㅒ ㅕ ㅖ ㅘ ㅙ ㅛ ㅝ ㅞ ㅠ ㅢ'는 이중 모음으로 발음한다.

한글은 변동규칙이 적용되는 경우를 제외하면 '문자:음소'의 일대일 대응률이 높은 편이다. 예컨대 단일 형태소 내에서 'ㅏ'라 적으면 발음은 항상 [a]이다. 5항의 모음자는 각각 이중모음으로 발음되는 것이 원칙이다. 그러나 이중모음은 두 개의 음성으로 이루어져 있어서 앞에 초성이 있으면 한 음절이 세 음성의 결합이 되고, 종성까지 있으면 네 음성의 결합이 된다. 그래서 발음하기 어려운 경우가 많고, 이런 이유로 이중모음자가 단모음 음소와 대응되는 경우가 있다. 5항 다만 1~4는 이중모음자의 이러한 예외적인 발음에 대한 규정이다.

「발음법」 5항 다만 1: 용언의 활용형에 나타나는 '져, 쪄, 쳐'는

[저, 쩌, 처]로 발음한다.
가지어→가져[가저], 찌어→쪄[쩌], 다치어→다쳐[다처]

'ㅈ, ㅉ, ㅊ'과 'ㅣ'계 이중모음이 결합된 음절인 [져, 쪄, 쳐]는 표준발음이 아니다. '가져'로 쓰지만 [-저]로 발음한다. [저, 쩌, 처]로 발음하면서 '가져, 살쪄, 다쳐'처럼 '져, 쪄, 쳐'로 표기하는 까닭은 '져, 쪄, 쳐'가 '지어, 찌어, 치어'에서 어간 말 'ㅣ'가 'j'로 반모음화한 것임을 표기에 반영하기 위함이다.

「맞춤법」 36항: 'ㅣ' 뒤에 '-어'가 와서 'ㅕ'로 줄 적에는 준 대로 적는다. (가지어, 가져)
「맞춤법」 39항: 어미 '-지' 뒤에 '않-'이 어울려 '-잖-'이 될 적과 '-하지' 뒤에 '않-'이 어울려 '-찮-'이 될 적에는 준 대로 적는다. (적잖은, 변변찮다)
「외표」 3장 1절 3항 3: 어말 또는 자음 앞의 [ʒ]는 '지'로 적고, 모음 앞의 [ʒ]는 'ㅈ'으로 적는다. (vision[viʒən] 비전)
「외표」 3장 1절 4항 2: 모음 앞의 [ʧ], [ʤ]는 'ㅊ', 'ㅈ'으로 적는다. (chart[tʃɑːt] 차트)

위 규정은 모두 「발음법」 5항 다만 1과 더불어 'ㅈ, ㅉ, ㅊ'과 'j'계 이중모음의 결합제약과 관련된다. 반모음 [j]는 경구개-전설 위치에서 발음되는 모음 [i]와 비슷한 조음부 형상에서 단모음으로 이동하면서 음가가 발생하는데, 같은 위치의 경구개음과 결합하면 과도가 거의 없어서 [j]의 음가가 드러나지 않기 때문이다. 「맞춤법」 36항에서는 '가지어, 찌어, 다치어'의 축약형임을 나타내기 위해 '가져, 쪄, 다쳐'로 쓰지만, 「발음법」에서는 이것의 표준발음은 [가저, 쩌, 다처]임을 규정한다. '붙이어, 잊히어, 굳히어, 돋치어'의 축약 표기인 '붙여, 잊혀, 굳혀, 돋쳐'도 [부처, 이처, 구처, 도처]로 발음한다. '-지 않-'과 '-하지 않-'이 준 것은 '*쟎, 챦'으로 쓰지 않고 아예 표기도 '잖, 찮'으로 쓴다. 「발음법」 5항 다만은 외래어를 표기할 때 '져, 쥬, 챠, 쵸' 등의 음절을 사용하지 않는 근거가 된다. vision[viʒən]은 비전(*비젼)으로, chart[tʃɑːt]는 차트(*챠트)로 적어야 한다.

> 「발음법」 5항 다만 2: '예, 례' 이외의 'ㅖ'는 [ㅔ]로도 발음한다.
> 계시다[계ː시다/게ː시다], 시계[시계/시게](時計)
> 혜택[혜ː택/헤ː택](惠澤), 지혜[지혜/지헤](智慧)

「발음법」 5항 다만 2는 'ㄹ'을 제외한 자음과 결합한 'ㅖ'는 [ㅔ]로도 발음된다고 했으나, 실제 [Cㅖ]로 발음되는 경우는 거의 없다. '게류(憩流)'와 '계류(繫留)'는 이철동음어가 된다.[6] 'ㄹ'을 제외한다고 했으나 「맞춤법」 8항('계, 례, 몌, 폐, 혜'의 'ㅖ'는 'ㅔ'로 소리 나는 경우가 있더라도 'ㅖ'로 적는다.)에서 '례'의 'ㅖ'도 'ㅔ'로 나는 경우가 있다는 언급과 상충된다. 표준발음으로 인정되지 않으나 '례'도 [레]로 발음하는 것이 통용음이다.[7]

6 게류: 흐름의 방향이 바뀌기에 앞서 잠시 정지하고 있는 상태의 조류. 계류: 일정한 곳을 벗어나지 못하도록 밧줄 같은 것으로 붙잡아 매어 놓거나 어떤 사건이 해결되지 않고 걸려 있음. ¶그 사건은 법원에 계류 중이다.

7 『조선2010』도 문화어발음법 4항(《ㄱ, ㄹ, ㅎ》뒤에 있는《ㅖ》는 각각 [ㅔ]로

「발음법」 5항 다만 3: 자음을 첫소리로 가지고 있는 음절의 'ㅢ'
는 [ㅣ]로 발음한다.
늴리리, 닁큼, 무늬, 희어, 희떱다, 희망, 유희,
띄어쓰기, 씌어, 틔어

'자음+ㅢ'에서 'ㅢ'는 [ㅣ]로만 발음한다. 따라서 '자음+ㅢ'로 된 음절은 표기로만 있고 발음으로는 없다. '희망'의 표준발음은 [*희망]이 아니라 [히망]이다. [닐, 닝, 니, 히]로 발음되지만 '늴리리, 닁큼, 무늬, 희어'로 쓰는 것은 관용, 전통성을 따른 역사적 표기다.[8] ②는 [띠, 씨, 티]로 발음되지만 '띄어쓰기, 씌어, 틔어'로 쓰는 것은 준말임을 표기에 나타내기 위함이다. 이는 「맞춤법」 9항('의'나, 자음을 첫소리로 가지고 있는 음절의 'ㅢ'는 'ㅣ'로 소리나는 경우가 있더라도 'ㅢ'로 적는다.)과 연계된다.

「발음법」 5항 다만 4: 단어의 첫음절 이외의 '의'는 [ㅣ]로, 조사
'의'는 [ㅔ]로 발음함도 허용한다.
주의[주의/주이], 협의[혀븨/혀비]
우리의[우리의/우리에], 강의의[강ː의의/강ː이에]

'의'는 [의]로 발음하는 것이 원칙이지만 비어두 음절의 '의'는 [ㅣ], 조사 '의'는 [ㅔ]로 발음함도 허용한다. 다만 3에 따라 '자

발음한다.)에 따라 '사례, 차례' 등의 '례' 발음을 [레]로 규정했다.

8 표기형은 시각적 기호로 기능하기 때문에 규칙에 어긋나더라도 이미 눈에 익숙해진 형태는 가능한 보존할 필요가 있다. 역사적 표기는 현실음에서 멀어졌으나 전통적으로 쓰여 온 형태를 유지하고 있는 표기를 뜻한다.

음+ㅢ' 음절에서 'ㅢ'는 [ㅣ]로만 발음하므로 '무늬'는 [무니]로만 발음한다. 그러나 '문의'처럼 연음된 결과 '자음+ㅢ' 음절을 형성하는 경우는 [무:늬/무:니] 둘 다 표준발음이다. '민주주의의 의의'에서 [의]로만 발음해야 하는 것은 '의의'의 어두 음절뿐이다.

'ㅢ'의 불안정성 'ㅢ'의 표준발음이 [ㅢ, ㅣ, ㅔ]로 음가가 이렇게 유독 불안정한 것은 다른 음소와 체계를 이루지 못하고 홀로 남았기 때문이다.

중세 국어에서 'ㆎ, ㅐ, ㅔ, ㅚ, ㅟ' 등은 모두 [ʌj, aj, əj, oj, uj]로 발음되어 'ㅢ[ɯj]'와 함께 하향 이중모음 체계를 형성하고 있었다. 그런데 'ㅔ, ㅐ'는 단모음화했고, 'ㆍ'는 소실되었고, 'ㅟ, ㅚ'는 단모음 또는 상향 이중모음으로 발음되고 있다.

따라서 'ㅢ'는 하향 이중모음 체계에서 홀로 남았고, 이러한 고립성 때문에 다른 이중모음 체계에 맞추기 위해 상향 이중모음으로 발음하려는 경향이 혼재하고 있다. 'ㅢ'는 'ㅡ'를 반모음으로 보든 'ㅣ'를 반모음으로 보든 둘 다 짝 없는 음소다. 'ㅡ'가 반모음인 예는 'ㅢ'뿐이고, 'ㅣ'가 반모음인 예는 'ㅑ, ㅕ' 등에 있으나 이들은 상향 이중모음이지 반모음이 단모음 뒤에 오는 하향 이중모음이 아니기 때문이다.

그러나 'ㅢ'는 관형격 조사 '의' 등 표기상으로는 쓰임이 활발하여 앞으로도 꽤 오랫동안 표기와 발음, 자소와 음소가 일치하지 않는 채로 남아 있을 듯하다.

역사적 표기법 '역사적 표기법'은 「보통학교용 언문철자법」(1912)에서 '역사적 철자법'이라 불렸던 것인데, 이익섭(1992:

374~375)에서는 '전통적으로 쓰여 온, 현실음에서 멀어진 표기법'으로 정의했다. 표기형은 시각적 기호로서의 기능 때문에 규칙에 어긋나더라도 이미 눈에 익숙해진 형태는 가능한 보존할 필요가 있다는 점에서 역사적 표기법은 필요하다. 영어 표기형은 한글 표기형보다 역사적 표기법이 훨씬 많다. 'banana, cake, many, all'에서처럼 한 문자 'a'가 여러 음소 [ə], [æ], [ej], [e], [ɔ]로 대응되거나 'right, wright, rite, write'처럼 발음이 같은 단일어가 다르게 표기되는 것도 역사적 표기법에 해당한다.

(1) 「맞춤법」 7항: 무릇[무륻], 옛[옏], 얼핏[얼핃]
(2) 「맞춤법」 8항: 혜택[헤-], 사례[-레], 폐품[페-], 핑계[-게]
(3) 「맞춤법」 9항: 무늬[-니], 유희[-히], 희망[히-]

(1)~(3)은 형태소 내부를 소리대로 적지 않았다는 점에서 총칙 1항에는 맞지 않지만, 전통적으로 써 온 관용을 따른 것으로 역사적 표기법에 해당한다. [니]임에도 '늬'로 적는 '무늬, 늴리리'류에 대해 「해설」에서는 'ㄴ'이 구개음화하지 않고 [n]로 발음된다는 점에 유의한 표기라 하였다. 그러나 「맞춤법」은 변이음까지 고려한 표기가 아니라는 점에서 적절한 설명으로 보기 어렵다.

(5) ㄱ. 학과[*-까] 괴롭다[*개롭따], 관광[*간강], 과장된[*가장된], 촬영[*차령], 뭐 하는데[*머---], 봤는데[*반--], 실화[*시라], 도와줘[*--조], 뜨거운가봐[*----바]

ㄴ. 회담[*헤-], 범죄[*-제], 최초[*체-], 하게 된 거야[*--덴거야], 뒤 돌아보면[*디도라보면], 사귀다[*-기다], 채취[*-치], 분위기[*부니-]

(5)의 'C-이중모음'을 'C-단모음'으로 발음하는 것은 표준발음으로 허용되지 않는다. (5ㄴ)처럼 자음 뒤에서 /ㅚ/는 [ㅔ], /ㅟ/는 [ㅣ]로 발음하는 오류도 눈에 띈다. 자음 뒤 이중모음을 단모음으로 발음하는 것은 동남 방언에서 특히 두드러진다. 아예 '머하는데(←뭐하는데), 데어(←데워), 뽀뽀해조(←뽀뽀해줘)'와 같이 표기하는 경향도 보인다. 자음과 결합한 이중모음은 단모음으로 발음하는 경향이 강한데, 이는 음절구조를 단순화시키기 위함일 것이다.

(6) ㄱ. 오늘은 왠지(*웬지) 바다가 그립다.
ㄴ. 웬(*왠) 여자가 널 찾던데. 웬 떡(*왠떡)이야?

/ㅞ/와 /ㅙ/는 혀의 높낮이에 따라 서로 대립하는 쌍인데, 단모음 /ㅔ/와 /ㅐ/의 대립이 제대로 안 되는 상황이어서 이중모음에서는 더더욱 변별성이 없어졌다. '꿰/꽤'와 같은 최소대립쌍도 결국은 /we/와 /wɛ/에서 단모음 /e/와 /ɛ/의 대립이다. (6)은 이로 인한 오류를 보여준다. '왠'과 '웬'의 표기 오류는 발음의 혼동에서 비롯된 것이다. 둘의 문법적 차이는 품사적 특성에서 뚜렷하다. '왜인지'의 준말인 '왠지'는 〈왜 그런지 모르게〉의 뜻을 지닌 부사로 『사전』에는 단일어로 등재되어 있다.[9] 웬[웬ː]은 관형사이고 따라서 불변화사다. 그래서 '*웬지'처럼 '이다'와 결합

할 수 없고 뒤에는 명사만 올 수 있다.

/ㅕ/와 /ㅛ/는 원순성에 따라 대립하는 쌍인데, 단모음 /ㅓ/와 /ㅗ/의 대립보다 더 혼란이 심하다. 어두 음절이 아닌 경우 /ㅛ/의 원순성이 약화되어 '가시죠'가 [*가시저]로 발음되는 경우가 많다.

'띄어쓰기, 씌어, 희망'의 표준발음은 [띠어쓰기, 씨어, 히망]이다. 그러나 자음 뒤의 'ㅢ'를 이중모음 [ɯi], [ɯj]나 [wi]로 발음하는 경우도 있는데, 이는 글자에 이끌린 것이다.

9 '왜'의 품사가 부사, 감탄사 통용이고 불변화사여서 서술격 조사 '이다'가 결합한 것으로 설명하기 어렵기 때문이었을 것이다.

4. 이음규칙

결합 변이음은 특정한 환경에서 실현되므로 예측 가능하다. 이런 점에서 결합 변이음의 실현은 규칙에 바탕을 둔다. 한 음소가 환경에 따라 결합 변이음으로 바뀌는 것을 (변)이음규칙이라 한다.

(1) 자음의 결합 변이음

음소 / 변이음	p	pˀ	pʰ	t	tˀ	tʰ	k	kˀ	kʰ	tɕ	tɕˀ	tɕʰ
유성음	b			d			g			dʑ		
불파음	p̚			t̚			k̚					
경구개음												

음소 / 변이음	s	sˀ	h	m	n	ŋ	ɾ
유성음			ɦ				
불파음							
경구개음	ɕ	ɕˀ	ç		ɲ		ʎ

(1)은 각각의 음소 표기에 포함되어 있는 결합 변이음을 간추린 것이다. 변이음 [b], [d], [g], [dʑ]는 각각 /p/, /t/, /k/, /tɕ/가 유성음 사이에서 유성음으로 된 것으로 설명할 수 있다. 이러

한 바뀜을 유성음화(울림소리되기)라 한다. 유성음화는 된소리와 거센소리에서는 일어나지 않고 예사소리에만 적용된다. 다만, 예사소리 중 /s/가 빠진 것은 이것이 유성음으로 되면 [z]로 되는데 이 소리는 한국인에게 'ㅅ'이 아니라 'ㅈ'으로 인식되기 때문이다. 또 우리말 'ㅅ'은 성문 열림도가 거센소리에 가까울 만큼 커서 성대의 상태가 유성음화하기에 부적합하다. 'ㅎ'도 '전화'에서처럼 유성음 사이에서 유성음 [ɦ]로 실현되지만, [ɦ]는 거의 들리지 않아서 탈락에 가깝다.

파열음이 세 단계 조음과정 중 마지막 단계인 파열 단계 없이 불파음 [p˺, t˺, k˺]로 실현되는 것을 불파음화(不破音化)라 한다. 불파음화는 후술할 평파열음화와 관련이 있지만 양자는 구별되어야 한다. '부엌안'[부어칸], '부엌도'[부억또]에서처럼 장애음은 음절 끝에서는 모두 [ㅂ, ㄷ, ㄱ] 중의 하나가 된다. 이는 한 음소 내에서 변이음 바뀜이 아니라, 음소 간 바뀜인 음운변동 현상이다. 그런데, 평파열음화가 적용된 결과인 [ㅂ, ㄷ, ㄱ]에 모음이 뒤따르는 경우 '부엌안'[부어간]처럼 [g]로 실현되지만, 휴지나 장애음이 뒤따르는 경우 '부엌, 부엌도'에서처럼 불파음화하여 [k˺]로 실현된다. 평파열음화는 음소 간 바뀜이지만, 불파음화는 변이음끼리의 바뀜이다.

[ɕ], [ɕˀ], [ɲ], [ʎ]는 잇몸소리 /s, sˀ, n, ɾ/가 전설-센입천장에서 발음되는 [i, j]를 만나 구개음화(센입천장소리되기, palatalization)함으로써 생긴 변이음이다. /s, sˀ, n, ɾ/가 각각 구개음화하여 [ɕ, ɕˀ, ɲ, ʎ]로 되는 것은 음소가 바뀐 것이 아니라, 한 음소 내에서의 변이이고, 이음규칙은 언중들이 인식하지 못하는 소리 바뀜이다. /h/가 [ç]로 실현되는 것도 구개음화이긴

하나, /h/는 본디 고정자리가 없다.

'굳이, 같이'가 [구지, 가치]로 발음되는 것처럼 잇몸소리 'ㄷ, ㅌ'도 구개음화한다. 그러나 잇몸소리 /t, tʰ/가 /tɕ, tɕʰ/로 바뀌는 것은 한 음소가 다른 음소로 바뀌는 현상이어서 언중들이 소리 바뀜을 인식할 수 있으므로 이음규칙이 아니라, 변동규칙이다. 변이음 간 바뀜은 이음규칙, 음소 간 바뀜은 변동규칙으로 구별된다.

(2) 자음 중에서 비음 'ㄴ, ㅁ, ㅇ'과 유음 'ㄹ'은 발음할 때에 입안이나 코안에서 공명을 얻기 때문에 울림소리이며, 이 네 소리를 제외한 열다섯 소리는 안울림소리인데, 이 중에서 'ㅂ, ㄷ, ㅈ, ㄱ'은 울림소리와 울림소리 사이에서 울림소리가 된다.(『문법』 2004: 60)

『문법』에서는 이음규칙을 따로 다루지 않고 있다. 그런데 (2)처럼 유독 유성음화에 대한 언급만 있다. 이러한 기술은 '밭이→[바치]'와 같은 음소 간 바뀜과, 'kani→[kaɲi]'와 같은 변이음 간 바뀜을 섞어 놓음으로써 오해를 불러올 가능성이 있다.

5. 음소체계

5.1. 변별자질

앞서 음소 분석을 통해 단모음 8개, 자음 19개, 반모음 3개로 모두 30개의 음소 목록을 정하였다.

(1) ㄱ. ㅣ, ㅡ, ㅜ, ㅔ, ㅓ, ㅗ, ㅐ, ㅏ
ㄴ. ㅂ, ㅃ, ㅍ, ㄷ, ㄸ, ㅌ, ㄱ, ㄲ, ㅋ, ㅈ, ㅉ, ㅊ,
ㅅ, ㅆ, ㅎ, ㅁ, ㄴ, ㅇ, ㄹ
ㄷ. /j, ɰ, w/

(1)은 음소 목록이다. 반모음을 제외한 자음자와 모음자는 각각 자음소, 모음소와 대응하므로 한글로 음소 표기를 대신한다.

(2) ㄱ. 'ㅔ'는 'ㅣ, ㅡ, ㅜ, ㅓ, ㅗ, ㅐ, ㅏ'가 아니다.
ㄴ. 'E'는 'ㅣ, ㅡ, ㅜ, ㅓ, ㅗ, ㅏ'가 아니다.

음소는 서로 변별되어야 한다. 따라서 각 음소들의 음가는 개별적으로 규정되는 것이 아니라, 다른 음소들과의 관계 속에서 차이 값으로 규정되어야 한다. 'ㅔ'의 음가는 그 자체로 규정되는 것이 아니라 나머지 단모음이 아니어야 한다. 따라서 'ㅔ'의 음가는 (2ㄱ)과 같다. 만약 'ㅔ'와 'ㅐ'가 더 이상 음성언어에서 변별적 기능을 못해서 하나의 음소로 되었다면, 그것의 음가는 (2ㄴ)이다. 이를 /E/로 나타내면 /E/의 음역은 'ㅔ'나 'ㅐ'보다 더 넓어진다. 따라서 각 음소의 가치는 체계 내 이웃 음소에 따라 달라진다.

관계에 의해 서로 값을 규정하는 개체의 집합을 체계(system)라 한다. 체계는 단순히 개체가 모인 전체가 아니라, 개체의 값을 능동적으로 규정한다. 체계는 같은 위치에서 치환할 수 있는 모든 목록 간의 관계로 이루어진다. 이런 관계를 대립관계(paradigmatic relation)라 하는데, 이는 언어의 구조적 특성 중 하나다. 음운론에서는 각 음소들이 어떤 관계를 맺으며 대립하는지에 관심을 기울이고, 음소들의 대립관계에 따라 형성되는 음소체계를 설명해야 한다.

체계성은 언어의 특성이어서 음운뿐만 아니라, 문법, 어휘 등에서도 나타난다. '하십시오'가 격식을 갖춘 가장 높임 표현이 되는 것은 '하오, 하게, 해라'가 있기 때문이다. '뜨겁다, 따뜻하다, 미지근하다, 차갑다'의 의미도 객관적으로 몇 도 이상이 아니라, 동일 낱말밭에 있는 다른 낱말과의 관계에 의해 규정된다. '수, 우, 미, 양, 가'가 등급 체계를 이룰 때 각각의 개별적인 값은 秀, 優, 美, 良, 可로 모두 긍정적이다. 그러나 '가'라는 성적이 유쾌하지 않은 까닭은 이 성적 등급 체계 안에서 '가'가 가장 낮은 위치에 배치되어 있기 때문이다. 그러나 '가, 불가'의 등급 체계에 배치된 '가'는 긍정적 값을 지닌다.

'ㅡ'와 'ㅜ'는 '글, 굴'과 같은 최소대립쌍을 만들면서 서로 변별되고 대립한다. 'ㅡ'는 후설 평순 고모음이고, 'ㅜ'는 후설 원순

고모음이다. 'ㅡ'가 후설 평순 고모음이라 불리는 것은 'ㅡ'가 후설모음, 평순모음, 고모음이라는 음운적 특성을 갖고 있다는 뜻이다. 'ㅡ'와 'ㅜ'가 서로 대립하는 까닭은 혀의 앞뒤와 혀의 높낮이는 같지만 원순성 자질 차이에 따른 것임을 알 수 있다. 이렇게 음소 간 대립을 가능하게 하는 음운적 특성을 변별적자질(distinctive feature), 또는 구별자질, 음운자질, 시차적자질(示差的資質)이라고도 한다.

음소는 언어단위 중 분절할 수 있는 최소 단위라 생각해 왔다. 그러나 음운의 대립관계를 살펴보면 'ㅡ'는 후설, 평순, 고모음이라는 음성적 특성이 모인 것이고, 'ㅜ'는 후설, 원순, 고모음이라는 음성적 특성이 모인 것으로 볼 수 있다. 이리 보면 음소는 한편으로는 변이음의 집합이면서 또 한편으로는 변별자질의 집합이라 할 수 있다.

변별자질은 들을이의 입장에서 지각 단서가 되는 음향 음성학적 특성이 무엇인가에 따라 설정하기도 했고(Jakobson, Fant, Halle: 1969), 말할이가 어떻게 말소리를 만들어 내느냐 하는 조음 음성학적 특성에 따라 설정하기도 했다(Chomsky & Halle: 1968). 이들은 모든 언어에 적용될 수 있는 보편적 자질을 설정하려 했고, 자질값은 '+, −'두 가지 값을 부여하여 이항대립(binary opposition)으로 표시했다.

(3) 한국어 변별자질(Chomsky & Halle: 1968 중에서)

자질	정의	예
공명성 (sonorant)	자발적 성대 진동이 가능한 조음부 형상.	모음, 반모음 비음, 유음
모음성 (vocalic)	구강에 고모음 이상의 좁힘 없고 성대 진동.	모음, 유음
자음성 (consonantal)	조음부 중앙에 마찰음 이상의 장애가 있다.	자음
전방성 (anterior)	후치조보다 앞에 1차적 좁힘이 있다.	입술소리 잇몸소리
설정성 (coronal)	혀끝을 중립위치보다 높이 올려 조음한다.[10]	잇몸소리 센입천장소리
고설성(high)	혓몸을 중립위치보다 높이 올려 조음한다.	ㅣ ㅡ ㅜ j w
저설성(low)	혓몸을 중립위치보다 낮게 내려 조음한다.	ㅐ ㅏ
후설성(back)	혓몸을 중립위치보다 뒤로 당겨 조음한다.	ㅡ ㅜ ㅓ ㅗ ㅏ
원순성(round)	입술을 둥글게 하여 조음한다.	ㅜ ㅗ w
비음성(nasal)	콧길이 열려 있는 상태.	비음
지속성 (continuant)	구강에서 공기가 지속적으로 유출된다.	마찰음, 모음
느린 개방 (delayed release)	[-지속성]인 자음 중 개방이 지연되는 소리.	파찰음

10 중립위치(neutral position)는 말하기 직전의 조음부 상태를 말하는 것으로 호흡 상태와는 다르다. 호흡 시에는 여린입천장이 아래로 내려와 코로 기류가 흐르고, 혓몸은 평평하고 힘이 빠진 상태이며, 성대는 넓게 떨어져 있

(3)은 Chomsky & Halle(1968)의 자질 중 한국어 음운 체계를 설명하는 데 필요한 변별자질만 든 것이다. 각 자질이 '+' 값을 가질 때의 정의와 예를 들었다. 이 책에서 설정한 변별자질은 (3)을 토대로 했으나, 우리말 음운 체계를 고려하여 최소한의 자질만 사용하고 가능하면 앞서 공부한 내용과 관련된 익숙한 용어를 사용했다.

음성을 1차 분류하면 모음과 자음으로 나눌 수 있고, 모음은 단모음과 반모음, 자음은 장애음과 공명음으로 나눌 수 있다. 자음은 조음적으로 구강 내 특정 지점에서 마찰음 이상의 장애가 있는 것을 특징으로 한다. 이런 조음 음성학적 자질을 자음성(consonantal)이라 하고, '+, −' 두 값을 부여하면 '자음성' 자질 하나로 두 음소류 즉 자음과 모음으로 분류할 수 있다.

단모음과 반모음 그리고 'ㄴ, ㅁ, ㅇ, ㄹ'은 구강이나 비강이 공명실 기능을 하여 음향적으로 주기파가 실현되는 것을 특징으로 한다. 이런 자질을 공명성(sonorant)이라 하고 공명성 유무로 공명음과 장애음을 분류할 수 있다. 공명음은 조음적으로 본디 유성음이어서 자발적 성대 진동(spontaneous voicing)이 가능한 상태다.

단모음은 홀로 음절을 형성할 수 있음에 비해 자음과 반모음은

다. 이에 비해 중립위치는 여린입천장이 들어 올려져 코로 흐르는 기류가 차단되고, 혓몸은 'bed'의 [e]를 발음할 때만큼 올라가고, 성대는 진동할 수 있을 만큼 가까이 접근한다(Chomsky & Halle 1968: 300).

이 정의대로라면 센입천장소리를 [+전방성]으로 보기 어렵기 때문에 비판적 수용이 필요하다. 자세한 내용은 5.4.에 상술될 것이다.

단모음 없이는 독립된 음절을 형성할 수 없다. 이런 음성적 자질을 성절성(成節性, syllabicity)이라 하고 성절성 유무로 성절음과 비성절음으로 분류할 수 있다.

(4) 주 부류 자질(major class feature)

자질 / 음소	주 부류 자질		
	자음성	공명성	성절성
단모음	−	+	+
반모음	−	+	−
장애음	+	−	−
공명자음	+	+	−

'자음성, 공명성, 성절성'은 단모음, 반모음, 공명자음, 장애음을 분류할 수 있는 변별자질이다. (4)는 각 자질에 두 값을 부여하여 단모음, 반모음, 공명자음, 장애음의 대립을 나타낸 것이다.

음성적 특성을 바탕으로 자질을 설정하고, 자질 값을 두 가지로 부여함으로써 음소 간 친소관계를 설명할 수 있다. 반모음은 [−자음성], [+공명성]을 공유한다는 점에서 단모음과 유사하지만, [−성절성] 값을 가진다는 점에서는 자음과 유사하다. 또한 공명자음은 [+자음성], [−성절성]을 장애음과 공유하지만, [+공명성] 값을 가진다는 점에서 모음적인 특성도 있음을 보여준다. 장애음은 모두 [+자음성, −공명성] 값을 공유한다. 자질 값을 공유하는 음소의 무리를 자연류(natural class)라 한다.

(5) ㄱ. 닭다[닥따], 부엌[부억], 부엌과[부억꽈], 옷[옫], 있다[읻

따], 젖[젇], 쫓다[쫃따], 솥[솓], 앞[압], 덮다[덥따]
ㄴ. 감도[감도], 안다[안따], 강과[강과], 술만[술만]

(5ㄱ)의 장애음은 음절 끝에서 평파열음화의 적용을 받고, (5ㄴ)의 공명자음은 이 규칙이 적용되지 않는다. 평파열음화가 적용되는 자음은 모두 [-공명성]을 공유한다. 자질 설정의 타당성과 음운론적 필요성은 자질 값을 공유하는 자연류가 음운변동에 있어 동일한 행위를 보인다는 점에서도 찾을 수 있다.

5.2. 단모음 체계

'ㅣ'와 'ㅡ'를 짝지어 발음해 보면 혀의 높낮이, 입술 모양은 유사한데, 'ㅣ'는 전설이 센입천장으로 접근하는 반면, 'ㅡ'는 'ㅣ'보다 뒤쪽에서 조음되어 후설이 여린입천장 쪽으로 접근함을 느낄 수 있다. 'ㅔ'와 'ㅓ', 'ㅐ'와 'ㅏ'도 혀의 앞뒤에 따라 서로 대립한다.

'ㅣ'와 'ㅔ'를 연이어 발음해 보면 혀의 앞뒤, 입술 모양은 유사한데, 'ㅔ'는 'ㅣ'보다 입이 많이 벌어지고 혀와 입천장의 거리가 멀어짐을 느낄 수 있다. 'ㅔ'와 'ㅐ', 'ㅡ'와 'ㅓ', 'ㅓ'와 'ㅏ', 'ㅜ'와 'ㅗ'도 마찬가지다.

'ㅡ'와 'ㅜ'를 연이어 발음해 보면 혀의 앞뒤, 높낮이는 유사한데 'ㅡ'는 입술 모양이 옆으로 펴지고, 'ㅜ'는 입술 모양이 동그랗게 오므려 지는 것을 느낄 수 있다. 이는 'ㅓ'와 'ㅗ'도 마찬가지다.

각 모음을 대립하게 하는 것은 혀의 앞뒤, 혀의 높낮이, 입술 모양임을 알 수 있다. 한국어 단모음을 분류하면 1) 혀의 앞뒤 위치에 따라 전설-센입천장에서 조음되는 전설모음과, 후설-여린입천장에서 조음되는 후설모음으로 나뉘고, 2) 혀의 최고점이 구개에 어느 정도 접근하는가 하는 혀의 높낮이에 따라, 가장 가까이 접근하는 것은 고모음, 가장 많이 떨어진 것은 저모음, 그 중간은 중모음으로 나뉘고, 3) 입술의 모양에 따라 입술이 둥글게 오므려지는 원순모음과 입술 둥긂이 없는 평순모음으로 나뉜다.

(1) 단모음 체계 I

혀의 앞뒤 / 입술 모양 / 혀의 높낮이	전설모음	후설모음	
		평순	원순
고모음	ㅣ	ㅡ	ㅜ
중모음	ㅔ	ㅓ	ㅗ
저모음	ㅐ	ㅏ	

(2) 단모음 체계 II

혀의 앞뒤 / 입술 모양 / 혀의 높낮이	전설모음		후설모음	
	평순	원순	평순	원순
고모음	ㅣ	ㅟ	ㅡ	ㅜ
중모음	ㅔ	ㅚ	ㅓ	ㅗ
저모음	ㅐ		ㅏ	

단모음의 대립관계를 바탕으로 체계를 도식화하면 (1), (2)와 같다.

'ㅟ'와 'ㅚ'는 국립국어원의 서울 방언권 화자들을 대상으로 한 2002년 표준발음 조사에서도 단모음으로 발음하는 비율이 10%도 채 되지 않았고, 「발음법」 4항에서도 [y], [ø]를 각각 이중모음 [wi, ɥi], [we]로 발음하는 것을 허용하고 있다. (2)는 /ㅟ, ㅚ/를 단모음으로 보았을 때의 체계다.

단모음 체계 내 대립을 가능케 하는 음성적 특성은 혀의 앞뒤에 따른 '전설모음, 후설모음', 혀의 높낮이에 따른 '고모음, 중모음, 저모음', 입술 모양에 따른 '원순모음, 평순모음'이다. 하나의 자질로 두 부류의 대립관계를 나타낼 수 있으므로 혀의 앞뒤에 따른 대립은 하나, 혀의 높낮이에 따른 대립은 둘, 입술 모양에 따른 대립은 한 개의 자질이 필요하다. 혀의 앞뒤에 따른 대립은 [+후설성]으로 후설모음, [−후설성]으로 전설모음을 나타낸다. 혀의 높낮이에 따른 대립은 [+고설성]으로 고모음을, [+저설성]으로 저모음을, [−고설성, −저설성]으로 중모음을 나타낸다. 입술 모양에 따른 대립은 [+원순성]으로 원순모음을, [−원순성]으로 평순모음을 분류한다.

(3) 단모음의 변별자질

자질 \ 단모음	ㅣ	ㅡ	ㅜ	ㅔ	ㅓ	ㅗ	ㅐ	ㅏ
후설성	−	+	+	−	+	+	−	+
고설성	+	+	+	−	−	−		
저설성				−	−	−	+	+
원순성	−	−	+	−	−	+		

(3)에서 네 가지 자질 값이 모두 일치하는 쌍은 없다. 만약 있다면 두 음소는 대립하지 않는다. ‘ㅣ, ㅡ, ㅜ’의 저설성 값을 매기지 않은 것은 혀의 높낮이가 [+고설성]이면 [−저설성]은 당연히 예측되는 자질이기 때문이다. 마찬가지 이유로 ‘ㅐ, ㅏ’의 고설성 값도 [+저설성]으로 예측할 수 있다. ‘ㅐ, ㅏ’에는 원순성 값도 매기지 않았는데, 이는 한국어 모음 체계 내에서 [+저설성] 모음은 모두 [−원순성]이기 때문이다. 이런 자질을 잉여자질(redundant feature)이라 한다.

변별자질은 음소를 분류하는 기능과 함께 어떤 음소끼리 자연류를 형성하는지도 설명할 수 있게 해 준다. 예를 들어 ‘그리다 → 기리다, 먹이다 → 멕이다, 잡히다 → 잽히다’처럼 ‘ㅣ’역행동화는 [+후설성] 값을 공유하는 ‘ㅡ, ㅓ, ㅏ’가 각각 다른 자질은 같으면서 [후설성] 값만 ‘−’로 바뀌어 전설모음 ‘ㅣ, ㅔ, ㅐ’로 변동하는 현상이다. 이런 점에서 변별자질은 음운변동 현상이 일어나는 원인을 설명하는 데 유용하다.

5.3. 반모음과 이중모음 체계

반모음 /j, w, ɯ/은 단모음과 결합하여 이중모음을 형성한다. 「발음법」에서 규정한 이중모음 목록은 'ㅑ, ㅒ, ㅕ, ㅖ, ㅘ, ㅙ, ㅛ, ㅝ, ㅞ, ㅠ, ㅢ' 11개이다. 'ㅟ, ㅚ'도 이중모음으로 보면 이중모음을 나타내는 문자는 13개이지만, 음가는 12개이다. 'ㅚ'를 이중모음 [we]로 발음하면 'ㅞ'와 음가가 같아지기 때문이다.

(1) 이중모음

'ㅣ'계 이중모음

'ㅣ' →	ㅏ	야
	ㅓ	여
	ㅗ	요
	ㅜ	유
	ㅔ	예
	ㅐ	얘

'ㅜ'계 이중모음

'ㅜ' →	ㅏ	와
	ㅓ	워
	ㅣ	(위)
	ㅔ	웨, (외)
	ㅐ	왜

이중모음은 음가가 불안정한 'ㅢ'를 제외하면 반모음 /j/와 단모음으로 이루어진 'ㅣ(j)'계 이중모음과, /w/와 단모음으로 이루어진 'ㅜ(w)'계 이중모음으로 나뉜다. 'ㅢ'는 음가 변화가 심하여 앞소리가 반모음으로 실현되기도 하고, 뒷소리가 반모음으로 실현되기도 한다. 음운론적 기술 방법은 두 가지다. 첫째, 우리말 이중모음은 'ㅢ'를 제외하면 모두 반모음이 앞에 있다는 점에서 /ɯi/로 볼 수 있다. 이렇게 어떤 개별 음소에 대한 해석을 전체 체계에 맞추는 것을 틀 맞추기(pattern congruity)라 한다. 둘

째, 앞소리를 반모음으로 보려면 'ㅢ' 때문에 반모음 /ɰ/를 목록에 하나 더 추가해야 한다는 점에서, 뒷소리를 반모음으로 보아 /ɯj/로 처리할 수도 있다. 이 책에서는 이중모음 체계에 맞추어 'ㅢ'는 반모음이 앞에 있는 상향 이중모음 /ɰi/로 보고 반모음 목록에 /ɰ/를 두었다.

'ㅢ'를 /ɰi/로 보면, 한국어 이중모음은 모두 반모음이 단모음의 앞에 실현된다. 이렇게 반모음과 단모음이 계기적으로 결합된 이중모음을 상향 이중모음(rising diphthong)이라 한다. 이에 비해 '단모음+반모음'으로 된 이중모음 [oj], [aj], [aw] 등은 하향 이중모음(falling diphthong)이라 한다. 이 소리들은 현대국어에는 없지만, 훈민정음에 사용된 'ㅐ, ㅔ, ㆎ, ㅚ, ㅟ, ㅢ'는 모두 하향 이중모음 [aj, əj, ʌj, oj, uj, ɯj]였다. 영어 'hi, how' 등에서 실현되는 소리도 하향 이중모음이다.

'상향'과 '하향'의 의미 상향적, 하향적이라는 말은 청취 음성학적 특성을 나타내는 말이다. 즉, 반모음은 단모음보다 장애의 정도가 더 심하고, 지속시간이 짧아서 공명도(sonority)도 작고 이로 인해 단독으로는 음절을 형성할 수 없다. 그래서 '반모음+단모음'의 연쇄는 공명도가 뒤로 갈수록 커지고, '단모음+반모음'은 뒤로 갈수록 낮아진다. 그러므로 상향 이중모음은 반모음으로 시작하는 이중모음을 뜻하고, 하향 이중모음은 반모음으로 끝나는 이중모음을 뜻한다.

현대 한국어 이중모음은 'ㅢ'를 제외하면 모두 반모음과 단모음의 결합인 상향 이중모음이다. 하지만 'ㅢ'는 앞의 것이 반모음인지, 뒤의 것이 반모음인지 통용음만 살펴서는 판단이 안 될 정도로 발음의 변이가 심하다. '의사'를 방언권에 따라 [으사]라 하기도 하고 [이사]라 하기도 하는 것을 보아서도 알 수 있다.

(2) 반모음의 변별자질

자질 \ 반모음	j	w	ɰ
후설성	−	+	+
고설성			
원순성	−	+	−

반모음 [j], [w], [ɰ]를 변별자질을 사용해서 나타내면 (2)와 같다. 반모음은 후설성과 원순성 값으로 서로 변별됨을 알 수 있다. 모든 반모음이 [+고설성]이므로 혀의 높낮이는 반모음 변별에 잉여적이다.

5.4. 자음 체계

현대국어의 자음소 목록은 아래 (1)에 보이는 19개다. 자음소는 장애음과 공명음으로 1차 분류된다. 자음소 목록 중 장애음은 모두 음절 말에서 평파열음화가 적용되지만, 공명음은 이 규칙의 적용을 받지 않는다. 자음소 각각을 변별하는 일차적 기준은 조음위치와 조음방법이다.

(1) ㅂ, ㅃ, ㅍ, ㄷ, ㄸ, ㅌ, ㄱ, ㄲ, ㅋ, ㅈ, ㅉ, ㅊ, ㅅ, ㅆ, ㅎ
ㅁ, ㄴ, ㅇ, ㄹ

조음방법이 모두 파열음인 'ㅂ, ㄷ, ㄱ'을 모음 'ㅏ'에 붙여 발음해 보면, 조음위치가 입술에서 잇몸, 여린입천장으로 이동함을 알 수 있다. 따라서 'ㅂ, ㄷ, ㄱ'의 대립은 조음위치에 따른 대립이고, 'ㅃ, ㄸ, ㄲ', 'ㅍ, ㅌ, ㅋ'도 마찬가지다.

'ㄷ'과 'ㅅ'은 조음위치가 같은 음소쌍인데, 'ㅏ'를 붙여 발음해 보면 조음방법 차이를 느낄 수 있다. 즉, 'ㄷ'은 능동부가 고정부에 완전히 붙는 순간이 있는 반면 'ㅅ'은 아주 가까이 접근하긴 하나 완전히 붙지는 않는 마찰음이다. 'ㄸ'과 'ㅆ'도 마찬가지다. 따라서 이들은 조음방법에 따른 대립이다.

'ㄷ'과 'ㅈ'을 'ㅏ'를 붙여 발음해 보면 조음위치 차이를 느낄 수 있다. 'ㄷ'은 'ㅈ'보다 고정부가 더 앞쪽이고, 능동부도 'ㄷ'을 발음할 때는 혀끝으로, 'ㅈ'을 발음할 때는 혓몸으로 발음한다. 또한 이들 쌍은 조음방법도 달라서 'ㄷ'은 파열음, 'ㅈ'은 파찰음으로 발음한다. 'ㄸ'과 'ㅉ', 'ㅌ'과 'ㅊ'도 'ㄷ'과 'ㅈ'의 차이와 같다.

'ㅂ, ㅃ, ㅍ'은 조음위치와 조음방법이 같다. 'ㅃ'은 후두를 긴장한 채 발음하고, 'ㅍ'은 성문이 크게 열려 날숨이 가장 많이 나오는 격음으로 발음하며, 'ㅂ'은 이런 두드러진 특징 없이 발음한다. 'ㄷ, ㄸ, ㅌ', 'ㄱ, ㄲ, ㅋ', 'ㅈ, ㅉ, ㅊ', 'ㅅ, ㅆ'도 'ㅂ, ㅃ, ㅍ'와 대립 양상이 같다. 'ㅃ, ㄸ, ㄲ, ㅉ, ㅆ'의 특징적 자질을 경음성(후두 긴장성), 'ㅍ, ㅌ, ㅋ, ㅊ'의 특징적 자질을 격음성(기식성, 유기성, 기음성)이라고 한다.

(2) 장애음의 대립관계

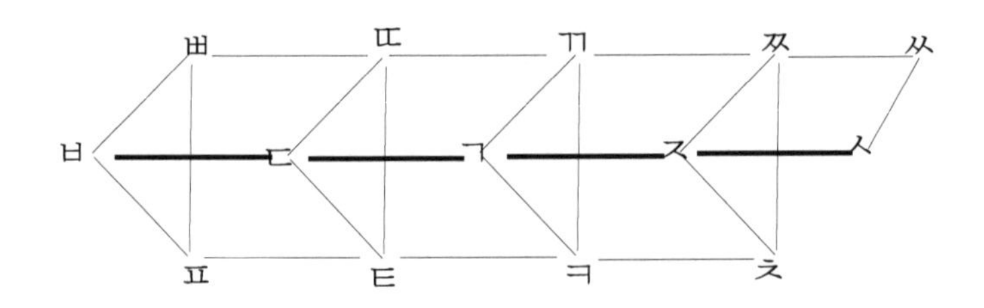

장애음 체계 내에서 'ㅃ, ㄸ, ㄲ, ㅉ, ㅆ', 'ㅂ, ㄷ, ㄱ, ㅈ, ㅅ', 'ㅍ, ㅌ, ㅋ, ㅊ'은 각각 같은 발성방법으로 발음된다는 점에서 자연류를 형성한다. 'ㅂ, ㅃ, ㅍ', 'ㄷ, ㄸ, ㅌ', 'ㄱ, ㄲ, ㅋ', 'ㅈ, ㅉ, ㅊ'은 각각 조음위치와 조음방법이 같으면서 발성방법에 따라 3항 대립하며, 'ㅅ, ㅆ'도 조음위치와 조음방법이면서 발성방법에 따라 2항 대립한다. 이러한 장애음의 대립관계를 허웅(1988: 223)에서는 (2)와 같이 도식화하였다.

상관과 상관의 묶음 구조주의 언어학의 한 축으로 일컬어지는 트루베츠코이는 음운 대립을 그 양상에 따라 세밀하게 분류했다(한문희 옮김 1991: 124~152). '비례대립, 유무대립, 상관쌍, 상관, 상관속' 등은 여기에서 비롯된 개념이다.

'ㅂ'과 'ㅍ'은 [격음성] 유무로, 'ㅂ'과 'ㅃ'은 [경음성] 유무로 대립하는데, 이처럼 특정 자질의 있고 없음으로 대립하는 것을 유무대립이라 한다. 이에 비해 혀의 높낮이에 따라 대립하는 'ㅣ, ㅔ, ㅐ'는 유무대립이 아니라 정도대립이다.

'ㅂ, ㅍ' 관계와 동일한 성질의 대립이 'ㄷ, ㅌ', 'ㄱ, ㅋ', 'ㅈ, ㅊ'에도 나타난다. 경음성 유무도 마찬가지다. 이처럼 동일한 대립 양상이 다른 음소에도 성립하는 경우, 이를 비례대립이라 한다. 이에 비해 같은 마찰음이면서 조음위치에 따라 대립하는 'ㅎ'과 'ㅅ'은 고립대립이다.

유무대립이면서 비례대립인 음소 쌍을 상관쌍이라 한다. 유무대립에 관여하는 변별자질을 상관표지라 하는데, 한 가지 상관표지로 대립하는 상관쌍 전체를 상관이라 한다. 'ㅂ, ㄷ, ㄱ, ㅈ'과 'ㅍ, ㅌ, ㅋ, ㅊ'은 '격음성 상관', 'ㅂ, ㄷ, ㄱ, ㅈ, ㅅ'과 'ㅃ, ㄸ, ㄲ, ㅉ, ㅆ'은 '경음성 상관'을 형성한다. 이때 'ㅂ, ㄷ, ㄱ, ㅈ'은 상관표지가 없는 무표항이다. 'ㅍ, ㅌ, ㅋ, ㅊ'은 [+격음성], 'ㅃ, ㄸ, ㄲ, ㅉ, ㅆ'은 [+경음성]을 가진 유표항이다. 이렇게 공통된 무표항을 갖고 있는 상관들을 상관의 묶음(상관속)이라 하는데, 파열음과 파찰음은 '평음, 경음, 격음' 세 부류로 대립하므로 삼지적 상관속(三支的 相關束)이라 불러왔다.

상관에 관여하는 음소를 짝 있는 음소, 'ㅎ', 'ㄹ'처럼 상관에 관여하지 못하는 음소를 짝 없는 음소라 한다. 상관에 관여하는 음소의 수가 많을수록 그 조직은 긴밀하다.

'감감-깜깜-캄캄'은 자음의 발성방법에 따른 대립관계를 이용하여 생성된 부사이다. 된소리는 예사소리보다 더 강하고 단단한 느낌을 주고, 거센소리는 된소리보다 더 크고 거친 느낌을 준다.

공명자음도 장애음과 마찬가지로 조음위치와 조음방법으로 대립한다. 단, 발성방법에 따른 대립은 없다. 'ㅁ, ㄴ, ㅇ'은 모두 비음인데, 'ㅏ'에 이어 발음해 보면 이들의 대립은 조음위치 차이에 따른 것임을 알 수 있다. 'ㄴ'과 'ㄹ'은 같은 공명자음이면서 조음위치도 같은데, 이 둘은 공명이 일어나는 곳이 달라서 서로 대립한다. 'ㅏ'와 이어서 발음해보면 'ㄴ'은 코로 공기가 흘러 코안에서 공명이 일어나고, 'ㄹ'은 혀옆으로 공기가 흘러 입안에서 공명이 일어난다.

(3) 현대국어의 자음 체계

조음방법	발성방법	입술소리	잇몸소리	센입천장소리	여린입천장소리	목청소리
파열음	평음	㉥	㉢		㉠	
	경음	ㅃ	ㄸ		ㄲ	
	격음	ㅍ	ㅌ		ㅋ	
파찰음	평음			ㅈ		
	경음			ㅉ		
	격음			ㅊ		
마찰음	평음		ㅅ			ㅎ
	경음		ㅆ			
비음		㉤	㉡		㉧	
유음			㉣			

이러한 대립관계에 따라 자음 체계를 도식화하면 (3)과 같다. 장애음은 조음위치, 조음방법, 발성방법에 따라, 공명자음은 조음위치와 조음방법에 따라 대립관계를 형성하고 있음을 알 수 있다. 이 중 'ㅇ'은 초성 체계에 끼지 못한다. 종성 체계는 자음소 중 'ㅂ, ㄷ, ㄱ, ㅁ, ㄴ, ㅇ, ㄹ'만으로 형성된다.

(3)에 따르면 'ㄱ'은 여린입천장, 파열, 예사소리라는 음성적 특성이 모인 것이고 'ㄲ'은 여린입천장, 파열, 된소리라는 음성적 특성이 모인 것이다. 그러므로 'ㄱ'과 'ㄲ'이 서로 변별적 기능을

하는 것은 '경음성'이라는 변별자질 유무 때문임을 알 수 있다. 따라서 자음 체계도 모음과 마찬가지로 변별자질로 나타낼 수 있다.

장애음 체계 내 대립을 가능하게 하는 음성적 특성은 '입술, 잇몸, 센입천장, 여린입천장'으로 변별되는 조음위치에 따른 특성[11], '파열, 마찰, 파찰'로 나뉘는 조음방법에 따른 특성, '예사, 된, 거센'으로 나뉘는 발성방법에 따른 특성이다. 이를 '+'와 '−' 두 가지 값을 갖는 변별자질로 표현하면 조음위치 자질 두 개로 네 부류, 조음방법 자질 두 개로 세 부류를 변별할 수 있다. '예사소리, 된소리, 거센소리'의 세 부류를 변별하기 위해서는 두 개의 자질이 필요하다.

(4) 장애음의 조음위치 자질

부류 / 자질	입술 ㅂ, ㅃ, ㅍ	잇몸 ㄷ, ㄸ, ㅌ, ㅅ, ㅆ	센입천장 ㅈ, ㅉ, ㅊ	여린입천장 ㄱ, ㄲ, ㅋ
전방성	+	+	−	−
설정성	−	+	+	−

전방성(anterior)과 설정성(coronal)은 조음위치 자질이다. [+전방성]인 소리는 조음위치가 구강 앞쪽에 있는 것으로 입술소리

11 'ㅎ'은 실제로는 고정된 조음위치가 없는 소리다. 후행 모음에 따라 입술에서 목청까지 조음위치가 이동한다는 점에서 편의상 목청소리로 분류한 것일 뿐이고 'ㅎ'은 여타 자음과 조음위치에 의해 대립하는 소리가 아니다.

와 잇몸소리가 이에 해당한다. [+설정성]은 조음위치가 잇몸에서 센입천장까지인 소리를 말한다. [+설정성]인 소리는 조음위치가 구강의 중앙부에 해당하는 곳이어서 조음위치를 기준으로 구강이 최대한 분할된다. 잇몸소리, 센입천장소리, 전설모음은 [+설정성]에 해당하고, 입술소리, 여린입천장소리, 후설모음은 [–설정성]이다.

설정성 설정성은 Chomsky & Halle(1968)에서 사용한 것으로, '혀끝(blade of the tongue)을 중립위치보다 높이 올려 조음하는 소리'로 정의하였다. 이 정의에 충실하면, 치음, 치조음, 후치조음, 유음은 [+설정성]이지만, 전경구개음(prepalatal) 또는 경구개음 [ʨ]는 [–설정성]이 된다. 경구개음은 혀끝이 아니라, 혓몸으로 조음하는 소리기 때문이다.

만약 경구개음을 [–설정성]으로 보면 [–전방성, –설정성]이 되어, [+전방성, +설정성] 값을 가진 치조음과 조음위치 자질에 있어 최대한 대립하게 된다. 그러나 치조음과 경구개음은 음절 끝에서 둘 다 'ㄷ'으로 합류하는 등, 서로 자연류를 형성할 때가 많다. 또 경구개음과 연구개음이 둘 다 [–전방성, –설정성]로 명시되어 위치 대립을 나타낼 수 없게 된다. 그래서 대부분의 국어 음운론 기술에서 경구개음을 [+설정성]으로 분류하고 있다.

설정성 개념은 비판적 수용이 필요하다. 여기서는 [+설정성]은 조음위치가 구강의 중앙부인 소리로, [-설정성]은 조음위치가 구강의 주변부인 소리로 정의한다. 치조음, 경구개음은 [+설정성], 양순음, 연구개음은 [-설정성]이다.

(5) 장애음의 조음방법 자질

부류 자질	파열음	마찰음	파찰음
폐쇄성	+	−	+
마찰성	−	+	+

폐쇄성과 마찰성은 조음방법 자질이다. 파열음 'ㅂ, ㅃ, ㅍ, ㄷ, ㄸ, ㅌ, ㄱ, ㄲ, ㅋ'은 [+폐쇄성, −마찰성], 마찰음 'ㅅ, ㅆ'은 [−폐쇄성, +마찰성], 파찰음 'ㅈ, ㅉ, ㅊ'은 [+폐쇄성, +마찰성] 값을 갖게 된다.

(6) 장애음의 발성방법 자질

부류 자질	예사소리 ㅂ, ㄷ, ㄱ, ㅈ, ㅅ	된소리 ㅃ, ㄸ, ㄲ, ㅉ, ㅆ	거센소리 ㅍ, ㅌ, ㅋ, ㅊ
경음성	−	+	−
격음성	−	−	+

경음성과 격음성은 발성방법 자질이다. 된소리(경음)는 [+경음성, −격음성], 거센소리(기음)는 [−경음성, +격음성], 예사소리(평음)는 [−경음성, −격음성] 값을 갖게 된다.

자질 값은 첫째, 그것으로 음소들 간의 대립관계를 드러낼 수 있어야 한다. 따라서 모든 자질 값이 동일한 두 개의 음소가 있으면 안 된다. 둘째, 음성학적 근거가 있어야 한다. 예를 들어

[+폐쇄성] 값을 갖는 음소들은 조음 음성학적으로 폐쇄 조음과정이 있어야 한다. 셋째, 자질 값으로 어떤 음소끼리 자연류를 형성하는지 알 수 있어야 한다. 넷째, 자연류의 개념으로 음운변동을 설명할 수 있어야 한다. 자질 값을 공유하는 자연류는 동일한 음운 행위를 보인다.

고정된 조음위치가 없는 'ㅎ'도 음성학적으로 [−공명성]이다. 또한 음운론적으로도 [−공명성] 값을 갖는 다른 장애음처럼 '좋네, 좋습니다'와 같이 평파열음화의 적용을 받는다. 조음방법 자질은 [−폐쇄성, +마찰성]으로 마찰음 'ㅅ, ㅆ'과 같은 부류로 본다. 'ㅅ, ㅆ'의 마찰 소음보다는 약하지만 [ɸ], [ç]는 마찰음으로 보는 것이 실제 음성적 특성과 가장 가깝다.

(7) 공명자음의 조음위치 자질

자질 \ 부류	입술소리 ㅁ	잇몸소리 ㄴ, ㄹ	여린입천장소리 ㅇ
전방성	+	+	−
설정성	−	+	−

공명자음 체계 내 대립을 가능케 하는 음성적 특성은 '입술, 잇몸, 여린입천장'으로 변별되는 조음위치에 따른 것과, 공명이 일어나는 곳이 구강인지 비강인지에 따른 것이다. 조음위치 자질은 장애음의 대립을 나타내는 데 사용한 '전방성, 설정성' 자질을 그대로 사용하여 세 위치를 변별할 수 있다.

(8) 공명자음의 조음방법 자질

부류 / 자질	비음 ㅁ, ㄴ, ㅇ	유음 ㄹ
비음성	+	−

그런데 조음위치 자질 값이 같은 'ㄴ'과 'ㄹ'의 대립을 나타내기 위해서는 또 하나의 자질이 필요하다. 'ㄴ'과 'ㄹ'의 대립은 비음성이나 유음성 자질의 유무로 나타낼 수 있다. [+공명성, −비음성]은 'ㄹ'만 갖는 독점적 자질이다. 장애음은 모두 [−비음성]이므로 비음성 자질은 장애음에서는 비관여적이고 값을 명시할 필요가 없다. 또한 공명자음은 모두 [−경음성, −격음성]이므로 이 자질은 공명자음의 대립에 비관여적이다.

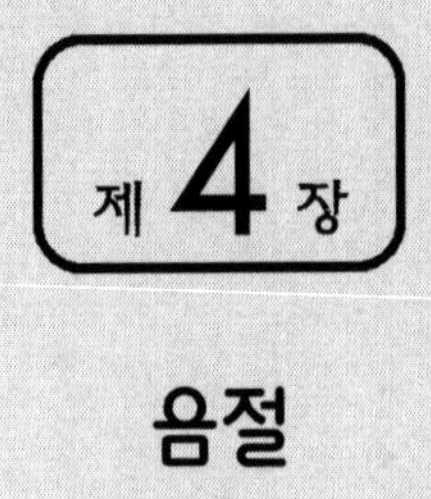

음절

1. 음절과 음절구조

'높은 꿈 깊은 뜻'을 소리대로 적으면, '노픈 꿈 기픈 뜯'이 된다. 이때 '노, 픈, 꿈, 기, 픈, 뜯'처럼 한 뭉치로 이루어진 소리의 덩이가 음절(音節, syllable)이고 이는 발화의 최소 단위이다. 음절은 단독, 또는 몇 개의 음소가 결합하여 만들어지므로 '음절≧음소'의 관계다.

표기형 '작은 시내가 모여 큰 강물을 이루었다.'의 발음형은 [자근시내가모여 큰강무를 이루얻따]이다. 음절은 발화 단위이므로 발음형으로 음절 수를 세어야 하고, 15개의 음절로 이루어진 문장임을 알 수 있다. 그런데 이 음절 수는 표기형의 자(字) 수와도 일치한다. 이는 한글이 본디 음소문자이지만, 문자 운용에 있어서는 음절문자의 성격을 겸하고 있기 때문이다.

(1) 모아쓰기: 초성, 중성, 종성 세 소리는 어울려야 글자(음절)를 이룬다.(初中終三聲.合而成字。)

한글은 음소문자지만 (1)의 『훈민정음』 합자해(合字解) 설명처럼 처음부터 음소 단위의 풀어쓰기가 아니라, 음절별 모아쓰기를 택했다. 'ㅃㅜㄹㅣㄱㅣㅍㅡㄴㄴㅏㅁㅜㄴㅡㄴ'처럼 음소 단위로 풀어쓰지 않고 모아쓴다는 것은 표기의 최소 단위가 음소가 아니라 음절이란 뜻이다. 그래서 우리말에서 음절 수는 표기된 음절 자수와 일치하고, 음절 단위는 우리에게 익숙한 단위이다. '사랑이란 두 글자는'이라는 노랫말에서 두 글자는 음소가 아니라 음절 '사, 랑'을 뜻한다.

(2) ㄱ. 이어적기: 불휘기픈남ᄀᆞᆫ바라매뮈디아니ᄒᆞᆯᄊᆡ
ㄴ. 끊어적기: 뿌리 깊은 나무는 바람에 흔들리지 않으므로

모아쓰기는 어떤 기준으로 모아쓰느냐에 따라 소리대로 적는 이어적기(연철)와, 음절 끝 자음이 연음되어 나더라도 형태소의 원형을 밝혀 적는 끊어적기(분철)로 나뉜다. 15세기 국어는 대체로 이어적기를 했다. (2ㄱ)처럼 소리 나는 대로 이어 적으면 표기형과 발음형의 음절 경계(syllable boundary)가 일치한다. (2ㄴ)처럼 끊어 적어도 '시내가 모여 큰 강'처럼 발음형과 표기형의 음절 경계가 일치하는 경우도 있다. 그러나 [기픈]으로 소리 나도 형태소 원형을 밝히기 위해 '깊은'으로 끊어 적으면 발음형과 표기형의 음절 경계는 일치하지 않는다. 받침으로 표기된 자음이 다음 음절의 첫소리로 연음되기 때문이다.

형태음소적 표기 '소리대로' 쓰는 음소적 표기는 표음주의에 해당하고, '어법에 맞도록' 쓰는 형태적 표기는 표의주의에 해당한다. 문자는 소리와 의미 둘 다 나타낼 수 있을 때 이상적이다. 우리 맞춤법 역사는 양자 사이에서 최적점을 찾아온 과정이다. 현행 맞춤법을 형태음소적 표기법(morphophonemic orthography)라 하는데 이는 표음으로 기울어 있던 15세기 표기법을 표의 쪽으로 이동시켜 표기형이 형태소 정보를 담도록

했기 때문이다.

분절한 '깊어'는 음소적 표기이면서 형태적 표기이기도 하다. 두 기준은 서로 상충되는 관계라기보다 보완하는 관계다. '깊-'은 어간 끝 'ㅍ'가 [기퍼]처럼 발음되는 것을 근거로 한 것이므로 음소적 표기다. [깁]으로 소리 나도 이형태를 표기에 반영하지 않고 '깊고, 깊다, 깊지'처럼 대표형태로 표기를 고정한 것은 형태적 표기다.

15세기 국어 표기는 이형태를 표기에 반영하여, 즉 음소 차원의 발음형대로 적는다는 면에서 표음을 중시한 음소적 표기이다. '깁고(←깊다), ᄃᆞᆺ고(←ᄃᆞᇧ다)'처럼 평파열음화, 자음군단순화가 적용된 발음형대로 표기하므로 이형태가 표기에 반영된다. 그렇다고 모든 이형태를 표기에 반영한 것은 아니다. 예컨대 경음화는 표기에 반영되지 않은 경우가 더 많았다.

'깊어, 깊으니'와 달리 '기퍼, 기프니'는 발음형과 표기형의 음절 경계가 일치하고 발음형 종성만 표기하기 때문에 '음절적 표기'라고도 한다. 그러나 이 개념은 음소적 표기라는 용어에 내재되어 있기 때문에 잉여적이다. 무엇보다 '기퍼'든 '깊어'든 음절별로 모아쓴 것이라는 점에서 기본 개념을 흐리게 하는 면이 있다.

한글 표기법은 대체로 연철(連綴, 이어적기), 중철(重綴, 거듭적기), 분철(分綴, 끊어적기)의 순으로 변천 과정을 거쳤다. '소ᄂᆞᆯ, 기프니'는 연철, '손ᄂᆞᆯ, 깁프니'는 중철, '손ᄋᆞᆯ, 깊으니'는 분철한 것이다.

'뿌.리.기.픈.나.무.는.바.라.메.흔.들.리.지.아.나.서'의 각 음절에는 반드시 모음이 하나씩 있다. 또한 '나, 무'처럼 모음 앞에 자음이 하나 있는 음절도 있고, '안'처럼 모음 뒤에 자음이 하나 있는 음절도 있고, '흔, 들'처럼 모음 앞뒤에 자음이 하나씩 있는 음절도 있다. 이처럼 음소가 결합하여 음절을 이룰 때 가능한 결합형을 음절구조(syllable structure)라 한다.

음절구조는 표기형과 발음형이 서로 다르다. '닭, 삶과, 앉다가'처럼 표기형에서는 모음 뒤에 자음이 두 개 올 수 있다. 그러나, 발음형에서는 [닥, 삼ː과, 안따가]로 되어 휴지(pause)나 자음 앞에서는 자음 하나가 탈락한다. 또한 '닭이, 삶에서, 안자서'도 연음규칙이 적용되어 [달기, 살ː메서, 안자서]로 발음되므로 음절 끝에 자음군을 허용하지 않는다.

(3) 음절구조

초(초성, 음절 초 자음, syllable initial consonant)
중(중성, 모음, vowel)
종(종성, 음절 끝 자음, syllable final consonant)

표기형과 발음형의 음절구조는 (3)과 같은데, 이 둘의 차이는 종성에 있다. '음절'은 발음할 수 있는 최소 단위이므로 발음형에 적용되는 개념이다. 그러나 한글은 음절 단위로 모아 쓰므로 표기형 음절은 익숙한 단위이고 형태소의 음상은 표기형, 기저형과 밀접한 관련이 있다는 점에서 음절을 표기형, 발음형 모두에 사용할 것이다. 다만 양자가 일치하지 않는 경우 표기형 음절, 발음형 음절로 구별해서 쓴다.

음소가 결합하여 음절을 이룰 때 음절 안에서의 위치와 기능에 따라 첫소리는 초성(初聲), 가운뎃소리는 중성(中聲), 끝소리는 종성(終聲)이라 한다. '픈'에서 초성은 [ㅍ], 중성은 [ㅡ], 종성은 [ㄴ]이다. 자음은 초성과 종성이 되고, 모음은 중성이 된다. 초성을 음절 두음(音節 頭音, onset), 종성을 음절 말음(音節 末音, coda)이라고도 한다. 중성은 성절음(syllabic sound) 또는 음절핵(peak, nucleus)이라고 하는데, 이는 음절을 이루기 위해서, 즉 단독으로 발음할 수 있기 위해서 '중성' 자리는 반드시 하나의 단모음으로 채워져야 하기 때문이다. 중성은 단모음만으로 이루어지기도 하고 반모음과 단모음이 결합한 이중모음도 있다.

초성은 없거나 하나만 가능한데, 이는 표기형과 발음형이 같다. 그러나 종성의 수는 표기형에서는 최대 2개에서 0개이고, 발음형에서는 최대 1개이거나 0개이다. 표기형의 최대 음절구조는 CVCC이고, 발음형의 최대 음절구조는 CVC이다. 표기형 종성으로는 자음이 0~2개가 쓰이고, 발음할 때는 0~1개만 발음된다. 발음형의 음절구조에서는 모음의 앞에도 뒤에도 자음은 최대 하나만 허용된다. 이렇게 자음군을 허용하지 않는 것은 알타이제어의 공통된 음운적 특질 중 하나다.

(4) 발음형의 음절 유형

종성 유무 \ 중성 종류		단모음	이중모음
개음절	중성	이, 애	왜, 예
	초성+중성	코, 가	벼, 과
폐음절	중성+종성	입, 억	약, 월
	초성+중성+종성	눈, 몸	귤, 뭘

발음형의 음절 유형(syllable type)은 (4)와 같다. 종성이 없는 음절을 개음절(開音節, open syllable), 종성이 있는 음절을 폐음절(閉音節, closed syllable)이라 한다. (4)가 제시하는 정보는 '한 음절은 초성, 중성, 종성으로 삼분되고, 한 음절에는 반드시 하나의 중성(모음)이 있고, 한 음절에 초성, 종성은 없거나 최대 각 하나만 허용된다.'는 것이다.

공명 자음과 성절성 한국어에서는 모음만 성절음으로 기능한다. 그러나 언어에 따라 자음이 성절음이 되는 경우도 있다. 예를 들어 영어에서 button, bottle은 2음절어인데 첫음절의 성절음은 모음이지만, 두 번째 음절은 모음이 없고 자음 [n], [l]이 성절음으로 기능한다.

성절음은 홀로 발음해도 잘 들리는 소리여야 한다. 모음은 구강 내에서 공명이 일어날 수 있는 소리여서 단독으로 발음해도 가청력이 큰 소리다. 밀림의 타잔이 자음 없이 모음만으로 '아아아…' 하고 소리 지르는 것은 [ㅏ]가 모음 중에서도 구강 내 공간이 가장 큰 소리여서 공명도가 크고 가장 멀리까지 들리기 때문이다. 비음은 코로, 유음은 혀옆으로 계속 기류가 흐르기 때문에, 각각 비강, 구강에서 공명이 일어나는 공명음이다. 이에 비해 파열음, 파찰음, 마찰음은 장애음이다. 공명 자음은 장애음보다 가청력이 큰 소리기 때문에 성절음이 될 가능성도 더 높다. 그래서 장애음 즉 비공명음이 성절음이 되기는 어렵다.

음절구조는 언어마다 다르다. 음소가 결합된 연속체에서 음절로 분절해 내는 방법이 언어마다 다르기 때문이다. 그래서 한국어 음절구조를 따르는 외래어는 원어와 음절 수가 달라진다. 예컨대 최대 3개까지 자음군이 허용되는 영어에서 'strike[strajkʰ]'는 1음절어이지만, 우리말 외래어로 표현하면 5음절어 '스트라이크'로 된다. 우리말 음절구조에 맞추면서 어두 자음군 'str'의 각 음가를 드러내기 위해서, 그리고 종성으로는 실현되지 않는 어말 자음 [kʰ]의 제 음가를 드러내기 위해서는 모음을 필요로 하기 때문에 'ㅡ'를 삽입한다. 또 하향 이중모음 [aj]가 한국어에는 없기 때문에 [a]와 [i] 두 단모음의 연속으로 받아들이기 때문이다. 또, 영어 Christmas[kʰrisməs]는 2음절어지만, 우리말 구조에 맞추어 외래어로 받아들이면 5음절어가 된다. 'ㅋ리'로 할 수 없고 두 자음의 음가를 유지하기 위해서는 모음 두 개가 필요하다. 또한 's'를 '크릿'이나 '맛'으로 받침으로 표기하면 발음형은 [크릳], [맏]이 되어 원 발음 [s]를 살릴 수 없다. 우리말 음절구조에서 [s]는 초성에서만 실현되므로 'ㅅ'을 초성으로 쓰고, 매개모음 'ㅡ'를 삽입하여 받아들인 것이다.

한국어 '김치'에 대한 일본어 'キムチ'는 [kimɯʧʔi]로 3음절어가 된다. 일본어 음절구조는 초성에서는 최대 자음 하나만 허용

된다는 점은 한국어와 같지만, 종성에서는 자음이 허용되지 않는 개음절어여서 '김'의 종성 'ㅁ'을 '기'와 동일한 길이를 지닌 음절로 인식하기 때문이다.

(5) 음절 내부 구조

ㄱ. 평면 구조

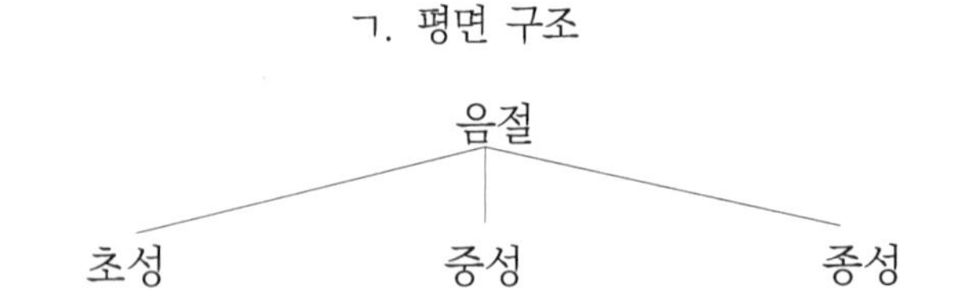

ㄴ. 좌분지 구조　　　　ㄷ. 우분지 구조

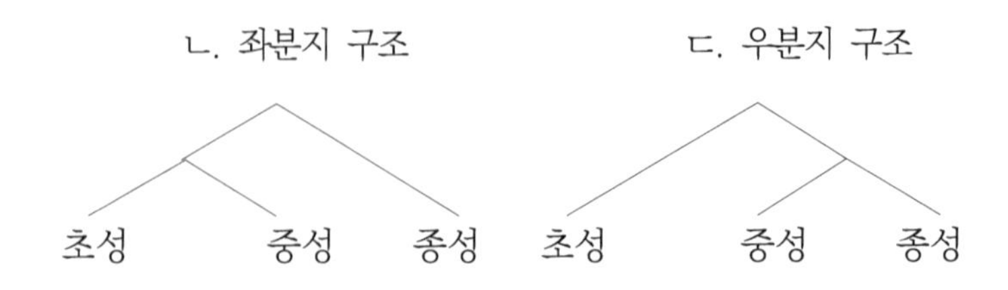

음절 내부 구조는 (5ㄱ)처럼 초성, 중성, 종성이 대등하게 결합한 비계층적 구조로 볼 수도 있고, ㄴ, ㄷ처럼 계층적으로 결합한 것으로 볼 수도 있다. (5ㄴ)은 초·중성과 종성으로 직접 성분 분석한 것으로 좌분지 구조(left-branching structure), (5ㄷ)은 초성과 중·종성으로 분석한 것으로 우분지 구조(right-branching structure)라 한다.

(6) ㄱ. 초성, 중성, 종성 세 소리는 어울려야 글자(음절)를 이룬다.(初中終三聲◦合而成字。)

ㄴ. 그런데→근데, 제일로→*젤로, 짜증 나→*짱 나

ㄷ. 알쏭달쏭, 올록볼록, 때문에→*때메, 그러면→그럼

(6ㄱ)은 초성, 중성, 종성이 대등하게 결합된 평면적인 구조로 본 것이다. 또 (6ㄴ)처럼 초성과 중성을 생략한 준말 형태는 좌분지 구조로 볼 수 있는 근거가 된다. (6ㄷ)처럼 초성만 바꾸어서 만들어진 의태어나, 중성과 종성을 생략한 준말은 우분지 구조로 볼 수 있는 근거가 된다.

(7) ㄱ. 雪山氷坂馬行難설산빙판마행난
(눈얼음 산길이라 말 타고 넘기 힘들 텐데)
風日凄凄朔氣寒풍일처처삭기한
(날조차 차고 구슬퍼 한기가 온 몸을 휘감네.)
萬事不由章子厚만사불유장자후
(만사가 장자후 때문인 것은 아니니)
紫陽書好靜時看자양서호정시간
(자양의 글은 고요할 때 보기 좋으리라.)[1]

ㄴ. 東 德紅切

ㄷ. brunch(← breakfast+lunch), smog(← smoke+fog)

중국어는 대표적인 우분지 구조이다. 이는 한시에 압운(押韻)하는 방법이나, 운서의 음가 설명에 사용한 반절(半切)을 통해서도

1 조선조 문신인 창석(蒼石) 이준(李埈, 1560~1635)이 유배 가는 벗을 위해 쓴 시이다.

드러난다. (7ㄱ)의 시에서 1, 2, 4행의 끝 글자는 운모가 [ᅡᆫ]으로 같다. (7ㄴ)은 반절에 의한 한자 음가 풀이다. '德紅切'에서 반절 앞 글자인 德은 성모 [ㄷ]를, 반절 뒤 글자인 '紅'은 운모 [ᅩᆼ]을 나타낸다. 이런 방법으로 '東'의 음이 [동]임을 나타냈다. (7ㄷ)은 영어의 혼합어인데, 이것도 영어가 우분지 구조임을 보여주는 예다.

2. 음절구조제약

음절구조제약(syllable structure constraint)은 우리말 음절구조의 특징 때문에 특정한 음소 결합이 제한되는 것을 말한다. 예를 들어 모든 자음이 다 초성과 종성으로 쓰이는 것은 아니어서 어떤 자음은 초성으로, 또 어떤 자음은 종성으로 쓰일 수 없다는 제약이 있다. 발음형 음절에서 허용되는 초, 중, 종성 목록은 아래 (1)과 같다.

(1) 음절 내 초, 중, 종성 목록(발음형)

초성 18개	중성 20개	종성 7개
ㅂ ㅍ ㅃ ㅁ	ㅣ ㅔ ㅐ	ㅂ ㅁ
ㄷ ㅌ ㄸ ㄴ ㄹ ㅅ ㅆ	ㅡ ㅓ ㅏ	ㄷ ㄴ ㄹ
ㄱ ㅋ ㄲ	ㅜ ㅗ	ㄱ ㅇ
ㅈ ㅊ ㅉ	ㅑ ㅕ ㅛ ㅠ ㅖ ㅒ	
ㅎ	ㅘ ㅝ ㅟ ㅚ/ㅞ ㅙ	
	ㅢ	

2.1. 초성 제약

초성은 단 하나의 자음으로 채워지는데 모든 자음이 초성으로 사용될 수 있는 것은 아니다.

(1) 초성 제약(고유어)

ㄱ. 표기형: ㅂ, ㅃ, ㅍ, ㄷ, ㄸ, ㅌ, ㄱ, ㄲ, ㅋ, ㅈ, ㅉ, ㅊ,
ㅅ, ㅆ, ㅎ, ㅁ, ㄴ, ㄹ

ㄴ. 발음형: ㅂ, ㅃ, ㅍ, ㄷ, ㄸ, ㅌ, ㄱ, ㄲ, ㅋ, ㅈ, ㅉ, ㅊ,
ㅅ, ㅆ, ㅎ, ㅁ, ㄴ, ㄹ

초성 제약은 (1)과 같다. 연구개 비음 /ŋ/은 고유어, 한자어, 외래어 모두에서 초성으로는 사용할 수 없으므로 자음소 19개 중 18개만 사용된다. '강이'에서 초성 자리의 'ㅇ'은 무음가이고, 종성 자리의 연구개 비음은 연음되지 않으므로 이는 표기형, 발음형 모두에 해당한다. 한자어일 경우 된소리는 '끽(喫), 쌍(雙), 씨(氏)'를 제외하면 사용되지 않는다. 또 거센소리 중 'ㅋ'가 초성인 한자음은 쾌(快, 儈, 噲, 夬, 筷)뿐이다.

「외표」 4항: 파열음 표기에는 된소리를 쓰지 않는 것을 원칙으로 한다.

「외표」 4항에 따라 영어, 독일어, 불어 등 파열음이 2항 대립하는 언어에서 들어온 외래어에는 초성에도 경음자를 쓰지 않는다. 유성음은 평음자로, 무성음은 격음자로 표기한다. 이들 언어의 'p, b'에 대응하는 한글은 'ㅂ, ㅍ, ㅃ'으로 하나가 남기 때문에 이 중 경음자를 쓰지 않기로 한 것이다. 영어에서 들어온 외래어는 파열음뿐 아니라 모든 경음자를 쓰지 않는다. 따라서 '버스, 달러, 가스, 재즈, 사인펜'으로 적지 '*뻐스, 딸러, 까스, 쨰즈, 싸인펜'으로 표기하지 않는다.

그러나 표기 대상 언어가 3항 이상의 대립을 보일 때는 경음자를 사용한다. 중국어, 일본어에서 들어온 외래어에도 'ㅃ, ㄸ, ㄲ'은 쓰지 않지만, 중국어에는 'ㅉ, ㅆ', 일본어에는 'ㅆ'이 사용된다. 베트남어에는 경음자가 모두 사용된다. 예컨대 베트남의 인명이자 지명인 Hồ Chí Minh은 *호치민이 아니라, '호찌민'으로 쓴다.[2] 타이어 표기에도 'ㅃ, ㄸ, ㄲ, ㅉ'이 사용된다.

2.2. 중성 제약

한 음절을 이루기 위해서는 반드시 하나의 모음이 있어야 한다. 그래서 머리글자로 준말을 만들 때도 음절 단위로 줄인다. 예를 들어 '노동조합'을 줄여서 'ㄴㄷㅈㅎ'로 할 수 없고 음절 단위로 줄여 '노조'라 한다. 모음은 모두 성절음이고 한 음절에는 하나의 모음만 허용되므로 모음 수와 음절 수는 일치한다. 이중

2 '베트남어 자모와 한글 대조표'에 따르면 'ㅂ, ㅃ, ㅍ, ㄷ, ㄸ, ㅌ, ㄱ, ㄲ, ㅋ, ㅅ, ㅆ'이 모두 사용되고 있다. 그러나 'ㅊ'은 쓰지 않으면서 'ㅉ'은 쓰고 있어서 경음자를 쓰지 않는 것을 원칙으로 하는 4항과 관련지어 봤을 때 일관성에 문제가 된다. 왜냐하면 4항에서 경음자를 쓰지 않는 것은 파열음이라고 했으나 경음자를 쓰지 않는 이유에 비추어 보면 '파열음'뿐 아니라 3항 대립하는 파찰음 'ㅈ, ㅉ, ㅊ'도 포함되는 것으로 해석되기 때문이다.

모음도 하나의 음절을 형성한다.

(1) 중성 제약

단모음 / 반모음	ㅣ	ㅡ	ㅜ	ㅔ	ㅓ	ㅗ	ㅐ	ㅏ
j			ㅠ	ㅖ	ㅕ	ㅛ	ㅒ	ㅑ
w	ㅟ			ㅞ/ㅚ	ㅝ		ㅙ	ㅘ

반모음과 단모음이 결합하여 이중모음을 형성하는 데는 일정한 제약이 있어서 반모음이 모든 단모음과 결합하여 이중모음이 될 수 있는 것은 아니다. 반모음과 단모음의 결합 양상은 (1)과 같다. (1)에서 [ji], [wu], [wo]가 빈칸인 까닭은 [j]는 [+고설성, −후설성] 값을 공유하는 'ㅣ'와, [w]는 [+원순성]을 공유하는 'ㅗ, ㅜ'와 결합했을 때 제 음가를 드러내기 어려울 정도로 [j, w]의 과도(미끄럼, gliding)가 짧기 때문이다. 반모음은 단모음으로 이동하는 과정에서 음가가 드러난다. [j], [w]는 'ㅡ'와 결합하지 않는다. 이 또한 'ㅡ'가 [j, w]와 [+고설성]을 공유하는데다 [j]와 결합하기에는 'ㅜ'보다 혀 위치가 앞쪽이고, [w]와 결합하기에는 'ㅣ'보다 뒤여서 과도가 드러나기에는 이동 거리가 너무 짧기 때문이다.

그러나 [ji]와 [jɯ], [wɯ]와 [wu], [wo]가 불가능한 것은 아니다. 영어의 [j, w]는 한국어에 비해 과도의 길이가 길어서 외래어 '퀴즈'보다 'quiz'의 반모음 길이가 더 길다. 그래서 영어에는 'year, wool'에서처럼 [ji], [wu]와 같은 결합이 가능하다. 또한 『훈민정음』 해례 합자해에서도 "ㆍ와 ㅡ가 ㅣ 소리에서 시작되는 것은 우리말에는 쓰이지 않는다. 어린이 말이나 시골말에 혹 그 것이 있는데 마땅히 두 글자를 어울러서 써야 할 것이니 ᄀᆝᄀᆜ와 같다.(·ㅡ起 ㅣ聲 於國語無用 兒童之言 邊野之語 或有之 當合二字而用 如ᄀᆝᄀᆜ之類)"라 하여, 당시 어린이의 말이나 시골말에 [jʌ, jɯ]가 존재했다는 기록이 보인다.

> 「외표」 8항: 이중모음 [ai], [au], [ei], [ɔi]는 각 단모음의 음가를 살려서 적되, <u>[ou] 는 '오'</u>로, [auə]는 '아워'로 적는다.
> boat[bout] 보트
> 「외표」 9항: 반모음([w], [j])
> 1. [w]는 뒤따르는 모음에 따라 [wə], [wɔ], [wou]는 '워', [wɑ]는 '와', [wæ]는 '왜', [we]는 '웨', [wi]는 '위', <u>[wu]는 '우'</u>로 적는다. wool[wul] 울
> 3. 반모음 [j]는 뒤따르는 모음과 합쳐 '야', '얘', '여', '예', '요', '유', '이'로 적는다. 다만, [d], [l], [n] 다음에 [jə]가 올 때에는 각각 '디어', '리어', '니어'로 적는다.
> yellow[jelou] 옐로, 이어, Indian[indjən]

8항에 따라 하향 이중모음 [aj], [aw], [ej], [ɔj]는 각각 'ㅏㅣ, ㅏㅜ, ㅔㅣ, ㅗㅣ'로 두 모음 즉 두 음절로 적는다. 단, [ou]는 단모음 [o]와 반모음 [w]로 된 하향 이중모음이지만[3] '*ㅗㅜ'로 적지 않고 'ㅗ'로 적는다. 한국어에는 [ow]처럼 반모음과 단모음

3 [ai, au, ei, ɔi, ou]는 국제음성기호로는 각각 [aj, aw, ej, ɔj, ow]이다. 「외표」의 표기 기준은 2장 표 1의 국제음성기호인데, 8항에서는 반모음을 단모음 기호로 쓰고 있다. 일관성에 문제가 있다.

간에 조음적 거리가 짧아서 반모음의 음가가 드러나기 어려운 결합이 없기 때문이다. 9항에서 [wu]는 'ㅜ', [ji]는 'ㅣ'로 적어 반모음을 표기에 반영하지 않는 것도 [ow]를 'ㅗ'로 적는 것과 같은 이유이다. 'boat[bowt], doughnut [downʌt], window[wɪndow]'를 '*보우트, 도우넛, 윈도우'로 적는 경우가 많은데 '보트, 도넛, 윈도'가 맞는 표기다.

음가가 유동적인 /ㅢ/를 상향 이중모음으로 보면 우리말에서 '단모음+반모음'으로 된 하향 이중모음은 없다. 중성 제약은 기저형, 발음형 모두에 적용되는 제약이다. 중성, 즉 단모음과 이중모음은 모두 고유어와 외래어에서 쓰인다. 다만, 이중모음 중 'ㅒ'음을 가진 한자음은 없다.

2.3. 종성 제약

발음형에서는 초성은 물론 종성 자리에도 자음군이 허용되지 않는다. 받침소리는 7개 자음만 허용되므로 받침과 받침소리, 즉 표기형과 발음형은 일치하지 않는다. 표기형에서는 '밖'과 '박' '잎'과 '입', '값'과 '갑'이 각각 다른 의미를 가진 형태로 구별되는데 발음형에서는 동음어가 되는 것으로 보아, 표기형의 종성 제약과 발음형의 종성 제약이 다르다는 것을 알 수 있다.

(1) 종성 제약(고유어)

ㄱ. 표기형: ㅂ, ㅍ, ㄷ, ㅌ, ㅅ, ㅆ, ㅈ, ㅊ, ㄱ, ㄲ, ㅋ, ㅎ,

ㅁ, ㄴ, ㅇ, ㄹ

ㄳ, ㄵ, ㄼ, ㄽ, ㄾ, ㅄ, ㄺ, ㄻ, ㄿ, ㄶ, ㅀ

ㄴ. 발음형: ㅂ, ㄷ, ㄱ, ㅁ, ㄴ, ㅇ, ㄹ

(1ㄱ)은 고유어의 표기형 종성이고, (1ㄴ)은 발음형의 종성이다. 어문규범에서는 표기형 종성은 '받침', 발음형 종성은 '받침소리'로 구별한다. 'ㅃ, ㄸ, ㅉ'은 받침으로 쓰이지 않고, 'ㅇ'은 음절 초에서와는 달리 음절 말에서는 실현되므로 홑받침으로는 16개(ㅂ, ㅍ, ㄷ, ㅌ, ㅅ, ㅆ, ㅈ, ㅊ, ㄱ, ㄲ, ㅋ, ㅎ, ㅁ, ㄴ, ㅇ, ㄹ)가 있다. 또 겹받침 11개(ㄳ, ㄵ, ㄼ, ㄽ, ㄾ, ㅄ, ㄺ, ㄻ, ㄿ, ㄶ, ㅀ)가 쓰여서 초성보다 오히려 목록 수가 많다. 그러나 받침소리로 실현 가능한 것은 7개(ㄱ, ㄷ, ㅂ, ㄴ, ㄹ, ㅁ, ㅇ)뿐이다. 받침소리로 7개의 홑자음만 실현 가능하다는 제약은 표기형이나 기저형에서의 제약이 아니라, 발음형에 해당하는 제약이다.

공명음과 달리 장애음은 [ㅂ, ㄷ, ㄱ] 세 소리만 받침소리로 쓰일 수 있다. 종성에는 센입천장소리, 목청소리가 나타나지 않고, 파찰음, 마찰음, 경음, 격음이 실현되지 않는다. 이러한 제약이 생기는 원인은 음절 말음을 개방하지 않는 한국인의 발음 습관과 관련이 있다. 공명음은 조음체를 개방하지 않아도 비음은 코로, 유음은 혀옆으로 에너지가 나오기 때문에 그 음가를 인지할 수 있다. 그러나 장애음은 예를 들어, 'ㄱ, ㄲ, ㅋ'를 발음할 때 뒤혀로 여린입천장을 폐쇄한 채 끝내면 이 셋을 각각 구별하여 인지할 수 없다.

음절 말음을 개방 단계 없이 발음하는 것은 타 언어와 대조해 봤을 때 한국어의 특징 중 하나다. '앞, 밭, 부엌, 사감, 산, 강,

호텔'의 음절 말음을 모두 닫음소리로 발음하지만, 영어권 사람이라면 '앞, 밭, 부엌'의 음절 말음을 개방시켜 파열 소음이 들리게 발음할 것이고, 불어권 사람이라면 '앞, 밭, 부엌'뿐 아니라, '사감, 산, 호텔'의 음절 말음을 모두 개방 단계를 실현시켜 이에 해당하는 음가가 들리게 발음할 것이다.

'앞, 앞도, 밭, 부엌' 따위에 보이는 무성음 종성 [p˺, t˺, k˺]은 조음체를 개방하지 않고 '폐쇄·지속' 조음으로 끝내거나, 개방하더라도 그에 따른 음가를 인식하기 힘들 정도로 개방에 따른 소음이 약한 소리다. 이러한 소리를 불파음이라 한다. 이에 비해 영어는 'jackpot'의 [k], 'cat food'의 [t]처럼 거의 파열 소음이 들리지 않는 경우도 있지만, 'cake, cat'에서 어말 [k], [t]의 파열 소음은 인지할 수 있을 정도로 강하다. 불어는 'madame, cane, elle'처럼 공명자음도 외파된다. 음절 끝 파열음 개방은 정도성을 띠어 '불어 〉 영어 〉 한국어'의 순이 될 것이다.

음절 끝 [ㅁ, ㄴ, ㅇ, ㄹ]도 닫음소리지만,[4] 비음은 코로, 유음은 혀옆으로 공기가 지속적으로 유출되고, 성대가 진동하는 음성이라는 점에서 장애음보다 가청력이 강하다. 그래서 [p˺, t˺, k˺] 각각을 구별하여 인식하는 것은 음절 끝 [ㅁ, ㄴ, ㅇ, ㄹ]를 구별하여 인식하는 것보다 어렵다.

---

4 닫음소리는 불파음과 유의어로 쓰이기도 하는데 약간의 차이가 있다. '불파음'을 축자적으로 해석하면 파열음에서만 쓸 수 있는 말이다. 비음이야 음성학적으로 파열음의 일종으로 볼 수도 있지만, 유음은 그리 보기 어려운 면이 있다. 닫음소리는 개방 없이 끝내는 받침소리 모두를 지칭하는 말이라는 점에서 불파음보다는 외연이 넓은 개념이다.

(2) 종성 제약(한자어)

ㄱ. 표기형: ㅂ, ㄱ, ㅁ, ㄴ, ㅇ, ㄹ

ㄴ. 발음형: ㅂ, ㄱ, ㅁ, ㄴ, ㅇ, ㄹ

한자어는 받침소리로 'ㄷ'도 쓰이지 않아서 'ㅂ, ㄱ, ㅁ, ㄴ, ㅇ, ㄹ' 6개만 사용되는데, 이는 표기형, 발음형 모두에 해당한다.

「발음법」 8항: 받침소리로는 'ㄱ, ㄴ, ㄷ, ㄹ, ㅁ, ㅂ, ㅇ'의 7개 자음만 발음한다.

8항은 발음형 종성을 '받침소리'라 하고 7개 자음만 변별됨을 규정한 것이다. 표기형 종성인 받침은 홑받침, 쌍받침, 겹받침으로 나뉜다. 겹받침은 겹음소이이지만, 쌍받침은 경음자를 가리키는 말이므로 홑받침과 마찬가지로 홑음소이다. 홑받침, 쌍받침이라는 용어는 「발음법」 13항에, 겹받침은 10, 11, 14, 15항에 사용되었다.

받침 'ㄷ'과 'ㅅ' 현대국어에서 [ㅅ]는 받침소리가 아니지만 표기형에서는 'ㄷ' 받침보다 'ㅅ' 받침이 압도적으로 많이 쓰인다. 국어사적으로 8종성 체계에서[5] 받침소리 [ㅅ]가 [ㄷ]로 합류하여 7개 체계로 변화하였다. 이 과정에서 받침소리 [ㄷ]를 'ㅅ'

5 15세기 국어에서 음절 끝 'ㄷ'과 'ㅅ'은 '갇'〈갓〉과 '갓'〈아내〉 '몯'〈형〉과 '뭇'〈가장〉과 같이 최소대립쌍을 이루었다.

또는 'ㄷ'으로 적는 표기상의 혼란이 있다가 17세기 후반부터 받침 표기가 'ㅅ'으로 통일된다. 이익섭(1992: 306~353)에 따르면 특히 『박통사언해』(1677)에서는 'ㄷ, ㅅ'으로 표기되던 받침을 모두 'ㅅ'으로 표기했고, 'ㄷ' 받침을 다시 쓰기 시작한 것은 1930년 『보통학교 조선어독본』에 사용되면서부터였다.

'돗자리'처럼 받침이 줄곧 'ㅅ'으로만 적혀왔던 것도 있다. '돗자리'는 19세기 문헌에 와서야 비로소 나타나고 그 전까지는 〈돗자리〉의 의미로 '돗'이 단일어로 쓰였다. '돗'은 모음으로 시작하는 조사와 결합할 때 '돗기, 돗ᄀᆞᆯ, 돗그로, 돗ᄀᆡ, 돗긔'로 나타나므로 '돗ㄱ'이었다. '핫옷'은 접두사 '핫-'과 '옷'이 결합한 파생어이다. '핫-'은 '핫것, 핫옷, 핫저고리, 핫이불' 등에서와 같이 〈솜을 이용한〉의 뜻을 더하는 접두사이다. '핫옷'의 최초 형태는 15세기의 '핟옷'이지만 16세기부터 '핫옷'으로 나타난다.

「맞춤법」 7항은 'ㄷ' 소리로 나는 받침 중에서 'ㄷ'으로 적을 근거가 없는 것은 'ㅅ'으로 적는다고 규정하였다. 'ㄷ 소리로 나는 받침'이라 함은 평파열음화가 적용되어 [ㄷ]로 발음되는 것을 말한다. 총칙 1항대로 적는다면 7항에 예시한 '무릇, 사뭇, 얼핏, 뭇[衆], 옛, 첫, 헛'[6] 등은 '*무륻, 사묻, 얼핃, 옏, 첟, 헏'처럼 써야 한다. [ㄷ]로 발음되는 단어의 받침을 'ㅅ'으로 적는 것은 관용에 따른 역사적 표기에 해당한다.

'ㄷ'으로 적을 근거가 있다고 보아 'ㄷ' 받침을 쓰는 것은 두 가지 경우에 한정된다. 첫째, '걷-잡다〈거두어 붙잡다〉, 곧-장

6 '헛-'은 접두사여서 붙임표가 필요한데, 규정에는 붙임표 없이 제시되었다.

〈곧바로〉, 낟-가리〈낟알이 붙은 곡식을 쌓은 더미〉, 돋-보다〈도두보다〉'처럼 본디 'ㄷ' 말음을 가진 형태소다. '땀받이, 미닫이, 해돋이'의 '받, 닫, 돋'도 각각 '받다, 닫다, 돋다'의 어간과 같은 형태소다. 둘째, '반짇-고리, 사흗-날, 숟-가락'처럼 본디 'ㄹ' 받침이 있던 '바느질, 사흘, 술'에서 온 말일 경우이다. '반짇고리'류의 관련 조항은 「맞춤법」 29항(본디 끝소리가 'ㄹ'인 말이 딴 말과 어울릴 때 그 'ㄹ'이 'ㄷ' 소리로 나는 것은 'ㄷ'으로 적는다.)이다.

「외표」 1장 3항: 받침에는 'ㄱ, ㄴ, ㄹ, ㅁ, ㅂ, ㅅ, ㅇ'만을 쓴다.

외래어 받침은 'ㄱ, ㄴ, ㄹ, ㅁ, ㅂ, ㅅ, ㅇ'만 쓴다. 'coffee shop, out, book'을 '커피숍에서[커피쇼베서], 아웃이다[아우시다], 오픈북으로[오픈부그로]'로 표기하는 것은 모음으로 시작하는 형식형태소와 결합하여 연음될 때 'ㅂ, ㅅ, ㄱ'을 제외한 장애음은 나타나지 않기 때문이다. 발음형에서 종성 제약은 고유어와 같다. 왜냐하면 '아웃'의 'ㅅ'도 연음되지 않으면 평파열음화가 적용되어 [ㄷ]으로 발음되기 때문이다.

(3) 종성 제약(외래어)
ㄱ. 표기형: ㅂ, ㅅ, ㄱ, ㅁ, ㄴ, ㅇ, ㄹ
ㄴ. 발음형: ㅂ, ㄷ, ㄱ, ㅁ, ㄴ, ㅇ, ㄹ

(3)처럼 외래어의 받침(표기형)은 7개만 사용된다는 점에서 고유어와는 차이가 크다. 받침소리(발음형) 제약은 고유어와 같다.

3. 음소 결합제약

체계는 한 위치에 치환할 수 있는 모든 목록 간의 관계로 이루어지고, 이런 관계를 대립관계라 한다. 이에 비해 음절구조와 음운변동은 음소가 가로로 결합하면서 형성되는 것이다. 음소가 결합되어 음절을, 음절이 결합되어 형태소를, 형태소가 결합되어 단어를, 단어가 결합되어 문장을 형성하는 것처럼 언어단위들은 가로로 결합한다. 이러한 언어단위 간의 결합에는 일정한 규칙과 제약이 있는데, 이를 결합관계라 한다. 음소의 결합관계를 밝히는 것도 음운론의 연구 대상이다. 음소는 다른 음소와 결합될 때 특정한 제약이 있다.

(1) ㄱ. [난벌, 마닐마닐하다, 너나들이, 갓밝이, 앙짜, 곰비임비]
　　ㄴ. [댱경, 러플, 져지, 뷁, 브로마이드, 뉴스]

(1ㄱ)의 형태로 발음되는 단어들은 그 뜻을 몰라도 고유어일 수 있다고 판단한다. 이에 비해 (1ㄴ)의 형태로 발음되는 단어들은 의미를 알든 모르든 고유어에서 결합제약이 있는 음소끼리 연결되었기 때문에 외래어거나 외국어식 발음임을 알 수 있다. 이는 음절구조나 음소 결합제약이 한국인들에게 언어지식의 일부임을 뜻한다.

음소 결합제약(phoneme combination constraint)은 형태론

적 정보와는 무관한 음절 내부에서의 제약과, 형태론적 정보와 관련된 제약으로 나눌 수 있다.

3.1. 음절 내부 제약

3.1.1. 초성과 중성의 결합제약

단모음은 초성과의 결합에 별다른 제약이 없는 반면, 이중모음 중에는 초성과의 결합에 제약을 보이는 것들이 있다. 'ㅒ, ㅖ'는 초성과의 결합에 제약이 많다. 'ㅒ'는 표기형에서도 '걔'와 같은 예를 제외하면 거의 없다. 'ㅖ'도 '계, 몌, 폐, 혜'와 같은 표기는 한자어의 형태적 속성을 밝히기 위함이다. '예, 례'를 제외하면, 'ㅖ'의 실제 발음은 [ㅔ]이고, 「발음법」에서도 이를 허용하므로 계발(啓發)의 표준발음은 [계ː발/게ː발]이다. ~~통용음~~에서는 '례'도 거의 [ㅔ]로 발음된다. 「발음법」 5항 다만 2('예, 례' 이외의 'ㅖ'는 [ㅔ]로도 발음한다.)는 'ㅖ'가 초성과의 결합에 제약이 있음을 규정한 것이다.

음절 내부에서 'ㅢ'는 어떤 경우에도 초성과 결합되지 않는다. '희망, 늴리리야, 띄어쓰기, 틔우다, 씌우다, 무늬'와 같은 단어가 있지만 [ㅢ]로 발음되지 않고 [ㅣ]로 발음된다. '무늬'[-니]와 달리, '문의(問議), 협의(協議)'처럼 연음된 결과 이루어진 'Cㅢ' 음절은 [무ː늬], [혀븨]로 발음함이 원칙이지만 [무ː니], [혀비]도 허용한다. 그러나 실제로 [무ː늬], [혀븨]로 발음하는 경우는 드물다. 「발음법」 5항 다만 3(자음을 첫소리로 가지고 있는 음절의 'ㅢ'는 [ㅣ]로 발음한다.)은 이중모음 'ㅢ'가 초성과의 결합에 제약이 있음을 규정된 것이다.

> 「발음법」 5항 다만 1: 용언의 활용형에 나타나는 '져, 쪄, 쳐'는 [저, 쩌, 처]로 발음한다. (가지어→가져[가저], 찌어→쪄[쩌], 다치어→다쳐[다처])
>
> 「맞춤법」 39항: 어미 '-지' 뒤에 '않-'이 어울려 '-잖-'이 될 적과 '-하지' 뒤에 '않-'이 어울려 '-찮-'이 될 적에는 준 대로 적는다. (적잖은, 변변찮다)
>
> 「외표」 3장 1절 3항 3: 어말 또는 자음 앞의 [ʒ]는 '지'로 적고, 모음 앞의 [ʒ]는 'ㅈ'으로 적는다. (vision[viʒən] 비전)
>
> 「외표」 3장 1절 4항 2: 모음 앞의 [ʧ], [ʤ]는 'ㅊ', 'ㅈ'으로 적는다. (chart[tʃɑːt] 차트)

위 규정은 모두 'ㅈ, ㅉ, ㅊ'과 'j'계 이중모음의 결합제약을 전제로 한다. 반모음 [j]는 센입천장-전설 위치에서 발음되는 모음 [i]와 비슷한 조음부 형상에서 단모음으로 이동하면서 음가가 발생하는데, 같은 위치의 센입천장소리와 결합하면 과도가 거의 없어서 [j]의 음가가 드러나지 않기 때문이다. 「맞춤법」 36항에서는 '가지어, 찌어, 다치어'의 축약형임을 나타내기 위해 '가져, 쪄, 다쳐'로 쓰고, 「발음법」에서는 이것의 표준발음은 [가저, 쩌, 다처]임을 규정한다. '붙이어, 잊히어, 굳히어, 돋치어'의 축약 표기인 '붙여, 잊혀, 굳혀, 돋쳐'도 [부처, 이처, 구처, 도처]로 발음한다. '-지 않-'과 '-하지 않-'이 준 것은 '*쟎, 챦'으로 쓰지 않고 아예 표기도 '잖, 찮'으로 쓴다. 외래어도 소리대로 적는 것이 원칙이므로 '비젼, 챠트'가 아니라 '비전, 차트'로 표기해야 한다.

15세기 국어에서는 'ㅈ, ㅊ'과 'j'의 결합이 자유로워서 '쟈랑, 쟝긔, 죵, 쥭, 챵포, 쳔량, 쵸롱, 쵸마'와 같은 어휘가 있었고 /저/〈자기〉와 /·져/〈젓가락〉, /초/〈식초〉와 /쵸/〈촛불〉 같은 최소대립쌍이 존재했다. 이는 'ㅈ, ㅊ'이 경구개음 [ʨ]가 아니라 치음 또는 치조음 [ʦ, ʦ^h]이었기 때문이다.

(1) ㄱ. 디나다, 둏다, 몬뎌, 댱가, 뎌러ᄒᆞ다, 먹디
　　ㄴ. 지나다, 죻다, 몬져, 장가, 저러하다, 먹지

한 음절 내부에 잇몸소리와 'ㅣ'가 결합한 '디, 띠, 티'와 같은 음절은 거의 없다. 이는 통시적 구개음화와 단모음화로 '디, 티, 댜, 뎌'와 같은 음절은 거의 '지, 치, 자, 저'로 바뀌었기 때문이다. 서울을 중심으로 한 중앙어에서 구개음화는 17세기 말에서 18세기 초에 나타나 18세기 말 무렵 거의 완성이 되었다. (1ㄱ)은 통시적 구개음화 이전 어형이고 (1ㄴ)은 구개음화 이후의 어형이다.

그런데 잇몸소리와 'ㅣ, j'가 결합한 음절이 쓰이는 경우가 일부 남아있다. 첫째, 「맞춤법」 36항('ㅣ' 뒤에 '-어'가 와서 'ㅕ'로 줄 적에는 준 대로 적는다.)에 따른 '견뎌, 버텼다' 등이다. 이는 '견디어, 버티었다'에서 어간 끝 'ㅣ'의 반모음화임을 표기에 반영한 것이다. 둘째, 국어사적 이유로 생긴 예외적 어휘가 있다. 예컨대 '견디다, 디디다, 어디, 띠, 티끌, 잔디' 등에 남아있는 '디, 티'는 통시

적인 구개음화가 진행되던 시기에는 후행 모음이 'ㅣ'가 아니라 대부분 'ㅢ'여서 구개음화를 겪지 않은 것이다. 따라서 자음 아래에서 'ㅢ > ㅣ'의 단모음화 시기는 구개음화보다 뒤였음을 알 수 있고 이는 19세기 중반 이후에 나타난다. '디디다'는 '드듸다/드듸다' '티끌'은 '듣글/드틀'이 문증되는 최고형이고, '디디다, 티끌'의 '디, 티'는 19세기 이후의 형태다.

'가시어서'의 축약형인 '가셔서'와 같은 예를 빼면, 'ㅅ, ㅆ'과 'j'가 결합한 음절이 고유어, 한자어에는 거의 없다. 현대국어에서 'ㅅ, ㅆ'의 으뜸변이음은 잇몸소리 [s, s']지만, 'j' 앞에서는 구개음화하여 [ɕ, ɕ']로 된다. 이리 되면 'j'의 과도가 드러나기 어렵다. 구개음화가 없었던 15세기에는 'ㅅ, ㅆ'과 'j'의 결합이 자유로워서 /·소/〈물이 괸 곳〉과 /·쇼/〈동물〉, /·섬/〈섬돌〉과 /·셤/〈열 말〉, /:세다/〈강하다〉와 /:셰다/〈세우다〉와 같은 최소대립쌍이 존재했다. 허웅(1985, 387~388)에서도 치음 'ㅅ, ㅈ, ㅊ, ㅿ, ㅆ, ㅉ'은 잇소리(치두)와 센입천장소리(정치)의[7] 중간인 잇몸소리였고, 센입천장소리의 변이음도 가지지 않았던 것으로 보았다.

3.1.2. 중성과 종성의 결합제약

단모음은 종성 [ㅂ, ㄷ, ㄱ, ㅁ, ㄴ, ㅇ, ㄹ]와의 결합에 제약이 없다. 그러나 이중모음 중에는 종성과 거의 결합하지 않는 것이

7 中듕國귁 소리옛 니쏘리는 齒칭頭뚷와 正졍齒칭왜 골히요미 잇느니 ㅈ ㅊ ㅉ ㅅ ㅆ 字쫑는 齒칭頭뚷ㅅ소리예 쓰고 ㅈ ㅊ ㅉ ㅅ ㅆ 字쫑는 正졍齒칭ㅅ소리예 쓰느니(언해본 『훈민정음』)

있다. 발음형에서 'ㅢ'는 초성과도 결합하지 않지만, 종성과도 결합하는 예가 없다. 'ㅖ'도 '옛날'과 같은 예를 제외하면 거의 종성과 결합하지 않는다. 'ㅒ'도 '걘, 잴'과 같은 예를 제외하면 종성과의 결합에 제약이 심하다. 'ㅛ, ㅠ, ㅟ, ㅞ, ㅙ, ㅝ, ㅘ'와 같이 /w/계 이중모음은 종성 'ㅂ, ㅁ'과 결합하는 예가 거의 없다. /w/와 'ㅂ, ㅁ'은 모두 입술에서 발음하는 소리라는 점이 공통적이다. 그러나 외래어에서는 '웹, 웜, 괌'과 같이 사용된다.

음절구조와 음절 수 음절구조는 표기형과 발음형에 사용되는 음절 수를 결정한다. 'ㅟ, ㅚ'를 이중모음으로 처리하면, 중성은 단모음 8개, 이중모음 12개이고, 초성은 18개, 종성은 7개이다. 발음형을 대상으로 음절 수를 계산하면 2,738개 정도의 음절이 필요하다.

(1)

V	: 10	GV	: 11
CV	: 18×10	CGV	: 18×11
VC	: 10×27	GVC	: 11×27
CVC	: 18×10×27	CGVC	: 18×11×27

그러나 표기형 또는 기저형에서는 훨씬 많은 음절이 필요하다. 단모음 10개, 이중모음 11개가 있고, 자음은 초성 18개, 종성은 'ㅃ, ㄸ, ㅉ'를 제외한 16개와 겹받침 11개가 있다. (1)처럼 표기형을 대상으로 음절 수를 계산하면 적어도 11,172개의 음절 자가 필요하다.

한글이 창제되기 전 우리말 표기에 사용된 '이두, 향찰, 구결' 등의 한자 차용 표기법이 우리 문자로 정착될 수 없었던 까닭은 바로 여기에 있다. 한자는 글자 하나가 음절 하나를 표상한다. 중국어는 음절구조가 우리보다 단순하다. 중국어보다 훨씬 복잡한 음절구조를 가진 우리말 소리를 표기하는 데 한자는 적합하지 못했기 때문에 음소문자의 발명을 기다려야 했다. 이에 비해 우리의 차자표기법과 같은 방법으로 시작된 일본의 가나 문자가 지금까지 유지될 수 있는 것은 일본어의 음절구조가 단순하여 50음절 정도면 충분히 나타낼 수 있고 따라서 필요한 문자 수도 50여 개에 불과했기 때문이다.

3.2. 형태론적 제약

음소의 결합제약 중에는 형태론적 정보에 따라 제약 양상이 달리 나타나는 경우가 있다. 이는 다시 어두일 때만 적용되는 제약과 형태소 결합 시의 제약으로 나눈다.

3.2.1. 어두음 제약

'ㄹ'은 '나라, 그림'처럼 어중 초성으로는 쓰이지만, 고유어의 어두 초성으로는 쓰일 수 없다. '러울, 라귀'와 같은 단어가 있었긴 하나 이런 예는 아주 드물었고, 'ㄹ'의 어두 초성 제약은 15세기부터 있었던 듯하다. 현대국어 고유어에서 'ㄹ'이 어두음으로 쓰인 단어는 'ㄹ'의 이름 '리을'이 유일하다.

'ㄹ'이 초성인 한자음은 많지만, 어두에서는 두음법칙이 적용되어 어두음이 'ㄹ'인 한자어도 거의 없다. 다만, '리(里), 리(理)'와 같은 의존명사에는 두음법칙이 적용되지 않는다. 의존명사는 띄어 쓰지만, 발음상 끊어 읽지는 않아서 '그럴 리가 있나?'에서 '그럴 리가'는 음운론적으로는 한 어절처럼 이어서 발음되기 때문이다. 외래어에서는 '리어카, 라면, 라디오, 룸살롱, 로그인, 류머티즘'처럼 'ㄹ'이 어두 초성으로 쓰이는 데 제약이 없다.

고유어의 어두에서 'ㄴ'은 'i, j'와 결합에 제약이 있다. '니, 님금, 닉다, 녀름, 녀느'와 같은 15세기 단어들이 'ㄴ'의 구개음화와 탈락으로 19세기 초 즈음에 '이, 임금, 익다, 여름, 여느'로 되었다. 그 결과 현대국어 어두에 'ㄴ'과 'i, j'가 결합한 음절은 거의 없다. 그러나 '년, 녘, 닢, 님, 녀석'과 같은 의존명사와 '냠냠, 니글니글, 니나노' 같은 음성상징어에 간혹 나타나기도 한다. 'ㄴ'의 이름 '니은'과, 비표준어이긴 하나 광범위하게 사용되는 2인칭 대명사 '니'도 'ㄴ'과 'ㅣ'의 결합이다.

'ㄴ'과 'i, j'가 결합한 한자음은 많지만, 어두에서는 두음법칙이 적용되어 'ㄴ'과 'i, j'가 결합한 것을 어두 음절로 한 한자어도 없다. '년(年)'과 같은 의존명사에는 두음법칙이 적용되지 않는다. 외래어는 어두에서 'ㄴ'과 'i, j' 결합제약이 없고, '니켈, 니트, 뉴스'처럼 쓰인다.

고유어나 한자어 실질형태소의 첫음절에서 입술소리 'ㅂ, ㅃ, ㅍ, ㅁ'과 모음 'ㅡ'는 결합되지 않는다. 외래어에서는 '브라만, 프랑스'처럼 쓰인다. 한 형태소 내부에서 '아프다, 예쁘다'와 같은 예가 있으나, 이 경우 발음은 [프, 쁘]인지 [푸, 뿌]인지 구별되지 않고 중화된다. 이 제약은 형태소 경계에서는 적용되지 않는다. 예컨대 '짐을'을 [*지물]로, '문법은'을 [*문뻐분]으로 발음하지는 않는다.

(1) ㄱ. 15세기: 블, 믈, 플, 쁠, 브텨
ㄴ. 18세기 초: 불, 물, 풀, 뿔, 붙여

현대국어에서 어두에 'ㅂ, ㅍ, ㅃ, ㅁ'과 고모음 'ㅡ'가 결합하지 못하게 된 것은 통시적인 순음화 때문이다. (1ㄱ)처럼 중세국어에는 이런 제약이 없었으나, 근대국어 시기에 순음화가 일어나 '블, 믈' 따위는 '불, 물'로 변화하였다.

3.2.2. 형태소 결합제약

형태소가 결합하여 단어나 어절과 같은 더 큰 언어단위를 형성할 때 앞 형태소의 끝 음소와 뒤 형태소의 첫 음소 결합에 제약이 있는 경우가 있다.

(2)

ㄱ. 형태소+형태소	ㄴ. 단일 형태소
값도[갑또], 값[갑]	—
밥만[밤-], 먹는다[멍--]	—
밥도[-또], 먹고[-꼬]	갑자기, 국수
굳이[구지]	디디-, 티끌

(2ㄱ)은 '값도[갑또]'의 'CC+C', '밥만[밤-]'의 '파열음+비음',

'밥도[-또]'의 '평음+평음', '굳이[구지]'의 'ㄷ+이'처럼 형태소 경계 음소가 결합제약이 있는 예들이다. 결합제약이 있는 음소 배열을 허용 가능한 배열로 바꾸기 위해 각각 자음군단순화, 비음화, 경음화, 구개음화 규칙이 적용된다.

(2ㄴ)처럼, 형태소 내부에서 이와 같은 음소 결합은 드물다. '갑자기, 국수'는 그 내부에 '평음+평음'이 쓰였지만, 이들은 단일어이므로 소리대로 '갑짜기, 국쑤'로 적는 것이 총칙에 부합한다. 그러나 「맞춤법」 5항 다만에 따라 경음자를 쓰지 않은 것이다.[8] '디디다'처럼 단일어에서 'ㄷ'과 '이'의 결합제약을 어기는 것은 통시적 구개음화가 종결되고 난 후 'ㄷ-ㅣ' 연쇄로 남게 된 몇몇 예로 한정된다.

(2ㄱ)은 형태소의 원형을 밝히기 위해 결합제약을 어긴 채 표기되었다. 이는 단일어에서는 이런 결합이 거의 없어서 변동규칙이 표기형과 발음형을 매개할 수 있기 때문이다. (2ㄱ)류는 6장에서 변동규칙으로 설명될 것이다.

(3)	ㄱ.	예뻐/예쁘+어/	ㄴ.	그악(스럽다), -으오
		서/서+어/, 갔다/가+았다/		서어(나무)
		와/오+아/		오아시스
(4)	ㄱ.	잡아라, 접어라	ㄴ.	아저씨, 다섯, 엄마
		먹으니까, 가니까		당기-, 마음

8 어문규범은 가능하면 경음자를 쓰지 않으려는 경향을 보인다. 이에 대해서는 6장 3.3.2. 참조.

(3ㄱ)은 어간과 어미가 결합할 때 '예뻐'는 'ㅡ+모음', '서'는 'ㅓ+어', '갔다'는 'ㅏ+아', '와'는 'ㅗ+아' 결합에 제약을 보여준다. 그러나 형태소 내부에서는 이런 제약이 없어서 (3ㄴ)처럼 '으앙, 서어(나무)' 등이 사용된다. (4ㄱ)의 '-아라/-어라'는 어간 끝 모음이 'ㅏ, ㅗ'일 때는 '아'계 모음만 결합하지만 '다섯'처럼 형태소 내부에서는 이런 제약이 없다. 어간 끝소리가 'ㄹ'을 제외한 자음일 때는 '먹으니까'처럼 모음어미와 결합하지만, 형태소 내부에서는 '당기-, 마음'처럼 'C.C', 'V.V' 결합에 제약이 없다.

(3ㄱ), (4ㄱ)은 (2ㄱ)과 달리 형태소 경계에서의 결합제약을 준수한 형태 그대로 표기한다. 즉, 이들은 원형을 밝히지 않고 이형태를 직접 표기한 것이다. 형태소 내부에서는 (3ㄱ), (4ㄱ)과 같은 결합제약이 없어서 만약 원형을 밝혀 표기하면 표기형에서 발음형을 예측할 수 없기 때문이다. 표기형에 이형태가 반영되는 (3ㄱ), (4ㄱ)류의 음운현상은 7장에서 다룰 것이다.

제 5 장

운소

1. 운소 체계

/말ː/〈言〉과 /말/〈馬〉, 두 단어에 실현된 장단은 의미 변별에 관여한다는 점에서는 음소와 같지만, 음소에 얹혀서 실현되므로 독립적으로 분절되지 않는다는 점에서 다르다. 장단처럼 독립적 분절 단위가 아니면서, 의미 변별 기능을 하는 것을 운소(prosodeme) 또는 초분절음소(suprasegmental phoneme), 비분절음소, 얹힘음소라고 한다. '말을 해야지'에서 [말ː]의 길이는 모음과 함께 실현되므로 음소에 얹혀서 분절되는 셈이다.

(1) 말ː〈言〉/말〈馬, 斗〉, 눈ː〈雪〉/눈〈眼〉, 밤ː〈栗〉/밤〈夜〉
묻ː다〈問〉/묻다〈埋〉, 말ː다〈禁止〉/말다〈卷〉
성ː인(聖人)/성인(成人), 가ː정(假定)/가정(家庭)

(1)은 장단에 따른 최소대립쌍이다. [말ː]과 [말]은 둘 다 'ㅁㅏㄹ'로 음소 결합이 같은데도, 의미가 다른 별개의 단어다. 두 단어의 뜻을 변별해 주는 것은 길이다. [말ː]은 긴소리로, [말]은 짧은소리로 실현되어 단어 의미를 변별해주고, 장단을 치환하면 최소대립쌍이 만들어진다는 점에서 음소와 같다.

표준어에서 운소로 기능하는 것은 길이 외에도 억양, 끊어읽기를 들 수 있다.

1.1. 길이

단어의 의미 변별에 관여하는 운율적 요소로는 길이(장단, 음장, length), 높이(고저, tone), 세기(강세, stress)가 있는데 이 중 표준어에서 운소로 기능하는 것은 길이다. 길이는 발음하는 데 걸리는 시간, 즉 지속시간(duration)을 말하는데, 운소로서의 길이는 절대적인 길이가 아니라, 상대적인 길이다. 즉 /말ː/〈言〉의 절대적인 길이가 중요한 것이 아니라, /말/〈馬〉과 구별되는 상대적 길이가 중요하다. 길이가 운소로 기능하기 때문에 /말ː/〈言〉을 짧게 발음하거나 /말/〈馬, 斗〉을 길게 발음하면 이상한 표현이 된다. 긴소리는 표기에는 반영되지 않고, 발음형에만 해당 음절의 오른쪽에 긴소리표 [ː]로 표시한다.

(1) 말을 타고 말ː을 하는 것은 말ː이 되지만, 말ː을 타고 말을 하는 것은 말ː이 안 된다.

운소로서의 길이는 (1)의 /말ː/과 /말/처럼 최소대립쌍을 형성하는 경우를 말한다. 길이 대립은 단어의 첫음절에서만 성립한다. '잘ː 됐다, 길ː게, 똑ː똑하게'에서처럼 감정을 나타내기 위한 것은 운소에 포함되지 않는다.

「발음법」 6항: 모음의 장단을 구별하여 발음하되, 단어의 첫음절에서만 긴소리가 나타나는 것을 원칙으로 한다.
(1) 눈보라[눈ː보라], 말씨[말ː씨], 많다[만ː타], 멀리[멀ː리]
(2) 첫눈[천눈], 참말[참말], 수많이[수ː마니], 눈멀다[눈멀다]

다만, 합성어의 경우에는 둘째 음절 이하에서도 분명한 긴소리를 인정한다.
반신반의[반:신 바:늬/반:신 바:니], 재삼재사[재:삼 재:사]

「발음법」 3장 6항은 길이가 운소로 기능함을 규정한 것이다. 눈보라[눈:]처럼 어두 음절에서 긴소리이던 것도 '첫눈[눈]'처럼 두 번째 음절 이하일 때는 짧은소리로 발음한다. 그러므로 장단 대립은 어두 음절에 있고 비어두 음절에는 없다.

(2) 허리가 굽은 할아버지께서 도자기를 굽:고 계셨습니다.

길이에 대한 교육은 초등학교에서부터 이루어지고 있다. (2)는 초등학교 2-2 말하기·듣기 교과서와 『문법』에 똑같이 실려 있는 예문이다. 이는 장단을 구별하여 발음하는 화자가 그리 많지 않기 때문이다. 만약 지금처럼 통용음에서 장단의 변별이 없고, 표준발음 교육 또한 실효를 거두지 못할 경우에는, 길이는 더 이상 운소로서의 기능을 하지 못하게 될 것이다.

장년층 이상에서는 길이를 구별하여 발음하고 지각하기도 하지만, 서울말에서도 젊은 세대는 소리의 길이를 구별하지 않고 /밤/〈夜〉과 /밤:/〈栗〉을 모두 짧게 발음하는 경우가 대부분이다. 길이가 운소로서 기능을 상실해 가는 것은 개신 세대라 할 수 있는 젊은 층의 발화속도가 빨라지는 경향과도 관련된다. 김선철 외(2004)의 계량적 연구에 의하면 젊은 층으로 갈수록 기저의 긴소리가 짧은소리로 바뀌어서 서울말에서도 긴소리가 사라져 가는 추세를 보인다고 한다. 그럼에도 불구하고 길이를 표준발음에 포함한 것은 전통성을 고려한 것이다.[1] 역사적으로 보면 소리의 높이나 길이를 구별해 온 전통을 가지고 있다.

길이, 높이, 세기 높이가 어휘 의미를 변별하는 기능을 하는 경우 '성조(tone)'라 한다. 중국어는 대표적인 성조 언어이다. '八(여덟), 拔(뽑다), 把(잡다), 爸(아비)'는 모두 동일한 음소 /ba/로 이루어져 있지만, 1, 2, 3, 4성으로 불리는 성조에 따라 의미가 변별된다. 우리말에서도 높이가 변별적 기능을 하는 방언이 있는데, 예를 들어 동남방언에서는 "집에 손〈客〉이 왔는데, 손〈孫〉들이 다 나가고 없는 바람에, 손〈手〉도 모자라고 너무 바쁘다."에서 손〈客〉은 높은 성조로, 손〈手〉은 가운데 성조로, 손〈孫〉은 낮은 성조로 발음한다.

중세국어도 성조 언어였다. 현대국어와 달리, 『훈민정음』에서는 운소도 표기에 반영하였고 이를 사성점 또는 방점이라 하였다. 방점은 음절의 왼쪽에 찍었는데 거성은 한 점, 상성은 두 점, 평성은 점 없이 나타냈다. 『훈민정음』 언해의 "去聲은 뭇 노ᄑᆞᆫ 소리라, 上聲은 처ᅀᅥ미 ᄂᆞᆽ갑고 乃終이 노ᄑᆞᆫ 소리라, 平聲은 뭇 ᄂᆞᆽ가ᄫᆞᆫ 소리라, 入聲은 ᄲᆞᆯ리 긋돋ᄂᆞᆫ 소리라"라는 풀이에 따르면 거성은 높은 소리, 평성은 낮은 소리, 상성은 높아가는 소리임을 알 수 있다. 이 중 입성은 음절구조상 불파음 [p˺, t˺, k˺]이 있는 음절을 뜻하므로 높낮이를 나타낸 것은 아니

1 서울말에서도 '무릎을, 꽃이'를 [무르블, 꼬시]라 발음하는 경우도 많지만, 형식형태소인 조사 앞에서는 체언 말음이 연음된다는 연음규칙이 있으므로 [무르플, 꼬치]가 합리적인 발음형이고 이를 표준발음으로 채택하는 것은 합리성을 고려한 규정이다.

어서 입성 중에는 평성[긷(住)]도 있고, 상성[낟(穀)]도 있고, 거성[입(口)]도 있다.

영어처럼 세기가 운소로 쓰이는 언어도 있다. 예를 들어 같은 음소로 결합된 'import'의 주 강세가 첫 번째 음절이면 명사, 두 번째 음절이면 동사이다. 우리말에서도 한 낱말에서 첫 번째 또는 두 번째 음절에 강세가 실현된다(이호영 1996: 199). '영진이는 학교 갔어.'에서 어느 어절의 첫음절에 강세가 있느냐에 따라 초점 의미가 달라진다. 그러나 강세 유무나 위치로 최소대립쌍을 형성하지는 못한다.

'길이, 높이, 세기'는 청취 음성학적 용어이다. 길이는 시간(duration), 높이는 기본주파수(fundamental frequency), 세기는 진폭(amplitude)이나 강도(intensity)와 관련된다. 이처럼 음향적(물리적) 특성과 상관관계를 형성하지만, 그렇다고 1:1로 대응하거나 동일하지는 않다. 음향적 특성은 객관적으로 측정할 수 있는 반면, 청각적 감각은 들을이의 주관적 해석이기 때문이다.

1.2. 억양

문장 끝 높낮이는 단어의 의미를 변별한다기보다 문장 의미를 변별한다. 그래서 단어 의미를 변별하는 높이(고저)와 구별하여 문장 의미를 변별하는 경우 억양(抑揚, intonation)이라 한다. '억양'의 축자적 의미는 억누르거나(抑), 쳐드는(揚) 것이다.

(1) 괜찮아(./?) 밥 먹었어(./?)

(2) 가. 진명이 매운 거 먹여도 돼?

나. 그럼. 우리 애들이 김치를 얼마나 잘 먹는다고.

가. 진명이가 벌써 김치를 먹는다고?

입말에서만 실현되는 억양은 첫째, 문형을 결정하는 기능을 한다. (1)에서 종결어미 '-아/-어'가 서술을 나타내는지 물음을 나타내는지 글말에서는 문장부호로 구별하지만, 입말에서 이를 결정하는 것은 억양이다. (2)의 종결어미 '-다고'도 입말에서는 억양으로 평서형, 의문형이 구별된다.

(3) ㄱ. 누구, 무엇(대명사), 언제(대명사, 부사),

어디, 뭐(대명사, 감탄사)

ㄴ. 왜(부사, 감탄사), 무슨, 어떤(관형사)

물음말(의문사)은 하나의 품사로 묶이지 않는다. (3)은 물음말에 대한 『사전』의 품사 정보다.[2] (3ㄱ)의 물음말 '누구, 무엇, 언제, 어디, 뭐'는 대명사로 쓰이는데, 이 대명사는 '모르는' 미지칭(未知稱)일 수도 있지만 '정해지지 않은' 부정칭(不定稱)일 수도 있다. 미지칭으로 쓰이면 설명 의문문, 부정칭이면 판정 의문문

2 '누구'류의 말을 의문사(wh-word)로 부르는 경우가 많지만 실제로는 의문사로만 쓰이는 것이 아니라, 부정사(indefinite word), 간투사(interjection)로도 쓰이고 '뭐니 뭐니 해도'처럼 관용구를 이루는 경우도 많다(장소원: 1998).

이 된다. '누가 왔어?, 뭐 먹을까?, 언제 갈까?, 어디 가요?'가 설명 의문문인지 판정 의문문인지는 맥락 정보가 없으면 글말에서는 구별되지 않는다. '어디 가요?'의 질문에 대해 '도서관요'와 같이 대답할 때는 '어디'가 미지칭 대명사인 설명 의문문이고 '아, 예.'와 같이 대답할 때 '어디'는 부정칭 대명사인 판정 의문문이다. 입말에서 양자의 구별은 억양의 차이로 드러난다. 억양과 더불어 끊어읽기도 양자를 구별하는 기능을 한다. 끊어읽게 되면 그 자리는 누르는 '抑'의 자리가 되고, 그 다음 음절은 쳐드는 '揚'의 자리가 되기 때문이다. '어디'가 미지칭 대명사여서 설명 의문문인 경우 뒷말과 붙여서 발음하고, 부정칭 대명사여서 판정 의문문인 경우 끊어서 발음한다.

(4) 가. 아, 배고파. 밥 먹고 올걸.
    나. 조금만 기다렸다가 다은이 오면 같이 먹자.
    가. 다은인 아마 학교에서 밥 먹고 올걸.

둘째, 억양은 사전적 의미를[3] 구별하는 기능도 한다. (4)의 종결어미 '-(으)ㄹ걸'은 억양에 따라 〈후회〉나 〈가벼운 반박〉의 뜻으로 쓰인다. 이처럼 특정 억양 형태가 특정한 서법이나 형태소의 의미와 대응 관계를 보이는 경우는 운소의 일부로 볼 수 있다.

3 여기서 사전적 의미는 『사전』에 등재된 의미로 다의어의 경우 중심적 의미와 주변적 의미를 모두 포함한다.

(5) ㄱ. 화장에 있어서 포인트가 있다면?
ㄴ. 전 피부 색깔이요.
(6) ㄱ. 마음은 뭐 어떻게 달라져요?
ㄴ. 깔끔?

셋째, 억양은 발화(utterance)[4] 종결 표지로서의 기능을 한다. 입말에서는 (5), (6ㄴ)처럼 종결어미 없이 억양만으로 종결 기능을 하기도 한다. (5ㄱ)은 연결어미 '-다면', (6ㄴ)은 '깔끔하다'의 어근에 억양이 실현되어 하나의 발화가 되었다. 억양 단위 경계에 나타나는 형태·통사적 표지를 분석한 남길임(2007)에 따르면 '종결어미 〉 조사류 〉 연결어미 〉 기타 〉 체언류 〉 관형사형 어미 〉 명사형 어미'의 빈도를 보였다. 종결어미가 아니라 조사, 연결어미 등으로 발화가 끝나기도 함을 알 수 있다.

그러나 억양은 운소로서 의미 변별 기능보다 의심, 화남, 놀람 같은 화자의 감정이나, 비언어적 맥락 정보로 해석되는 함축적 의미 같은 언어 외적 정보를 전달하는 기능이 강하다. 이 경우에는 특정 억양 형태가 특정한 서법이나 형태소 의미를 변별하는 기능을 지니는 것이 아니고, 억양 형태와 의미도 그 하위 부류가 너무 많아서 형식화하기도 어렵다. '길이'와 달리 '억양' 관련 「발음법」 규정이 없는 것도 이 때문이다.

4 담화는 하나 이상의 발화가 모여 이루어진 유기적 통일체다. 발화는 실제 의사소통 상황에서 사용된 문장이라는 뜻에서 언어 외적 요인을 고려하지 않고 사용하는 용어인 문장(sentence)과 구별해서 쓰인다.

1.3. 끊어읽기

'맛이 써', '맛있어'는 표기형에서는 띄어쓰기로, 발음형에서는 끊어읽기에[5] 따라 의미가 달라진다. 끊어읽기는 국어교육, 한문교육 등에서 오랫동안 사용되어 온 용어인데 이때 '읽기'는 '말하기'를 포함하므로 실제로는 '끊어 발음하기'의 뜻이다.

(1) ㄱ. 잘+못 읽었다　　　ㄴ. 잘못 읽었다
　　　나+갈게　　　　　　　나갈게
　　　너+무심하잖아　　　　너무 심하잖아
　　　회+사 주세요　　　　　회사 주세요
　　　맛이+써　　　　　　　맛있어

(1)에서 '+'는 끊어 발음한 자리를 뜻하는데, 이것의 위치에 따라 (1ㄱ)과 (1ㄴ)의 의미는 달라진다. 따라서 (1)에서 '+'도 운소의 하나이고, 이를 내부 개방연접(internal open juncture, plus juncture)이라고도 한다.

끊어읽기 단위는 문장보다 작은 단위인 구 또는 어절 단위와 유사하지만, 문법단위와 음운단위가 일치하는 것은 아니다. 예컨대 띄어쓰기 단위인 어절과 견주어 보면 '한 개뿐이야'처럼 의존명사는 띄어 쓰지만 이어 발음하고, '제오 장'의 접두사 '第-'는

5 '끊어읽기'는 『사전』에 없다. 따라서 '끊어 읽기'로 써야 하나, 여기서는 하나의 학술용어로 보아 붙여 썼다.

붙여 쓰지만 '제+오장'으로 끊어 발음하는 경향이 강하다. 한자어 접두사는 뒷말의 음절 수, 친숙도에 따라 끊어읽기 여부가 달라져서 일률적으로 말하기 어렵다. 예컨대 '비과세'의 '비(非)-', '대가족'의 '대(大)-'는 붙여 발음하고 '비공개적, 대바겐세일'에서는 끊어 발음하는 경향을 보인다. '양송이, 양담배'의 '양(洋)-'은 붙여 발음하는 반면, '대(對)북한, 반(反)독재, 범(汎)국민'의 '대(對)-, 반(反)-, 범(汎)-'은 끊어 발음하는 경향을 보인다. 끊어 발음하는 위치는 음운적, 통사적, 의미적, 화용적 조건을 모두 고려하여 소통에 있어 최적의 자리를 찾는 것이기 때문에 고정된 것이 아니다.

끊어읽기는 음성적으로 다양하게 실현된다. 이어 발음하는 것과 대비해 보면 대체로 에너지 골짜기 실현, 끊어읽기 앞 음절의 장음화, 뒤 음절의 에너지와 피치 증가 등을 들 수 있다. 예컨대 '잘+못'에서 '+' 앞 음절인 '잘'은 '잘못'의 '잘'에 비해 장음화하고, '+' 뒤 음절인 '못'은 '잘못'의 '못'에 비해 강하게 발음되는 경향이 있다. 끊어읽기 자리에 휴지(休止, 쉼, pause)를 둘 수도 있지만, 문법단위로는 구 또는 어절과 상응하는 끊어읽기 자리에 실제로 휴지가 실현되는 경우는 거의 없다.[6] 이처럼 끊어읽기의 음성적 가치는 매우 다양해서 그 형태를 정의하기 어렵다.

6 안병섭(2007)에 따르면 휴지 실현율은 강세구(accentual phrase) 경계에서는 0.25~0.4%, 억양구(intonational phrase) 경계에서는 89.3~96.2%였다. 일반적으로 강세구 경계에서는 휴지가 실현되지 않음을 알 수 있다. 여기서 강세구는 개방연접, 끊어읽기에 해당한다.

(2) ㄱ. 27항 다만, 끊어서 말할 적에는 예사소리로 발음한다.
ㄴ. 18항 붙임: 두 단어를 이어서 한 마디로 발음하는 경우에도 이와 같다.
ㄷ. 29항 붙임 2: 두 단어를 이어서 한 마디로 발음하는 경우에도 이에 준한다.

(2)는 끊어읽기와 관련된 「발음법」의 진술이다. (2ㄱ)의 '끊어서'는 끊어읽기를, (2ㄴ, ㄷ)의 '이어서'는 붙여 읽기를 뜻한다. 끊어읽기 단위는 변동규칙 적용 영역으로도 기능한다. (2ㄱ)의 규정처럼 '만날 사람'은 붙여 읽으면 [--싸-]로 경음화하지만 끊어서 말하면 경음화하지 않는다. 변동규칙 적용 영역에 대해서는 6장 1.4.3.에서 다시 설명할 것이다.

2. 운소의 변동

표준어에서 운소의 변동은 길이의 변동을 뜻하는데, 긴소리가 짧은소리로 변동하거나, 짧은소리가 긴소리로 변동하는 현상을 말한다.

2.1. 짧은소리되기

현상과 규칙 짧은소리되기(短母音化, 短音化)는 본디 긴소리가 짧은소리로 되는 것을 말하는데, 크게 두 가지 환경에서 일어난다. 하나는 두 번째 음절 이하일 때이고, 또 하나는 1음절로 된 용언 어간이 모음으로 시작하는 어미와 결합할 때이다.

(1) ㄱ. /눈ː/, /말ː/, /밤ː/, /멀ː다/, /벌ː다/
ㄴ. /눈ː보라/, /말ː씨/, /밤ː나무/, /멀ː리/, /벌ː리다/

(1)은 /눈ː/처럼 본디 기저형에서 긴소리를 가진 말들이다. (1ㄴ)의 복합어에서도 첫음절에서는 긴소리로 발음된다. '눈보라, 눈사람'의 '눈', '말씨, 말동무, 말소리, 말싸움, 말장난'의 '말', '밤나무, 밤꽃, 밤밥, 밤송이, 밤알, 밤콩' 등의 '밤'도 모두 긴소

리로 발음한다. '멀다'와 '멀리'의 '멀', '벌다'와 '벌리다'의 '벌'도 긴소리이다.

(2) /눈ː/ → 첫눈, 밤눈, 싸락눈, 함박눈
/말ː/ → 참말, 거짓말, 서울말, 시골말, 한국말
/밤ː/ → 군밤, 꿀밤, 쌍동밤
/별ː/ → 샛별, 저녁별, 별똥별
/사ː람/ → 그 사람
/많ː다/ → 수많다
/멀ː다/ → 눈멀다
/벌ː리다/ → 떠벌리다
/반ː/〈半〉 → 반반, 절반

그런데 (2)처럼 둘째 음절 이하에 오면 짧은소리로 변동된다. 장단의 대립은 단어의 제1 음절에서만 성립한다. '눈[눈ː]'은 긴소리로 발음하지만, '첫눈'에서는 '눈'이 첫음절이 아니기 때문에 [*천눈ː]이 아니라 [천눈]이 된다. '많다'는 독립적으로 발음할 때에 [만ː타]로 발음하지만, '수많다'에서는 [수ː만타]로 짧게 발음한다. '벌리다'의 첫음절은 긴소리로 발음하지만, '떠벌리다'의 '벌'은 짧게 한다. 합성동사의 경우에도 이 원칙에 따른다. 예컨대 '안다, 뱉다, 내다, 넘다, 지내다'의 첫음절은 본디 긴소리지만, 합성동사 '껴안다, 내뱉다, 빼내다, 뛰어넘다, 죽어지내다'에서는 둘째 음절 이하여서 모두 짧은소리로 발음한다. 또 한자어에서도 '반〈半〉'은 긴소리지만 /반ː반ː/의 둘째 음절에서는 [반ː반]으로 짧게 발음한다.

(3) 가정방문/[가정방:문/가정방문], 세계대전[세:계대:전/세:계대전], 재삼재사[재:삼재:사/재:삼재사], 선남선녀[선:남선:녀/선:남선녀]

둘째 음절 이하에서도 분명히 긴소리로 발음되는 경우가 있는데, 이는 (3)처럼/가정방:문/ 등을 두 단어로 발음하는 경우다. 하나의 합성어로 발음할 때는 둘째 음절 이하에서는 짧은소리로 되므로 [가정방문]으로 발음한다. /재:삼재:사/를 [재:삼재:사]로 발음하는 것도 두 단어처럼 어느 정도 끊어서 발음할 수 있는 경우에서이다.

(4) ㄱ. /알:다/[알:다]　　ㄴ. /알:아/[아라]
/신:고/[신:꼬]　　/신:어/[시너]
/밟:지/[밥:찌]　　/밟:음/[발븜]
/괴:다/[괴:다]　　/괴:어/[괴어]

(4ㄱ)에서 기본형을 포함한 자음어미와 결합한 어간은 긴소리인데 (4ㄴ)처럼 모음어미와 결합할 때는 짧은소리로 실현된다. 기본형에 실현되는 긴소리를 기저형으로 보면, (4ㄴ)은 모음어미와 결합할 때 짧은소리되기가 적용된 것으로 설명된다.

(5) ㄱ. 눈〈雪〉도[눈:도]　　ㄴ. 눈〈雪〉이[누:니]
밤〈票〉과[밤:과]　　밤〈票〉이[바:미]
발〈簾〉만[발:만]　　발〈簾〉이[바:리]
성(姓)도[성:도]　　성(姓)이[성:이]

단음절(單音節), 즉 1음절 어간은 모음으로 시작된 어미와 결합하는 경우 짧은소리되기가 적용된다. 이에 비해, (5)처럼 1음절 체언은 뒤따르는 조사가 자음으로 시작하든, 모음으로 시작하든 관계없이 언제나 본래의 긴소리대로 발음한다.

(6) ㄱ. /더:럽다/[더:럽따]　　ㄴ. /더:러운/[더:러운]
/서:툴고/[서:툴고]　　/서:툴어도/[서:투러도]
/처:리하지/[처:리하지　　/처:리해서/[처:리해서]

짧은소리되기는 다음절(多音節) 어간일 때는 일어나지 않는다. (6)은 어간 첫음절이 긴소리인데, (6ㄴ)처럼 모음어미와 결합할 때에도 긴소리를 유지한다.

관련 규정 「발음법」 6항은 단어의 둘째 음절 이하에서, 7항은 1음절 어간에 모음어미가 결합할 때 일어나는 짧은소리되기 관련 규정이다.

「발음법」 6항: 모음의 장단을 구별하여 발음하되, 단어의 첫음절에서만 긴소리가 나타나는 것을 원칙으로 한다.
(1) 눈보라[눈:보라], 말씨[말:씨], 멀리[멀:리], 벌리다[벌:리다]
(2) 첫눈[천눈], 참말[참말], 눈멀다[눈멀다], 떠벌리다[떠벌리다]
다만, 합성어의 경우에는 둘째 음절 이하에서도 분명한 긴소리를 인정한다.
반신반의[반:신 바:늬/반:신 바:니], 재삼재사[재:삼 재:사]

'모음의 장단을 구별하여 발음하되'는 장단이 표준어의 운소로 기능하고 장단이 얹히는 곳이 모음임을 밝힌 것이다. '단어의 첫 음절에서만 긴소리가 나타나는' 것이 원칙이므로 장단의 대립은 어두 음절에만 있고 비어두 음절에서는 없다. 눈보라[눈ː]처럼 어두 음절에서 긴소리이던 것도 '첫눈[눈]'처럼 두 번째 음절 이하일 때는 짧은소리로 발음한다.

다만, '반신-반의, 재삼-재사, 선남-선녀'처럼 합성어의 뒷말을 끊어서 발음할 수 있는 경우 어두 음절이 아니지만, 한자어는 두 음절씩 끊어읽기가 가능하므로 장음을 인정한다. 그러나 '반반[반ː반], 간간[간ː간], 영영[영ː영], 시시비비[시ː시비비]' 등과 같이 같은 한자가 반복되는 경우에는 둘째 음절 이하에서 장음 실현을 허용하지 않는다. 한 음절씩 끊어서 발음하지는 않기 때문이다.

발음법 7항: 긴소리를 가진 음절이라도, 다음과 같은 경우에는 짧게 발음한다.

1. 단음절인 용언 어간에 모음으로 시작된 어미가 결합되는 경우
   감다[감ː따]-감으니[가므니], 밟다[밥ː따]-밟으면[발브면]
   신다[신ː따]-신어[시너], 알다[알ː다]-알아[아라]

다만, 다음과 같은 경우에는 예외적이다.
   끌다[끌ː다]-끌어[끄ː러], 떫다[떨ː따]-떫은[떨ː븐], 벌다[벌ː다]-벌어[버ː러], 썰다[썰ː다]-썰어[써ː러], 없다[업ː따]-없으니[업ː쓰니]

2. 용언 어간에 피동, 사동의 접미사가 결합되는 경우
   감다[감ː따]-감기다[감기다], 꼬다[꼬ː다]-꼬이다[꼬이다], 밟다[밥ː따]-밟히다[발피다]

다만, 다음과 같은 경우에는 예외적이다.
   끌리다[끌ː리다], 벌리다[벌ː리다], 없애다[업ː쌔다]

[붙임] 다음과 같은 복합어에서는 본디의 길이에 관계없이 짧게 발음한다.
밀-물, 썰-물, 쏜-살-같이,[7] 작은-아버지

7항의 짧은소리되기는 용언 어간의 예다. 체언의 경우 특정 조사와 결합할 때 짧은소리로 되는 일이 없다.

1. '감다[감ː따]'처럼 긴소리를 가진 일 음절 어간에 모음어미가 결합하면 짧은소리로 되는 운소 변동이 일어난다. 예시된 것은 모두 어간이 폐음절이지만 개음절인 경우에도 '괴다[괴ː다]-괴어[괴어], 뉘다[뉘ː다]-뉘어[뉘어], 호다[호ː다]-호아[호아]'처럼 모음어미와 결합하면 짧은소리로 된다. 다만, '끌다, 떫다, 벌다, 썰다, 없다, 굵다, 얻다, 엷다, 웃다, 작다, 좋다'처럼 모음어미와의 활용형에서도 장음을 유지하는 예외가 있다.

2. '1음절 어근+피·사동 접사' 구조에서 본디 긴소리이던 어근이 짧은소리로 바뀐다. '안ː다/안기다, 옮ː다/옮기다, 알ː다/알리다, 넘ː다/넘기다'도 이에 해당한다. 중세국어에서도 상성인 1음절 어근에 피 · 사동 접사가 붙으면 평성화하는 변동이 있었다(허웅: 1963: 335~341).

다만, 본항 2의 조건에 맞아도 짧은소리되기가 적용되지 않고 장음성이 보존되는 예외는 1의 예외와 같다.[8] '끌다, 벌다, 썰다,

7 『사전』에서는 표제어가 복합어일 때 직접성분 사이에 한 번만 붙임표(-)로 분석하여 제시한다. 일러두기에는 '구성 성분이 여럿일 때 가장 나중에 결합한 성분이 어느 것인지 판단하여 그 성분 사이에서' 한 번만 보인다고 되어 있다. 그래서 '쏜살같이'는 '쏜살같-이'로 분석되어 있는 파생어다.

8 어문규범에서 '붙임'은 추가 조항인 반면, '다만'은 바로 위의 항에 대한

없다'에 피동 또는 사동 접미사가 결합한 '끌리다[끌ː리다], 벌리다[벌ː리다], 썰리다[썰ː리다], 없애다[업ː쌔다]'에서는 어근의 장모음이 그대로 유지된다. 즉 이 단어들은 뒤에 모음어미가 오든 피·사동 접사가 오든 어간 길이가 짧아지지 않는다.

'밀-물, 썰-물, 쏜-살-같이, 작은-아버지'는 원래 장음 어간의 활용형이 합성어에서는 단음으로 발음되는 예다. '문을 밀 때, 쏜 화살, 작은 집'에서는 '밀[밀ː], 쏜[쏜ː], 작은[자ː근]'과 같이 장음이다. 이러한 예외적 현상은 일부에서만 나타난다.

어미 분류 어미는 '-고, -다가'처럼 자음으로 시작하는 어미(이하 '자음 어미'로 약칭)와 '-아라, 으며'처럼 모음으로 시작하는 어미(이하 '모음어미'로 약칭)가 있다. 모음어미는 다시 '-아/어, -아서/어서, -아요/어요, -았/었-' 등 '-아/어/Ø'로 교체되는 '아'계 어미, '-(으)니(까), -(으)ㄴ데, -(으)ㄴ, -(으)면, -(으)므로, -(으)ㄹ, -(으)시-' 등 '-으/Ø'로 교체되는 '으'계 어미가 있다.

음운론적으로는 이렇게 어미의 첫소리에 따라 분류할 필요가 있다. 예컨대 '신:고, 신어서, 신으니'처럼 단음절 어간의 짧은소리되기는 모음어미와 결합할 때만 나타난다. 모음어미를 '아'계와 '으'계로 나누는 것은 불규칙활용을 설명할 때 유용하다. '모르고, 모른'처럼 자음어미와 '으'계 어미 앞에서는 규칙적이고 '몰라'처럼 '아'계 어미 앞에서만 불규칙 활용형이 나타나는 경우가 있기 때문이다.

예외 규정이다.

2.2. 긴소리되기

현상과 규칙 긴소리되기(長母音化, 長音化)는 짧은소리이던 것이 긴소리로 변동하는 것으로 반모음화나 모음 탈락과 관련이 있다.

(1) ㄱ. 기어[기-]/겨[겨ː], 띠어[띠-]/떠[뗘ː],9
피었고[피얻꼬]/폈고[펻ː꼬]
ㄴ. 주어라[주--]/줘라[줘ː-], 쑤어[쑤-]/쒀[쒀ː],
보아라[보--]/봐라[봐ː-]

(1)은 'ㅗ, ㅜ + 아/어'나, 'ㅣ+어' 연쇄에서 어간 모음이 반모음화하여 음절이 축약되면서 긴소리로 되는 예다. 반모음화로 인해 음절 수는 줄었지만 어절을 발음하는 시간은 원래대로 유지하려는 의도에서 긴소리되기가 일어났다고 보아 보상적 장음화(compensatory lengthening)라 부르기도 한다. 긴소리되기가 일어난 (1)의 '기어, 주어라' 등은 반모음화한 [겨ː], [줘ː라]뿐 아니라 [기어~기여], [주어라]로도 발음된다는 점에서 반모음화는 임의적 변동이다.

(2) ㄱ. /오아/[와], /게우어/[게워], /배우어서/[배워서],

9 '기다, 띠다'의 『사전』 활용 정보는 각각 〔기어[-어/-여](겨[겨ː]), 기니〕, 〔띠어[-어/-여](뗘[뗘ː]), 띠니[띠ː-]〕로 '겨, 뗘'를 표기형으로 인정하고 있다. 그러나 실제로 표기형으로 사용되는 경우는 드물다.

/비우어/[비워]

ㄴ. /지어/[저], /찌어/[쩌], /치어/[처]

(2)처럼 1음절 어간에 어미 '-어'가 결합했고, 반모음화가 일어나지만, 긴소리되기는 적용되지 않는 경우도 있다. (1)과 달리 (2ㄱ)처럼 어간 끝 음절이 모음만으로 된 경우, 반모음화가 필연적 변동이어서 [와]만 가능하고 [오아]는 허용되지 않는다. (2ㄴ)의 예는 모두 센입천장소리와 'ㅣ'로 된 1음절 어간과 모음으로 된 어미의 결합인데, 어간 모음 'ㅣ'는 반모음화하여 'j'로 되지만, 센입천장소리와의 음소 결합제약으로 인해 탈락한다. 그러므로 반모음화가 필연적 변동이거나, 어간 음절이 센입천장소리와 'ㅣ'로 된 경우 긴소리되기가 일어나지 않음을 알 수 있다.

(3) /개:어/[개어, 개:], /내:었고/[내얻꼬, 낻:꼬],
/매:어라/[매어라, 매:라], /베:어서/[베어서, 베:서],
/죄:어/[죄어, 줴여, 좨:], /괴:어/[괴어, 궤여, 괘:]

(3)은 /개:다/처럼 본디 긴소리인 1음절 어간이 '아'계 어미와 결합하면 짧은소리로 되어 [개어]가 됨을 보여준다. 그런데 이때 어미가 탈락하면 장음화한다. 이처럼 [개:]로 되는 것은 [개어]에서 '아/어'탈락으로 인한 보상적 장음화가 일어난 것으로 설명할 수 있다.

그러나 '아/어'탈락이 필연적일 때는 긴소리되기가 일어나지 않는다. (3)의 '아/어'탈락은 임의적 변동이어서 /개:어/는 [개:]로도 발음되지만 [개어]로도 발음된다. 이에 비해 '가, 서도, 켜서'는 '아/어'탈락이 필연적이어서 '*가아, 서어도, 켜어서'로는 실현되지 않는데, 이때는 긴소리되기가 적용되지 않는다.

관련 규정 「발음법」 6항 붙임은 음절 축약으로 인한 긴소리되기와 그에 대한 예외 규정이다.

> 「발음법 6항 [붙임] 용언의 단음절 어간에 어미 '-아/-어'가 결합되어 한 음절로 축약되는 경우에도 긴소리로 발음한다.
> 보아→봐[봐ː], 기어→겨[겨ː], 되어→돼[돼ː], 두어→둬[둬ː], 하여→해[해ː]
> 다만, '오아→와, 지어→져, 찌어→쪄, 치어→쳐' 등은 긴소리로 발음하지 않는다.

단음절(單音節), 즉 1음절로 된 어간에 '아'계 어미가 결합하여 두 음절이 한 음절로 축약되는 경우에는 긴소리로 발음한다. 「발음법」 6항은 「맞춤법」 35항('ㅗ, ㅜ'로 끝난 어간에 '-아/-어, -았-/-었-'이 어울려 'ㅘ/ㅝ, 왔/웠'으로 될 적 에는 준 대로 적는다.), 36항('ㅣ' 뒤에 '-어'가 와서 'ㅕ'로 줄 적에는 준 대로 적는다.)과 관련된다. 파생어 준말 표기를 다룬 「맞춤법」 37항('ㅏ, ㅕ, ㅗ, ㅜ, ㅡ'로 끝난 어간에 '-이-'가 와서 각각 'ㅐ, ㅖ, ㅚ, ㅟ, ㅢ'로 줄 적에는 준 대로 적는다.)에 따르면 '쌔다, 뉘다, 폐다, 틔다, 쐬다'는 '싸이다, 누이다, 펴이다, 트이다, 쏘이다'가 축약된 표기이다. 이때도 [쌔ː다, 뉘ː다, 폐ː다, 티ː다, 쐬ː다]로 긴소리되기가 일어난다.

다만, 단음절 어간에 '아'계 어미가 결합하여 두 음절이 한 음절로 축약되어도 긴소리로 발음하지 않는 경우는 필연적 변동일 때다. '오아→와'에서는 모음 탈락이 필연적이고, '지어→져[저], 찌어→쪄[쩌], 치어→쳐[처]'에서는 반모음 'j'탈락이 필연적이다.

맞춤법 35항 붙임 1에 따라 '놓아'가 '놔'로 줄 적에는 준 대로 적는다. '놓고, 놓아도'에서 어간은 짧은소리인데 '놔도[놔ː도], 놔라[놔ː라]'는 긴소리로 실현된다. 이것도 반모음화가 동인이 된 것으로 보인다. 반모음화가 일어나지 않는 '놓으면'도 [노으면] 또는 [노ː면]으로 실현된다. [노ː면]은 'ㅡ'탈락이 긴소리되기의 동인이 되었을 것이다. '놔도[놔ː도]'는 반모음화, '놓으면[노ː면]'은 'ㅡ'탈락이 일어났지만 둘 다 음절 수가 줄었고 이를 보완하기 위해 긴소리로 실현된 것이다.

제 6 장

음소 변동과 규칙

1. 변동규칙

'꽃이, 꽃도, 꽃만'에서 명사 형태는 각각 [꼬ㅊ], [꼳], [꼰]이다. 공시적으로 형태소를 구성하는 음운이 음운론적 차원에서 달라지는 것을 음운변동이라 한다. 변동규칙은 형태소 {꽃}과 이형태 [꼬ㅊ], [꼳], [꼰]을 매개하는 것이다. 이때 형태소는 단수 표기형, 이형태는 발음형에 해당한다. 변동규칙을 기반으로 우리는 표기형 '꽃이, 꽃도, 꽃만'을 [꼬치, 꼳또, 꼰만]으로 발음하고, [꼬치, 꼳또, 꼰만]을 듣고 '꽃이, 꽃도, 꽃만'으로 해석할 수 있다.

1.1. 형태소와 기저형

음소 또는 음절이 결합하여 이룬 가장 작은 의미 단위를 형태소(morpheme)라 한다. 같은 의미를 나타내는 형태(morph) 중에서 대표를 가려서 그것으로 형태소 표기를 한다. [꼬ㅊ], [꼳], [꼰]은 음운 연쇄도 유사하고 뜻도 같으므로 하나의 형태소이고, 형태소 '꽃'은 형태 [꼬ㅊ], [꼳], [꼰]의 집합이다. 하나의 형태소를 이루는 형태들을 이형태(변이형태, allomorph)라 부른다. 이들은 본디 하나인데, 환경에 따라 다른 모습으로 나타나는 것으로 해석하는 것이다. 이형태들은 의미가 같고 상보적 분포를 보인다.

(1) 형태, 형태소, 이형태의 관계

형태: 꼬ㅊ, 꼳, 꼰		음성: [p] [b] [β] [p˺]	
형태소 {꽃}	이형태 {꼬ㅊ~꼳~꼰}	음소 /p/	이음 [p, b, β, p˺]

'형태-형태소-이형태'의 관계는 (1)처럼 '음성-음소-이음' 관계와 유사하다. [꼬ㅊ]는 모음으로 시작하는 형식형태소 앞에서, [꼳]은 자음과 휴지 앞에서, [꼰]은 비음 앞에서 실현되므로 이형태들의 실현 조건은 음운론적이다. 이렇게 이형태 중 실현 조건이 음운적으로 규정될 수 있는 것을 음운적 이형태(phonologically conditioned allomorph)라 한다. 음운적 이형태 중에는 실현 조건이 순수하게 음운적인 경우도 있고, '권력[궐-], 생산력[--녁]'처럼 음운적 조건과 더불어 형태론적 조건도 함께 필요한 경우도 있다. 이때 이형태는 발음형에 해당하므로 음운론에서는 한 형태소의 음운적 이형태가 어떤 환경에서 어떤 이유로 각각의 음상으로 실현되는지 설명해야 한다.

이형태 실현 조건 모든 이형태의 실현 조건을 음운 환경으로 설명할 수 있는 것은 아니다. '먹어라, 잡아라, 오너라'에서 '-어라, -아라, -너라'는 모두 해라체 명령형 종결어미이다. 이 중 '-아라'와 '-어라'의 실현 조건은 음운적이다. '-아라'는 어간 끝 모음이 'ㅏ, ㅗ'일 때 실현되고, 그 외의 모음일 때는 '-어라'가 실현되기 때문이다. 그러나 '-너라'는 '오-' 어간 뒤에서만 실현되므로 실현 조건이 음운적이지 않다. '-너라'처럼 특정한 형태소를 가리는 경우 형태(론)적 이형태(morphologically conditioned allomorph)라 불렀다.[1] 아래 제시문의 '형태론적 조건에 의한 교체'도 이와 동일한 개념으로 사용되었다.

하나의 형태소가 환경에 따라 다른 이형태로 실현되는 현상을 교체라 한다. 교체는 대개 그 교체의 조건이 음운에 따른 것인가, 형태나 어휘에 따른 것인가에 의해 음운론적 조건에 의한 교체와 형태론적 조건에 의한 교체로 나뉜다.

현대국어의 주격 조사 '이/가'는 이형태의 교체 조건이 선행 체언의 끝소리가 자음인가 모음인가와 같은 음운적 특성이므로 ㉠ 음운론적 조건에 의한 교체를 보이는 예이다. 모음조화에 따른 교체 역시 마찬가지이므로 과거 시제 선어말 어미 '-았-'과 '-었-'의 교체 역시 음운론적 조건에 의한 교체이다.

이와 달리 특정 형태소나 단어가 조건이 되어 교체가 일어나는 경우를 ㉡ 형태론적 조건에 의한 교체라 한다. 중세 국어에서 관형격 조사 'ᄋᆡ/ 의'는 '쇼, 長者, 獅子'와 같은 특정 명사 뒤에서 'ㅣ'로 실현되었는데 이 경우 'ㅣ'는 'ᄋᆡ/ 의'와 관련하여 형태론적 조건에 의해 교체되었다고 볼 수 있다. 문법 기술에서 형태론적 조건에 의한 교체를 보이는 형태나 어휘들은 목록화하여 제시하게 된다.(하략)[2]

---

1 남기심·고영근(1992: 44), 이익섭·임홍빈(1990: 112~114), 허 웅(1981: 182~184).

2 2016년 중등학교교사 임용후보자 선정경쟁시험 전공 B 5번 문항의 제시문이다.

그러나 순수하게 음운적 조건으로만 이형태가 교체되는 경우는 흔치 않다. '권력'과 '생산력'은 'ㄴ+ㄹ'로 음운 조건은 동일하지만 앞말이 의존형태소인가 자립형태소인가에 따라 '력'은 [력], [녁]으로 실현된다. '겉으로'와 '겉옷'은 'ㅌ+모음'으로 음운 조건이 같지만, 뒷말이 형식형태소인가 실질형태소인가에 따라 '겉'은 [거ㅌ], [거ㄷ]로 실현된다. 이처럼 변동규칙이 매개하는 이형태는 대부분 음운적 조건과 더불어 형태론적 범주 조건이 부가된다.

현대국어의 '-너라', 중세국어의 관형격 조사 'ㅣ'는 특정 단어가 조건이 된다.[3] 형태론적 조건과의 구별을 명확하게 하기 위해 이는 '어휘적 이형태'로 부르겠다. 어휘적 이형태의 실현은 음운적 조건에 따른 것이 아니어서 음운변동에 포함되지 않고 음운론적 설명이 필요한 것도 아니다.

기저형(underlying form)은 머릿속에 언어 지식의 일부로 저장되어 있는 형태소, 낱말, 문장의 음운 정보를 말한다. 형태소를 구성하는 음운이 곧 기저형이다. 기저형은 한 형태소가 표면적으로 다양한 형태로 실현되는 것을 음운론적으로 설명하기 위해 설정한 것이다. 기저형에 규칙이 적용되어 도출된 결과가 표면형(표면 음성형, surface form)이고 이는 이형태에 해당한다. 대표형태가 기저형이고, 이형태가 표면형인 것은 동일 현상이 형태론과 음운론 양쪽에서 연구될 수 있음을 뜻한다. 이를 형태음소론

3 관형격 조사 'ㅣ'는 '쇠, 아뫼, 네'처럼 모음으로 끝난 체언과 결합한다. 그러나 '公侯의'처럼 모음으로 끝났다고 해서 늘 'ㅣ'가 결합하는 것은 아니어서 음운적 이형태로 보기 어렵다.

(morphophonemics)이라는 독립된 영역으로 보기도 하지만, 음운론에서 형태론적 정보를, 형태론에서 음운론적 정보를 필요로 하는 부분이다. 형태론에서는 이형태, 대표형태의 개념으로 형태소를 설명하고, 음운론에서는 표면형, 기저형의 개념으로 소리 정보를 설명한다.

[이써요, 인는데요, 읻떠라고요]에서 어간의 기저형을 설정하려면 먼저 형태소 분석으로 어간과 어미 '-어요', '-는데요', '-더라고요'를 분리해야 한다. 어미 '-어요', '-는데요', '-더라고요'는 '쉬어요, 쉬는데요, 쉬더라고요'에서도 어간 뒤에 분포하고 뜻이 같다. 어미를 분석해 내면 '이ㅆ-, 인-, 읻-'이 남는다. 이들은 뜻이 같으므로 한 형태소, 기저형으로 추상화된다. 기저형을 가리는 기준은 나머지 표면형들을 일반적인 규칙에 따라 예측할 수 있고 합리적 설명이 가능한가이다. 마찬가지로 대표형태도 나머지 이형태를 합리적으로 예측하고 설명할 수 있는 것이어야 한다.

(2) 기저형을 /읻/으로 볼 경우

기저형	예상 표면형	실제 표면형	설명 예
읻어요	이더요	이써요	×
읻는데요	인는데요	인는데요	비음화(받는 → 반는)
읻더라고요	읻떠라고요	읻떠라고요	경음화(받더라 → 받떠라)

만약 어간 기저형을 (2)처럼 /읻/으로 본다면 /읻는데요, 읻더라고요/에서 예상되는 발음은 [인는데요, 읻떠라고요]이고, 이러한 변동은 /받는데요, 받더라고요/[반는데요, 받떠라고요]처럼 음

운 조건이 동일한 다른 예에서도 나타나므로 '비음화, 경음화'와 같은 규칙을 이용하여 합리적으로 설명할 수 있다. 그러나 /읻어요/는 연음규칙이 적용되어 [이더요]로 실현될 환경이다. 기저형을 /읻/으로 보게 되면 /읻어요/가 왜 [이더요]가 아니라 [이써요]로 실현되는지 설명할 수 없기 때문에 /읻/은 [있, 읻, 인]의 기저형이 될 수 없다.

(3) 기저형을 /인/으로 볼 경우

기저형	예상 표면형	실제 표면형	설명 예
인어요	이너요	이써요	×
인는데요	인는데요	인는데요	
인더라고요	인떠라고요	읻떠라고요	×

/인/을 기저형으로 보면 (3)과 같은 결과가 나올 것이다. /인는데요/는 변동없이 실현되므로 문제가 없다. 그러나 /인어요, 인더라고요/는 비슷한 음운 연쇄인 /안아요, 안더라고요/가 [아나요, 안떠라고요]로 실현되는 것으로 보아 [이너요, 인떠라고요]로 예측된다. /인어요, 인더라고요/에서 [이써요, 읻떠라고요]를 설명할 수 없으므로 /인/도 [있, 인, 읻]의 기저형이 될 수 없다.

(4) 기저형을 /있/으로 볼 경우

기저형	예상 표면형	실제 표면형	설명 예
있어요	이써요	이써요	연음규칙(갔어요 → 가써요)
있는데요	인는데요	인는데요	평파열음화, 비음화 (갔는데 → 갇는데 → 간는데)
있더라고요	읻더라고요	읻떠라고요	평파열음화, 경음화 (갔더라 → 갇더라 → 갇떠라)

(4)처럼 /있/을 기저형으로 삼는다면 /있어요/는 어간 끝 /ㅆ/이 어미의 초성으로 연음되어 [이써요]로 된다. '있는데요'는 /ㅆ/에 평파열음화, 비음화가 순차 적용되어 [인는데요]로 실현된다. '있더라고요'는 평파열음화와 경음화가 순차 적용되어 [읻떠라고요]로 된다. 이러한 현상은 같은 조건을 갖춘 다른 예에서도 많이 발견되므로 규칙화할 수 있다. 따라서 [있, 인, 읻]의 기저형은 /있/으로 보는 것이 가장 합리적이다.

기저형 설정 과정은 형태들 중 대표형태를 가리는 과정과 동일함을 알 수 있다. 일반적으로 실질형태소의 기저형과 대표형태는 모음으로 시작하는 형식형태소를 제외한 나머지가 된다.

실제 실현된 표면형이 아니라 가상적 기저형이 필요한 경우도 있다. [노아서, 노으니, 노타, 노코]에서 어미 '-아서, -으니, -다, -고'를 제외하면 '노-'가 남는다. 그러나 기저형이 /노-/라면 /노다, 노고/에서 [노타, 노코]의 변동을 설명하기 어렵다. /쏘다, 쏘고/는 어미가 [타, 코]로 나지 않기 때문이다. /놓-/을 기저형으로 보면 /놓다, 놓고/는 격음화로 설명할 수 있다. '밥하고[바파고]'처럼 'ㅎ'과 인접한 평음이 격음화하는 예가 있기 때문이다. 단, '놓아서, 놓으니[노아서, 노으니]'는 '잡아서, 잡으니'와 달리 어간 말음이 탈락한다는 별도의 규칙이 필요하다. /노고/가 [노코]로 되는 것은 그 동인이 없어서 설명이 불가능함에 비해 /놓아서/가 [노아서]로 되는 것은 '결혼'을 [겨론]으로 발음하기도 하는 것처럼 유성음 사이의 'ㅎ'탈락이 통용되기 때문에 더 합리적인 설명이 가능하다. 그래서 /놓-/을 기저형으로 보는데, /놓-/은 실제 실현된 형태가 아니라는 점에서 가상적 기저형이고, 가상적 형태이다.

1.2. 기저형과 단수 표기형

한 형태소가 다양한 표면형으로 실현될 때 이를 음운론적으로 설명하기 위해 설정한 형태소의 소리 정보를 기저형이라 했다. 표면형을 일반적인 규칙으로 예측하고 합리적으로 설명할 수 있는 형태를 기저형으로 삼는다. 앞서 [이써요, 인는데요, 읻떠라고요]에 나타나는 어간 형태 [이ㅆ, 인, 읻] 중에서 '있'을 기저형으로 보았다. 이는 「맞춤법」에 의한 표기형이기도 해서 기저형과 표기형이 일치함을 알 수 있다.

「맞춤법」의 '어법에 맞도록'은 실질형태소와 형식형태소를 분철하고 대표형태로 고정하여 1 형태소는 1 표기형으로 함을 뜻한다. 앞서 한 형태소의 표기형이 여럿일 때는 복수 표기형, 한 형태소의 표기형이 하나일 때는 단수 표기형이라 불렀다. '단수 표기형=대표형태=기저형'의 관계를 형성한다. 「발음법」은 표기형을 설명 대상으로 삼아 발음형과의 차이를 설명하는데 양자 간에 존재하는 규칙성을 다룬다. 이 규칙은 변동규칙에 해당하고, 발음형은 표면형에 해당한다. 따라서 '기저형-변동규칙-표면형'의 이론적 장치가 이미 우리 어문규범 속에 들어있음을 알 수 있다. 그런데 익숙한 '표기형-변동규칙-발음형'을 활용하지 않고 추상적인 '기저형-변동규칙-표면형'으로 설명을 더 복잡하고 어렵게 만들 필요는 없다.

기저형은 영어를 주 대상으로 한 연구에서 나온 이론적 장치다. 영어에 사용되는 로마자도 음소문자지만, 'banana, cake, many, all'에서처럼 한 문자 'a'가 여러 음소 [ə], [æ], [ej], [e], [ɔ]로 대응되거나 'right, wright, rite, write'처럼 발음이 같은 단일어가 표기형을 달리 하는 역사적 표기가 많다는 점에서 기저형이 필요하다. 그러나 단수 표기형인 '덮어라, 덮이다, 덮개, 덮치다, 덮밥'의 실질형태소 '덮-'과 '가고, 먹고, 좋고'의 형식형태소 '-고'는 표기형이 곧 기저형이다.

어법에 맞도록 적은 '있어, 있는데, 있고'는 '소리대로' 적은 것이기도 하다.[4] 어간 말음을 'ㅆ'으로 적는 것은 모음으로 시작하는 형식형태소 앞에서 [ㅆ]로 소리 나는 데 근거가 있지 전혀 실현되지 않는 형태를 표기형으로 삼는 경우는 드물고, 이는 대표형태, 기저형도 마찬가지다. [이ㅆ, 읻, 인]의 기저형을 /있-/으로

4 총칙 1항의 '소리대로'와 '어법에 맞도록'의 위계 관계에 대한 해석은 허웅(1985), 엄태수(2001), 김정남(2008), 최형용(2009), 정희창(2011) 등 참조.

설정한 것과 같은 이유, 같은 기준으로 표기형도 '있-'임을 알 수 있다. 이처럼 어법에 맞도록 적은 단수 표기형과 기저형은 대표 형태라는 점에서 서로 같다.

실재 표면형 중 하나로 나머지 표면형을 합리적으로 설명할 수 없을 때는 가상적 기저형을 설정한다. 말음이 'ㅎ'인 어간, 'ㅅ' 불규칙용언 어간도 발음형을 가장 합리적으로 설명하기 위한 가상적 기저형이이다. 동일한 이유로 이들은 표기형이기기도 하다.

단수 표기형임에도 불구하고 기저형과 일치하지 않는 예외도 있다. 예컨대 자모 'ㄷ, ㅈ, ㅊ, ㅋ, ㅌ, ㅍ, ㅎ'의 이름은 표기형 '디귿, 지읒, 치읓, 키읔, 티읕, 피읖, 히읗'과 달리 기저형은 /디긋, 지읏, 치읏, 키윽, 티읏, 피읍, 히읏/이다. 왜냐하면 [디그슬, 키으기, 피으븐]로 실현되지 [*디그들, 키으키, 피으픈]이 아니기 때문이다. 하지만 이런 예는 몇몇 특수한 경우로 한정된다. 이럴 경우 양자가 불일치한 이유를 밝히고 기저형은 빗금으로 싸서 표시할 것이다. 대부분의 단수 표기형은 기저형인데 이때는 작은따옴표에 묶어서 표시하고 빗금을 생략한다.

'살고, 사는', '예쁘고, 예뻐', '춥다, 추워'의 어간, '먹으니까, 가니까', '먹어, 앉아'의 어미처럼 한 형태소의 표기형이 복수인 경우도 있다. 이들은 기저형도 복수로 볼 수 있는 예들이다. 한 형태소가 다양한 이형태로 실현될 때 이를 음운론적으로 설명하기 위해 설정한 형태소의 소리 정보가 기저형인데 어느 하나를 기저형으로 삼았을 때 다른 이형태 출현을 설명하는 데 특별한 이점이 없기 때문이다. '-으니까/-니까', '-아/-어'는 음운적 이형태이고 규칙적 교체이지만 표기형을 이원화한다. 이는 단일어 내부에서는 결합제약이 없는 음소 연결이어서 '먹니까, 가으니까', '먹아, 앉어'에서 예측되는 발음형은 [*멍니까, 가으니까, 머가, 안저]이기 때문이다. 복수 표기형과 복수 기저형의 관계, 이때 나타나는 음소 변동에 대해서는 장을 달리하여 7장에서 논의할 것이다.

1.3. 단수 표기형과 변동규칙

어법에 맞도록 적은 것은 단수 표기형이고, 이는 기저형과 일치하고, 형태소의 음상을 표상한다. 이러한 표기형은 변동규칙의 적용으로 발음형을 예측할 수 있음을 전제로 한다. 변동규칙으로 표기형에서 올바른 발음형을 예측할 수 없는 경우 「맞춤법」은 이 형태를 표기에 직접 반영한다. 따라서 변동규칙은 단수 표기형과 발음형을 매개하는 기제로 정의할 수 있다.

'1 형태소 = 1 단어'인 단일어는 소리대로 적은 것이 표기형이고 기저형이다. '하늘, 바람, 더욱, 새, 어머니'는 이형태가 없으므로 변동규칙이 적용될 필요가 없다. 단수 표기형과 발음형을 매개하는 변동규칙은 형태소와 형태소가 결합할 때 그 경계에서 적용되고 작동 환경은 몇 가지로 나눌 수 있다.

첫째, 단수 표기형과 발음형을 매개하는 변동규칙이 적용되는 가장 전형적 환경은 '명사+조사', '어간+어미'의 명사, 어간에서이다. '꽃을, 꽃, 꽃만', '꺾어요, 꺾고, 꺾는다'의 실질형태소는 [꼬ㅊ~꼳~꼰], [꺼ㄲ~꺽~껑]으로 실현된다. 그러나 표기형은 '꽃, 꺾-'으로 고정하고 분철한다. '꽃을, 꺾어요'에서 연음규칙이 [꼬

ㅊ, 꺼ㄲ], '꽃, 꺾고'에서 평파열음화가 [꼳, 꺽], '꽃만, 꺾는다'에서 비음화 규칙이 [꼰, 껑]을 매개한다.

둘째, 복합어에서 '높이, 높바람, 높낮이', '덮이다, 덮치다'의 어근도 [노ㅍ, 놉, 놈], [더ㅍ, 덥]으로 발음되지만 표기형은 각각 '높-, 덮-'으로 단일화된다. '높이, 덮이다'의 [노ㅍ, 더ㅍ]는 연음규칙이, '높바람, 덮치다'의 [놉, 덥]은 평파열음화가, '높낮이'의 [놈]은 비음화가 매개한다.

셋째, '가고, 먹고, 좋고'의 '-고'처럼 자음으로 시작하는 어미도 [고~꼬~코]로 교체되지만 표기형은 '-고'로 단일화한다. 표기형 '고'에서 [꼬]는 경음화 규칙, [코]는 격음화 규칙의 적용으로 설명된다.

형태소의 표기형을 단일화하는 것은 변동규칙이 표기와 발음을 매개할 수 있을 때로 한정된다. 변동규칙을 표기형과 발음형을 매개하는 기제로 정의하는 것은 단수 표기형이 「발음법」의 변동규칙을 전제로 하고, 「발음법」은 이 표기형을 설명의 출발점으로 삼는다는 점에서 규범문법의 기술에 유용하다. 이때 표기형은 대표형태, 기저형과 동일하고, 이에 적용되는 규칙은 '연음규칙, 평파열음화, 자음군단순화, 경음화, 비음화, 자음 위치동화, ㅎ 탈락, 격음화, 유음화, ㄹ의 비음화, 구개음화, ㄴ 첨가, j 첨가'이다. 이들 규칙은 「발음법」에 제시된 것과 일치한다.

(1) 표기형과 발음형의 매개 기제로서의 변동규칙

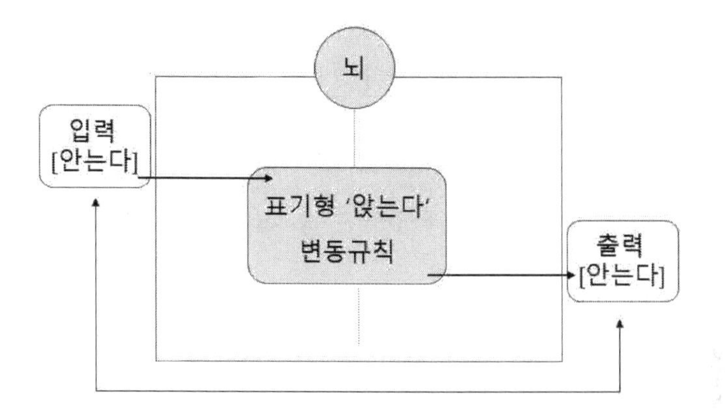

변동규칙이 매개하는 단수 표기형과 발음형의 상호 전환성은 (1)과 같이 도식화할 수 있다. 입력형인 [안는다]는 '앉+는다'라는 형태소 정보를 지닌 표기형으로 해석·저장된다. '앉+는다'는 기억·저장된 변동규칙인 자음군단순화를 적용하여 [안는다]로 출력된다.

1.4. 변동규칙의 하위분류

음소변동은 무엇을 기준으로 하느냐에 따라 다양한 분류가 가능하다. 음소변동의 분류 기준은 결과, 원인, 적용 범위 등이다.

1.4.1. 결과에 따른 분류

음운변동은 변동이 일어난 결과에 따라, 한 음소가 다른 음소로 바뀌는 대치(바뀜, alternation), 두 음소가 하나로 줄거나 두 음절이 한 음절로 주는 축약(줄임, coalescence), 음소가 없어지는 탈락(없앰, deletion), 없던 음소가 덧나는 첨가(덧나기, addition)로 나눌 수 있다.

'교체'는 음운론에서도 사용하고 형태론에서도 사용하는 용어인데 그 개념은 같지 않다. 음운론에서 말하는 교체는 음운변동의 결과 한 음운이 다른 음운으로 바뀌는 것을 말하는 것으로, '축약, 탈락, 첨가'와 동위개념이다. 형태론의 교체는 '한 형태소가 환경에 따라 음상(phonetic shape)을 달리 하는 것'으로 대치, 축약, 탈락, 첨가 등을 포함하는 상위개념이다. 예컨대 해라체 종결어미는 '먹어라, 잡아라, 가라'에서처럼 음운 조건에 따라 '-아라/-어라/-∅라'로 교체한다고 했을 때 '교체'는 음소 '아'와 '어'의 대치와 탈락을 포함하는 것이다. 여기서는 이러한 혼동을 피하기 위해 변동규칙에 따라 한 음운이 다른 음운으로 바뀌는 것은 '대치'라 부르겠다.

(1) 평파열음화	'꽃' → [꼳]
비음화	'국물' → [궁-]
유음화	'권력' → [궐-]
구개음화	'밭이' → [바치]
경음화	'국밥' → [-빱]

자음 위치동화　　　　　　'감기' → [*강:-]
'ㅣ'역행동화　　　　　　'잡히다' → [*재피-]

(1)에서 '꽃'의 음절 말음 'ㅊ'이 [ㄷ]로, '국물'의 'ㄱ'이 같은 위치의 비음 [ㅇ]으로, '권력'의 'ㄴ'이 유음 [ㄹ]로, '밭이'의 'ㅌ'이 경구개음 [ㅊ]로, '국밥'의 초성 'ㅂ'이 경음 [ㅃ]로, '감기'의 'ㅁ'이 연구개음 [ㅇ]으로, '잡히다'의 'ㅏ'가 혀의 높낮이가 같은 전설모음 [ㅐ]로 각각 대치되었다.

(2) 격음화: '먹히다' → [머키-]
　　　　ㅁㅓㄱㅎㅣㄷㅏ → ㅁㅓㅋㅣㄷㅏ
반모음화: /오아서/ → [와-]　ㅗㅏㅅㅓ → wㅏㅅㅓ

이에 비해, (2)는 두 음소가 한 음소로 또는 두 음절이 한 음절로 축약된 것이다. '먹히다'가 [머키다]로 변동된 결과 'ㄱ'과 'ㅎ' 두 음소가 한 음소 [ㅋ]로 축약되었다. '오아서[oasə]'가 '와서[wasə]'로 변동된 결과 음소 수는 4개로 동일하지만 단모음이 반모음으로 되면서 음절 수는 축약되었다.

(3) 자음군단순화　　　　'닭' → [닥]
'ㅎ'탈락　　　　　　　'좋아서' → [조--]
'j' 탈락　　　　　　　'가져' → [-저]

(3)은 탈락의 예다. '닭'의 겹자음 중 'ㄹ', '좋다'의 어간 끝 'ㅎ'이 탈락된다. '가져'는 '가지어'의 준말 표기형인데 반모음이

탈락하여 [가저]로 된다.

(4) 'ㄴ' 첨가　　　'한여름' → [-녀름], '물약' → [물냑 →물략]
　　'j' 첨가　　　'피어' → [-여]

(4)는 음소 첨가의 예다. '한여름', '물약'에서는 'ㄴ', '피어'에서는 반모음 'j'가 첨가되었다.

1.4.2. 원인에 따른 분류

음운변동은 그것이 일어나는 원인에 따라 분류할 수 있다. 원인에 따른 분류는 여러 가지가 가능한데, 첫째, 음절구조제약 때문에 일어나는 변동과 음소 결합제약으로 인한 변동으로 나눌 수 있다.

(5) ㄱ. 자음군단순화　　'값' → [갑]
　　　평파열음화　　'앞' → [압]
　ㄴ. 경음화　　'각도' → [각또]
　　　비음화　　'국물' → [궁-]
　　　역행적 유음화　　'권력' → [궐-]

(5ㄱ)의 자음군단순화와 평파열음화는 음절구조제약으로 인한 변동이다. '값'의 겹자음 중 'ㅅ'이 탈락하는 것은 표면형에서 허용되는 최대 음절구조가 CVC기 때문이다. '앞'이 [압]으로 소리

나는 것도 'ㅍ'이 받침소리로 쓰일 수 없다는 제약 때문이다. 이에 비해 (5ㄴ)은 음소 결합제약으로 인한 변동이다. (5ㄴ)의 경음화는 [ㅂ, ㄷ, ㄱ]와 평음, 비음화는 [ㅂ, ㄷ, ㄱ]와 비음의 결합제약 때문에 생긴 변동이고, 역행적 유음화는 'ㄹ' 외 자음과 'ㄹ'의 결합이 허용되지 않기 때문에 일어난 변동이다.

둘째, 말할이가 발음을 편하게 하기 위해서 일어나는 변동과 들을이에게 똑똑하게 전달하기 위해 일어나는 변동으로 나눌 수 있다. 동화, 축약, 탈락은 대부분 발음의 편의를 위해 일어나는 현상이고, 첨가, 이화는 대부분 의미 변별을 확실히 하기 위해 일어나는 변동이다.

동화(닮음, assimilation)는 음성적 특성이 다른 음소가 가로로 결합하면서 한 음운이 다른 음운의 성질을 닮아서 일어나는 변동이다. 동화는 다시 동화주(同化主, trigger)와 피동화음(被同化音, target)의[5] 순서에 따라 역행동화와 순행동화, 동화주와 피동화음의 거리에 따라 인접동화와 원격동화, 동화주와 피동화음이 닮아지는 정도에 따라 완전동화와 부분동화로 나눈다.

(6) ㄱ. 역행 '권력' → [궐-]　　순행 '설날' → [설:랄]
　ㄴ. 인접 '국물' → [궁-]　　원격 '잡히다' → [재피다]
　ㄷ. 완전 '선로' → [설-]　　부분 '국물' → [궁-]

5 '국물'이 [궁-]으로 변동할 때 'ㅁ'은 변동을 일으키는 조건이 되는 음이다. 'ㄱ'은 동화되는 소리고, [ㅇ]은 동화가 일어난 결과음이다. 동화를 일으키는 조건이 된 음을 동화주, 동화되는 음을 피동화음이라 한다.

(6)은 동화의 예다. 권력[궐-], 설날[설:랄]은 인접한 'ㄹ' 때문에 일어난 유음동화이다. 그러므로 'ㄹ'이 동화주이고, 동화주가 피동화음 뒤에 있는 '권력'[궐-]은 역행동화이고, 앞에 있는 '설날'[설:랄]은 순행동화다. 역행동화는 다음에 올 소리를 미리 예측하고 발음하면서 일어나는 현상이고, 순행동화는 앞소리의 잔상이 뒷소리에 영향을 미치면서 일어나는 현상이다. '국물'[궁-]처럼 동화주와 피동화음이 인접해 있을 때는 인접동화, '잡히다'[재피다]처럼 동화주와 피동화음 사이에 다른 음소가 끼어 있을 때는 원격동화라 한다. '권력'[궐-]처럼 피동화음이 동화주와 같은 음운이 되는 것을 완전동화, '국물'[궁-]처럼 피동화음이 동화주의 특정한 음성적 특성만 닮게 되는 것은 부분동화라 한다.

(7) ㄱ. 자음에 의한 자음동화 '권력' → [궐-]
ㄴ. 자음에 의한 모음동화 '아ᄎᆞᆷ' 〉 아침
ㄷ. 모음에 의한 모음동화 '잡히다' → [*재피다]
ㄹ. 모음에 의한 자음동화 '맏이' → [마지]

동화는 동화주와 피동화음이 자음이냐 모음이냐에 따라, 자음에 의한 자음동화, 자음에 의한 모음동화, 모음에 의한 모음동화, 모음에 의한 자음동화로 나누기도 한다. (7ㄱ)의 유음화는 동화주 'ㄹ'과 피동화음 'ㄴ'이 모두 자음이다. (7ㄴ)의 통시적 전설모음화의 동화주는 자음 'ㅊ'이고 피동화음은 모음 'ㆍ'이다. (7ㄷ)의 'ㅣ'역행동화는 동화주 'ㅣ'와 피동화음 'ㅏ'가 모두 모음이다. (7ㄹ)의 구개음화에서 동화주는 모음 'ㅣ', 피동화음은 자음 'ㄷ'이다.

1.4.3. 적용 범위에 따른 분류

변동규칙의 적용 범위는 우선 말할이의 의도 개입 여부를 기준으로 필연적 변동과 임의적 변동으로 분류될 수 있다. 필연적 변동은 평파열음화나 비음화처럼 말할이의 의도와 상관없이 항상 일어나는 변동이다. 이에 반해 임의적 변동은 말할이의 의도에 따라 적용될 수도 안 될 수도 있는데(허웅 1985: 263). 형태소 경계 음소의 배열이 형태소 내부에서는 결합 가능한 배열이기 때문이다. 자음 위치동화, 'ㅣ'역행동화, 'j'첨가는 임의적 변동이다. 이 중 자음 위치동화와 'ㅣ'역행동화는 표준발음으로 허용되지 않고, 'j'첨가는 한정된 조건에서만 허용된다.

둘째, 변동규칙은 적용 시 음운 조건만 충족되면 어떤 형태소에도 적용되는 변동규칙과, 동일한 음운 조건이라도 형태론적 조건에 따라 한정된 범위에서만 적용되는 것으로 나눌 수 있다. 예컨대 '밥도[-또]'에서처럼 평파열음 뒤의 경음화는 음운적 조건만 필요하지만 '(머리를) 감고[감:꼬]'의 경음화는 'ㅁ'이 어간 말음이어야 한다는 형태론적 정보도 필요하다. 음운 조건만 필요한 '밥도[-또]'류는, 음운 조건과 더불어 형태론적 조건도 필요한 '감고[감:꼬]'류의 경음화보다 더 투명한 규칙이고 적용범위가 더 넓은 강력한 규칙이다. '권력'[궐-]과 '공권력'[-꿘녁]은 'ㄴ+ㄹ'로 음운 조건이 같지만, '권력'에서는 역행적 유음화가, '공권-력'에서는 'ㄹ'비음화가 실현된다. 음운 조건이 같아도, 형태론적 조건에 따라 역행적 유음화 또는 'ㄹ'비음화가 선택된다. 형태론적 조건이 까다로울수록 적용 범위는 한정된다.

변동규칙이 적용되는 전형적인 환경은 '체언+조사', '어간+어미'일 때인데 복합어에서만 적용되는 규칙도 있다. 예컨대 '밭이랑[바치랑]'의 구개음화는 '명사+조사'에서 이루어진 것인 데 반해 '명사+명사'일 때는 [반니랑]으로 'ㄴ'이 첨가된다. 'ㄴ'첨가는 복합어에만 적용되는 규칙이다. 복합어에만 적용되는 규칙은 '실질형태소+형식형태소'에서 적용되는 규칙에 비해 적용 빈도가 낮고 규칙성도 약하다.

셋째, 변동규칙이 적용되는 전형적인 환경은 형태소 경계이지만, 어절 경계에서도 적용되는 경우가 있다. 구개음화, 'ㅣ'역행동화 등은 어절 경계에서는 적용되지 않는다. 반면 '국물[궁-]'에 적용되는 비음화는 '책 넣으세요[챙너으세요]', '설날[설ː랄]'에 적용되는 유음화는 '큰일 났어요[크닐라써요]'처럼 어절 경계에서도 적용된다.

규칙의 적용 영역을 밝히기 위해 크게 두 가지 접근 방법이 사용되고 있다. 먼저 형태·통사론적 단위를 사용하여 설명하는 것이다. 그러나 근본적으로 형태·통사론적 단위는 발화 시 끊어 발음하는 단위인 음운론적 단위와 일치하지 않는다. 예컨대 '할 수 없어.'에서 '수'는 의존명사이지만, 음운론적으로는 '할'과 '수' 사이를 끊어서 발음하는 경우는 드물다.

또 다른 접근은 음소가 가로로 결합하면서 생기는 음운론적 단위를 형태·통사론적 정보와는 독립적으로 설정하는 방법이다. 그러나 아직 음운론적 단위의 수나 설정 기준에 이견이 있고,[6] 어

6 이호영(1996)에 설정된 음운론적 단위로는 '음절, 말토막(accentual phrase), 말마디(intonation group), 문장'이 있고, Jun(2000)에서는 '음절, 음운론적 단어(phonological word), 강세구(accentual phrase), 억양구

문규범에서도 이에 대한 언급은 명확하지 않다.

(8) ㄱ. 18항 붙임: 두 단어를 이어서 한 마디로 발음하는 경우에도 이와 같다. 흙 말리다[흥말리다]
ㄴ. 27항 다만, 끊어서 말할 적에는 예사소리로 발음한다. 만날 사람[만날사람]
ㄷ. 29항 붙임 2: 두 단어를 이어서 한 마디로 발음하는 경우에도 이에 준한다. 옷 입다[온닙따]

(8)에 보이는 「발음법」의 '이어서' 또는 '끊어서'라는 말은 규칙 적용 영역에 대한 언급으로 해석된다. '흙 말리다, 만날 사람, 옷 입다'를 이어서 발음하면 각각 비음화, 경음화, 'ㄴ'첨가가 적용되어 [흥말리다, 만날싸람, 온닙따]로 실현된다. 그러나 끊어 발음하면 이들 규칙이 적용되지 않고 [흑+말리다, 만날+사람, 온+입따]로 발음된다. 끊어읽기 단위가 변동규칙의 적용 범위가 됨을 알 수 있다. (8ㄱ, ㄷ)에서 '두 단어를'이라고 했으나 조사를 단어로 분류하는 규범문법의 시각에서 더 정확한 표현은 '두 어절을'이다. '명사+조사', '어간+어미'는 변동규칙이 적용되는 가장 전형적인 환경이다.

「발음법」에서 이에 대해 명시적으로 기술한 것은 아니다. 예컨대 '예쁜 리본, 분홍 리본, 분홍색 리본'도 이어서 발음하면 'ㄹ' 비음화가 일어나는데 이에 대해 20항에 아무런 언급이 없다. 이

(intonation phrase)'가 설정되었다.

처럼 「발음법」은 표준발음에 대한 정보가 정밀하지 못한 부분이 있다. 어절 경계를 넘어선 변동은 『사전』에서도 정보를 얻을 수 없기 때문에 보완이 필요한 대목이다.

1.4.4. 규범문법의 분류

어문규범과 학교문법에서 변동규칙을 어떤 기준으로 어떻게 분류했는지 비판적 관점으로 살피고, 규범문법적 관점에서 필자의 변동규칙 분류 체계를 제시하겠다.

(9) 「발음법」의 분류

대분류	소분류	해당 조항
4장 받침의 발음	평파열음화	9항
	자음군단순화	10, 11항
	격음화	12항 1
	‘ㅎ’탈락 규칙	12항 4
	연음규칙	13~16항
5장 동화	구개음화	17항
	비음화	18항
	‘ㄹ’비음화	19, 20항
	유음화	20항
	자음 위치동화	21항
	‘j’첨가	22항
6장 경음화	규칙적 경음화	23~27항
	불규칙적 경음화	28항
7장 첨가	‘ㄴ’첨가	29항
	사이시옷의 발음	30항

(9)는 「발음법」의 변동규칙 분류이다. 결과적으로는 대치인 평파열음화, 탈락인 자음군단순화와 'ㅎ'탈락, 축약인 격음화, 음절 경계만 달라지는 연음규칙이 모두 '4장 받침의 발음'의 하위부류가 되었다. 모두 받침에 적용되는 규칙이지만 격음화는 '먹히다[머키다]'처럼 초성일 때도 적용된다. '피어[피여]'는 'j'가 첨가된 것인데 이것도 구개음화 등과 함께 5장 동화에 포함되어 있다. '씻고[씯꼬]'처럼 불파음 뒤의 규칙적 경음화를 포함한 모든 경음화는 6장으로 독립되어 있다. 7장 첨가에 포함된 '사이시옷의 발음'은 표기형을 설명 대상으로 하는 「발음법」 체제에서 보면 첨가로 볼 수 없어서 이질적이다.

(10) 『문법』의 분류

<table>
<tr><td colspan="2">음절의 끝소리 규칙</td><td>낫[낟], 흙[흑]</td></tr>
<tr><td rowspan="4">음운의 동화</td><td>자음동화</td><td>밥물[밤-]
남루[-누], 섭리[섬니]
칼날[-랄]</td></tr>
<tr><td>구개음화</td><td>굳이[구지]</td></tr>
<tr><td>모음동화</td><td>잡히다[재피-]
기어[-여], 미시오[--요]</td></tr>
<tr><td>모음조화</td><td>깎아, 먹어</td></tr>
<tr><td rowspan="2">음운의
축약과 탈락</td><td>축약</td><td>좋고[조코]
/오+아서/와서</td></tr>
<tr><td>탈락</td><td>/가+아서/가서, /서+었다/섰다,
/쓰+어라/써라, /살+시다/사시다
좋은[조-]</td></tr>
<tr><td colspan="2">사잇소리현상</td><td>촛불(초+불)[초뿔], 콧날(코+날)[콘날]
밤길[-낄]
솜이불[솜니불], 물약[-략]</td></tr>
</table>

(10)은 『문법』(2004: 65~76)의 변동규칙 분류이다. 1차 분류에는 개별 음운 현상인 음절의 끝소리 규칙, 변동이 일어나는 원인인 동화, 변동의 결과인 축약과 탈락이 섞여 있다. 자음군단순화를 따로 독립시키지 않고 음절의 끝소리 규칙에 포함시켰다. 둘은 음절구조제약에 따라 일어난 변동이라는 점에서 공통적이지만, 변동의 결과 음절의 끝소리 규칙은 대치, 자음군단순화는 탈락이라는 점에서 서로 구별된다. (10)에서는 '모음동화'라는 제목 하에 '잡히다[재피-]'와 '기어[기여]'를 함께 다루고 있다. 'j'첨가를 동화로 본 것은 「발음법」과 같다.

(10)은 '촛불[초뿔], 밤길[-낄], 콧날[콘-]'뿐 아니라 '솜이불[-니-], 물약[-략]'류도 사잇소리현상으로 다루고 있다. 이는 이삼형 외(2016)처럼 검인정 교과서의 기술에도 이어지고 있다. 그러나 '솜이불[-니-], 물약[-략]'류에 실현되는 'ㄴ'첨가는 표기에 전혀 반영되지 않고, 합성명사뿐 아니라 '홑이불'과 같은 파생어, '옷 입다, 할 일'과 같은 구에서도 실현된다는 점에서 사잇소리현상과 구별된다. 또 '깻잎[깬닙]'과 같은 예는 사이시옷뿐 아니라 'ㄴ'첨가도 함께 적용되어야 한다는 점에서도 양자는 구별되어야 한다.

(11) ㄱ. 대치: 평파열음화, 비음화, 유음화, 구개음화, 경음화
ㄴ. 탈락: 자음군단순화, 자음 탈락, 모음 탈락
ㄷ. 축약: 격음화
ㄹ. 첨가: 'ㄴ'첨가, 반모음 첨가

『문법』의 이러한 분류 기준 문제는 수능 연계 교재에서는 변동

규칙을 1차적으로 변동 결과에 따라 '대치, 탈락, 첨가, 축약'으로 나눔으로써 개선되고 있다. 예컨대 『수특』(2020: 185~186)에서는 (11)과 같이 분류했다.

(12) ㄱ. 넣어[너어], /살ː+시고/사시고
ㄴ. /예쁘+어/예뻐, /가+아/가, /서+어/서

『문법』, 『수특』을 비롯한 학교문법에서 (12ㄱ)은 자음 탈락, (12ㄴ)은 모음 탈락으로 다루는 예다. 그런데 (12)의 예 중 '넣어[너어]'와 나머지는 차원이 다르다. 첫째, '넣어[너어]'의 'ㅎ'탈락은 단수 표기형이어서 표기형과 발음형 간 변동규칙이 필요하다. 반면, 나머지 ㄹ, ㅡ, 아/어 탈락은 복수 표기형이어서 표기에 이미 탈락이 반영된다. 따라서 'ㅎ'탈락은 「발음법」, 나머지 ㄹ, ㅡ, 아/어 탈락은 「맞춤법」의 설명 대상이다. 둘째, 음운론적으로 '넣어[너어]'로 'ㅎ'이 탈락하는 것은 형태소 경계에서 'ㅎ+모음'의 결합에 제약이 있어서이기 때문이다. 반면, 'ㄹ+ㅅ', 'ㅡ+어', 'ㅏ+아', 'ㅓ+어' 결합에는 제약이 없어서 '살신, 그어, 가안, 서어나무'와 같은 예가 있다. 표기에 반영되는 음운현상으로는 자음·모음 탈락 외에도 두음법칙, 반모음화, 모음조화, 사잇소리현상, 불규칙활용 등이 있다. 'ㅎ'탈락류의 음소 변동은 '6장 음소 변동과 규칙', 'ㄹ'탈락류는 '7장 표기에 반영된 음소 변동'으로 나누었다.

(13) 변동규칙(표기형이 기저형과 동일한 경우)

원인	규칙	보기
음절 구조	① 연음	겉으로[거트로], 앉아[안자], 겉옷[거돋]
	② 평파열음화	닦다[닥따], 꽃[꼳], 겉과[걷꽈], 겉옷[거돋]
	③ 자음군단순화	값[갑], 앉고[안꼬]
자음 연쇄	④ 비음화	먹는다[멍--], 없네[엄ː-]
	⑤ 자음 위치동화	신문[신문~심문], 손가락[손까락~송까락]
	⑥ 경음화	씻고[씯꼬] 드실 분[--뿐], 안고[안ː꼬], 발전[-쩐] 산길[-낄]
'ㅎ'	⑦ 격음화	좋고[조코], 싫다[실타], 입학[이팍]
	⑧ 'ㅎ'탈락	좋은[조-], 싫어요[시러-]
'ㄹ'	⑨ 유음화	설날[설ː랄], 권력[궐-]
	⑩ 'ㄹ'비음화	생산력[--녁], 능력[-녁], 국력[궁녁]
'i, j'	⑪ 구개음화	굳이[구지], 밭이[바치], 붙이고[붙이-]
	⑫ 'ㅣ'역행동화	먹이다[머기다~메기다]
	⑬ 'j'첨가	피어[피어/피여], 미시오[미시오/미시요]
	⑭ 'ㄴ'첨가	꽃잎[꼰닙], 부산 역[--녁], 서울 역[--력]

(13)은 이 책의 변동규칙 분류 체계이다. 이는 변동규칙을 표

기형과 발음형을 매개하는 기제로 정의하고, 변동규칙이 적용되는 기저형이 표기형과 일치하는 경우에 대한 분류이다. 상위 분류 기준은 변동이 일어나는 원인이다. 연음은 표기형 종성이 발음형에서 초성이 되어 음절구조가 달라지지만 음운 자체의 대치, 축약이나, 탈락, 첨가 등이 일어난 것은 아니다. 그러나 '앉아'가 [안자]로 연음되는 것은 표기형의 음소를 보존하면서 음절구조제약을 위반하지 않기 위해서라는 점에서 변동이 일어나는 원인은 평파열음화, 자음군단순화와 유사하다. 자음 연쇄는 발음의 불편함을 해소하기 위해 '비음화, 자음 위치동화'와 같은 동화를 유발한다. 경음화 4종 중 '씻고[씯꼬]'류의 경음화를 동화의 일종으로 보는 까닭에 대해서는 3.3.에서 상술하겠다. 'ㅎ'과 'ㄹ'은 한국어 음운체계에서 짝 없는 음소이고 이로 인해 다른 음소와의 연결 시 변동을 일으키는 동인이 된다. 'i, j'도 모음 영역의 최극단에 있는 소리여서 인접음에 영향을 주는 힘이 강하다.

(13)의 변동규칙을 결과에 따라 분류하면 대부분 '대치' 현상이고, 대치가 아닌 것은 ⑦, ⑧, ⑬, ⑭뿐이다. ⑦의 격음화는 축약, ⑧은 탈락, ⑬, ⑭는 첨가이다. (13)의 변동규칙 중 ⑤, ⑫, ⑬을 제외한 나머지는 필연적 변동이다. 필연적 변동은 형태소 내부에서는 나타나지 않는 음소 결합이 형태소 경계에서 나타날 때 이를 허용 가능한 결합으로 바꾸기 위해 적용되는 것이다. 예컨대 결합제약이 있는 '폐쇄음+비음'은 형태소 내부에는 표기형에도 거의 나타나지 않는다. 그런데 '먹+는다'처럼 표기형의 형태소 경계에서는 '폐쇄음+비음' 연쇄가 나타나고 이 제약을 준수하기 위해 변동규칙이 적용되어 허용 가능한 [비음+비음]으로 실현된다.

(14) ㄱ. pop music[팜뮤직], good news[군뉴스],
big Mac[빙맥]

ㄴ. one room[원눔/월룸], homeless[홈니스],
hotline[한나인], outlet[아울렛], blacklist[블랭니스트]

ㄷ. hot yoga[한뇨가], can you[캔뉴], W[더블류]

제약이 있는 음소 결합을 허용 가능한 음소 결합으로 바꾸기 위한 변동규칙은 한국인에게 내재화된 언어지식이어서, 한국인이 사용하는 외래어 또는 외국어에서도 조건만 충족되면 무의식적으로 작동하게 된다. (14ㄱ)은 '폐쇄음+비음', (14ㄴ)은 'ㄹ 외 자음+ㄹ', (14ㄷ)은 '자음+j' 연쇄를 허용 가능한 음소 결합으로 바꾸기 위해 비음화, 유음화, 'ㄹ'비음화, 'ㄴ'첨가와 같은 규칙이 적용되었다.

2. 음절구조제약에 따른 변동

2.1. 연음

현상과 규칙 표기형에서 앞 형태소의 종성이던 것이 뒤 형태소의 초성으로 발음되는 현상을 연음(소리 이음)이라 한다. 연음은 표기형 종성이 발음형에서 초성이 되어 음절구조가 달라지지만 음운 자체의 대치, 축약이나, 탈락, 첨가 등이 일어난 것은 아니다. 그래서 실질형태소는 대부분 연음규칙이 적용될 때 나타나는 형태가 대표형태이고, 표기형, 원형, 기저형이다.

(1) ㄱ. 깎아[까까], 있어[이써], 꽂아[꼬자], 쫓아[쪼차]
ㄴ. 옷이[오시], 낮이[나지], 꽃을[꼬츨], 겉으로[거트-], 앞에[아페]
ㄷ. 덮이다[더피-], 떡볶이[떡뽀끼]

(2) ㄱ. 앉아[안자], 젊어[절머], 핥아[할타], 읊어[을퍼], 없어[업:써]
ㄴ. 넋이[넉씨], 닭을[달글], 곬이[골씨], 값을[갑쓸]
ㄷ. 젊음[절믐]

(1)은 형태소 경계의 음소 배열이 'C+V'이고 (2)는 'CC+V'인 예다. 실질형태소와 형식형태소를 분철하여 '어법에 맞게' 적은 표기형 '깎아'와 '앉아'에는 형태소 경계가 반영된다. 음가 없는 'ㅇ'이 형태소 경계를 분리하여 표기할 수 있게 해 준다. 발음형 [까까]와 [안자]에서는 앞 형태소 말음이 뒤 음절로 연음되어 형태소 경계와 음절 경계가 같지 않다. 연음이 일어나는 조건은 모음으로 시작하는 형식형태소(조사, 어미, 접미사)와 결합할 때이다. (1), (2)의 ㄱ은 '어간+어미', ㄴ은 '명사+조사', ㄷ은 '어근+접사'의 예다.

뒤 형태소 첫소리가 모음이라도 실질형태소일 때는 평파열음화나 자음군단순화가 적용된 후 연음된다. '겉으로'에서 '으로'가 조사이므로 'ㅌ'이 연음되어 [거트로]가 되지만, '겉옷'에서 '옷'은 실질형태소인 명사이므로 'ㅌ'에 평파열음화가 적용되어 [ㄷ]로 된 후 연음되어 [거돋]으로 된다. '값이'에서는 '이'가 조사이므로 'ㅅ'이 연음되지만, '값있다'에서 '있-'은 실질형태소인 어간이므로 자음군단순화가 적용된 후 'ㅂ'만 연음된다. '밭이랑'에서 '이랑'이 조사일 경우 구개음화한 후 연음되어[7] [바치랑]으로 발음한다. 그러나 음소 배열이 같아도 '이랑'이 명사일 경우 연음되지 않고, 'ㄴ'첨가, 평파열음화, 비음화를 거쳐 [반니랑]으로 된다.

VC+V일 때 연음이 일어나는 까닭은 음절을 형성할 때 종성 대비 초성우선 원칙(onset first principle) 때문이다. VCC+V일 때 연음이 일어나는 까닭은 기저형인 표기형의 음소를 보존하면

7 '밭이랑[바치랑]'에서 구개음화와 연음규칙의 적용 순서는 외재적이다. 이에 대해서는 3.3.1.에서 상술하겠다.

서 음절구조제약을 위반하지 않기 위해서다. 표기형에서는 종성 자리가 두 개이지만, 발음형에서는 종성 자리가 하나뿐이기 때문에 겹자음 중 하나가 다음 음절의 비어있는 초성 자리로 연음된다. 연음규칙은 말할이의 의도와 상관없이 필연적으로 일어나고, 특정한 음운론적 조건만 충족되면 보편적으로 적용된다. 평파열음화와 자음군단순화는 어말 또는 자음 앞에서, 연음규칙은 모음 앞에서 일어나므로 서로 배타적으로 적용된다.

(3) ㄱ. 좋아요, 좋은, 많아요, 많은, 싫어요, 싫은
ㄴ. 종이, 강으로, 병은

표기형 종성 'ㅎ(ㄶ, ㅀ)'과 'ㅇ'은 모음으로 시작하는 형식형태소가 와도 연음되지 않으므로 연음규칙의 예외인 셈이다. (3ㄱ)은 연음의 예외이면서 'ㅎ+모음' 환경에서만 'ㅎ'이 탈락하는 소규칙을 형성한다.

(4) 연음규칙 관련 음운과정

규칙 \ 표기형	겉으로	겉옷	앞앞이	몫몫이	값있는	헛웃음
자음군단순화	–	–	–	목몫이	갑있는	–
평파열음화	–	걷옫	압앞이	–	갑읻는	헏웃음
연음규칙	거트로	거돋	아바피	목목씨	가빋는	허두슴
비음화	–	–	–	몽목씨	가빈는	–
발음형	거트로	거돋	아바피	몽목씨	가빈는	허두슴

(4)는 연음규칙과 관련된 어절의 음운과정(phonological process)을 보인 것이다. 생성음운론에서는 음운 변동을 기저형과 표면형 단계를 설정한 뒤, 기저형에 일련의 규칙을 적용시켜 표면형을 도출하는 과정을 음운과정이라 한다. 음운과정을 같은 뜻으로 쓰되, 기저형, 표면형을 각각 표기형, 발음형 개념으로 바꾸었다.

'겉으로'는 'ㅌ'이 연음만 되지만 '겉옷'의 'ㅌ'은 평파열음화가 적용된 'ㄷ'이 연음된다. '앞앞'에서 첫음절 '앞'은 뒷말이 실질형태소인 명사이므로 'ㅍ'에 평파열음화가 적용되어 'ㅂ'으로 된 후 연음된다. 이에 반해 두 번째 음절 '앞'은 뒷말이 형식형태소인 접사이므로 'ㅍ' 그대로 연음된다. '몫몫'에서 첫음절 '몫'의 'ㄳ'은 자음으로 시작하는 실질형태소 '몫'이 뒤따르므로 자음군단순화가 적용되어 'ㄱ'이 되고, 비음 'ㅁ'에 동화되어 [ㅇ]으로 발음된다. 두 번째 음절 '몫'은 뒷말이 형식형태소인 접사이므로 'ㄳ'의 'ㅅ'이 연음되는데, 'ㅅ'은 「발음법」 14항에 따라 'ㅆ'으로 연음된다. '값있는'의 '값'은 '있다'가 실질형태소이므로 자음군단순화가 적용된 뒤 연음된다. '헛웃음'도 '헛' 뒷말 '웃음'이 실질형태소이므로 평파열음화한 [ㄷ]이 연음되고, '웃-'의 뒷말 '-음'은 접사이므로 그대로 연음된다.

관련 규정 연음규칙 관련 규정은 「발음법」 13~16항이다.

「발음법」 13항: 홑받침이나 쌍받침이 모음으로 시작된 조사나 어미, 접미사와 결합되는 경우에는, 제 음가대로 뒤 음절 첫소리로 옮겨 발음한다.

깎아[까까], 옷이[오시], 있어[이써], 낮이[나지], 꽂아[꼬자],
꽃을[꼬츨], 쫓아[쪼차], 밭에[바테], 앞으로[아프로], 덮이다[더피다]

쌍받침 'ㄲ, ㅆ' 따위도 글자로만 겹침이고 홑받침과 마찬가지로 음소로는 홑이다. 받침이 모음으로 시작된 '조사, 어미, 접미사', 즉 형식형태소와 결합되는 경우 제 음가대로 뒤 음절 첫소리로 옮겨 발음한다. '조사, 어미, 접사'는 형식형태소(문법형태소)이고 나머지는 실질형태소(어휘형태소)이다. 문법형태소는 실질적 개념이 없고 문법적 관계 개념만 갖고 있는 형태소이다. 그런데 '드높다'는 〈매우 높다〉, '도둑질'은 〈도둑의 짓〉의 뜻인 것처럼 접사는 형식형태소로 보기 어려운 면도 있다. 그렇더라도 음운현상에서는 조사, 어미와 함께 형식형태소로 기능하는 경우가 대부분이다.

받침 자리에 있는 'ㅎ'과 'ㅇ'은 13항의 예외이다. 'ㅎ'은 탈락하고 연구개 비음 'ㅇ'은 초성 제약으로 인해 연음되지 않기 때문이다.

「발음법」 14항: 겹받침이 모음으로 시작된 조사나 어미, 접미사와 결합되는 경우에는, 뒤의 것만을 뒤 음절 첫소리로 옮겨 발음한다.(이 경우, 'ㅅ'은 된소리로 발음함.)
① 앉아[안자], 닭을[달글], 젊어[절머], 곬이[골씨], 핥아[할타], 읊어[을퍼]
② 넋이[넉씨], 곬이[골씨], 값을[갑쓸], 없어[업ː써]

겹받침은 음소로도 겹이다. 겹자음이 모음으로 시작된 형식형태소와 결합되는 경우 C2만 연음한다. 'ㄳ, ㅄ, ㄽ'에서 연음된

'ㅅ'은 '넋이[넉씨], 값을[갑쓸], 곬이[골씨]'처럼 [ㅆ]으로 발음한다는 특수 규정이 14항에 붙어 있다. 이는 합리성보다 실제 발음을 따른 것이다. 'ㄳ, ㅄ'과 달리 'ㄽ'은 C1이 폐쇄음도 아니어서 C1으로 인해 경음화 된다고 할 수도 없기 때문이다. 모음으로 시작하는 형식형태소 앞에서 연음될 때도 [ㅅ]로 나지 않고 [ㅆ]가 표준발음이라면 기저형과 표기형은 원칙적으로 'ㅂㅆ, ㄱㅆ, ㄹㅆ'이어야 한다.8

「발음법」 15항: 받침 뒤에 모음 'ㅏ, ㅓ, ㅗ, ㅜ, ㅟ'들로 시작되는 실질 형태소가 연결되는 경우에는, 대표음으로 바꾸어서 뒤 음절 첫소리로 옮겨 발음한다.

겉옷[거돋], 밭 아래[바다래], 늪 앞[느밥], 젖어미[저더미],

맛없다[마덥따], 헛웃음[허두슴], 꽃 위[꼬뒤]

다만, '맛있다, 멋있다'는 [마싣따], [머싣따]로도 발음할 수 있다.

[붙임] 겹받침의 경우에는, 그중 하나만을 옮겨 발음한다.

값있는[가빈는], 값어치[가버치], 넋 없다[너겁따], 닭 앞에[다가페]

13항과 달리 15항은 뒷말이 실질형태소인 '겉옷[거돋]'류에 대한 규정이다. 받침 뒤에 오는 모음이 실질형태소의 첫소리일 경우, 평파열음화한 후 연음한다. 15항은 어문규범에서 '형태소'

8 발음형은 표기형보다 변화 속도가 빠르고, 공시적으로도 변이(variation)의 폭이 크다. 따라서 귀로 전달되는 발음형에 대한 규범은 눈으로 전달되는 표기형보다 덜 보수적이어야 하고 더 유연해야 한다. 이런 관점에서 14항의 "이 경우, 'ㅅ'은 된소리로 발음함"이라는 단서는 지나치게 미세한 규정이고 없느니 못해 보인다.

라는 용어가 사용된 유일한 예다. 모음을 'ㅏ, ㅓ, ㅗ, ㅜ, ㅟ'로 한정한 것은 '밭이랑[반니랑]'처럼 실질형태소 첫소리가 'ㅣ, j'일 때는 연음되지 않고 'ㄴ'이 첨가되고, 'ㅐ, ㅔ, ㅚ' 등은 적용 예를 찾기 어렵기 때문이다.

다만, '있다'는 실질형태소이므로 '값있다, 뜻있다, 빛있다'는 대표음으로 바꾸어 연음한 [가빋따, 뜨딛따, 비딛따]가 표준발음이다. 이에 비추어 보면 '맛있다[마딛따], 멋있다[머딛따]'가 변동규칙에 부합한다는 점에서 합리적이나 실제 발음에서 [마싣따], [머싣따]로 하는 경우도 많아서 이를 표준발음으로 허용한 것이다.

'값있는[가빈는]'처럼 뒷말이 실질형태소인 경우 겹자음에 자음군단순화가 먼저 적용된 후 연음된다. 그러나 붙임에 예시된 '값어치'의 '-어치'는 『사전』에 접미사로 되어 있다. '-어치'가 접미사라면 '값어치'는 연음규칙에 따라 [*갑써치]로 발음되어야 한다는 점에서 예외적이다. 15항 붙임이 '겹자음+모음으로 시작하는 실질형태소'에 대한 규정이라는 점에서 '값어치'는 적절하지 못한 예다.

(5) 꽃[*꼬시, 꼬슬, 꼬세], 빛[*비시, 비슬, 비세],
솥[*소슨, 소시, 소슬, 소세]

'꽃이'는 [꼬치]가 표준발음이지만 [꼬시]로 발음하는 경우가 많다. 명사 말음이 'ㅈ, ㅊ, ㅌ'인 경우 (5)처럼 'ㅅ'으로 연음하는 일이 빈번하다. '꽃, 솥'의 단독 발음형은 [꼳, 솓]이지만 형식형태소와 결합할 때 연음되는 양상을 보면 '*꼿, 솟'으로의 재구조화 과정을 겪고 있다고 해석할 수 있다.

「발음법」 13항에 따르면 인명 '솔잎, 한빛'에 호격조사가 결합한 '솔잎아, 한빛아'는 [솔리파, 한삐차]로 발음해야 한다. 그러나 [솔리바, 한삐다]로 발음하는 경우가 더 많아 보인다. 『조선』 문화어발음법 9항에서도 '부름을 나타내는 토 《-아》앞에서 받침은 끊어서 발음한다.'고 하고 '벗아[벋아→버다], 꽃아[꼳아→꼬다]'를 예로 들었다.

'무릎이, 부엌에서'를 [*무르비, 부어게서]로 발음하는 것처럼 호격조사 앞에서도 '아이고, 무릎아[*무르바]'로 발음하는 경우가 많다. 그러나 '입맛, 감칠맛'처럼 말음이 'ㅅ'인 명사류들은 조사 앞에서 평파열음화가 적용되는 경우가 거의 없고, (5)처럼 명사 말음 'ㅈ, ㅊ, ㅌ'을 [ㅅ]로 연음하는 비표준발음은 빈번하지만 평파열음화를 적용하여 [ㄷ]로 연음하지는 않는다. 이에 반해 '한빛아'는 [*한삐사]보다 [한삐다]가 더 일반적인 발음형으로 보인다.

> 「발음법」 16항: 한글 자모의 이름은 그 받침소리를 연음하되, 'ㄷ, ㅈ, ㅊ, ㅋ, ㅌ, ㅍ, ㅎ'의 경우에는 특별히 다음과 같이 발음한다.
> 디귿이[디그시], 디귿을[디그슬], 디귿에[디그세]
> 히읗이[히으시], 히읗을[히으슬], 히읗에[히으세]

16항은 13항의 연음규칙에 대한 예외인 자모 이름의 연음을 따로 규정한 것이다. '디귿을, 피읖에'는 '명사+조사'이므로 [*디그들, 피으페]로 발음될 환경이지만, 자모 이름은 일반적 연음규칙을 따르지 않는다. 예컨대 '잎+이'의 명사 말음은 연음되지만, '피읖+이'는 [*피으피]가 아니라 [피으비]로 발음된다. 이는 자모 이름의 표기형 중 '디귿, 지읒, 치읓, 키읔, 티읕, 피읖, 히읗'은 실제 형태도 아니고 어법에 맞는 표기형도 아니기 때문이다. 자음자의 이름은 대표형태가 아니라 해당 자음을 'ㅣ'의 초성, 'ㅡ'의 종성에 배치한 2음절어로 하는 작명 규칙을 따른 것이다.[9]

그래서 '니은, 리을'의 '니, 리'는 어두음 제약, '디귿, 티읕'의 '디, 티'는 음소 결합제약을 어기고 있다는 점에서도 특수하다. 'ㅎ' 말음 체언이 없어져서 현대국어에서 받침 'ㅎ'은 어간에서만 쓰이는데 'ㅎ'의 이름 '히읗'이 유일한 예외이다. 모음으로 시작하는 조사와 연결되면 [히으시, 히으슬, 히으세] 따위로 발음되기 때문에 음운론적 기저형은 /히읏/이다. /히읏도, 히읏 아니다/ 등은 /ㅅ/에 평파열음화가 적용된다. 이들의 대표형태, 기저형, 어법에 맞는 표기형은 /디긋, 지읏, 치읏, 키윽, 티읏, 피읍, 히읏/이다.

「외표」 3항: 받침에는 'ㄱ, ㄴ, ㄹ, ㅁ, ㅂ, ㅅ, ㅇ'만을 적는다.

외래어 받침을 7개로 한정한 까닭도 외래어 뒤에 모음으로 시

9 최세진의 『훈몽자회』 범례에 따르면, 초성과 종성에 모두 사용할 수 있는 초종성통용팔자(初聲終聲通用八字)의 이름은 해당 자음을 'ㅣ'의 초성, 'ㅡ'의 종성에 배치한 2음절어이다. 이 방법을 1933년 「맞춤법」에서 초성으로만 사용되는 글자에도 적용하여 '지읒, 치읓, 히읗, 피읖, 키읔' 등으로 부르게 되었다. '기역, 디귿, 시옷'은 작명 원리에 따르면 '기윽, 디읃, 시읏'이어야 하나, 『훈몽자회』는 한자로 한글 자모의 명칭을 적었는데 [윽, 읃, 읏] 음을 가진 한자가 없기 때문에 생긴 예외이다. 『조선』 맞춤법 1항(조선어자모의 차례와 그 이름은 다음과 같다.)에서는 '기윽, 디읃, 시읏'으로 부른다.

작하는 형식형태소가 올 때 연음되는 장애음이 'ㅂ, ㅅ, ㄱ'뿐이기 때문이다. 'coffee shop[ʃɔp]'은 '커피숖'으로 표기하고 이것이 기저형이다. 발음형이 [커피쇼베서], [커피쇼비]이지 [*커피쇼페서] [*커피쇼피]로 발음되지 않으므로 '숖'으로 적을 근거가 없기 때문이다. '로볻'이 아니라 '로봇'이 표기형이 되는 것은 [로보들]로 발음되는 일이 없고 [로보슬]로 발음되기 때문이다. [로보슬]에서 목적격 조사 '을'을 빼면 명사형은 '로봇'이 남는다.

2.2. 평파열음화

현상과 규칙 　'잎이'와 '입이'는 각각 [이피], [이비]로 발음형이 다르지만, '잎'과 '입'은 완전 동음어다. 평파열음화에 의해 '잎'도 [입]으로 발음되기 때문이다.

(1) ㄱ. 앞[압], 덮다[덥따]
　ㄴ. 솥[솓], 뱉다[밷따], 옷[옫], 웃다[욷따], 있다[읻따], 젖[젇], 빚다[빋따], 꽃[꼳], 쫓다[쫃따]
　ㄷ. 닦다[닥따], 부엌[-억], 부엌과[-억꽈]

(1)에서 표기형과 발음형의 차이를 살펴보면, (1ㄱ)에서는 'ㅍ'이 [ㅂ]로, (1ㄴ)에서는 'ㅌ, ㅅ, ㅆ, ㅈ, ㅊ'이 [ㄷ]로, (1ㄷ)에서는 'ㄲ, ㅋ'이 [ㄱ]로 대치되었다. 이 대치가 일어나는 조건은 음절 끝, 즉 휴지나 자음 앞이다.

(2) ㄱ. 겉으로, 낱으로, 웃어라, 맛을, 젖이, 꽃에서, 옆에
ㄴ. 겉옷, 낱알, 웃옷, 맛없다, 젖어미, 꽃 앞에서, 옆얼굴

(2ㄱ)처럼 모음으로 시작하는 형식형태소 앞에서는 평파열음화가 아니라 연음규칙이 적용된다. 그러나 (2ㄴ)처럼 모음이 실질형태소의 첫소리인 경우 평파열음화가 일어나서 [ㅂ, ㄷ, ㄱ]로 된 다음 연음된다. (2ㄴ)은 음운론적으로는 휴지가 조건이 된 것으로 해석한다. 즉 /겉+옷/에서 'ㅌ'은 모음 앞이 아니라, 휴지 앞에서 먼저 평파열음화가 일어난 다음에 연음된 것으로 설명할 수 있다.

음절의 끝소리 규칙이라는 용어는 이 변동이 일어나는 조건이 된 '음절 끝'에 주목하여 붙인 것이다. 그러나 음절의 끝소리 규칙은 [ㅂ, ㄷ, ㄱ]뿐만 아니라, [ㅁ, ㄴ, ㅇ, ㄹ]도 이 규칙이 적용된 것으로 오해될 가능성이 높다는 점에서 그다지 바람직한 용어는 아니다. 표기형의 장애음 받침 중 양순음은 [ㅂ]로, 치조음과 경구개음은 [ㄷ]로, 연구개음은 [ㄱ]로 발음된다. 장애음과 달리 공명음 받침 'ㅁ, ㄴ, ㅇ, ㄹ'은 이 음소 변동이 일어나지 않는다.

음절의 끝소리 규칙을 평파열음화(평폐쇄음화)라 부르기도 하는데 이는 장애음이 평파열음인 [ㅂ, ㄷ, ㄱ] 중 하나로 대치되기 때문이다. 음절 끝에서 장애음 'ㅃ, ㄸ, ㄲ, ㅉ, ㅆ'은 [+경음성]을, 'ㅍ, ㅌ, ㅋ, ㅊ'은 [+격음성]을, 'ㅅ, ㅆ'은 [+마찰성]을, 'ㅈ, ㅉ, ㅊ'은 [+폐쇄성, +마찰성]을 잃고 가장 가까운 위치의 평파열음으로 대치되는 현상이다.

'낫으로, 낮이, 낯을'의 형태소 말음은 연음되어 초성으로 실현될 때는 각각 제 음가를 유지하여 변별되지만, '낟, 낫, 낮, 낯,

낱'처럼 휴지 앞이나 '낟도, 낫도, 낮도, 낯도, 낱도'처럼 자음 앞에서 종성으로 실현되면 모두 [ㄷ]로 합류되어 변별되지 않는다. 이처럼 서로 대립되던 음소가 특정한 위치에서 그 대립을 상실하는 것을 중화(neutralization)라 한다. 그래서 이 규칙을 음절 끝 중화규칙이라고도 한다. 중화라는 용어는 변동이 일어난 결과 음소 간 대립이 상실된 것에 주목한 것이다.

(3) 음절 끝 장애음은 가까운 위치의 평파열음 [ㅂ, ㄷ, ㄱ]로 대치된다.

$$\text{장애음} \rightarrow \begin{bmatrix} \text{ㅂ} \\ \text{ㄷ} \\ \text{ㄱ} \end{bmatrix} \Big/ \; \underline{\quad\quad} \begin{Bmatrix} C \\ \# \end{Bmatrix}$$

평파열음화는 (3)과 같이 규칙화할 수 있다. 음절 끝에서 일어나는 합류 현상으로 장애음에만 일어나고 공명음에는 적용되지 않는다. 이는 음절 끝에서는 자음을 개방하지 않고 발음하는 습관 때문이다. 장애음은 조음과정 중 마지막 단계인 개방 단계를 실현하지 않으면, '파열, 마찰, 파찰음'의 대립, '평음, 경음, 기음'의 대립이 이루어지지 않는다. 이에 비해 공명음은 개방 단계를 실현시키지 않더라도 'ㅁ, ㄴ, ㅇ'은 코로, 'ㄹ'은 혀옆으로 기류의 흐름이 지속되므로 제 음가를 유지하며 대립할 수 있다.

표기 규약 생성음운론에서 규칙 기술에 자주 사용하는 표기 규약(representation convention)이 있다. 'A → B / _____ X'는 대치를 나타내는 표기 규약이다. 대치가 일어나는 환경이 'X 앞'이어서 본디 AX 연쇄가 BX로 바뀌었다는 뜻이다. 'A → B / X ___'는 'X 뒤'가 대치 조건이어서 본디 XA가 XB로 바뀌었다는 뜻이다. 'A → B / X ___ Y'는 대치 조건이 'X와 Y 사이'로 XAY가 XBY로 대치되었다는 뜻이다.

둘 이상의 규칙이 공통된 부분이 있을 때 그것을 하나의 규칙으로 묶어 더 간략하게 나타냄으로써, 언어학적으로 더 일반화된 설명을 하고자 할 때 괄호를 사용한다. 소괄호 ( )는 선택해도 좋고 선택하지 않아도 좋다는 뜻이다. 'A → B / ___ XY'와 'A → B / ___ Y' 두 규칙을 묶어서 'A → B / ___ (X)Y'로 나타낸다. ( )를 사용한 규칙은 최대적용우선원리에 의해 'A → B / ___ XY'를 먼저 적용하고 그것이 불가능할 때 'A → B / ___ Y'의 형태를 적용한다. 이에 비해 중괄호 { }는 두 규칙 간에 배타적 제약 없이 둘 다 적용할 때 사용한다. 평파열음화의 조건이 된 휴지와 자음은 중괄호로 묶인다.

관련 규정 평파열음화 관련 규정은 「발음법」 9항이다.

「발음법」 9항: 받침 'ㄲ, ㅋ', 'ㅅ, ㅆ, ㅈ, ㅊ, ㅌ', 'ㅍ'은 어말 또는 자음 앞에서 각각 대표음 [ㄱ, ㄷ, ㅂ]으로 발음한다.

① 닦다[닥따], 키읔[키윽], 키읔과[키윽꽈]

② 옷[옫], 웃다[욷ː따], 있다[읻따], 젖[젇], 빚다[빋따], 꽃[꼳], 솥[솓], 뱉다[밷ː따]

③ 앞[압], 덮다[덥따]

①은 받침 'ㄲ, ㅋ'이 받침소리 [ㄱ]으로, ②는 'ㅅ, ㅆ, ㅈ, ㅊ, ㅌ'이 [ㄷ]으로, ③은 'ㅍ'이 [ㅂ]으로 발음된다. 이 규칙의 적용을

받는 받침 'ㄲ, ㅋ', 'ㅅ, ㅆ, ㅈ, ㅊ, ㅌ', 'ㅍ'은 모두 장애음이다. 장애음 중 'ㄸ, ㅃ, ㅉ', 'ㅎ', 'ㄱ, ㄷ, ㅂ'이 빠진 까닭은 'ㄸ, ㅃ, ㅉ'은 받침으로 쓰이는 예가 없고, 받침 'ㅎ'의 발음은 12항에서 따로 다루고, 'ㄱ, ㄷ, ㅂ'은 이 자체가 대표음이기 때문이다.

(4) 받침과 받침소리

받침	보기	대표음
ㄲ, ㅋ	닦다[닥따], 키읔[키윽], 키읔과[키윽꽈]	[ㄱ]
ㅅ, ㅆ ㅈ, ㅊ ㅌ	옷[옫], 웃다[욷:따], 있다[읻따] 젖[젇], 빚다[빋따], 꽃[꼳], 쫓다[쫃따] 솥[솓], 뱉다[밷:따]	[ㄷ]
ㅍ	앞[압], 덮다[덥따]	[ㅂ]

(4)는 9항 기술을 도식화한 것이다. '대표음'은 받침소리 중 음절 끝에서 중화된 장애음, 즉 평파열음화가 적용된 [ㄱ, ㄷ, ㅂ]를 가리킨다.

(5) ㄱ. 무릎이, 풀숲에서, 나뭇잎으로, 부엌에서, 동틀 녘에
  ㄴ. [*무르비, 풀수베서, 나문니브로, 부어게서, 동틀녀게]

(5ㄱ)은 뒷말이 조사여서 평파열음화가 적용될 환경이 아니다. 그러나 명사 말음이 'ㅍ, ㅋ'일 경우 모음으로 시작하는 조사 앞에서도 평파열음화가 적용되어 (5ㄴ)으로 실현되는 경우가 많다. 만약 [ㅍ], [ㅋ]가 연음되지 않는다면 명사 형태를 '무릎, 부엌'으

로 볼 근거가 없어진다. 연음규칙이 적용될 환경에서도 외현되지 않는 종성은 존재한다고 보기 어렵기 때문이다. 이 경우 기저형이 '무릎, 부엌'에서 '무릅, 부억'으로 바뀐 것이고, 이를 어휘적 재구조화(lexical restructuring) 또는 재어휘화(relexicalization)라 한다. 이런 유형의 어휘적 재구조화는 주로 명사에서 나타나는데 명사는 자립형태소여서 단독 발음형 [무릅, 부억]으로 단일화된 것이다. 이에 반해 '엿, 콩엿, 옷, 홑옷, 맛, 입맛, 감칠맛'처럼 명사 말음 'ㅅ'과, '깎아요, 덮어요, 쫓아요'처럼 어간 말음은 형식형태소 앞에서 평파열음화하는 일이 거의 없다.

> 「발음법」 12항 2: 'ㅎ(ㄶ, ㅀ)' 뒤에 'ㅅ'이 결합되는 경우에는, 'ㅅ'을 [ㅆ]으로 발음한다. 닿소[다쏘], 많소[만ː쏘], 싫소[실쏘]
> 3. 'ㅎ' 뒤에 'ㄴ'이 결합되는 경우에는, [ㄴ]으로 발음한다.
> 놓는[논는], 쌓네[싼네]
> [붙임] 'ㄶ, ㅀ' 뒤에 'ㄴ'이 결합되는 경우에는, 'ㅎ'을 발음하지 않는다.
> 않네[안네], 않는[안는], 뚫네[뚤네→뚤레], 뚫는[뚤는→뚤른]

「발음법」 '4장 받침의 발음'에서 'ㅎ'은 별도 항으로 풀이한다. 'ㅎ'은 다른 받침이 겪는 일반적인 규칙을 따르지 않는 경우가 대부분이다. '낳다, 쌓고, 놓지'처럼 'ㅎ'이 평음과 인접할 때는 평파열음화가 적용되지 않고, 격음화되어 [나타, 싸코, 노치]로 된다. '낳다'의 'ㅎ'에 평파열음화가 적용된다면 [*낟따]가 될 것이다.

12항 2는 'ㅎ+ㅅ', 12항 3은 'ㅎ+ㄴ'에 평파열음화가 적용된 예들이다. 'ㅎ' 뒤의 'ㅅ, ㄴ'은 격음화하는 'ㄱ, ㄷ, ㅈ'을 제외한 모든 예다. 어간에만 있는 'ㅎ' 말음의 뒷말은 어미인데 'ㄱ, ㄷ, ㅈ, ㅅ, ㄴ'을 제외한 자음으로 시작하는 어미는 없기 때문이다. 평파열음화와 경음화가 적용되는 '닿소[다쏘]', 평파열음화와 비음화가 적용되는 '놓는[논는]'류는 여타 장애음과 변동 과정이 동일하다. '놓는[논는]'은 비음화를 다룬 18항에도 예로 사용되었다.

붙임의 '않네[안네]'류는 자음군단순화에 해당한다. 뚫네[뚤네→뚤레]는 자음군단순화와 유음화가 적용된 것이다. '닿소[다쏘], 놓는[논는]'과 마찬가지로, '않네[안네]'의 자음군단순화도 'ㅎ' 받침이 다른 장애음 받침과 동일한 변동 과정을 보이는 예다.

2.3. 자음군단순화

현상과 규칙 겹받침 11개(ㄳ, ㄵ, ㄼ, ㄽ, ㄾ, ㅄ, ㄺ, ㄻ, ㄿ, ㄶ, ㅀ)가 사용되지만 받침소리로는 겹자음이[10] 허용되지 않는다. '값, 없다'는 [갑, 업따]로 발음된다. 표기형에서는 음소 배열이 (C)VCC이거나 (C)VCC.CV인데 발음형에서는 자음이나 휴

10 『사전』에 따르면 '겹받침, 홑받침, 홑자음'은 표준어인 반면 '겹자음'은 "'어두 자음군'의 북한어"로 되어 있다. '홑자음'을 쓰면서 '겹자음'을 허용하지 않는 것은 불합리해 보인다. 여기서 '겹자음'은 '자음군'과 같은 뜻으로 쓴다.

지 앞에서 겹자음 중 하나가 탈락하여 (C)VC나 (C)VC.CV로 되었다. 그래서 이를 자음군단순화(겹자음 탈락)라 한다.[11] 'next day, strengths, glimpsed'처럼 자음연쇄가 길어지면 화자는 발음하기 어렵고 청자 입장에서는 잘 들리지 않기 때문에 자음군단순화가 일어날 가능성이 높아지는 것은 범언어적이다.

(1) 음절 끝에서 겹자음 중 하나는 탈락한다.

$$C \rightarrow \varnothing \ / \ \underline{\qquad\quad} \begin{Bmatrix} C \\ \# \end{Bmatrix}$$

자음군단순화는 (1)과 같이 규칙화할 수 있다. '넋, 값, 외곬'에서는 'ㅅ', '닭, 삶, 읊고'에서는 'ㄹ', '여덟, 핥다'에서는 'ㅂ, ㅌ', '앉다'에서는 'ㅈ', '많네, 싫네'에서는 'ㅎ'이 탈락한다. 탈락하는 음은 자음이라는 점을 제외하면 조음위치, 조음방법, 발성방법 어느 자질에서도 공통된 것이 없다. 따라서 (1)이 적용되는 근본적인 원인은 이들이 갖고 있는 공통된 음성자질 때문이 아니라, 음소 배열이 우리말 음절구조에 맞지 않다는 데 있다. 즉, 우리말 발음형에서 음절의 최대 구조는 CVC인데 표기형에는 CVCC가 있기 때문이다. 규칙이 적용되는 조건은 평파열음화와 마찬가지로 자음이나 휴지 앞이다. 모음으로 시작하는 형식형태소가 뒤따를 경우 연음규칙이 적용되어 적형의 음절구조를 도출

11 '겹받침 탈락'이라 부르기도 하지만, '받침'은 표기법의 용어이고 표기상으로는 탈락이 없다. [갑, 갑또]로 소리 나도 표기형은 여전히 겹받침 형태를 가진 '값, 값도'이다. 이런 점에서 '겹받침 탈락'은 적절하지 못한 용어다.

할 수 있기 때문에 이 규칙은 적용되지 않는다.

겹자음 중 탈락하는 자음과 탈락하지 않는 자음 간에 구별되는 어떤 음성학적 특성이 있다면, 어떤 자음이 탈락하는지를 예측하고 규칙화할 수 있을 것이다. 'ㄳ, ㄵ, ㄼ, ㄽ, ㄾ, ㅄ, ㄶ, ㅀ'은 '삯, 앉고, 넓다, 외곬, 훑다, 값, 않는다, 닳는다'에서처럼 뒤 자음이 탈락한다. 'ㄺ, ㄻ, ㄿ'은 '흙, 삶다, 읊고'에서처럼 앞 자음이 탈락한다. 그러므로 앞뒤 위치도 자음군단순화의 조건이 못 된다.

그렇다면 겹자음을 형성하는 두 자음의 위치강도에 따라 탈락 조건이 결정될 것으로 예측할 수 있다. '옷과[*옥꽈], 옷보다[*옵뽀-]'에서처럼 잇몸소리는 여린입천장소리, 입술소리에 동화되고, '옷과[*옥꽈], 뽑기[*뽁끼]'에서처럼 여린입천장소리는 잇몸소리와 입술소리를 자신의 위치로 동화시킨다. 따라서 위치에 따른 강도는 잇몸소리가 가장 약하고 다음이 입술소리이며, 여린입천장소리가 가장 강하다.

(2) ㄳ: 넋[넉], 넋과[넉꽈]
ㅄ: 값[갑], 없다[업:따]
ㄻ: 삶[삼:], 젊다[점:따]
ㄿ: 읊고[읍꼬], 읊다[읍따]

조음위치 강도에 따르면 'ㄳ, ㅄ'은 'ㅅ', 'ㄻ, ㄿ'은 'ㄹ'이 탈락할 것으로 예측되고 (2)에서 보듯이 실제 음운현상도 그러하다.

(3) ㄵ: 앉다[안따], 앉고[안꼬]

ㄽ: 외곬[-골]

ㄾ: 핥다[할따], 훑고[훌꼬]

ㄶ: 많네[만:-], 많습니다[만:씀--]

ㅀ: 싫네[실레], 싫습니다[실씀--]

(3)의 'ㄵ, ㄽ, ㄾ, ㄶ, ㅀ'은 평파열음화한 뒤의 두 자음이 모두 치조음이므로 위치 강도에 따른 차이가 없다. 이렇게 위치에 따른 강도 차이가 없을 경우에는 공명음이 남고 장애음이 탈락한다. 음절 말음으로 장애음보다 더 잘 들리는 공명음을 선호하는 것은 범언어적 현상이다. 겹자음의 위치 강도에 차이가 있을 경우는 강도가 약한 소리가 탈락하고, 위치 강도 차이가 없을 경우는 장애음이 탈락하는 것으로 볼 수 있다.

(4) ㄼ: 여덟[-덜], 넓다[널따]
밟다[밥:따], 밟고[밥:꼬], 넓죽하다[넙쭈카다]
ㄺ: 닭[닥], 흙과[흑꽈], 맑다[막따], 맑지[막찌]
맑고[말꼬]

'ㄻ, ㄿ'은 위치 강도에 따라 'ㄹ'이 탈락한다. 반면, (4)의 'ㄼ, ㄺ'은 탈락 시 위치 강도가 우선 조건이 되기도 하지만, 공명자음 선호가 우선되기도 한다. '닭[닥], 맑다[막따], 밟다[밥:따], 넓죽하다[넙쭈카다]'에서 'ㄹ'이 탈락하는 것은 위치 강도 조건에 따라 약한 것이 탈락한 것이다. '여덟[여덜], 넓다[널따]'에서 'ㅂ'이 탈락하는 것은 공명자음 선호에 따른 것이다. 두 가지 조건이 충돌하면서 통용음에서는 '밟다'는 '여덟[여덜]'처럼 '밟고[*발꼬]'

가, '맑다, 맑지'도 '맑고[말꼬]'처럼 [*말따, 말찌]가 사용되는 등 발음 변이가 심하다.

(5) 자음군단순화 관련 음운과정

규칙 \ 표기형	밟고	맑다가	읊고	핥는다	싫소
자음군단순화	밥고	막다가	읖고	할는다	실소
평파열음화	–	–	읍고	–	–
유음화	–	–	–	할른다	–
경음화	밥꼬	막따가	읍꼬	–	실쏘
발음형	밥ː꼬	막따가	읍꼬	할른다	실쏘

(5)에서 '읊고'의 'ㄹ'탈락은 자음군단순화, 'ㅍ'이 'ㅂ'으로 대치되는 것은 평파열음화, '-고'의 'ㄱ'이 [ㄲ]로 대치되는 것은 경음화가 적용된 것이다. '핥는다'에서 'ㅌ' 탈락은 자음군단순화, '-는다'의 'ㄴ'이 'ㄹ'로 대치되는 것은 순행적 유음화이다. '싫소[실쏘]'는 'ㅎ'탈락규칙이 적용된 것이 아니다. 'ㅎ'탈락 조건은 '좋아요'처럼 모음 앞에서 연음되지 않고 탈락할 때이다. '싫소[실쏘]'는 자음 앞에서 탈락한 것이므로 이는 자음군단순화다.

관련 규정 자음군단순화 관련 규정은 「발음법」 10, 11항이다.

「발음법」 10항: 겹받침 'ㄳ', 'ㄵ', 'ㄼ, ㄽ, ㄾ', 'ㅄ'은 어말 또는

자음 앞에서 각각 [ㄱ, ㄴ, ㄹ, ㅂ]으로 발음한다.
넋[넉], 넋과[넉꽈], 앉다[안따], 여덟[여덜], 넓다[널따],
외곬[외골], 핥다[할따], 값[갑], 없다[업ː따]
다만, '밟-'은 자음 앞에서 [밥]으로 발음하고, '넓-'은 다음과 같은 경우에 [넙]으로 발음한다.
(1) 밟다[밥ː따], 밟소[밥ː쏘], 밟지[밥ː찌], 밟고[밥ː꼬],
밟는[밥ː는→밤ː는]
(2) 넓-죽하다[넙쭈카다], 넓-둥글다[넙뚱글다]

어말 또는 자음 앞에서 '넋[넉], 앉다[안], 외곬[골], 핥다[할], 없다[업ː]처럼 'ㄳ'은 [ㄱ], 'ㄵ'은 [ㄴ], 'ㄽ, ㄾ'은 [ㄹ], 'ㅄ'은 [ㅂ]으로 발음한다. 이는 지역, 계층, 단어 간 발음의 변이가 거의 없다.

다만, '밟다'와, '넓-'이 포함된 복합어의 'ㄼ'은 본항의 예시인 '여덟[여덜]'과 달리 'ㄹ'이 탈락한 것이 표준발음이다. '사뿐히 즈려밟고[12] 가시옵소서'에서 '밟고'는 [밥ː꼬]가 표준발음이다. '넓고'가 [널꼬]로 발음되는 것처럼 '밟고'도 [*발꼬]가 통용된다.

(6) ㄱ. 넓[널]: 넓다, 넓디넓다
ㄴ. 넓[넙]: 넓적하다, 넓죽하다, 넓죽이, 넓적다리, 넓둥글다
ㄷ. 널[널]: 널따랗다, 널찍하다

(6ㄱ)의 '넓-'은 [널]이지만,[13] (6ㄴ)의 '넓-'은 원형을 밝혀 적

12 '*즈려밟다'의 표준어는 '지르밟다'〈위에서 내리눌러 밟다〉이다.

고 「발음법」 10항 다만에 따라 [넙]으로 발음한다.[14] (6ㄷ)처럼 [널]로 발음되는 경우에는 「맞춤법」 21항 2(다만, 다음과 같은 말은 소리대로 적는다. (1) 겹받침의 끝소리가 드러나지 아니하는 것)에 따라 '널따랗다'로 적고 '넓-'을 표기에 반영하지 않는다. 이처럼 'ㄼ'은 규정이 복잡하여 표기 및 발음 오류를 양산할 가능성이 높다.

「발음법」 11항: 겹받침 'ㄺ, ㄻ, ㄿ'은 어말 또는 자음 앞에서 각각 [ㄱ, ㅁ, ㅂ]으로 발음한다.

닭[닥], 맑다[막따], 늙지[늑찌], 흙과[흑꽈], 삶[삼ː], 젊다[점ː따], 읊고[읍꼬]

다만, 용언의 어간 말음 'ㄺ'은 'ㄱ' 앞에서 [ㄹ]로 발음한다.

맑게[말께], 묽고[물꼬], 얽거나[얼꺼나]

11항은 C1이 탈락하는 것에 대한 규정이다. '젊다[점ː따], 읊다[읍따]'처럼 'ㄻ, ㄿ'은 각각 [ㅁ, ㅂ]로 발음한다. '흙'처럼 'ㄺ'이 명사 말음일 때는 [ㄱ]로 발음한다. 이는 비표준발음이 거의 나타나지 않는다.

13 '-디'가 어미이기 때문에 '어간+어미' 구조일 때 어간의 원형을 밝혀 쓴다는 「맞춤법」 15항(용언의 어간과 어미는 구별하여 적는다.)이 적용된 것이다.

14 '넓다' 형태의 혼란은 어휘사적으로도 드러난다. '넓다'는 18세기에 와서야 나타나고, 15~19세기까지 '넙다'와 '너르다'로 나타난다. 따라서 '넓다'는 그 이전의 어떤 어형이 변화를 입은 결과로 보기 어렵다. 모음 앞에서 '너르다'는 '널어/널러', '넙다'는 '너버'로 실현되었는데, '널버(넓다)'는 첫음절은 '널어/널러'의 제1 음절을 취하고, 두 번째 음절은 '너버'의 제2 음절을 취한 것으로 일종의 혼효로 해석될 수 있다. '너르다'는 현대국어에서도 표준어다.

(7) ㄱ. 맑[말ㄱ]: 맑은, 맑으면, 맑아서, 맑았어요
ㄴ. 맑[막]: 맑다, 맑더니, 맑습니다, 맑지
ㄷ. 맑[말]: 맑고, 맑거나, 맑게

'ㄼ'과 마찬가지로 어간 끝 'ㄺ'도 「맞춤법」과 「발음법」 조항이 복잡하게 연계되어 사용자들에게 부담이 크고 현실성이 떨어진다. 어간 끝 'ㄺ'은 어미 첫소리에 따라 [ㄹ] 또는 [ㄱ]로 발음된다. '맑다'는 (7ㄱ)처럼 모음어미와 결합하면 [말ㄱ]로, (7ㄴ)처럼 'ㄱ' 외의 자음으로 시작하는 어미와 결합하면 [막]으로, (7ㄷ)처럼 'ㄱ'으로 시작하는 어미가 오면 [말]이 표준발음이다.

(8) ㄱ. 말끔하다, 말쑥하다, 말짱하다
ㄴ. 갉작거리다, 굵직하다, 굵다랗다, 늙수그레하다

(8ㄱ)은 '널따랗다'처럼 「맞춤법」 21항 다만에 따라 'ㄺ'을 표기에 반영하지 않고 'ㄹ'로 쓴다. (8ㄴ)처럼 어근 말음을 'ㄺ'으로 표기한 복합어는 [ㄱ]로 발음한다. (8ㄱ)은 「맞춤법」 21항 다만에 따라 'ㄹ'로 쓰고 [ㄹ]로 발음해야 하는 반면, (8ㄴ)은 'ㄺ'으로 쓰고 [ㄱ]로 발음해야 한다.

규정이 복잡한 'ㄺ'과 'ㄼ'은 단순화를 지향하기 마련이다. 자음어미 앞에서 [말] 또는 [막]으로 구별해야 하는 '맑-'은 '맑다, 맑습니다, 맑지'도 '맑고'와 마찬가지로 [말]로 통일하는 경향이 강하다. 이는 동일 용언의 활용형을 어미의 첫 자음에 따라 [막], [말]로 발음형을 구별해야 하는 복잡성에 대한 자연스러운 저항이다. 'ㄺ'도 [ㄱ]로 발음하지 않고 [*갈짝꺼리다, 굴찌카다, 굴따

라타]의 실현 빈도가 높다.

(9) 흙이, 흙을, 흙에, 통닭이, 통닭을

(9)는 체언에 모음으로 시작하는 조사가 결합된 예로 자음군단순화가 적용될 조건이 아니다. 그러나 서울 사람을 대상으로 한 발음 조사에서도 '통닭이'는 거의 100% [통다기]로 발음되었다(강은지·이호영·김주원: 2004). 만약 '통닭'이 모음으로 시작하는 모든 조사 앞에서 'ㄹ'이 실현되지 않아서 이를 표준발음으로 삼게 되면 '통닭'으로 표기할 근거가 없고 '*통닥'으로 표기해야 한다. '*돐'을 버리고 '돌'을 표준어로 삼은 것도 '조카 돐이다'로 쓰려면 [*돌씨다]란 발음이 나와야 하는데 [도리다]로 발음 변화가 완결되었기 때문이다. 겹자음이 홑자음으로 되는 것은 특히 체언에서 자주 발견되는 현상이다. 이는 체언이 자립형태소여서 '흙[흑], 닭[닥]'과 같이 휴지 앞의 표면형이 언중에게 익숙한 형태이기 때문일 것이다. 이에 반해 '넓어요'를 [*너러요]나 [*너버요]로 발음하는 일은 없는데, 이는 용언 어간이 의존형태소이기 때문이다.

최적성이론(Optimality Theory) 규칙 기반 음운론은 순차적 도출을 전제로 하고, 규칙 순서를 인위적으로 정해야 하는 경우가 있는데 이는 부자연스러운 정보처리과정이다. 또한 단 하나의 적형만 표면형으로 도출하고, 그 외 다양한 변이형에 대한 평가과정은 없다. 최적성이론은 이런 문제점을 비판하면서 Alan Prince & Paul Smolensky(1993)에서 시작되었다.

최적성이론에서는 출력형 후보를 무제한 생성하고 제약을 가장 덜 위반한 최적형을 선택하는 과정으로 본다. 최적성이론의 핵심인 제약은 크게 충실성 제약(faithfulness constraint)과 유표성 제약(markedness constraint)으로 나뉜다. 충실성 제약은 입력형을 최대한 보존하기 위함이어서 삭제나 첨가를 금지한다. 유표성제약은 최대한 발음하기 쉬운 무표적 형태를 선택하기 위함으로 자음군을 금지하거나, 인접음과 자질이 일치되기를 요한다. 그런데 /읽기/와 같은 예에서 충실성제약은 삭제를 금지하고 유표성제약은 자음군을 금지한다는 점에서 모순관계다.

/읽+기/	자음군 금지	공명자음 우선	위치강도 우선
읽끼	*!		
☞일끼			*
익끼		*	

따라서 제약은 그 심각성에 따라 서열화되어야 한다. 이를 약속된 표로 나타내는데 표에서 상단 첫 칸은 입력형을 나타낸다. 가로축은 서열화된 제약을, 세로축은 가능한 후보군을 나열한다. *는 해당 제약을 위반했음을, *!는 결정적 위반임을, ☞는 최적형으로 선택된 것임을 나타낸다.

제약의 서열은 특정 출력형이 선택되는 이유를 설명하는 기제인데, 제약의 서열(ranking)을 결정하는 근거는 실현되는 출력형에 있다는 점에서 순환논법에 빠질 수 있다. 또한 무제한의 후보를 생성·비교한다는 점에서 음성 생성 및 인식에 불가능한 모델이라는 비판을 받기도 한다.

3. 자음 연쇄로 인한 변동

변동이 일어나는 주요 원인 중 하나는 발음을 쉽게 하기 위함이다. 물론 이때 발음을 쉽게 하는 것은 소통에 지장이 없는 한도 내에서이다. 발음을 쉽게 하기 위해서는 쉬운 음절구조를 지향하게 되는데, 발음하기 쉬운 음절구조는 조음부를 닫았다 열었다 하는 자음과 모음의 결합이다. CVCV 연쇄는 화자는 발음하기 쉽고, 청자에게는 잘 들린다. 그래서 자음과 모음의 결합에서보다 자음끼리 결합한 경우 변동이 더 많이 일어나게 된다.

이 장에서 다룰 비음화, 자음 위치동화, 불파음 뒤의 경음화는 동화주도 자음이고 피동화음도 자음이므로, 자음에 의한 자음동화 현상이다. 이는 자음 연쇄를 좀 더 발음하기 쉬운 형태로 바꾸기 위한 것이다.

3.1. 비음화

현상과 규칙 비음화(nasalization)는 '평파열음+비음'이 '비음+비음'으로 대치되는 역행동화 현상이다. 자음동화는 순행동화보다 역행동화가 많다. 이는 초성보다 종성이 약한 소리고, 의미변별에 관여하는 기능 부담량도 더 약하기 때문이다.

(1) ㄱ. 잡는[잠-], 앞마당[암--], 밟는[밤ː-], 읊는[음-], 없는[엄ː-]
   ㄴ. 닫는[단-], 짓는[진-], 옷맵시[온맵씨], 있는[인-], 맞는[만-], 젖멍울[전--], 쫓는[쫀-], 꽃망울[꼰--], 몇 마지기[면---], 붙는[분-], 놓는[논-]
   ㄷ. 먹는[멍-], 국물[궁-], 깎는[깡-], 키읔만[-응-], 몫몫이[몽목씨], 긁는[긍-]

(1ㄱ)의 'ㅍ, ㄼ, ㄿ, ㅄ'은 [ㅂ]로, (1ㄴ)의 'ㅅ, ㅆ, ㅈ, ㅊ, ㅌ, ㅎ'은 [ㄷ]로, (1ㄷ)의 'ㄲ, ㅋ, ㄳ, ㄺ'은 [ㄱ]로 된다. 이는 자음군단순화와 평파열음화가 먼저 적용된 결과다. 결국 앞말 끝소리는 평파열음 [ㅂ, ㄷ, ㄱ]이고 각각 같은 위치의 비음 [ㅁ, ㄴ, ㅇ]으로 대치되었다. 자음군단순화와 평파열음화가 비음화 적용 환경을 마련해 준다.

비음화는 형태론적 조건과 상관없이 음운적 조건만 충족되면 적용된다. '잡는[잠-], 닫는[단-], 먹는[멍-]'처럼 '어간+어미', '밥만[밤-], 낫만[난-], 키읔만[키응-]'처럼 '명사+조사'는 물론, '밥물[밤-], 콧물[콘-], 국물[궁-]'처럼 '어근+어근'에서도 적용된다. '밥 먹는다[밤멍는다], 못 나가[몬--], 책 넣으세요[챙너으세요]'처럼 어절+어절 경계에서도 적용되고, pop music[팜뮤직]'처럼 외래어에도 적용된다.

(2) ㄱ. ㅂ → ㅁ / ___ ㅁ
   ㄷ → ㄴ / ___ ㅁ
   ㄱ → ㅇ / ___ ㅁ
   ㅂ → ㅁ / ___ ㄴ

ㄷ → ㄴ / ___ ㄴ

ㄱ → ㅇ / ___ ㄴ

ㄴ. $\begin{bmatrix} ㅂ \\ ㄷ \\ ㄱ \end{bmatrix} \rightarrow \begin{bmatrix} ㅁ \\ ㄴ \\ ㅇ \end{bmatrix} \Big/$ ——— $\left\{ \begin{matrix} ㄴ \\ ㅁ \end{matrix} \right\}$

ㄷ. [+폐쇄성] → [+비음성] / ___ [+비음성]

비음화 규칙은 (2)와 같이 나타낼 수 있다. (2ㄱ)은 기술 자체가 번거롭고, 각 음소의 변동을 서로 관련 없는 개별적인 현상으로 기술하게 되며, 그 공통점을 설명해 주지 못한다. (2ㄴ)은 ㄱ을 하나로 묶은 것인데 대괄호 [ ]는 항상 마주 보는 쌍끼리 규칙이 적용된다. 따라서 [ㅂ]는 [ㅁ]로 바뀌지 [ㄴ]나 [ㅇ]으로 바뀌지는 않는다. 피동화음은 [ㅂ, ㄷ, ㄱ]이고 동화주는 비음 'ㄴ, ㅁ'이다. /ŋ/은 초성으로 쓰일 수 없으므로 동화주는 비음으로 일반화할 수 있다. (2ㄷ)은 이를 자질로 나타낸 것이다.

관련 규정　　아래 규정은 'ㄱ, ㄷ, ㅂ'이 비음 앞에서 각각 [ㅇ, ㄴ, ㅁ]로 동화되는 비음화 관련 규정이다.

「발음법」 18항: 받침 'ㄱ(ㄲ, ㅋ, ㄳ, ㄺ), ㄷ(ㅅ, ㅆ, ㅈ, ㅊ, ㅌ, ㅎ), ㅂ(ㅍ, ㄼ, ㄿ, ㅄ)'은 'ㄴ, ㅁ' 앞에서 [ㅇ, ㄴ, ㅁ]으로 발음한다.

① 먹는[멍는], 깎는[깡는], 키읔만[키응만], 몫몫이[몽목씨], 흙만[흥만]

② 닫는[단는], 있는[인는], 맞는[만는], 쫓는[쫀는], 붙는[분는],

놓는[논는]

③ 밥물[밤물], 앞마당[암마당], 밟는[밤ː는], 읊는[음는], 없는[엄ː는]

[붙임] 두 단어를 이어서 한 마디로 발음하는 경우에도 이와 같다.

책 넣는다[챙넌는다], 옷 맞추다[온마추다], 밥 먹는다[밤멍는다]

비음화에 앞서 평파열음화와 자음군단순화가 적용되기 때문에 'ㄲ, ㅋ, ㄳ, ㄺ'은 'ㄱ', 'ㅅ, ㅆ, ㅈ, ㅊ, ㅌ, ㅎ'은 'ㄷ', 'ㅍ, ㄼ, ㄿ, ㅄ'은 'ㅂ'으로 된다. 비음화의 동화주로 'ㄴ, ㅁ'만 언급했는데, 이는 'ㅇ/ŋ/'이 초성 자리에 쓰일 수 없기 때문이다.

붙임에서는 두 단어인 '책 넣는다'를 한 마디로 이어서 발음하는 경우 [챙넌는다]로 비음화가 적용되므로 비음화 적용 영역이 단어 경계를 넘어섬을 명시하였다.

3.2. 자음 위치동화

현상과 규칙 '숟가락'은 [숟까-]으로 발음하는 것이 표준발음이나 [*숙까-]으로 발음되기도 한다. 이는 조음위치가 다른 두 자음이 연쇄될 때 발음의 편의를 위해 뒤 자음의 위치로 역행동화된 것이다. 이를 자음 위치동화라 한다.

(1) ㄱ. 숟가락[*숙까-], 맡기다[*막끼-], 꽃길[*꼭낄],
있고[*익꼬], 받기다[*방--]

ㄴ. 젖먹이[*점머기], 꽃밭[*꼽빧], 문법[*뭄뻡], 준비[*줌-],

한 마리가[*함---]

ㄷ. 밥그릇[*박끄릇], 엎고[*억꼬], 꼼꼼하다[*꽁---], 감기[*강:-]

(1)은 C1C2 연쇄에서 C1의 조음위치가 변동되는 예들이다. (1ㄱ)의 C1은 'ㄷ, ㅌ, ㅊ, ㅆ, ㄴ', (1ㄴ)은 'ㅈ, ㅊ, ㄴ', (1ㄷ)은 'ㅂ, ㅍ, ㅁ'이다. 이들은 CC 연쇄이므로 평파열음화가 적용되어 (1ㄱ, ㄴ)의 C1은 [ㄷ, ㄴ], (1ㄷ)은 [ㅂ, ㅁ]로 된다. (1ㄱ, ㄷ)의 C2는 여린입천장소리고, (1ㄴ)은 입술소리다.

	①	→	②	→	③
(2) ㄱ.	ㄷ,ㅌ,ㅊ,ㅆ,ㄴ + ㄱ	→	[ㄷ,ㄴ + ㄱ]	→	[ㄱ,ㅇ + ㄱ]
ㄴ.	ㅈ,ㅊ,ㄴ + ㅂ,ㅁ	→	[ㄷ,ㄴ + ㅂ,ㅁ]	→	[ㅂ,ㅁ + ㅂ,ㅁ]
ㄷ.	ㅂ,ㅍ,ㅁ + ㄱ,ㄲ	→	[ㅂ,ㅁ + ㄱ,ㄲ]	→	[ㄱ,ㅇ + ㄱ,ㄲ]

(2)는 (1)의 표기형과 발음형을 대조하면서 피동화음과 동화주를 찾아본 것이다. (2)의 '②→③'에서 보이듯 [ㄷ, ㄴ]가 'ㄱ' 앞에서 각각 [ㄱ, ㅇ]로, [ㄷ, ㄴ]가 'ㅂ, ㅁ' 앞에서 각각 [ㅂ, ㅁ]로, [ㅂ, ㅁ]가 'ㄱ, ㄲ' 앞에서 각각 [ㄱ, ㅇ]으로 대치되었다.

(3) ㄱ. 잇몸소리 → 여린입천장소리 / ______ 여린입천장소리
ㄴ. 잇몸소리 → 입술소리 / ________ 입술소리
ㄷ. 입술소리 → 여린입천장소리 / _______ 여린입천장소리

이를 조음위치별로 나타내면 (3)과 같이 '여린입천장소리 〉 입술소리 〉 잇몸소리'의 순으로 여린입천장의 위치 강도가 가장 강

하고 잇몸이 가장 약하다. 여린입천장소리는 어떤 위치에도 동화되지 않고, 잇몸소리는 다른 위치에 동화되기만 한다.[15] 그래서 자음 위치동화를 변자음화(邊子音化)라고도 하는데, 이는 동화주인 여린입천장소리와 입술소리의 위치가 구강의 주변이어서 변자음이라 불리기 때문이다. 그러나 같은 변자음인 입술소리가 여린입천장소리에 동화되기도 한다는 점에서는 부정확한 용어다.

(4) ㄱ. 한국보다, 닭보다, 닦지요, 주먹질, 식초, 죽다가, 닦다가
ㄴ. 춥다, 입는다, 잡다가

(4)는 위치동화가 일어나지 않는데, 이는 C1+C2의 배열이 (2)와 다르기 때문이다. 자음 위치동화는 C1+C2에서 C2의 위치에 무조건 동화되는 것이 아니라 위치별 강도 차이가 있어서 그 조건이 충족될 때만 적용된다. 예컨대 '한국보다'의 'ㄱ+ㅂ', 춥다'의 'ㅂ+ㄷ'는 C2의 위치강도가 C1보다 약해서 동화주가 될 수 없다.

C1+C2의 배열이 (3)의 조건을 충족해도 자음 위치동화는 임의적이다. '집과, 손톱과, 입가, 없기도 하다'와 같은 예는 [*직꽈, 손톡꽈, 익까, 억끼도하다]로 발음하는 일은 거의 없다. 그래서 자음 위치동화는 표준발음으로 인정되지 않는다.

---

15 '말했습니다[말해씀미다], 말합니다[말함미다]'에서는 순행적으로 위치동화가 일어나는데, 이는 단일 형태소 '-습니다/-ㅂ니다' 내부의 소리 바뀜이다.

관련 규정 자음 위치동화 관련 규정은 「발음법」 21항이다. 자음 연쇄의 조음위치에 따라 예를 ①, ②, ③으로 재분류했다. ①의 '치조음+연구개음', ②의 '양순음+연구개음', ③의 '치조음+양순음' 연쇄는 자음 위치동화가 일어날 수 있는 조건이다.

> 「발음법」 21항: 위에서 지적한 이외의 자음 동화는 인정하지 않는다.
> ① 옷감[옫깜, *옥깜], 있고[읻꼬, *익꼬], 꽃길[꼳낄](*[꼭낄])
> ② 감기[감ː기, *강ː기]
> ③ 문법[문뻡, *뭄뻡], 젖먹이[전머기, *점머기], 꽃밭[꼳빧, *꼽빧]

자음 위치동화는 임의적 변동이고 표준발음으로 인정되지 않는다. 그러나 보편성이 높고[16] 통용음에서 규칙 적용률도 높아서 표기 오류의 원인이 되기도 한다. '인마'는 '이 놈아'가 줄어든 말이다. '인마'에 자음 위치동화가 적용되면 [임마]로 발음되므로 '*임마'로 잘못 쓰는 경우가 많다. 손으로 한 줌 움켜쥘 만한 분량을 세는 단위명사인 '움큼'을 '*한 웅큼'이라 잘못 쓰는 것도 위치동화한 발음에 이끌린 탓이다.

'너무 영계만 찾다가는 장가 못 간다'처럼 쓰이는 '영계'는 〈「1

16 예컨대 일어의 /つ/는 'にっぽん[nip˺p'oŋ], あさって[asat˺t'e], かっこう[gak˺k'oː]'처럼 [p˺, t˺, k˺] 중 하나로, /ん/도 'さんま[sam˺ma], あんない[an˺nai], てんき[deŋk'i]'처럼 [m˺, n˺, ŋ] 중 하나로 실현된다. /つ/의 변이음 [p˺, t˺, k˺], /ん/의 변이음 [m˺, n˺, ŋ]은 위치 강도와 상관없이 후행 자음의 위치에 동화된다. 'indirect, incomplete'와 달리 'impossible'의 영어 접두사 'im-'은 같은 조음위치의 'p, m'과 결합하는데 이 또한 자음 위치 동화를 표기에 반영한 것이다.

」병아리보다 조금 큰 어린 닭, 「2」비교적 나이가 어린 이성(異性)을 속되게 이르는 말〉인데 본디 한자어 연계(軟鷄)에서 온 말이다. 자음 위치동화의 결과 소리가 변화하였고, 변화한 '영계'만 단수 표준어로 삼은 경우다. 『사전』에서 제공하는 '솜씨'의 어원 정보는 【< *손ᄡᅴ←손+ᄡᅳ-+-이】인데, '*손ᄡᅴ'는 문증되지 않지만 '손ᄡᅵ'로 나타난다. '함께'의 어원 정보는 【< ᄒᆞᆷᄢᅴ < ᄒᆞᆫᄢᅴ←ᄒᆞᆫ+ᄢᅴ】이다. 이에 따르면 '솜씨, 함께'는 'ㄴ-ㅂ' 연쇄에서 위치동화한 결과 만들어진 형태임을 알 수 있다.

3.3. 경음화

경음화(된소리되기, glottalization)는 평음 'ㅂ, ㄷ, ㄱ, ㅈ, ㅅ'으로 표기된 것이 각각 경음 [ㅃ, ㄸ, ㄲ, ㅉ, ㅆ]로 대치되는 현상이다. 규칙적 경음화는 적용 조건에 따라 네 가지 유형 '씻고[씯꼬]', '안고[안ː꼬]', '발전[-쩐]', '드실 분[--뿐]'류로 나뉜다.

'씻고[씯꼬]'류는 불파음 뒤라는 음운 조건만 충족되면 경음화하므로 네 유형 중 가장 단순하고 강력한 규칙이다.[17] '안고[안ː

17 '김칫국'의 사이시옷도 '버섯국'의 본디시옷처럼 불파음 뒤의 경음화를 겪는다는 점에서는 같다. 따라서 일단 표기된 사이시옷 뒤의 평음은 경음화 규칙이 적용된다. 반면, 사이시옷이 표기되지 않는 '산길[-낄]'류는 표기형에 경음화가 적용될 음운적, 형태론적 조건을 찾을 수 없는 불규칙적 현상이다. 이 책의 체제로 보면 원형을 포기한 표기형 '김칫국'류는 7장에서, 원형을 밝혀 적은 '산길'류는 6장에서 다루어야 한다. 그러나 '산길'류의 경음화는 음운

꼬]', '발전[-쩐]', '드실 분[--뿐]'류는 유성자음 뒤에서 일어나는 경음화이다. '유성자음+평음'에서 평음은 유성음 사이에 있으므로 유성음화하는 것이 더 보편적이다. 따라서 '유성자음+평음'에서 경음화가 일어나려면 특정한 형태론적, 어휘론적 조건이 추가되어야 한다.

3.3.1. 불파음 뒤의 경음화

현상과 규칙 경음화가 가장 규칙적으로 강력하게 적용되는 것은 불파음 [p˺, t˺, k˺] 뒤에서이다. '장애음+평음'에서 장애음은 자음군단순화와 평파열음화가 적용되어 [ㅂ, ㄷ, ㄱ]로 된다. 평파열음화가 적용된 '[ㅂ, ㄷ, ㄱ] + 평음'에서 [ㅂ, ㄷ, ㄱ]의 실제 음성은 불파음 [p˺, t˺, k˺]이다.

평파열음화와 불파음화는 다르다. 평파열음화는 음소 간 바뀜인 변동규칙이고 이에 의해 도출되는 음은 [ㅂ, ㄷ, ㄱ]지만, 불파음화는 이음 간 바뀜인 이음규칙이고 이로 인해 도출되는 음은 [p˺, t˺, k˺]이다. '옷도[ot˺tˀo]'와 '옷 안[odan]'은 둘 다 평파열음화가 적용된 것이다. 그러나 [옫또]에서는 평파열음에 불파음화가 적용되어 불파음 [t˺]으로, [오단]에서는 유성음화가 적용되어 유성음 [d]로 발음된다.

현상이긴 하나 변동규칙으로 볼 수는 없다. 사이시옷이 표기되든 안 되든 '찻길, 산길'은 사잇소리현상을 보이는 합성명사라는 점에서는 같아서 7장에서 함께 다루고 여기서는 변동규칙으로서의 경음화만 다룬다.

(1) ㄱ. 줍소[줍ː쏘], 덮개[덥깨], 넓죽하다[넙쭈카-],
읊조리다[읍쪼--]
ㄴ. 씻고[씯꼬], 있던[읻떤], 뻗대다[-때-], 밭갈이[받까리],
꽂고[꼳꼬], 꽃다발[꼳따-]
ㄷ. 국밥[-빱], 깎다[깍따], 삯돈[삭똔], 닭장[닥짱]

(1ㄱ)은 [p˺], (1ㄴ)은 [t˺], (1ㄷ)은 [k˺] 뒤의 평음이 경음화했다. 이는 '씻고[씯꼬]'처럼 '어간+어미', '밥도[-또]'처럼 '명사+조사', '덮개[덥깨]'처럼 '어근+접사'뿐 아니라, '국밥[-빱]'처럼 '어근+어근'에도 적용된다. 따라서 불파음 뒤의 경음화는 음운적 조건만 주어지면 형태론적 조건과는 상관없이 적용됨을 알 수 있다. '못 자요[몯짜요]'처럼 '어절+어절'에도 적용된다. 그러나 '집 고치기, 한국 경제'와 같은 예에는 경음화가 일어나지 않는 것으로 보아, 이 규칙은 대체로 어절 경계를 넘어서면 잘 적용되지 않음을 알 수 있다.

(2) [불파음+평음]은 [불파음+경음]으로 대치된다.

평음 → 경음 / [불파음] ______

불파음 뒤의 경음화는 (2)와 같이 규칙화할 수 있다. 경음화는 자음 대치 규칙이고, 적용 환경은 불파음 뒤에서다. 경음화는 불파음이 [+경음성]이라면 순행동화이고, [−경음성]이라면 이화 현상이 된다. 불파음에 경음성이 있는지 없는지에 대해 서로 상반된 견해가 있다. 김차균(1998: 15)에서는 [p˺, t˺, k˺]는 반경음의 자질을 가진다고 하고 경음화를 동화의 일종으로 보았다. 허웅(1988: 169~170)에서는 불파음을 평음의 변이음으로 보고, 경음화를 축약으로 보았다. ‘학교, 갑부, 맛도’처럼 같은 조음위치의 자음이 겹칠 때는 [학꾜]와 [하꾜]가 같은 음가이므로 축약으로 볼 수 있다. 그러나 ‘먹도, 밥도, 먹지, 먹소’처럼 서로 조음위치와 방법이 다른 자음 연쇄에서 일어나는 경음화는 축약으로 볼 수 없다.

불파음은 파열 단계를 실현시키지 않았거나 파열시키더라도 이에 따른 소리가 들리지 않는 무음 개방 상태로 끝난 것이다. 불파음은 일정 시간 동안 지속되는 무성의 휴식이어서 음향적으로는 공백으로 나타난다. 파열 단계가 실현되지 않은 상태에서, 뒤에 장애음이 오면 해당 조음위치에서 기류 흐름이 차단되고 이로 인해 구강 내 기압이 상승하고 발성부와 조음부에 긴장이 생기게 된다. 그래서 선행 모음의 성대 진동을 빨리 끊고, 뒤따르는 평음을 경음화한다. 불파음은 이러한 음성학적 특성으로 인해 뒤따르는 평음을 규칙적으로 경음화한다는 점에서 [+경음성]으로 볼 수 있다.

『훈민정음』에서 말하는 입성은 고유어에서는 소리의 높낮이를 나타내는 성조가 아니라, 불파음으로 끝난 폐음절에 해당한다. “入·십聲셩·은 點:뎜 더·우·믄 ᄒᆞᆫ가·지로·ᄃᆡ ᄲᆞᄅᆞ·니·라(入聲加點同而促急)”는 불파음의 촉급하게 폐쇄하는 음성적 특성을 언급한 것이다. 이는 경음화를 유발하는 요인이 된다.

불파음에 비해 공명음 종성은 뒤따르는 평음을 경음화할 수 있는 음성학적 특성이 없다. [m, n, ŋ]는 코로, [l]는 혀옆으로 지속적으로 공기가 흐르는 소리여서 뒷소리를 경음화시킬 정도로 구강 내 기압이 상승할 수 없기 때문이다.

관련 규정 「발음법」 6장의 23~27항은 규칙적 경음화를 다룬 것이다. 「발음법」에서는 경음화를 '5장 소리의 동화'에서 다루지 않고, '6장 된소리되기'로 독립시켜 규정하였다. 이는 경음화를 동화로 보지 않는다는 뜻으로 해석될 수도 있고, 유성자음 뒤 경음화를 함께 다루기 위한 방편으로 볼 수도 있다. '씻고[씯꼬]'류와 달리 '안고[안ː꼬], 발전[-쩐], 드실 분[--뿐]'류의 경음화는 공시적으로 동화로 보기 어렵다.

> 「발음법」 23항: 받침 'ㄱ(ㄲ, ㅋ, ㄳ, ㄺ), ㄷ(ㅅ, ㅆ, ㅈ, ㅊ, ㅌ), ㅂ(ㅍ, ㄼ, ㄿ, ㅄ)' 뒤에 연결되는 'ㄱ, ㄷ, ㅂ, ㅅ, ㅈ'은 된소리로 발음한다.
> ① 국밥[국빱], 깎다[깍따],
> 넋받이[넉빠지], 삯돈[삭똔], 닭장[닥짱], 칡범[칙뻠]
> ② 뻗대다[뻗때다], 옷고름[옫꼬름], 있던[읻떤], 꽂고[꼳꼬],
> 낯설다[낟썰다], 밭갈이[받까리]
> ③ 곱돌[곱똘], 옆집[엽찝],
> 넓죽하다[넙쭈카다], 읊조리다[읍쪼리다], 값지다[갑찌다]

23항은 불파음 뒤 경음화 관련 규정이다. ①의 받침 'ㄲ, ㅋ, ㄳ, ㄺ'이 [ㄱ], ②의 'ㅅ, ㅆ, ㅈ, ㅊ, ㅌ'이 [ㄷ], ③의 'ㅍ, ㄼ, ㄿ, ㅄ'이 [ㅂ]로 되는 것은 자음군단순화와 평파열음화에 의한 것이다.

「맞춤법」 5항: 한 단어 안에서 뚜렷한 까닭 없이 나는 된소리는 다음 음절의 첫소리를 된소리로 적는다.
1. 두 모음 사이에서 나는 된소리
소쩍새, 어깨, 오빠, 으뜸, 아끼다, 기쁘다, 어떠하다, 해쓱하다, 가끔, 거꾸로
2. 'ㄴ, ㄹ, ㅁ, ㅇ' 받침 뒤에서 나는 된소리
산뜻하다, 잔뜩, 살짝, 훨씬, 담뿍, 움찔, 몽땅, 엉뚱하다
다만, 'ㄱ, ㅂ' 받침 뒤에서 나는 된소리는, 같은 음절이나 비슷한 음절이 겹쳐 나는 경우가 아니면 된소리로 적지 아니한다.
국수, 깍두기, 딱지, 색시, 싹둑(~싹둑), 법석, 갑자기, 몹시

「맞춤법」 5항 1은 '모음-경음', 2는 '유성자음-경음' 예로서 모두 한 형태소 내부에[18] [유성음-경음] 연쇄가 있다. '까닭 없이 나는 된소리'라 한 것은 한 형태소 내부는 변동규칙이 적용될 자리가 아니고, 더구나 형태소 내부에서 '유성음-평음' 연쇄는 경음화가 적용될 음운 환경도 아니기 때문이다. 따라서 이 경우 '소리대로' 적는 것이 총칙 1항에 부합하는 표기다.

이에 비해 '다만'에서 제시한 불파음 뒤의 경음화는 까닭 있는 된소리로 본 것이다. 이때는 「발음법」 23항의 경음화 규칙이 적용될 환경이기 때문이다.[19] 5항 다만에 'ㄱ, ㅂ' 받침이라 하여

18 5항에서 한 '단어' 안에서라 했으나 실제로는 한 '형태소' 안으로 한정된다. '소쩍새'의 '소쩍'을 '*솟적, 손적, 솝적'으로 적어도 발음형을 매개하는 데는 문제가 없으나 복합어로 오해될 수 있다. 형태소 경계에서는 '(머리를) 감고, 등불'을 '*감꼬, 등뿔'로 적지 않는 것처럼 경음으로 나도 경음자로 적지 않는다.『조선』 맞춤법 4, 6항에서는 '한 형태부안'이라 규정했다.

'ㄷ'이 빠진 것은 'ㄷ' 받침은 고유어도 극히 제한적이고, 한자어와 외래어에서는 전무하여 'ㄷ-평음' 연쇄로 된 형태소가 없어서일 뿐이다. 이 경우 경음자로 표기하지 않아도 규칙에 따라 경음으로 발음될 것을 예측할 수 있어서 경음자로 적지 않는다. 다만 '같은 음절이나 비슷한 음절이 겹쳐 나는 경우'에는 '딱딱, 쓱싹쓱싹, 찝찝거리다'처럼 같은 경음자로 쓴다. 관련 규정은 「맞춤법」 13항(한 단어 안에서 같은 음절이나 비슷한 음절이 겹쳐 나는 부분은 같은 글자로 적는다.)이다.

「발음법」 25항: 어간 받침 'ㄼ, ㄾ' 뒤에 결합되는 어미의 첫소리 'ㄱ, ㄷ, ㅅ, ㅈ'은 된소리로 발음한다.
넓게[널께], 떫지[떨ː찌], 핥다[할따], 훑소[훌쏘]

어간 끝 'ㄼ, ㄾ + 평음'은 자음군단순화로 인해 'ㄹ+평음'이 되는데 이때도 경음화가 적용된다. 홑받침 'ㄹ' 다음에서는 '알고, 알더니, 알지'와 같이 경음으로 발음되지 않기 때문에 이 규정은 겹받침에 한정된다. 또 체언은 '여덟도[여덜도], 여덟과[여덜과], 여덟보다[여덜보다]'처럼 경음화하지 않기 때문에 용언 어간으로 한정된다. 25항에는 'ㄼ, ㄾ'만 언급되었지만, '읽고[일꼬]의 'ㄺ'도 마찬가지다.

19 5항 다만의 예는 단일어이므로 소리대로 '*국쑤, 깍뚜기'로 적는 것이 원칙이다. [국쑤, 깍뚜기] 외에는 이형태가 없어서 이대로가 대표형태이고 변동규칙이 적용될 자리가 아니다. '국수, 깍두기'류는 가능한 경음자를 쓰지 않기 위해 경음화 규칙에 기댄 것이다.

(3) ㄱ. 않고[안코], 싫고[실코]
ㄴ. 넋도[넉또], 읊고[읍꼬], 값보다[갑뽀-] / 삶다가[삼:따-], 앉고[안꼬]

겹받침 11개 중 'ㄽ'은 어간 말음으로 쓰인 예가 없고, (3ㄱ)의 'ㄶ, ㅀ'은 격음화를 유발하므로 경음화와 무관하고, (3ㄴ)의 'ㄳ, ㄿ, ㅄ'과 'ㄻ, ㄵ'은 자음군단순화가 적용되어도 경음화할 조건이다. 'ㄳ, ㄿ, ㅄ'은 불파음 뒤의 경음화, 'ㄻ, ㄵ'은 후술할 어간 말 'ㄴ, ㅁ' 뒤의 경음화이다.

그러나 '떫지[떨:찌], 핥다[할따], 읽기[일끼]'는 자음군단순화 적용 후에는 경음화할 조건이 아니다. '떫지, 핥다, 읽기'의 경음화는 겹자음 'ㄼ, ㄾ, ㄺ'에서 탈락한 불파음이 경음화를 유발했다고 해석할 수 있다. 'ㄼ, ㄾ, ㄺ'은 겹받침의 일부가 장애음이어서 이로 인해 경음화한 후 자음군단순화가 일어난 것으로 보면 23항에 해당한다. 그러나 이는 외재적 규칙순서를 설정해야 하는 부담이 있다.

「발음법」과 규칙 적용 순서 초기 생성음운론은 기저형에 규칙이 순차 적용되어 표면형이 도출된다고 가정하였다. 「발음법」에서 규칙순에 대한 언급을 살펴보면 세 가지 유형으로 나눌 수 있다. 첫째, 18항[받침 'ㄱ(ㄲ, ㅋ, ㄳ, ㄺ), ㄷ(ㅅ, ㅆ, ㅈ, ㅊ, ㅌ, ㅎ), ㅂ(ㅍ, ㄼ, ㄿ, ㅄ)'은 'ㄴ, ㅁ' 앞에서 [ㅇ, ㄴ, ㅁ]으로 발음한다.]처럼 규정에 내재적 순서를 포함하는 것이다. 12항 붙임 2, 15항, 23항, 24항에서도 자음군단순화, 평파열음화가 먼저 적용됨을 규정에 포함하고 있다.

둘째, 화살표로 도출과정을 예시한 것이다. 10항의 밟는[밥:는→밤:는], 12항 3의 뚫네[뚤네→뚤레]는 자음군단순화 이후에 각각 비음화, 유음화가 적용되어야 함을 나타낸다. 30항의 콧날[콛날→콘날], 깻잎[깯닙→깬닙]은 표기된 사이시옷 관련 조항인데 해당 조항 이전에 평파열음화가 적용되어야 함을 나타낸다.

셋째, 위 두 가지 예는 규칙 상호 간에 논리적으로 내재하는 규칙 순(intrinsic ordering)인 데 반해 발음형을 설명하기 위해 인위적으로 순서를 명시하거나 예로 보여주는 경우가 있다.

17항: ...[ㅈ, ㅊ]으로 바꾸어서 뒤 음절 첫소리로 옮겨 발음한다.
19항 붙임: 협력[협녁→혐녁]
24항: 앉고[안꼬], 얹다[언따]
25항: 넓게[널께], 핥다[할따]

17항의 언급은 '구개음화-연음'의 순서로 해석된다. 그러나 '굳이'는 [굳이→구지]'뿐 아니라 [구디→구지]로 볼 수도 있다. 19항 붙임의 [협녁→혐녁]도 [혐력→혐녁]'으로 볼 수도 있다. 24항은 어간 말 비음 뒤의 경음화를 다룬 조항이어서 '자음군단순화-경음화'의 순서로 봐야 24항에 적합한 예다. 반면, 25항은 경음화의 동인을 설명하려면 '경음화-자음군단순화'의 순서를 상정해야 한다.

인위적으로 정한 외재적 순서(extrinsic ordering)는 언어 직관에 맞지 않고, 문법 기술에 부담이 많다는 점에서 비판을 받아왔다. 규칙, 규칙의 순차적 도출을 부정하는 최적성이론에서는 제약과, 제약의 서열로 설명한다. 그러나 '협력[혐녁]'류는 '*협녁'과 '*혐력' 중 어느 것이 더 부적형인지 제약을 서열화해야 한다는 점에서 유사한 문제점을 내포하고 있다.

3.3.2. 유성자음 뒤의 경음화

현상과 규칙 '유성자음+평음'에서 평음은 유성음 사이에 있으므로 유성음화하는 것이 음성학적으로는 더 자연스럽다. 그래서 유성자음 뒤 경음화는 음운론적 조건뿐 아니라 형태론적, 어휘론적 조건이 추가되어야 한다.

(5) ㄱ. 안고[안ː꼬], 껴안다[--따], 더듬지[--찌], 젊지[점ː찌]
ㄴ. 비음동 + 평음 ⇒ 비음동 + 경음

(5ㄱ)은 어간 말음 'ㄴ, ㅁ' 뒤에서 평음이 경음화하는 예인데 비음으로 일반화할 수 있다. 어간 말음이 'ㅇ'인 예는 없기 때문이다. '안도, 신과, 바람도, 바람과'처럼 'ㄴ, ㅁ'이 체언 말음일 경우 같은 음운 조건이라도 경음화하지 않는다. (5ㄱ)은 (5ㄴ)으로 규칙화할 수 있다.

(6) ㄱ. 발달[-딸], 발사[-싸], 발전[-쩐]
ㄴ. ㄹ漢 + ㄷ, ㅈ, ㅅ ⇒ ㄹ漢 + ㄸ, ㅉ, ㅆ

(6ㄱ) 경음화의 음운 조건은 'ㄹ + ㄷ, ㅅ, ㅈ'이다. 그러나 같은 음운 조건이라도 '달도, 달과, 달자'처럼 고유어일 때는 경음화하지 않는다. 한자어라도 '발각, 발복'처럼 C2가 'ㄱ, ㅂ'일 때는 경음화하지 않는데, 이는 이들 자음이 각각 여린입천장, 입술소리로 동화주인 'ㄹ'과 조음위치가 멀기 때문일 것이다. 'ㄹ'과

마찬가지로 [+설정성]인 ‘ㄷ, ㅅ, ㅈ’은 경음화하고 [-설정성]인 ‘ㅂ, ㄱ’은 경음화하지 않는다. 한자어 경음화는 조건이 충족되면 ‘일 도, 칠 도, 팔 도’처럼 수관형사 뒤에서도 경음화하고, ‘길동[길똥], 팔달구[팔딸구]’처럼 고유명사에도 적용된다. 그러나 ‘ㄹ + ㄷ, ㅅ, ㅈ’ 연쇄라도 3음절 이상의 한자어에서는 ‘몰지각, 수술실, 과일즙, 쟁탈전’처럼 경음화가 적용되지 않는 경우가 많다. (6ㄱ)은 (6ㄴ)으로 규칙화할 수 있다.

(7) ㄱ. 할 것[-껃], 먹을 것[머글껃]
　ㄴ. ㄹ㉿ + 평음 ⇒ ㄹ㉿ + 경음

(7ㄱ)은 관형사형 어미 ‘-(으)ㄹ’에 뒤의 평음이 경음화하는 예다. 같은 관형사형 어미라도 ‘하는 것, 한 것, 먹는 것, 먹은 것’처럼 ‘-는, -(으)ㄴ’ 뒤에서는 경음화하지 않는다. (7ㄱ)은 (7ㄴ)으로 규칙화할 수 있다.

(8) 不부ᇙ, 發ᄇᆞᇙ, 節져ᇙ, 日ᅀᅵᇙ, 八ᄇᆞᇙ, 一ᅙᅵᇙ
(9) ㄱ. 가ᇙ 길히, 도라오ᇙ 軍士, 니르고져 ᄒᆞᇙ 배, 길 녀ᇙ 사ᄅᆞᆷ
　ㄴ. 갈쩌긔, 須達이 올ᄯᆞᆯ 아ᄅᆞ시고, 받ᄌᆞᄫᆞᆯ쩌긔

공시태에서는 유성자음 뒤 경음화의 음성학적 원인을 찾기 어렵다. 다만, ‘한자어 말음 ㄹ + ㄷ, ㅅ, ㅈ’, ‘관형사형 어미 ㄹ + 평음’ 연쇄에서 경음화하는 원인은 통시적인 데 있다. 중세국어에서는 (8)의 한자음 표기, (9)의 관형사형어미 표기에 ‘ㆆ’이 사용되었다. (8)은 본래 중고한음(中古漢音)에서 입성 끝소리 [t]

이던 것이 조선 한자음에서 [ㄹ]로 바뀌어서 입성의 본질을 잃어 버렸기 때문에, 'ㄹ'에 입성다운 느낌을 보충해 주기 위해 'ㆆ'을 사용한 것이다. 이를 『동국정운』에서는 影母(ㆆ)로 來母(ㄹ)를 보충한다 하여 '이영보래(以影補來)'라 하였다. (9ㄱ)의 '갏 길'처럼 관형사형 어미는 '-(으)ㄹ'이 아니라 '-(으)ㅭ'으로 적혔다. 'ㆆ'의 음가는 후두 폐쇄음 [ʔ]으로 추정되고 [ʔ]은 그 음성적 특성상 뒤따르는 평음을 경음화할 수 있다. 이는 같은 시대 문헌에 'ㆆ'을 쓰지 않고 다음 말의 첫소리를 병서자로 적은 (9ㄴ)의 '갈쩌긔'와 같은 예로도 알 수 있다.

관련 규정 유성자음 뒤 경음화 관련 규정은 「발음법」 24, 26, 27항이다.

> 「발음법」 24항: 어간 받침 'ㄴ(ㄵ), ㅁ(ㄻ)' 뒤에 결합되는 어미의 첫소리 'ㄱ, ㄷ, ㅅ, ㅈ'은 된소리로 발음한다.
> ① 신고[신ː꼬], 껴안다[껴안따], 앉고[안꼬], 얹다[언따]
> ② 삼고[삼ː꼬], 더듬지[더듬찌], 닮고[담ː꼬], 젊지[점ː찌]
> 다만, 피동, 사동의 접미사 '-기-'는 된소리로 발음하지 않는다.
> 안기다, 감기다, 굶기다, 옮기다

어간 끝 '비음+평음' 연쇄에서의 경음화 조항이다. 규정에서 'ㄴ, ㅁ'으로 한정한 것은 'ㅇ'으로 끝나는 어간이 없고, 'ㄱ, ㄷ, ㅅ, ㅈ'로 한정한 것도 'ㅂ'으로 시작하는 어미가 없기 때문일 뿐이다. '비음+평음' 연쇄의 경음화는 용언 어간에만 적용되고, '신도, 감보다, 바람과'처럼 앞말이 어간이 아닐 때는 [*신또, 감뽀다, 바람꽈]로 경음화하지 않는다. 예시한 것 중 '앉고[안꼬], 얹다[언따]'는 겹받침의 일부가 대표음으로 되고 이로 인해 경음화한 후 자음군단순화가 일어난 것으로 볼 수도 있다.

어문규범에서 '다만'이 바로 위 항에 대한 예외 규정이라는 점에서 보면 24항 다만은 사족이다. '안기다, 감기다, 굶기다, 옮기다'의 어간은 '안기-, 감기-, 굶기-, 옮기-'이므로 24항의 '어간 받침 ㄴ, ㅁ 뒤'라는 조건에 해당하지 않기 때문이다.

어간과 어근 어문규범, 『사전』, 학교문법에서 '어근'의 개념과 용법은 미세한 차이를 보인다.

(1) 어간(語幹): 활용어가 활용할 때에 변하지 않는 부분. '먹다', '먹니', '먹고'에서 '먹-' 따위이다. =줄기
(2) 어근(語根): 단어를 분석할 때, 실질적 의미를 나타내는 중심이 되는 부분. '덮개'의 '덮-', '어른스럽다'의 '어른' 따위이다. =뿌리
(3) 불민1(不敏): '불민하다'의 어근.

학교문법에서 어간(stem)과 어근(root)의 개념은 (1), (2)의 『사전』 뜻풀이와 같다. 어간은 활용어(inflected word)가 활용할 때 변하지 않는 부분으로, 변하는 어미(ending)와 짝을 이룬다. 어근은 의미적 중심을 이루는 부분으로, 주변부인 접사(affix)와 짝을 이루는 조어법 관련 개념이다. '어른스럽고'에서 어간은 '어른스럽-', 어미는 '-고'이고, 어근은 '어른', 접사는 '-스럽-'이다. 어미는 단어 형성에 관여하지 못하므로 어근과 접사의 분석은 어미를 제외한 어간 내부에서 이루어진다.

그러나 「발음법」 24항 본항(어간 받침 'ㄴ(ㄵ), ㅁ(ㄻ)' 뒤에 결합되는 어미의 첫소리 'ㄱ, ㄷ, ㅅ, ㅈ'은 된소리로 발음한다.)과 다만(피동, 사동의 접미사 '-기-'는 된소리로 발음하지 않는다.)의 규정은 마치 '안기다'의 어간이 '안-'인 것처럼 기술되어 있다. 또 「맞춤법」 19항(어간에 '-이'나 '-음/-ㅁ'이 붙어서 명사로 된 것과 '-이'나 '-히'가 붙어서 부사로 된 것은 그 어간의 원형을 밝히어 적는다.)도 'X-접사' 구조를 다루고 있음에도 불구하고 X를 '어근'이라 하지 않고 '어간'의 원형을 밝혀 적는다고 했다. 19항에 든 용례는 모두 어간이 단일 형태소여서 곧 어근이기도 하다. 그러나 어간을 어미와 짝을 이루는 개념으로 정의하는 학교문법의 시각에서는 '길이, 믿음, 같이, 밝히'와 같은 파생어의 밑말을 '어간'이라 하면 개념의 정의가 허트러진다. 「발음법」 24항의 다만은 없애고, 「맞춤법」 19항은 '어근'으로 표현하는 것이 규범문법 내의 일치도를 높이는 방법이다.

「맞춤법」 23항('-하다'나 '-거리다'가 붙는 어근에…), 24항('-거리다'가 붙을 수 있는 시늉말 어근에…), 25항('-하다'가 붙는 어근에…)에서 '어근'을 쓰고 있다. 쓰임을 보면 「맞춤법」에서 어근은 '깨끗하다, 깜짝거리다, 꿀꿀거리다'의 '깨끗, 깜짝, 꿀꿀'처럼 어미를 직접 취하지 못하는 것만 가리킨다. 접사와 짝이 되는 것을 '어기(語基, base)'라 하고, 이 중 어미를 직접 취하지 못하는 것만 어근이라 한 이익섭(2010: 115)에서와 같은 의미로 사용되었다. (3)의 『사전』 뜻풀이에 사용된 '어근'도 이런 뜻으로 쓰였다. 단 어문규범에서 '어기'는 사용된 바가 없다.

결국 '어근'은 어문규범, 『사전』, 학교문법 간에 미세한 개념 차이를 보인다. 이런 미세한 차이는 뚜렷한 차이보다 교수·학습을 방해하는 정도는 오히려 더 크다.

「발음법」 26항: 한자어에서, 'ㄹ' 받침 뒤에 연결되는 'ㄷ, ㅅ, ㅈ'은 된소리로 발음한다.

① 갈등[갈뜽], 발동[발똥], 절도[절또]

② 말살[말쌀], 불소[불쏘](弗素), 일시[일씨], 몰상식[몰쌍식], 불세출[불쎄출]

③ 갈증[갈쯩], 물질[물찔], 발전[발쩐]

다만, 같은 한자가 겹쳐진 단어의 경우에는 된소리로 발음하지 않는다.

허허실실[허허실실](虛虛實實), 절절-하다[절절하다](切切-)

26항은 한자어 'ㄹ + ㄷ, ㅅ, ㅈ' 연쇄에서의 경음화 관련 조항이다. 다만, '허허실실(虛虛實實), 별별(別別)'처럼 동일 한자가 겹친 말은 경음화하지 않는다.

「발음법」 27항: 관형사형 '-(으)ㄹ' 뒤에 연결되는 'ㄱ, ㄷ, ㅂ, ㅅ, ㅈ'은 된소리로 발음한다.

할 바를[할빠를], 할 수는[할쑤는], 할 적에[할쩌게], 갈 데가[갈떼가], 갈 곳[갈꼳], 만날 사람[만날싸람]

다만, 끊어서 말할 적에는 예사소리로 발음한다.

[붙임] '-(으)ㄹ'로 시작되는 어미의 경우에도 이에 준한다.

할걸[할껄], 할밖에[할빠께], 할수록[할쑤록], 할지라도[할찌라도], 할진대[할찐대]

'관형사형 어미 ㄹ+평음' 연쇄에서 일어나는 경음화 관련 조항이다. 관형사형 어미 중 '-(으)ㄹ' 뒤에서만 경음화하므로 '할 것[-껃], 하는 것[--걷], 한 것[-걷]' 중 '할 것'에서만 경음화가 일어난다. '할 듯하다[할뜨타다], 할 성싶다[할썽십따], 할 법하다[할뻐파다]'처럼 '-(으)ㄹ' 다음에 오는 말이 명사가 아니라 보조용언일 때도 경음화가 적용된다. 보조용언 '듯하다, 성싶다, 법하다'는 본디 명사 '듯, 성, 법'과 '하다'가 결합된 것이고 명사 앞말이 관형사형 어미 '-(으)ㄹ'이기 때문이다.

다만, '끊어서 말할 적에는' 경음화가 적용되지 않는다. 즉, 끊어읽기에 따라 '만날 사람'의 발음형은 [만날 사람] 또는 [만날싸람]이다.

붙임의 '-(으)ㄹ'로 시작되는 어미도 이에 준하는데 이들은 '-ㄹ걸, ㄹ밖에, ㄹ세라'처럼 단일 형태소로 된 어미라는 점에서 변동규칙으로 보기는 어렵다. 이는 「맞춤법」 53항(다음과 같은 어미는 예사소리로 적는다.)과 연동된다.

> 「맞춤법」 53항: 다음과 같은 어미는 예사소리로 적는다.
> -(으)ㄹ걸, -(으)ㄹ게, -(으)ㄹ세, -(으)ㄹ수록, -(으)ㄹ지
> 다만, 의문을 나타내는 다음 어미들은 된소리로 적는다.
> -(으)ㄹ까?, -(으)ㄹ꼬?, -(스)ㅂ니까?, -(으)리까?, -(으)ㄹ쏘냐?

「발음법」 27항은 「맞춤법」 53항에서 [갈껄, 갈께]로 소리 나도 '갈걸, 갈게'로 적는 근거가 된다. '-(으)ㄹ'로 시작되는 어미의 경우 경음자를 쓰지 않는 것이다. 다만, 의문형 어미는 '-(스)ㅂ니까, -(으)리까'처럼 '-(으)ㄹ' 뒤가 아니라도 경음으로 나는 경우가 있어서 규칙에 기댈 수 없기 때문에 '-(으)ㄹ'로 시작되어도 '갈까, 갈꼬'처럼 경음자로 쓴다.

경음자 표기 기피 「맞춤법」 54항(다음과 같은 접미사는 된소리로 적는다.)은 '심부름꾼, 때깔, 뒤꿈치, 귀때기, 이마빼기, 객쩍다'의 접미사에 한정하여[20] 경음자 표기를 수용한 것이다. 그러나 어문규범은 가능하면 경음자를 쓰지 않으려는 경향을 보인다.

(1) ㄱ. 국수, 깍두기, 딱지, 색시, 싹둑(~싹둑), 갑자기, 몹시
ㄴ. 갈걸, 갈게, 갈수록, 갈지언정
ㄷ. -가(價)(대가, 감정가, 생산가, 설계가)
(2) 가시, 거꾸로, 번데기, 닦다, 숙맥, 졸병, 건수
(3) 「외표」 1장 4항(파열음 표기에는 된소리를 쓰지 않는 것을 원칙으로 한다.)
(4) 「로표」 3장 1항 붙임(된소리되기는 표기에 반영하지 않는다.)

(1)은 총칙 1항대로라면 경음자를 써야 할 예다. (1ㄱ)은 「맞춤법」 5항 다만('ㄱ, ㅂ' 받침 뒤에서 나는 된소리는, 같은 음절이나 비슷한 음절이 겹쳐 나는 경우가 아니면 된소리로 적지 아니한다.)의 예인데, 「발음법」 23항(받침 'ㄱ, ㄷ, ㅂ' 뒤에 연결되는 'ㄱ, ㄷ, ㅂ, ㅅ, ㅈ'은 된소리로 발음한다.)에 기대어 경음자를 쓰지 않는다. (1ㄴ)의 '갈걸'류는 「맞춤법」 53항의 예인데, 「발음법」 27항에 기대어 경음자를 쓰지 않는다. (1ㄷ)의 접미사 '-가(價)'는 항상 [까]로 나지만 '가격'에서처럼 어두 한자음 '가(價)'와의 동의관계를 고려해 경음자를 쓰지 않는다.

(2)의 어두 음절은 [까, 꺼, 뻔, 딱, 쑥, 쫄, 껀]이 통용되지만

20 『사전』에는 '-꾼, -깔, -때기, -빼기, -쩍다'는 접미사로 등재되어 있는 반면 '-꿈치'는 없다.

경음자 표기도 경음 발음도 표준으로 인정하지 않는다. 통용음과 표준발음과의 괴리 때문에 '*뻔데기, 쫄병, 갈껄, 갈께'와 같은 표기 오류가 빈발한다.

「외표」에서도 (3)에 따라 [까스, 뻐스, 딸러], [빵빠르, 꽁뜨, 까페]로 발음해도 '가스, 버스, 달러', '팡파르, 콩트, 카페'로 써서 가능한 경음자를 쓰지 않으려 한다. 이는 「로표」에서도 마찬가지여서 발음형을 표기하는 것이 원칙이지만 (4)처럼 경음화는 로마자 표기에 반영하지 않는다. 그래서 '낙동강'은 [-똥-]으로 경음화하지만 'Nakdonggang'으로 로마자화한다.

4. 'ㅎ'으로 인한 변동

'ㅎ'은 자음의 일종이지만 여느 자음과는 다른 특수한 음성적 성질을 지니고 있다. 첫째, 'ㅎ'은 후두 마찰음 /h/로 전사되는데, /h/는 발성작용 뿐 아니라 조음작용도 후두에서 이루어지는 유일한 음소다. 음운 체계에서 조음위치가 후두로 분류되는 유일한 음소라는 점에서 'ㅎ'은 체계 내 짝 없는 음소다.

둘째, 음성학적으로는 'ㅎ'은 후두에서 조음되는 경우는 드물고 고정된 조음위치 없이 뒤 모음의 조음위치에 따라 이동한다. '후두, 휘다, 화살, 황소'처럼 원순모음 또는 원순 반모음 [u, ɥ, w] 앞에서는 입술소리 [ɸ, ʍ]로, '혀, 힘'처럼 전설-센입천장소리 [i, j] 앞에서는 센입천장소리 [ç]로, '흔적, 흐리다'처럼 후설-여린입천장소리 [ɯ] 앞에서는 여린입천장소리 [x]로 실현된다. 자음이 뒤따르는 모음의 영향을 받는 것은 일반적 현상이지 유독 'ㅎ'에만 국한되는 것이 아니다. 그러나 'ㅎ'처럼 한 음소로 인식되는 변이음의 조음위치가 입술에서 후두에 이르기까지 있는 경우는 없다. 예를 들어 'ㄴ'도 'ㅣ, j' 앞에서 모음의 조음위치에 동화되어 구개음화하지만, 이는 잇몸과 센입천장이 인접한 위치기 때문에 가능하다. 이처럼 'ㅎ'은 뒤 모음의 조음위치를 닮음에 있어 다른 자음과는 근본적 차이를 보인다.

셋째, 'ㅎ'은 자음군단순화나 평파열음화의 조건인 [+자음성]으로 기능하는 데 제한적이다. 자음군단순화와 평파열음화의 조건은 뒤에 휴지나 자음이 올 때다. 그런데 '넓히고[널피-]'에 자음군단순화가 적용되지 않고, '꽂히다[꼬치-]'의 'ㅈ'에 평파열음화가 적용되지 않는다. '값하고[가파-], 여덟하고[-덜--]'는 자음군단순화, '옷하고[오타-]'는 평파열음화가 일어나지만 이는 'ㅎ'이 아니라 'ㅎ' 앞말이 자립형태소여서 휴지가 조건이 된 것이다.

[h]의 이러한 음성·음운론적 특이성은 언어보편적이어서 음성학적으로는 무성모음(devoiced vowel)(Jones 1957: 201)으로 불렸고, 음운론적으로는 [w, j, ʔ]와 함께 과도음으로 분류한 뒤 [−자음성, −모음성]으로 보았고(Chomsky & Halle: 1968), [−고정자리] 자질로 분류했다(허웅 1985: 210). 이러한 특수성으로 인해 'ㅎ'은 인접음에 따라 탈락하거나 분절음의 자격을 잃고 자질화하거나 아예 탈락하기도 한다.

4.1. 격음화

현상과 규칙 격음화(거센소리되기, 유기음화)는 'ㅎ'과 인접한 평음이 격음(거센소리, 유기음)으로 축약되는 현상을 말한다. 즉, 'ㅎ+평음', '평음+ㅎ' 연쇄는 격음 [ㅍ, ㅌ, ㅊ, ㅋ]로 된다. 격음의 짝이 없는 'ㅅ'은 격음화에서 제외된다.

(1) ㄱ. 낳다가, 낳지, 낳고 / 좋다가, 좋지, 좋고 / 넣다가, 넣지, 넣고
ㄴ. 싫다, 싫지, 싫고 / 많다, 많지, 많고 / 하찮다, 하찮지, 하찮고

(1)은 'ㅎ+평음'의 연쇄이고 격음화가 예외 없이 일어난다. 'ㅎ+ㄷ'은 [ㅌ]로, 'ㅎ+ㅈ'은 [ㅊ]로, 'ㅎ+ㄱ'은 [ㅋ]로 된다. 이때 'ㅎ'은 어간 말음이다.

(2) ㄱ. 좁히다[조피-], 넓히다[널피-], 꽂히다[꼬치-], 앉히다[안치-], 먹히다[머키-], 밝히다[발키-], 각하[가카], 식후[시쿠]
ㄴ. 옷 한 벌[오탄벌/옫한벌], 낮 한때[나탄때/낟한때], 꽃 한 송이[꼬탄송이/꼳한송이], 못 해요[모태요/몯해요]

(2)는 음소 배열이 (1)과는 반대인 '평음+ㅎ'인데 'ㅎ'으로 시작하는 뒷말이 접미사이든 한자어이든 단어이든 이어서 발음하면 격음화가 적용된다. 다만, 어절 경계를 넘어서 격음화가 적용되는 (2ㄴ)은 [옫+한벌]처럼 격음화 없이 끊어 발음한 것도 표준발음이다.

'넓히다[널피-], 꽂히다[꼬치-]'의 '넓-, 꽂-'처럼 'ㅎ'의 앞말이 의존형태소일 때는 격음화가 바로 적용된다. 반면, '값하다[가파-], 옷하고[오타-]'의 '값, 옷'처럼 'ㅎ'의 앞말이 자립형태소일 때는 자음군단순화, 평파열음화가 적용된 다음 격음화한다.

	ㄴㅗㅎㅈㅣ	ㄲㅗㅊㅎㅏㄱㅗ	ㅂㅏㄹㅂㅎㅣㄷㅏ
(3)	ㅊ	ㅌ	ㅍ
	[노치]	[꼬타고]	[발피다]

(4)

ㅎ	+	ㅂ	→	ㅍ	←	ㅂ	+	ㅎ
		ㄷ		ㅌ		ㄷ		
		ㄱ		ㅋ		ㄱ		
		ㅈ		ㅊ		ㅈ		

격음화를 보이는 대표적인 예를 도식화하면 (3), (4)와 같은데, (3)은 격음화가 탈락이나 대치 현상이 아니라, 음소 축약 현상임을 보여준다. (4)는 격음화가 'ㅎ+평음'이든 '평음+ㅎ'이든 순서와 상관없이 일어남을 보여준다.

(5) 'ㅎ+평음', '평음+ㅎ'은 격음으로 축약된다.

평음 → 격음 % ㅎ

격음화는 (5)와 같이 규칙화할 수 있다. 규칙이 적용되는 환경은 'ㅎ+평음' 또는 '평음+ㅎ'이므로 거울영상규칙으로 나타낼 수 있다.[21] 격음화는 음운 조건만 충족되면 형태론적 조건과 상관없이 일어나는 변동이다. 음소 수가 줄었다는 점에서 축약 현상이다. 'ㅎ'은 분절음의 자격을 잃긴 했으나, 후행 평음에 격음성 자질로 얹혀서 그 음성적 특성을 남기기 때문에 탈락으로 보기 어렵다.

[카ː]를 발음할 때 성문이 많이 열려 있어서 상당히 많은 양의

21 거울영상규칙(mirror image rule)은 'A → B / ___ X'와 'A → B / X ___'를 동일한 규칙으로 보고, 하나의 규칙으로 묶은 것인데, (5)에 사용된 '%'는 거울영상규칙임을 나타내는 표기 규약이다.

기류가 배출된다. 이로 인해 청각적으로는 [h]하는 숨소리가 뒤따라 들린다. 'ㅎ'은 분절음이고 'ㅍ, ㅌ, ㅊ, ㅋ'에 얹히는 [ʰ]는 독립된 분절음의 자격이 없다는 음운적 차이가 있지만, 'ㅎ'과 'ㅍ, ㅌ, ㅊ, ㅋ'은 [+격음성]을 공유하는 자연류이다. 평음이 'ㅎ'을 격음성 자질로 갖게 되었다는 점에서 축약이다.

관련 규정 　'길, 겨슬(겨울), 나라, 내'처럼 'ㅎ' 말음 체언이 있었으나 지금은 없어졌기 때문에 'ㅎ' 받침은 용언 어간에만 사용된다. 'ㅎ' 받침을 지닌 어간 자체가 가상적 대표형태이기 때문에 'ㅎ' 받침은 여느 장애음 받침과는 음운변동에서 자연류로 묶이지 않는 경우가 대부분이다. '놓고[노코]'의 격음화와 더불어 '놓아[노아]'의 'ㅎ'탈락은 여타 장애음 받침에는 없는 'ㅎ'만의 특수한 변동이다. 그래서 「발음법」 '4장 받침의 발음'에서 'ㅎ'은 다른 받침과 별도로 규정되었다.

「발음법」 12항: 받침 'ㅎ'의 발음은 다음과 같다.

1. 'ㅎ(ㄶ, ㅀ)' 뒤에 'ㄱ, ㄷ, ㅈ'이 결합되는 경우에는, 뒤 음절 첫소리와 합쳐서 [ㅋ, ㅌ, ㅊ]으로 발음한다.
   놓고[노코], 좋던[조:턴], 쌓지[싸치],
   많고[만:코], 않던[안턴], 닳지[달치]

[붙임 1] 받침 'ㄱ(ㄺ), ㄷ, ㅂ(ㄼ), ㅈ(ㄵ)'이 뒤 음절 첫소리 'ㅎ'과 결합되는 경우에도, 역시 두 음을 합쳐서 [ㅋ, ㅌ, ㅍ, ㅊ]으로 발음한다.
   각하[가카], 먹히다[머키다], 밝히다[발키다], 맏형[마텽],
   좁히다[조피다], 넓히다[널피다], 꽂히다[꼬치다], 앉히다[안치다]

[붙임 2] 규정에 따라 'ㄷ'으로 발음되는 'ㅅ, ㅈ, ㅊ, ㅌ'의 경우 에도 이에 준한다.
옷 한 벌[오탄벌], 낮 한때[나탄때], 꽃 한 송이[꼬탄송이], 숱하다[수타다]

12항 1은 격음화에 대한 규정이다. 'ㅎ + ㄱ, ㄷ, ㅈ'은 [ㅋ, ㅌ, ㅊ]으로 발음되는데[22] 후행 자음 중 'ㅂ'이 빠진 것은 'ㅂ'으로 시작하는 어미나 접미사가 없어서일 뿐이다. 1에서 '합쳐서'라 한 것은 격음화가 'ㅎ과 평음' 또는 '평음과 ㅎ'이 한 음소인 격음으로 축약되는 현상임을 뜻한다.

붙임 1의 '각하[가카], 밝히다[발키다], 꽂히다[꼬치다]'류도 격음화라는 점에서 1과 같다. 본항이 받침 'ㅎ'에 대한 규정이어서 'ㅎ'이 초성 자리에 표기된 'ㄱ, ㄷ, ㅂ, ㅈ + ㅎ'의 격음화는 따로 규정한 것일 뿐이다.

붙임 2는 격음화가 단어 경계를 넘어서도 적용될 수 있음을 보여준다. '옷 한 벌'과 같은 구도 이어서 발음하면 평파열음화와 격음화가 순차 적용되어 [오탄벌]로 된다. [온#한벌]로 끊어서 발음해도 되지만 'ㅎ'이 탈락한 [*오단벌]은 비표준발음이다. '몇 할, 숱하다'도 이어서 발음한 [며탈, 수타다], 끊어서 발음한 [면#할, 순#하다]는 표준발음이지만, [*며달, 수다다]는 비표준발음이다.

'ㅎ + ㅂ, ㄷ, ㅈ, ㄱ'에서는 예외 없이 격음화가 일어나는 것

22 다만 '싫증'은 [실쯩]으로 발음한다. 이는 '염증, 건조증'처럼 한자어에서 일어나는 사잇소리현상에 유추된 것이다.

과는 달리 'ㅂ, ㄷ, ㅈ, ㄱ + ㅎ' 연쇄에서는 방언이나 화자에 따라 격음화하지 않고, 'ㅎ'이 탈락하기도 한다. 격음화를 회피하는 현상은 특히 서남방언에서 많이 나타나지만, '깨끗하다[*깨끄다다]', '옷 한 벌[*오단벌]'처럼 격음화하지 않고 'ㅎ'을 탈락시키는 비표준발음은 특정 방언권뿐 아니라 거의 전역에서 광범위하게 나타나는 현상이다.

'썩히-, 잡히-, 붉히-, 걷히-, 밟히-, 맞히-'처럼 'ㅎ'이 피·사동 접미사의 첫소리인 경우 예외 없이 격음화한다. '악화, 삽화, 국회, 법회, 입학, 박하, 집합, 법학, 약학'과 같은 한자어에서도 가끔 '법학'을 [버박]으로 발음하는 경우도 있긴 하나, 대부분 격음화한다. 이에 비해 명사에 조사 '하고'가 연결된 '옷하고, 밥하고'는 [*오다고], [*바바고]처럼 'ㅎ'이 탈락한 비표준발음이 실현되는 빈도가 높아진다.

'X+하다' 용언의 경우 '弱하다, 착하다'보다 X가 자립형태소인 '藥하다, 못하다'는 격음화하지 않는 경우가 많다. 또한 '깨끗하게, 심각합니다, 구입한 것, 답답한 일, 반짝반짝해요'처럼 음절 수가 많아질수록 'ㅎ이 탈락한 [*깨끄다게, 심가감니다, 구이반걷, 답따반닐, 반짝반짜개요]로 발음하는 경우가 많다. 부사화 접미사가 쓰인 경우도 '급히, 극히, 딱히'보다 '답답히, 솔직히'에서 격음화하지 않고 'ㅎ'이 탈락하는 경우가 많다. '옷 한 벌, 육 학년, 꽃 한 송이'와 같은 구의 표준발음은 격음화한 [오탄벌, 유캉년, 꼬탄송이]나, 끊어 발음한 [옫+한벌, 육+항년, 꼳+한송이]이다. 그러나 'ㅎ'이 탈락한 [*오단벌, 유강년, 꼬단송이]가 통용된다. 이로 보아 형태소 경계 앞뒤 말의 자립성이 강할수록 격음화를 회피하는 경향이 강해짐을 알 수 있다.

4.2. 'ㅎ'탈락

현상과 규칙 '좋아[조아], 쌓이다[싸이다]'는 'ㅎ+모음'에서 'ㅎ'이 탈락한다. '뚫어[뚜러], 많아도[마나도]'처럼 'ㅎ'이 포함된 겹받침도 마찬가지다. 이때 'ㅎ'은 모두 어간 말음이므로 뒤따르는 모음은 어미이거나 접미사의 첫소리다. 'ㅎ'을 제외한 다른 어간 말음은 '먹어도, 밟아도'처럼 연음되어 다음 음절의 초성으로 실현된다는 점에서 별도의 규칙이 필요하고 이를 'ㅎ'탈락 규칙이라 한다.

(1) 'ㅎ+모음' 연쇄는 '∅+모음'으로 변동된다.

ㅎ → ∅ / ＿＿ 모음

'ㅎ'탈락은 (1)로 규칙화할 수 있다. 탈락하는 'ㅎ'은 어간 말음이지만 이것을 규칙에 명시할 필요는 없다. 형태소 말음으로 'ㅎ'이 쓰이는 것은 어간뿐이기 때문이다.

'ㅎ'탈락이 일어나는 근본적 이유는 표기형 자체에 있다. 발음형 [조으면, 조은, 조아도]를 보면 표기형을 '조'로 해야 한다. 그런데도 '좋'을 표기형으로 본 것은 [조타, 조코, 조치]와 같은 발음형에서 어미 '-다, -고, -지'가 [타, 코, 치]로 발음되는 현상을 반영하기 위해서다. 즉 어간 끝 'ㅎ'은 격음의 짝을 가진 평음으로 시작하는 어미와 결합할 때 나타나는 격음화를 합리적으로 설명하기 위해 설정한 가상적 기저형이고 대표형태이고 표기형이다.

만약 표기형을 '조'로 보면 'ㅎ'탈락 규칙은 없어도 되지만 '조고'가 왜 [조코]로 되는지 설명해야 하는데, 이는 음성학적 동기가 없어서 설명이 어려워진다. '주고'는 [주고]로 되지 [주코]가 아니기 때문이다. 이에 비해, '좋'으로 쓰면 '좋아서'가 [조아서]로 되므로 'ㅎ'이 탈락하는 현상을 설명해야 한다. '결혼[*겨론], 은행[*으냉]'처럼 유성음 사이에서 유성음화한 [ɦ]는 거의 들리지 않아서 약화 또는 탈락은 드문 일이 아니다.

'않네[안네], 않는[안는], 뚫는[뚤는→뚤른]'의 'ㅎ'탈락은 (1)에 해당하지 않는다. 이들은 'CㅎC' 연쇄이고, 'ㅎ'탈락 규칙은 'ㅎV' 연쇄에 적용된다. 표면적으로는 '않네', '않아요' 둘 다 'ㅎ'이 탈락했지만 '않네'는 자음군단순화, '않아요'는 'ㅎ'탈락 규칙이 적용된 것이다.

관련 규정 아래 규정은 'ㅎ'탈락 규칙과 관련된 것이다.

「발음법」 12항 4: 'ㅎ(ㄶ, ㅀ)' 뒤에 모음으로 시작된 어미나 접미사가 결합되는 경우에는, 'ㅎ'을 발음하지 않는다.
낳은[나은], 쌓이다[싸이다], 많아[마:나], 않은[아는], 닳아[다라], 싫어도[시러도]

'낳은[나은]'류의 'ㅎ'탈락도 '놓고[노코]'의 격음화와 마찬가지로 여타 장애음에는 없는 'ㅎ'만의 특수한 음운변동이다.

어간 말 'ㅎ'의 표기와 발음 어간의 원형을 밝히고 어미와 분철하는 현대국어는 '놓고, 놓습니다, 놓는다, 놓아'로 쓰고 [노코, 노씀니다, 논는다, 노아]로 발음한다. 이에 비해 소리 나는 대로 적는 음소적 표기를 한 중세국어는 '노코, 노쑵고, 놀노니, 노ᄒᆞ샤'로 썼다. 현대국어 발음형과 중세국어 표기형을 비교해 보면 격음화가 일어난 [노코], 경음화가 일어난 [노ᄊ]은 현대국어와 중세국어가 같다. '노쑵고'는 '놓-ᄉᆞᆸ-고'로 분석된다. 중세국어에서 비음화는 표기에 규칙적으로 반영되지는 않았지만 '놀노니'는 [논노니]로 비음화했던 것으로 보인다. '걷나-'〈渡〉에 비음화가 반영된 표기인 '건나-'가 공존했고 '다ᄂᆞ니라(←닫ᄂᆞ니라)'와 같은 예가 있기 때문이다.

중세국어에서는 대부분 어간 끝 'ㅎ'이 연음된 '노ᄒᆞ샤, 됴ᄒᆞ며, 나ᄒᆞ며'로 적은 것으로 보아 'ㅎ'탈락은 일어나지 않았던 것으로 보인다. 그러나 '닳다'의 활용형이 '달아'로 적혀 있는 「월인석보 9:21b」의 예처럼 'ㅎ'탈락을 표기에 반영한 예도 있다. 18세기 자료에서는 '놓-'이 '노아, 노으니'로, '잃-'이 '이러, 이르니'의 형태로 나타난다(이진호: 2003).

종성 'ㅎ'탈락은 표준발음이지만, '경제학, 전화, 반하다, 셈하다, 잘하다, 철학'처럼 '유성음+ㅎ'에서 초성 자리에 표기된 'ㅎ' 탈락은 표준발음으로 인정하지 않는다. 그러나 '전화, 결혼'처럼 유성음 사이에 있는 초성 'ㅎ'은 일상적이고 자연스런 발화에서 대부분 탈락하여 [저놔, 겨론]으로 들린다. 유성음화한 [ɦ]는 거의 들리지 않아서 결국 탈락하는데, 유성음 간 'ㅎ'탈락은 임의적 변동이긴 하나 음성·음운론적 동인이 강하해서 보편성도 높다.[23]

23 유성음 간 초성 'ㅎ'탈락 또는 약화 현상은 여러 언어에서 발견된다. 인도네시아어에서 'hutan, hujan'처럼 어두 'h'는 음가를 지니지만 'orang hutan〈오랑우탄〉, musim hujan〈우기〉'처럼 유성음 사이에서는 약화 또는

유성음 간 'ㅎ'탈락은 형태론적 조건과 상관없이 일어난다. '저희, 구하다, 도저히'는 파생어, '비행, 과학, 서류함'은 한자어, '나하고, 나한테'는 명사와 조사의 결합인데 발화속도가 빨라질수록 'ㅎ'탈락률이 높아진다. '빨리 해라, 가야 한다'처럼 어절 경계를 넘어서도 'ㅎ'탈락이 일어난다. '흔하-'와 '가난하-', '들척지근하-'를 보건대 음절 수와도 별 상관이 없다. '미안합니다, 안녕하세요'처럼 5음절 이상인 어절도 일상 발화에서는 'ㅎ'이 탈락하는 경우가 많다.

(2) ㄱ. 못하다, 독하다, 약하다, 따뜻하다, 부족하다, 행복하다
ㄴ. 잘하다, 순하다, 강하다, 시원하다, 충분하다, 불행하다

(2ㄱ)은 격음화가 적용될 환경인데 '못하다[*모다-], 따뜻하다[*-뜨다-]로 'ㅎ'이 탈락하는 경우가 많다. (2ㄴ)의 'ㅎ'도 유성음화하여 결국 들리지 않고 '잘하다[*자라-], 순하다[*수나-]'로 탈락하기도 한다. 초성 'ㅎ'탈락은 「발음법」에서 언급되지 않았으므로 비표준발음이다. 『조선』 문화어발음법 29항(소리마디의 첫소리《ㅎ》은 모음이나 울림자음 뒤에서 약하게 발음할수 있다.)은 '마흔, 부지런히'에서와 같은 유성음 간 'ㅎ' 약화를 인정한다.

「맞춤법」 51항(부사의 끝음절이 분명히 '이'로만 나는 것은 '-이'로 적고, '히'

탈락되어 [오랑우딴, 무심우잔]으로 발음한다. 영어에서도 'What did he say?, She should have gone', 'Tell him'에서 'he, have, him'과 같은 기능어의 'h'는 어두음일지라도 강세를 수반하지 않을 경우 탈락하는 경향이 강하다.

로만 나거나 '이'나 '히'로 나는 것은 '-히'로 적는다.)은 부사화 접미사 '-이', '-히'의 구별 표기를 발음을 기준으로 하고 있다. 그러나 어중 초성 'ㅎ'의 발음은 유동성이 강해서 표기 기준으로 삼기에 부적합한 면이 있다. '못하지[모타-]'에 격음화가 적용되지 않은 [*모다-]', '잘하지'의 유성음 사이 'ㅎ'이 탈락된 [*자라-]'와 같은 통용음이 빈번하기 때문이다.

[히]로 난다 함은 가만히[--히]와 더불어 '솔직히[-찌키]'처럼 'ㅎ'이 인접한 평음에 격음성 자질 [ʰ]로 얹혀 격음화한 발음을 포함하는 말이다. 51항 3('이, 히'로 나는 것)은 「발음법」, 『사전』과는 상충되는 기술이다. '솔직히, 급급히'의 표준발음은 『사전』에 따르면 격음화한 [-찌키, -끄피]이므로 '히'로만 나는 것이다. '가만히, 각별히'도 「발음법」에 따르면 'ㅎ'이 탈락할 환경이 아니므로 [가만히, 각별히]로만 나는 것이다. 51항 3은 '솔직히'가 격음화하지 않고 'ㅎ'이 탈락하기도 하고, '가만히'의 'ㅎ'이 유성음화하여 탈락하기도 하는 통용음을 고려하면 맞는 기술이지만, 「발음법」, 『사전』과 상충된다는 점에서 문제가 있다.

5. 'ㄹ'로 인한 변동

'ㅎ'이 조음위치상 유일한 후음이어서 체계 내에서 짝 없는 음소이고 그래서 음소 변동을 유발하는 것처럼, 'ㄹ'도 조음방법상 유일한 유음이라는 점에서 짝 없는 음소다. 'ㄹ'은 자음의 일종으로 처리하지만, 구강에서 공명이 일어나는 소리라는 점에서 가장 모음에 가까운 비전형적인 자음이다.

'ㄹ'은 이러한 음성·음운론적 특이성으로 인해 음운과정에서도 특이한 양상을 보일 것이라 예측된다. 'ㄹ'이 어두음 제약이 있는 것은 알타이제어의 공통적 음운 특질로 언급되어 왔다. 초성 'ㄹ'은 다른 음소와 결합할 때도 제약이 심해서 앞 자음으로 'ㄹ' 이외의 것을 허용하지 않는다. 'C+ㄹ'에서 'C'가 'ㄹ'이 아닐 경우 이 제약을 준수하기 위해 변동이 일어난다.

(1) ㄱ. 주력(主力), 실력(實力)
ㄴ. 권력(權力), 생산력(生產力), 능력(能力), 담력(膽力), 국력(國力), 압력(壓力)
ㄷ. 역사(力士), 금강역사(金剛力士)

(1)에서 '력(力)'이 표기된 한자어 중 (1ㄱ)은 표기형과 발음형이 일치하지만 (1ㄴ)은 표기형과 발음형이 다르다. 'ㄹ' 앞 형태소 말음이 모음인 '주력'이나, 같은 'ㄹ'인 '실력'에서는 음운변동

이 일어나지 않는다. 그러나 그 외의 환경 즉 'ㄹ 외의 자음 + ㄹ' 연쇄인 '권력, 생산력, 능력, 담력, 국력, 압력'에서는 변동이 일어나므로 (1ㄴ)은 「발음법」의 설명 대상이다.[24] 반면, (1ㄷ)처럼 발음 때문에 표기를 달리하는 예는 표기형과 발음형이 일치하므로 「발음법」이 아니라 「맞춤법」의 설명 대상이다.[25]

5.1. 유음화

현상과 규칙 '설날[설ː랄]', '권력[궐-]'처럼 'ㄴ'이 유음 [ㄹ]로 대치되는 변동을 유음화라 한다. 유음화는 'ㄴ'이 'ㄹ'의 앞에 있든 뒤에 있든 유음으로 변동하는 현상이다. 유음은 초성에서는 탄설음으로, 종성이나 'ㄹ'이 겹쳐 있을 때는 설측음으로 실현되는데, 유음화는 순행적이든 역행적이든 항상 'ㄹ'이 겹쳐서 실현되므로 설측음화(lateralization)라고도 한다.

(1) ㄱ. 닳는[달른], 뚫는[뚤른], 핥네[할레], 앓는다[알른-]
ㄴ. 찰나[-라], 실내[-래], 월남[-람]

24 '권력[궐-]'류는 「발음법」 20항 (1), '생산력[--녁]'류는 20항 다만, '능력[-녁], 담력[담ː녁]'류는 19항, '국력[궁녁], 압력[암녁]'류는 19항 붙임에 설명된다.

25 두음법칙을 다룬 「맞춤법」 11항(한자음 '랴, 려, 례, 료, 류, 리'가 단어의 첫머리에 올 적에는, 두음 법칙에 따라 '야, 여, 예, 요, 유, 이'로 적는다.)에 따라 소리대로 적는다. 합성어인 '금강역사'의 '역사'는 어두가 아니어도 두음법칙이 적용되었다. 이는 'X+Y'로 이루어진 복합어에서 Y는 비어두지만 자립적으로 쓰이는 2음절 이상의 단어이면 두음법칙을 적용하기 때문이다.

ㄷ. 실눈[실ː룬], 신출내기[--래-], 달님[-림]

ㄹ. 설날[설ː랄], 칼날[-랄], 물난리[-랄-], 줄넘기[-럼끼], 달나라[-라-], 불놀이[-로리], 돌나물[-라-]

ㅁ. 일할 남자[일ː-람-], 겨울 나그네[--라--], 살 날 남았다 [살ː랄라맏따], 김수철 님[---림], 잘 나왔네[-라완-], 여행갈 나라[---라-]

(1)은 모두 '설날'처럼 'ㄹ+ㄴ'이 [ㄹㄹ]로 변동된다. 동화주 'ㄹ'이 앞에 있으므로 순행적 유음화이고 완전동화다. (1ㄱ~ㅁ)은 각각 어간과 어미, 한자어 의존형태소끼리, 접사와 어근, 어근과 어근, 단어끼리 결합한 것이다. 형태론적 조건이 다 다르지만 이어서 발음하면 동일한 변동이 일어난다. 단, '/살+는/사는'처럼 'ㄹ'이 어간 말음일 때는 유음화하지 않고 'ㄹ'이 탈락한다.

(2) ㄱ. 권력[궐-], 한류[할ː-], 신라[실-], 편리[펼-], 군란[굴-], 전라도[절--]

ㄴ. 천리[철-], 산림청[살--]

(2)도 유음화 현상을 보인다. 다만, (1)과 달리 형태소 경계의 음소 배열이 'ㄴ+ㄹ'인 예들이 [ㄹㄹ]로 변동되었으므로 역행적 유음화다. (2)는 모두 한자어이다. 이는 'ㄹ'로 시작하는 고유어가 거의 없기 때문이다. 15세기 자료에도 '러울, 롱담, 라귀'와 같은 몇몇 어휘를 제외하면 'ㄹ'이 어두에 쓰인 고유어는 거의 없다. 이는 15세기 이전에 이미 'ㄹ' 두음법칙이 적용되었기 때문으로 보인다. '핀란드[필--]'처럼 외래어일 때도 'ㄴ+ㄹ' 연쇄라는 음운

론적 조건만 충족되면 역행적 유음화가 일어나기도 하므로 '한자어'라는 어휘적 조건은 역행적 유음화 실현 여부에 관여하지 않는 것으로 보인다.

그런데 'ㄴ+ㄹ'이라는 음운 조건이 충족된다고 항상 역행적 유음화가 일어나는 것은 아니다. '권력, 탄력'처럼 'ㄴ'으로 끝난 앞말이 1음절 의존형태소일 때는 역행적 유음화가 적용된다. 반면, '생산-력, 공권-력'처럼 앞말이 2음절 이상의 단어인 경우 유음화하지 않고 'ㄹ'이 비음화한다.

(3) 맛있는+라면 → [마신는나-], [*마신늘라-]
가지고 있는+라이터 → [---인는나--], [*---인늘라--]
예쁜+리본 → [-쁜니-], [*-쁠리-]
무한+리필 → [-한니-], [*-할리-]

(3)은 'ㄴ+ㄹ'에서 '+'가 어절 경계일 경우, 'ㄴ'이 'ㄹ'로 되지 않고 'ㄹ'이 'ㄴ'으로 되는 것을 보여주는데, 이는 경계 간 자립성이 강할수록 역행적 유음화보다 'ㄹ'비음화가 적용됨을 뜻한다.

(4) ㄱ. 순행적 유음화 규칙: 'ㄹ+ㄴ'은 [ㄹㄹ]로 변동된다.
ㄴ → ㄹ / ㄹ ___
단, 'ㄹ'은 어간 말음이 아니어야 한다.

ㄴ. 역행적 유음화 규칙: 'ㄴ+ㄹ'은 [ㄹㄹ]로 변동된다.
ㄴ → ㄹ / ___ ㄹ
단, 앞말은 1음절 의존형태소여야 한다.

유음화는 (4)와 같이 규칙화할 수 있다. 유음화의 동화주는 유음 'ㄹ'이다. '설날[설:랄]'은 동화주인 'ㄹ'이 앞에 있으므로 순행적 유음화, '권력[궐-]'은 뒤에 있으므로 역행적 유음화다. 피동화음 'ㄴ'과 동화주 'ㄹ'은 [+공명성] 자질과 조음위치 자질을 공유한다. 유음화는 대치, 완전동화, 자음에 의한 자음동화다. '설날[설:랄]'과 '/졸+는/조는'처럼 같은 음운론적 조건이라도, 형태론적 조건에 따라 순행적 유음화 대신 'ㄹ'이 탈락할 수 있다. '권력[궐-]'과 '생산력[--녁]'처럼 같은 음운 조건이라도, 형태론적 조건에 따라 역행적 유음화와 'ㄹ'비음화가 구별 적용된다.

(5) 유음화 관련 음운과정

규칙 \ 표기형	권력	줄넘기	닳는다	잘 나와	물난리
자음군단순화	–	–	달는다	–	–
순행적 유음화	–	줄럼기	달른다	잘라와	물란리
역행적 유음화	궐력	–	–	–	물랄리
경음화	–	줄럼끼	–	–	–
발음형	궐력	줄럼끼	달른다	잘라와	물랄리

'줄-넘기'에서 순행적 유음화, '넘+기'에서 경음화가 적용되어 [줄럼끼]로 발음된다. '닳는다'는 자음군단순화로 'ㅎ'이 탈락하여 'ㄹ+ㄴ' 연쇄가 되므로 순행적 유음화가 적용된다. 이에 반해 '읽는[잉-]'은 자음군단순화로 'ㄹ'이 탈락하여 'ㄱ+ㄴ' 연쇄가 되므로 유음화가 아니라 비음화가 적용된다. '물-난리'는 'ㄹ+ㄴ' 연쇄에서 순행적 유음화가, '난-리'의 'ㄴ+ㄹ' 연쇄에서 역행적 유음화

가 적용되어 [-랄-]로 발음된다.

5.2. ‘ㄹ’비음화

현상과 규칙 ‘생산력[--녁]’과 ‘국물[궁-]’은 결과적으로 비음 아닌 자음이 비음화한 것이라는 점은 같지만 양자는 근본적 차이가 있다. 첫째, ‘국물’류의 비음화는 ‘폐쇄음+비음’ 연쇄에서 비음이 동화주가 된 역행동화인 반면, ‘생산력’의 비음화는 순행동화가 된다. ‘생산력, 능력, 담력’류를 ‘국물’과 동류로 보려면 비음을 동화주로 봐야 하기 때문이다. 둘째, ‘생산력’과 같이 ‘X+력(力)’으로 이루어진 ‘국력[궁녁], 협력[혐녁]’의 비음화는 표기형, 기저형에 비음이 없어서 비음을 동화주로 볼 수도 없다. 셋째, 피동화음이 다르다. ‘국물’류는 폐쇄음이 피동화음인 반면, ‘생산력, 능력, 담력, 국력’류는 ‘ㄹ’이다.

그래서 ‘생산력, 능력, 담력, 국력, 협력’과 같은 예의 비음화는 ‘국물’류의 비음화와 구별하여 ‘ㄹ’비음화(ㄹ의 ㄴ되기)라 부른다. ‘국물’류의 비음화가 일어나는 근본적 원인은 비음이 동화주가 된 역행동화이다. 이에 반해 ‘ㄹ’비음화는 비음성 동화가 아니라, 초성 ‘ㄹ’에 선행하는 자음은 ‘ㄹ’ 이외의 것을 허용하지 않는 음소 결합제약으로 인한 변동이다. ‘ㄹ’이 다른 자음으로 대치되어야 한다면 최적의 선택은 공명음이면서 조음위치가 같은 ‘ㄴ’뿐이다.

(1) 결단력[-딴녁], 공권력[-꿘녁], 구근류[--뉴], 동원령[동ː원녕], 상견례[--녜], 생산량[--냥], 생산력[--녁], 임진란[임ː-난], 입원료[이붠뇨], 횡단로[--노]

(1)은 'ㄴ+ㄹ' 연쇄에서 유음화하지 않고 비음화한다. 'ㄴ+ㄹ'에서는 유음화와 비음화가 서로 경쟁 관계를 보이는데, 어느 규칙이 적용될지 결정하는 공시적 조건은 형태론적이다. 같은 음운적 조건에서도 '권력'처럼 'ㄴ'으로 끝난 앞말이 의존형태소일 때는 유음화가, '생산력'처럼 자립형태소일 때는 비음화가 일어난다.

(2) ㄱ. 권력, 분량, 원론, 민란
ㄴ. 공권-력, 염분-량, 이원-론, 임진-란

(2ㄱ)은 [ㄹㄹ]로 유음화하고, 'ㄴ'으로 끝난 앞말은 의존형태소이다.[26] 이에 반해 (2ㄴ)은 [ㄴㄴ]로 비음화하고, 앞말은 자립형태소다. 앞말이 의존형태소인 경우 유음화하므로 '근로자', '논리학'과 같은 예는 예외가 아니다.

한자어의 자립성은 음절 수와 밀접한 관련을 맺는데, 대부분 2음절 이상이어야 자립성을 획득한다. '천 리, 산림'의 '천, 산'은 자립형태소임에도 불구하고 [철리, 살림]으로 유음화하는 것은 한

26 『사전』에서는 'X的'을 제외한 2음절 한자어에는 복합어의 직접성분 경계를 표시하는 붙임표 '-'를 하지 않는다. 『사전』에 따르면 '권력'류는 단일어로 해석된다. 그러나 한자어는 '포도(葡萄), 유리(流離)'와 같은 예외도 있으나 대부분 1음절 1형태소이다.

자어에서 음절 수가 강력한 역할을 함을 의미한다. ‘ㄴ+ㄹ’ 연쇄에서 역행적 유음화와 ‘ㄹ’비음화를 결정하는 조건을 음절 수로 설명하는 것은 가장 쉽고 간단명료한 방법으로 보인다.

‘광한루[-할-]’처럼 음절 수로 설명할 때 예외도 있다. 그러나 앞말이 의존형태소일 때는 유음화하는 반면, 자립형태소일 때는 ‘ㄹ’이 비음화한다고 형태론적 조건을 사용해도 예외 없이 설명되지는 않는다. ‘천 리, 산림’처럼 ‘천, 산’이 자립형태소인데도 유음화하는 예가 있기 때문이다.[27]

(3) ㄱ. 담력[담ː녁], 침략[-냑], 심리[-니], 감량[감ː냥], 음료수[음ː뇨-], 염려[염ː녀]
  ㄴ. 강력[-녁], 항로[항ː노], 통로[-노], 종류[종ː뉴], 대통령[대ː-녕], 궁리[-니], 등록[-녹], 생 라면[-나-], 냉랭하다[-냉--], 명랑하다[-낭--]

초성 ‘ㄹ’의 결합제약 때문에 ‘ㄹ’이 비음화하는 거라면 ‘생산력[-녁]’처럼 ‘ㄴ+ㄹ’일 때뿐 아니라 ‘ㅁ+ㄹ’, ‘ㅇ+ㄹ’일 때도 동일한 변동이 일어날 것으로 예측된다. (3ㄱ)은 ‘ㅁ+ㄹ’, (3ㄴ)은 ‘ㅇ+ㄹ’의 예다. ‘ㄴ+ㄹ’뿐만 아니라 ‘ㅁ+ㄹ’, ‘ㅇ+ㄹ’ 연쇄일 때도 ‘ㄹ’비음화가 일어난다. 이 변동은 ‘홈런[-넌], 장르[-느]’와 같이 외래어에서도 음운론적 조건만 충족되면 적용될 수 있다.

27 ‘면류(冕旒)’의 ‘冕’은 의존형태소이고, ‘면류(麵類)’의 ‘麵’은 자립형태소이다. 『사전』에 제시된 표준발음은 둘 다 [멸-]이지만, ‘면류(麵類)’는 [*-뉴]로 발음하는 경향이 강하다.

'ㄴ+ㄹ'에서는 앞말이 자립형태소일 때만 'ㄹ'비음화가 적용되는데 비해, 'ㅁ+ㄹ', 'ㅇ+ㄹ'일 때는 일방적으로 'ㄹ'비음화만 적용된다. 만약 'ㅁ+ㄹ', 'ㅇ+ㄹ'에서 'ㅁ, ㅇ'이 유음화하려면 조음방법 뿐 아니라, 조음위치까지도 바뀌어야 하기 때문이다. 이에 비해 'ㄹ'이 'ㄴ'으로 바뀌는 것은 조음방법 자질만 바뀌면 된다.

(4) ㄱ. 국력[궁녁], 백 리[뱅니], 폭력[퐁녁], 낙락장송[낭낙--], 대학로[대ː항노]
ㄴ. 십 리[심니], 협력[혐녁], 실업률[시럼뉼], 수업료[-엄뇨], 출입로[추림노]
ㄷ. 몇 리[면니], 디귿 리을[-근니-]
ㄹ. 업로드[엄노-], 컵라면[컴나-]

(4)는 '비음+ㄹ' 연쇄에서와 같이 'ㄱ,ㅂ,ㄷ + ㄹ' 연쇄에서도 'ㄹ'이 'ㄴ'으로 변동됨을 보여준다. (4ㄷ)처럼 구도 이어서 발음하면 'ㄹ'비음화가 일어나고 (4ㄹ)처럼 외래어에도 이 규칙이 적용될 수 있다. '국력[궁녁]'도 'ㄹ'이 선행 자음으로 'ㄹ' 외의 자음을 허용하지 않는다는 제약 때문이다.

(5) 'ㄹ 외 자음 + ㄹ'은 [ㄹ 외 자음+ㄴ]으로 변동된다.

ㅁ, ㅇ
ㄹ → ㄴ / ㄱ, ㄷ, ㅂ ——
ㄴ

단, 'ㄴ+ㄹ'일 경우 'ㄴ'으로 끝난 앞말이 2음절 이상의 자립형태소여야 한다.

'ㄹ'비음화는 (5)와 같이 규칙화할 수 있다. 이 규칙이 적용되는 음운 조건은 'ㄹ 이외의 자음 + ㄹ'이 연쇄될 경우다. 단, 앞말이 2음절 이상의 자립형태소여야 한다는 형태론적 조건은 역행적 유음화와 경쟁 관계에 있는 'ㄴ+ㄹ' 경우에만 적용된다.[28] 'ㅁ, ㅇ, ㄱ, ㄷ, ㅂ+ㄹ'일 경우 음운 조건만 충족되면 형태론적 정보와 상관없이 'ㄹ'이 'ㄴ'으로 변동된다.

관련 규정 'ㄹ' 관련 변동에 대한 규정은 「발음법」 19, 20항이다. '능력[-녁]', '국력[궁녁]', '권력[궐-]', '생산력[--녁]'류와 '설날[설ː랄]'류에 대한 규정이 섞여 있다.

「발음법」 19항: 받침 'ㅁ, ㅇ' 뒤에 연결되는 'ㄹ'은 [ㄴ]으로 발음한다.
담력[담ː녁], 침략[침냑], 항로[항ː노], 강릉[강능], 대통령[대ː통녕]
[붙임] 받침 'ㄱ, ㅂ' 뒤에 연결되는 'ㄹ'도 [ㄴ]으로 발음한다.
막론[막논→망논], 백리[백니→뱅니], 십리[십니→심니][29],

28 'ㄴ+ㄹ'의 동일 음운 조건에서 역행적 유음화와 'ㄹ'비음화가 공시적으로 경쟁 관계를 보이는 것은 통시적으로 두 규칙이 선후 관계인 데 뿌리가 있다. 통시적으로 '권력'류의 역행적 유음화가 '생산력'류의 'ㄹ'비음화보다 앞선 규칙인데 이는 음절 수와 유관하고, 한자어의 음절 수는 문체 변화와 상관관계를 형성한다. 2음절어는 한문, 3음절 이상어는 대부분 국문 시대에 만들어진 것이다.

29 『사전』에 따르면 '리'는 의존명사이고, 의존명사 앞에 쓰인 '백, 십'은 관형사이므로 '백 리, 십 리'와 같이 띄어 써야 한다.

협력[협녁→혐녁]

19항은 'ㅁ, ㅇ + ㄹ' 연쇄에서 'ㄹ'이 [ㄴ]으로 되는 '능력[능녁]'류, 붙임은 'ㄱ, ㄷ, ㅂ + ㄹ' 연쇄에서 'ㄹ'이 [ㄴ]으로 되는 '국력[궁녁]'류를 다룬 규정이다. 규정에는 받침 'ㄱ, ㅂ' 뒤라고 되어 있으나 'ㄷ'을 뺄 이유는 없다. 몇 리[면니]의 음운 과정은 '국력[궁녁]'과 같기 때문이다.

붙임에는 '협력[협녁→혐녁]'으로 외재적 규칙순을 보이고 있는데 이것의 문제점에 대해서는 앞서 3.3.1에서 밝힌 바 있다. '협력→협녁'은 'ㄹ'비음화를 우선시하고, [협녁→혐녁]은 '돕는[돔는]'의 비음화와 같다. 그러나 공명성 자질의 일치를 우선시한 '협력→혐력'도 가능하고, [혐력→혐녁]은 '담력[담녁]'의 'ㄹ'비음화와 같은 현상이다. 「발음법」에서 어떤 경우 규칙순을 밝힐 것인지, 밝힌다면 어떤 방법으로 할 것인지에 대해서는 더 많은 논의가 필요하다.

「발음법」 20항: 'ㄴ'은 'ㄹ'의 앞이나 뒤에서 [ㄹ]로 발음한다.
(1) 난로[날:로], 신라[실라], 천리[철리], 광한루[광:할루], 대관령[대:괄령]
(2) 칼날[칼랄], 물난리[물랄리], 줄넘기[줄럼끼], 할는지[할른지]
[붙임] 첫소리 'ㄴ'이 'ㅀ', 'ㄾ' 뒤에 연결되는 경우에도 이에 준한다.
닳는[달른], 뚫는[뚤른], 핥네[할레]
다만, 다음과 같은 단어들은 'ㄹ'을 [ㄴ]으로 발음한다.
의견란[의:견난], 임진란[임:진난], 생산량[생산냥], 공권력[공꿘

녁], 동원령[동ː원녕], 상견례[상견녜], 횡단로[횡단노], 입원료[이뷘뇨], 구근류[구근뉴]

20항 (1)과 (2)는 결과적으로 유음화했다는 점에서 같다. (1)은 'ㄴ+ㄹ', (2)는 'ㄹ+ㄴ' 연쇄여서 각각 역행적 유음화, 순행적 유음화다. 그런데 'ㄴ+ㄹ'의 'ㄹ'은 초성이고 'ㄹ+ㄴ'의 'ㄹ'은 종성이다. 초성 'ㄹ'은 'ㄹ' 이외의 자음과 결합하지 않는 제약이 있지만 종성 'ㄹ'은 7종성 중 하나여서 초성과 같은 제약은 없다. 'ㄴ+ㄹ' 연쇄에서의 변동은 19항과 마찬가지로 'ㄹ' 외 자음과 'ㄹ'의 결합제약으로 인한 것이다.

'권력[궐력]'류와 '생산력[생산녁]'류는 'ㄴ+ㄹ' 연쇄라는 음운 조건이 동일하지만, '권력[궐력]'류는 유음화하고, 20항 다만에 규정된 '생산력[생산녁]'류는 'ㄹ'이 비음화한다는 점에서 두 규칙은 경쟁 관계에 있다. 이런 점에서 20항 (1)에서 유음화 예로 제시한 '광한루, 대관령' 같은 고유명사는 규칙에 토대를 두고 규정하는 「발음법」 예로 부적절하다. 음운 조건이 같아도 '광안리, 노근리, 대천리'와 같은 고유명사는 사용자마다 친숙함의 정도가 다르고, 앞말의 자립성에 대한 판단이 불분명하여 발음의 변이가 심하다. 이는 전문용어나 외래어도 마찬가지다.[30] 철자대로 발음한 [광안리, 으문론, 원룸], 유음화가 적용된 [광알리, 으물론, 월룸], 'ㄹ'이 비음화한 [광안니, 으문논, 원눔] 세 가지 발음이 공존하는 양상을 보인다.

30 특히 외래어는 「발음법」에서는 물론 『사전』에도 발음 정보가 명시되어 있지 않아서 발음 혼란의 정도가 더 심하다.

(2)의 '칼날'류는 순행적 유음화인데, 제시된 예 중 '할는지'는 이질적이다. '-ㄹ는지'는 공시적으로 한 형태소이기 때문에 형태소 경계에 적용되는 변동규칙의 예로는 부적절하기 때문이다.

붙임의 '닳는[달른]'류도 순행적 유음화 예인데 다만, [달는→달른]으로 자음군단순화가 먼저 적용된다. '앓는[알른], 앓네[알레]'도 이와 같다. 그러나 '알다'처럼 어간 말 홑자음 'ㄹ' 다음에 'ㄴ'이 올 때에는 「맞춤법」 18항 1에 따라 '아는, 아나, 아네' 등과 같이 'ㄹ'이 탈락하고 그대로 표기한다.

다만, '생산력[생산녁]'류에 나타나는 비음화는 역행적 유음화를 보이는 20항 (1)의 '권력[궐력]'류와 경쟁 관계에 있는 규칙이다. '다음과 같은 단어들'이 의미하는 바가 명확하지 않아서 두 규칙의 선택 조건이 불명확하다. 이는 20항이 변동의 결과에 따라 역행적이든 순행적이든 유음화는 본항에 배열하고 '권력'류와 동일한 음운 환경에서 'ㄹ'이 'ㄴ'으로 된 '생산력'류는 본항의 예외로 배열했기 때문이다.

19항, 20항에서 다루는 것은 초성 'ㄹ'의 음소 결합제약으로 인한 변동이되, 20항 (2)만 종성 'ㄹ'로 인한 변동이다. 'C+ㄹ'에서 변동 없이 발음되는 경우는 'ㄹ+ㄹ'일 때뿐이다. 형태소 첫소리 'ㄹ'은 통시적으로 두음법칙이 적용된 결과 고유어에는 해당하는 예가 없다. 따라서 'ㄴ, ㅁ, ㅇ, ㅂ, ㄷ, ㄱ + ㄹ'에서 변동을 보이는 것은 대부분 한자어이다.

19, 20항의 수정안 지금까지 논의를 바탕으로 「발음법」 19, 20항의 수정안을 제시하면 아래와 같다. 「발음법」의 내용 조직이 원인 중심이 아니라 결과 중심임을 고려하여 19항은

'ㄹ'비음화, 20항은 유음화를 다루었다.

19항 'ㄹ' 외의 받침 뒤에 연결되는 'ㄹ'은 [ㄴ]으로 발음한다.
　　담력[담:녁], 능력[능녁], 생산력[생산녁]
　　압력[암녁], 국력[궁녁], 몇 리[면니]
[붙임] 두 단어를 이어서 발음하는 경우에도 이와 같다.
　　예쁜 리본[예쁜니본], 분홍 리본[분홍니본],
　　분홍색 리본[분홍생니본]
다만, 'ㄴ'으로 끝난 앞말이 1음절인 경우 [ㄹ]로 발음한다.
　　권력[궐력], 분량[불량], 원론[월론]

20항 'ㄹ' 뒤의 'ㄴ'은 [ㄹ]로 발음한다. 칼날[칼랄]
[붙임 1] 'ㅀ', 'ㄾ' 뒤의 'ㄴ'도 이에 준한다.
　　뚫는[뚤는→뚤른], 핥네[할네→할레]
[붙임 2] 두 단어를 이어서 발음하는 경우에도 이와 같다.
　　큰일 났다[크닐라따]

19항은 'ㄹ 외의 자음 + ㄹ' 연쇄에서 일어나는 초성 'ㄹ'의 음소 결합제약으로 인한 변동으로 'ㅁ, ㅇ, ㄴ + ㄹ'과 'ㅂ, ㄱ, ㄷ + ㄹ' 연쇄를 가진 단어를 각 하나씩 들었다. 이들은 모두 'ㄹ'비음화를 보인다. 반면, 유음화하는 '권력[궐-]'류는 이에 대한 예외로 두었다. 그 조건을 'ㄴ'으로 끝난 앞말이 1음절인 경우로 규정한 것은 어문규범에서 자립형태소, 의존형태소라는 용어를 쓴 적이 없기 때문이다. 20항은 순행적 유음화 관련 규정으로 초성 'ㄹ'의 음소 결합제약과는 무관하다. 19, 20항은 단어 경계를 넘어서도 적용될 수 있음은 [붙임]으로 밝혔다.

6. 'ㅣ'로 인한 변동

단모음 'ㅣ'와 반모음 'j'는 전설-경구개에서 발음되고 [+고설성]이다. 모음 영역 중 최극단에서 조음되는 소리고 열림도가 가장 작아서 가장 자음 쪽에 가까운 모음이다. 구개음화, 'ㅣ'역행동화, 'j'첨가, 'ㄴ'첨가는 모두 'ㅣ' 또는 'j'가 원인이 되어 일어나는 변동이다.

(1) ㄱ. 굳이[구지], 밭이랑[바치-], 붙이다[부치-], 굳히다[구치-]
　　ㄴ. 잡히다[*재피-], 먹히다[*메키-], 뜯기다[*띧기-], 학교[*핵꾜]
　　ㄷ. 기어[-여], 먹이었다[머기엳따], 쥐어[-여]
　　ㄹ. 꽃잎[꼰닙], 맨입[-닙], 한여름[-녀-] 홑이불[혼니-], 집 열쇠[짐녈쐬]

(1ㄱ~ㄹ)은 각각 구개음화, 'ㅣ'역행동화, 'j'첨가, 'ㄴ'첨가 변동을 보이는 예다.[31] 구개음화와 'j'첨가는 'ㅣ'가, 'ㄴ'첨가와 'ㅣ' 역행동화는 'ㅣ, j'가 변동의 음운 조건이다. 구개음화와 'j'첨가에서는 'j'가 조건이 되지 못했다. 그러나 이는 구개음화에서는 'j'

31 이 중 구개음화는 가장 보편성이 높다. 예컨대 영어에서도 miss, need가 you와 결합할 때, 'tense, confuse, quest, grade'의 어말음이 'tension, confusion, question, gradual'에서는 구개음화한다.

로 시작하는 형식형태소가 없고 'j'첨가도 어간 말음이 'j'인 하향 이중모음이 없어서일 뿐이다.

6.1. 구개음화

현상과 규칙 '구개음화(센입천장소리되기, palatalization)'에서 구개는 연구개가 아니라, 경구개(센입천장)를 약칭할 때 쓰는 용어다. 그러므로 구개음화는 경구개음이 아닌 것이 경구개음으로 변동되는 현상을 말한다.

(1) ㄱ. 밭이랑[바치-], 솥입니다[소침--], 끝인데[끄친-] 볕이[벼치]
ㄴ. 굳이[구지], 미닫이[-다지],
붙이다[부치-], 굳히다[구치-], 묻히다[무치-]

(1)에서는 'ㄷ, ㅌ+ㅣ' 연쇄에서 'ㄷ, ㅌ'이 'ㅈ, ㅊ'으로 변동했다. 'ㅣ'를 제외한 다른 모음 앞에서는 '밭은[바튼], 밭을[바틀], 밭으로[바트-], 밭에서[바테-]'처럼 구개음화하지 않는다. (1ㄱ)은 '명사+조사', (1ㄴ)은 '어근+접미사'의 결합이어서 구개음화가 일어나는 형태론적 조건은 동화주 'ㅣ'가 형식형태소의 모음임을 알 수 있다. 'ㅣ'로 시작하는 어미는 없다. 'ㅣ'가 형식형태소가 아니라 실질형태소의 모음인 경우 '홑이불[혼니-], 밭이랑[반니-]'처럼 'ㄴ'첨가가 일어난다. 즉 '밭이랑'에서, '이랑'이 명사일 경우 'ㄴ'첨가, 조사일 경우 구개음화가 일어난다.

구개음화에서 피동화음은 'ㄷ, ㅌ'이고, 변동된 결과 'ㅈ, ㅊ'이 된다. 종성이 'ㄸ'인 말은 표기형에도 없기 때문에, 피동화음은 치조 파열음으로 일반화할 수 있다. 'ㄷ, ㅌ'은 치조 파열음, 'ㅈ, ㅊ'은 경구개 파찰음으로 조음위치, 방법 둘 다 다르다. 파찰음의 [+폐쇄성, +마찰성]은 동화주 'ㅣ'와는 무관한 특성이다. 경구개음 'ㅈ, ㅊ'과 동화주 'ㅣ'에 공통된 음성적 특성은 '전설-경구개'라는 조음위치이다. 전설모음과 경구개음은 능동부가 전설, 고정부가 경구개라는 점에서 공통적이다. 따라서 구개음화는 치조음 'ㄷ, ㅌ'이 경구개음 'ㅣ'의 조음위치로 역행동화되어 일어나는 변동으로 해석된다.

(2) '치조 파열음+ㅣ'는 [경구개음 ㅣ]로 변동된다.

[ㄷ, ㅌ] → [ㅈ, ㅊ] / ____ ㅣ

단, 'ㅣ'는 형식형태소의 모음이다.

(2)는 구개음화를 규칙화한 것이다. 구개음화의 동화주는 모음이고, 피동화음은 자음이므로, 모음에 의한 자음동화 현상이다. 또한 위치동화이며 역행동화이다. 'ㄷ, ㅌ' 외의 치조음 'ㅅ, ㅆ, ㄴ, ㄹ'도 'ㅣ, j' 앞에서 구개음화하여 [ɕ, ɕ', ɲ, ʎ]로 된다. 그러나 'ㄷ, ㅌ'의 구개음화는 음소 간 바뀜인 변동규칙임에 비해, 이것은 한 음소 내에서 변이음 바뀜인 이음규칙이라는 점이 다르다.

(3) 어디, 견디다, 디디다, 잔디, 느티나무, 띠, 티끌

(3)은 형태소 내부에서 'ㄷ, ㄸ, ㅌ'과 'ㅣ'가 결합한 음절을 보여준다. 공시적인 구개음화는 '실질형태소+형식형태소'의 연쇄에서 적용되므로 '어디, 느티(나무)'처럼 단일 형태소 내부에서는 적용되지 않는다.

관련 규정 아래 규정은 구개음화와 관련된 조항이다.

「발음법」 17항: 받침 'ㄷ, ㅌ(ㄾ)'이 조사나 접미사의 모음 'ㅣ'와 결합되는 경우에는, [ㅈ, ㅊ]으로 바꾸어서 뒤 음절 첫소리로 옮겨 발음한다.

곧이듣다[고지듣따], 굳이[구지], 미닫이[미다지], 땀받이[땀바지], 밭이[바치], 벼훑이[벼훌치]

[붙임] 'ㄷ' 뒤에 접미사 '히'가 결합되어 '티'를 이루는 것은 [치]로 발음한다.

굳히다[구치다], 닫히다[다치다], 묻히다[무치다]

17항에서 '바꾸어서'는 구개음화가 '대치' 현상임을 뜻한다. 구개음화의 동화주 'ㅣ'는 형식형태소의 첫소리인데 '조사나 접미사의 모음'이라 한 것은 '이'로 시작하는 어미가 없어서일 뿐이다.

「외표」 3항 2: 어말의 [ʃ]는 '시'로 적고, 자음 앞의 [ʃ]는 '슈'로, 모음 앞의 [ʃ]는 뒤따르는 모음에 따라 '샤, 섀, 셔, 셰, 쇼, 슈, 시'로 적는다.(flash[flæʃ] 플래시)

3항 3: 어말 또는 자음 앞의 [ʒ]는 '지'로 적고, 모음 앞의 [ʒ]는 'ㅈ'으로 적는다.(mirage[mirɑːʒ] 미라지)

4항 1: 어말 또는 자음 앞의 [ts], [dz]는 '츠', '즈'로 적고, [tʃ],

[dʒ]는 '치', '지'로 적는다.(switch[switʃ] 스위치)

「외표」에서 'ㅣ'를 첨가하는 경우도 조음위치를 근거로 한다. 우리말 음절구조제약도 지키고 원지음의 자음도 보존하기 위해 원래 없는 모음을 첨가할 때는 대부분 'ㅡ'를 쓴다. 그러나 'ㅡ'가 아니라 'ㅣ'를 첨가하는 자음이 있는데 이들은 [ʃ, ʒ, tʃ, dʒ, ɲ, ç]로 조음위치가 경구개이거나 이에 가까운 소리다. 'ㅣ'의 조음위치가 '전설-경구개'이기 때문에 이들 자음 뒤에는 'ㅡ'가 아니라 'ㅣ'를 첨가한다. 'ㅟ'를 첨가하는 경우는 없어서 '*플래쉬'는 오류 표기다.

6.2. 'ㅣ'역행동화

현상과 규칙 후설모음이 같은 혀 높이의 전설모음으로 변동되는 현상을 'ㅣ'역행동화(움라우트)라 한다.

(1) ㄱ. 잡히다[재피-], 먹히다[메키-], 끓이다[끼리-]
 ㄴ. 속이다[쇠기-~세기-], 죽이다[쥐기-~지기-]

(1)에서 어근 모음 'ㅏ, ㅓ, ㅡ, ㅗ, ㅜ'가 각각 'ㅐ, ㅔ, ㅣ, ㅚ, ㅟ'로 대치되었다. 피동화음 'ㅏ, ㅓ, ㅡ, ㅗ, ㅜ'는 모두 [+후설성] 값을 가진 후설모음이고, 변동 결과 각각 [−후설성]인 전설모음 'ㅐ, ㅔ, ㅣ, ㅚ, ㅟ'가 된다. '속이다, 죽이다'는 [세기다,

지기다]로 변동하는 경우가 대부분인데, 이는 'ㅟ, ㅚ'가 이중모음화하여 단모음 체계에 없는 경우, 'ㅗ, ㅜ'와 혀의 높낮이가 같은 전설모음은 각각 'ㅔ, ㅣ'이기 때문이다. (1)의 예는 모두 피동화음 뒤에 'ㅣ' 모음이 뒤따르고 있다. 'ㅣ'가 동화주가 되어 후설모음을 자신의 위치인 전설모음으로 변동시킨 것이다.

'ㅣ'역행동화를 전설모음화라고도 한다. 'ㅣ'역행동화는 동화주 즉, 변동의 조건이 된 소리에 주목한 것이고, 전설모음화는 전설모음이 아닌 것이 전설모음으로 되었다는 뜻이므로 변동 결과에 주목하여 붙인 용어이다. 그런데 근대국어 시기에 일어난 '즞다〉짖다, 아츰〉아침, 스굴〉시골'과 같은 통시적 음운 변천도 전설모음화라 한다. '즞다〉짖다'류는 동화주가 모음 'ㅣ'가 아니라 자음 'ㅅ, ㅈ, ㅊ, ㅆ, ㅉ'이며, 동화주가 앞에 있는 순행동화이고, 원격동화가 아니라 인접동화이다. 이런 차이에 비추어 보면 '잡히다→재피다'류까지 전설모음화라 부르는 것은 바람직하지 않다.

(2) ㄱ. ㅈㅏㅂㅎㅣ, ㅁㅓㄱㅎㅣ, ㄸㅡㄷㄱㅣ, ㅈㅜㄱㅣ →
ㄴ. ㅈㅏㅍㅣ, ㅁㅓㅋㅣ, ㄸㅡㄲㅣ, ㅈㅜㄱㅣ

'ㅣ'역행동화는 동화주 'ㅣ'와 피동화음인 후설모음이 인접해 있지 않다. '잡히-, 먹히-, 뜯기-, 죽이-'는 (2ㄴ)처럼 격음화, 자음 위치동화, 경음화와 같은 변동을 거쳐 동화주와 피동화음 사이에 각각 자음 'ㅍ, ㅋ, ㄲ, ㄱ'이 중간에 끼어 있다. 따라서 'ㅣ'역행동화는 원격동화이고 '후설모음-자음+ㅣ'가 '전설모음-자음+ㅣ'로 변동하는 현상임을 알 수 있다.

(3) ㄱ. 맞이, 꽂이, 까지다, 커지다, 맞히다, 놓치다, 접치다
ㄴ. 밭이다, 닫히다
ㄷ. 옷이, 다니다, 날리다

(3)은 '후설모음-자음+ㅣ'임에도 불구하고 'ㅣ'역행동화가 일어나지 않는다. 그 이유는 피동화음과 동화주 사이에 있는 자음이 'ㅣ'와 같은 위치의 경구개음이기 때문이다. (3ㄱ)은 개재 자음이 본디 경구개음이고, (3ㄴ)은 변동규칙으로서의 구개음화가 일어나 경구개음이 된다. (3ㄷ)의 'ㅅ, ㄴ, ㄹㄹ'도 이음규칙으로서의 구개음화가 일어나 경구개음 [ɕ, ɲ, ʎ]가 된다. (3ㄱ)처럼 후설모음과 'ㅣ' 사이에 개재된 자음이 본디 경구개음이거나, (3ㄴ)과 ㄷ처럼 변동규칙이든 이음규칙이든 구개음화가 이미 적용된 경우에는 'ㅣ'역행동화가 일어나지 않는다.

'ㅣ'역행동화와 구개음화는 서로 배타적으로 적용된다. 두 규칙이 배타적으로 적용되는 이유는 'ㅣ'역행동화와 구개음화 둘 다 동화주가 'ㅣ'이고, 동화주 'ㅣ'의 조음위치로의 역행동화라는 점에서 변동이 일어나는 원인도 같기 때문이다. 이미 동화주와 같은 조음위치에서 실현되는 경구개음이 끼어있을 경우 'ㅣ'역행동화가 일어나지 않는 것은 음성학적으로도 자연스러운 현상이다.

(4) '후설모음-자음-ㅣ'는 [전설모음-자음-ㅣ]로 변동된다.

후설모음 → 전설모음 / ＿＿ 자음 ㅣ

단, 개재 자음은 경구개음이 아니어야 한다.

(4)는 'ㅣ'역행동화를 규칙화한 것이다. 이 규칙은 동화주의 자질인 [−후설성]으로의 위치동화이며, 모음에 의한 모음동화이고, 동화주가 뒤에 있는 역행동화이며, 동화주와 피동화음 사이에 자음이 개재된 원격동화임을 알 수 있다. 이 규칙은 임의적 변동이어서 방언에 따라, 화자에 따라, 상황에 따라 실현 여부는 가변적이다.

관련 규정 'ㅣ'역행동화는 형태소 경계에서뿐 아니라 단일어 내부에서도 원칙적으로 표준발음으로 인정되지 않는다. 「발음법」에는 규정이 없고 「표칙」 9항이 관련 규정이다. 9항에서 언급한 예들은 모두 단일 형태소여서 공시적 음운변동이 아니다. 'ㅣ'역행동화 현상과 관련된 형태를 표준어로 인정하는 것은 아예 형태가 변화한 것으로 보는 극소수로 한정한다.

「표칙」 9항: 'ㅣ' 역행 동화 현상에 의한 발음은 원칙적으로 표준 발음으로 인정하지 아니하되, 다만 다음 단어들은 그러한 동화가 적용된 형태를 표준어로 삼는다.
-내기(*-나기), 냄비(*남비), 동댕이-치다(*동당이치다)
[붙임 1] 다음 단어는 'ㅣ' 역행 동화가 일어나지 아니한 형태를 표준어로 삼는다.
아지랑이(*아지랭이)
[붙임 2] 기술자에게는 '-장이', 그 외에는 '-쟁이'가 붙는 형태를 표준어로 삼는다.
미장이(*미쟁이), 유기장이(*유기쟁이)
멋쟁이(*멋장이), 소금쟁이(*소금장이), 담쟁이-덩굴

(*담장이덩굴), 골목쟁이(*골목장이), 발목쟁이(*발목장이)

'-내기,[32] 냄비, 동댕이-치다, -쟁이'는 모두 형태소 경계에서가 아니라 형태소 내부에서 'ㅣ'역행동화가 일어난 것이다. 이를 표준어로 삼는다는 것은 통시적 변화가 완결된 것으로 본다는 뜻이고 이대로가 대표형태이고 원형이다.

붙임 1의 '아지랑이'뿐 아니라 '후설모음-자음-ㅣ' 음운 연쇄를 가진 단일어 '아비, 피라미, 지팡이, 아기, 덤터기, 건더기' 등도 '*애비, 피래미, 지팽이, 애기, 덤테기, 건데기'를 인정하지 않는다. 붙임 1에서 '아지랑이'만 따로 언급한 것은 한동안 '*아지랭이'를 표준어로 삼았던 것을 다시 1936년에 정한 대로 '아지랑이'로 되돌린 것이기 때문이다.

붙임 2에서는 수공업 관련 기술자란 뜻은 '-장이', 그 외는 '-쟁이'로 분화시킨 것이다. '갓, 양복' 만드는 것을 업으로 하는 사람은 '갓장이, 양복장이', '갓, 양복'을 멋들어지게 쓰고 입는 사람은 '갓쟁이, 양복쟁이'이다. '환쟁이, 그림쟁이, 관상쟁이, 이발쟁이, 점쟁이'도 표준어인데, 이는 장인(匠人)의 의미라기보다 낮잡아 이르는 말이다.

32 '서울내기'는 서울에서 난 사람으로 보면 '*서울나기'로 쓸 수도 있겠지만, '*신출나기, 풋나기'에는 그런 뜻도 없으므로 일률적으로 '-내기'를 표준어로 한다.

6.3. 'j'첨가

현상과 규칙 본디 반모음 'j'는 전설모음 'ㅣ'의 자리에서 다른 모음으로 옮겨가는 과도에서 나는 소리이다. 이런 점에서 볼 때 'j'첨가가 일어날 가장 전형적 환경은 'ㅣ' 모음 뒤이다.

(1) ㄱ. 기어[-어/-여], 피어[-어/-여], 아니오[--오/--요],
아니에요[에요~예요]
ㄴ. 미시오[--오/--요], 가십시/[---오/---요]
ㄷ. 막둥이었어[-뚱이어써/-뚱이여써], 책이오[--오/--요],
학생이에요[에요~예요]

(1ㄱ)은 어간, (1ㄴ)은 선어말어미, (1ㄷ)은 서술격조사의 말음이 모두 '-ㅣ'인데, 후속 모음에 변동이 없거나 반모음 'j'가 첨가되었다. 이는 임의적 변동이고, 발생 원인은 동화라기보다 혀의 위치 이동 과정에서 생기는 반모음 첨가 현상이다. 발생 원인의 측면에서 보면 'j'가 첨가되는 어미는 '-어'뿐 아니라 'j'계 이중모음이 형성되는 모음은 다 가능하다. (1)에서 '-어'뿐 아니라 -오, -에요'에도 첨가되었다.

모음충돌 회피 'j'첨가는 모음충돌 회피 현상으로도 설명된다. 형태소 경계에서 단모음이 이어나는 경우 발음하기도 불편하고, 음절 경계를 구별해서 듣기도 어렵다. 모음 연쇄를 피하기 위해 일어나는 음운변동을 모음충돌(hiatus) 회피라 한다.
'가/가+아/, 꺼/끄+어/'는 모음 탈락, '기어/겨, 주었다/줬다'

는 반모음화, '기어[기어/기여]는 반모음 첨가이다. 이들은 변동 결과 음소 탈락, 대치, 첨가로 서로 다르지만 모두 모음 연쇄를 피하기 위한, 즉 모음충돌 회피 현상이라는 점에서는 같다.

반모음 /j/가 첨가된 것은 표준발음으로 인정되는 반면, 동일한 이유로 첨가되는 /w/는 표준발음으로 인정되지 않는다. '두어라, 꼬아서'는 'ㅜ-ㅓ', 'ㅗ-ㅏ' 이행 과정에서 과도음 /w/가 실현되어 '[*두워라], [*꼬와서]'로 나는 경우가 많다. 반모음 첨가는 화자의 의도적 첨가가 아니라 모음 이동 과정에서 물리적으로 나타나는 과도음이기 때문에 '그위ᄅᆞᆯ 두워(관청을 두어, 『두시언해』), 마초와 티기를(맞추어서 치기를, 『번역노걸대』)처럼 옛글에서도 해당 현상을 찾을 수 있다.

(1) ㄱ. 비에, 바다에서, 미안하오, 세우다, 지우다, 끼우다, 채우다, 치이다
ㄴ. 아음(牙音), 소아과, 이익, 사이비
ㄷ. 이어(← 잇+어), 지어(← 짓+어), 추우니(← 춥+으니)

그러나 모음충돌 회피는 대체적인 경향이지 예외 없는 규칙은 아니어서 필연적 변동이 아니라 임의적 변동이다. (1ㄱ)은 문법 형태소와, (1ㄴ)은 1음절이 1형태소인 한자어의 의미 손실을 막기 위해 모음 연쇄를 유지한다. 또 (1ㄷ)처럼 탈락한 자음이 잠재적 기능을 하는 경우에도 모음 연쇄를 유지한다.

'j'첨가가 혀의 위치 이동 과정에서 생기는 것이라면 가장 전형적 환경은 'ㅣ' 뒤에서이지만 'ㅣ'와 가까운 전설모음 뒤에서는 모두 'j'첨가가 일어날 가능성이 있다. 실제로 '되어'는 [되어/되

여]로, '쥐었다'는 [쥐어따/쥐여따]로 'j'첨가형이 표준발음으로 허용된다. '패다, 채다'의 활용형은 '패어, 채었다'로 써야 하는데 '*패여, *채였다'와 같은 오류가 많다. 이 또한 발음이 [*-여], [*-여따]로 나는 경우가 많기 때문이다. 『조선』은 맞춤법 11항 3에서는 "말줄기의 모음이 ≪ㅣ, ㅐ, ㅔ, ㅚ, ㅟ, ㅢ≫인 경우" '기여, 개여, 베여, 되여, 쥐여'처럼 '여, 였'으로 적는다.

(2) 디여, ᄃᆞ외야, 괴여, 뮈여, 여희여, 내야
  혜요미, 뮈유미, 이긔유믈
  ᄃᆞ리예, 옷깃머리예, 귀예, 막대예, ᄇᆡ예, 그르메예

15세기에도 이와 같은 음운변동이 있어서 'ㅣ, j' 다음에 오는 '-아/-어', '-옴/-움', '에'는 (2)처럼 '-야/-여, -욤/-윰, 예'로 변동되었다. 이는 'ㅚ, ㅟ, ㅐ, ㅔ' 등이 하향 이중모음 [oj, uj, aj, əj]이었음을 보여준다.

관련 규정 'j'첨가를 다룬 「발음법」 규정은 22항이다.

「발음법」 22항: 다음과 같은 용언의 어미는 [어]로 발음함을 원칙으로 하되, [여]로 발음함도 허용한다.
되어[되어/되여], 피어[피어/피여]
[붙임] '이오, 아니오'도 이에 준하여 [이요, 아니요]로 발음함을 허용한다.

22항에 제시된 예와, '뛰어[뛰어/뛰여]'와 같은 『사전』 발음 정

보를 아울러 보면 어간 말음 'ㅣ, ㅚ, ㅟ' 뒤에서만 'j'첨가가 표준발음으로 허용된다. 'j'가 첨가되는 어미도 '-어'와 '이오, 아니오'의 '-오'로만 한정되었다. 임의적 변동이므로 허용 범위를 한정해야겠으나 허용 조건이 명확하지 않다는 점은 보완되어야 한다.

22항은 '5장 음의 동화'에 포함되어 있는데 이는 혼란을 일으킬 여지가 있다. 『문법』에서 '모음동화'라는 제목 하에 'ㅣ'역행동화와 'j'첨가를 함께 다루고 있는 것도 「발음법」의 영향으로 보인다. '[메기다](←먹이다)'는 동화주 'ㅣ'의 자질에 동화되어 후설모음이 전설모음으로 대치됨에 반해 '[기여](←기어)'는 혀의 위치가 이동하면서 생긴 과도음 'j'첨가이다.

「맞춤법」 15항 [붙임 2] 종결형에서 사용되는 어미 '-오'는 '요'로 소리 나는 경우가 있더라도 그 원형을 밝혀 '오'로 적는다.
이것은 책이오. 이리로 오시오. 이것은 책이 아니오.
[붙임 3] 연결형에서 사용되는 '이요'는 '이요'로 적는다.
이것은 책이요, 저것은 붓이요, 또 저것은 먹이다.

「발음법」 22항 붙임은 「맞춤법」 15항과 유관하다. '이것은 책이요, 저것은 공책이오.'로 적는 것처럼 연결어미는 '-요', 종결어미는 '-오'로 표기형을 구별한다. 그러나 '이오, 아니오'는 반모음 'j'가 덧난 [이요, 아니요]도 표준발음이고, 이는 반모음 첨가로 설명된다. 하오체 종결어미를 [요]로 발음하는 것은 '이오, 아니오'에만 허용된다. '(꽃이) 피오'의 경우 [*피요]를 허용하지 않는다.

(3) '아니오'와 '아니요'의 표기형과 발음형

표기형	실질형태소	형식형태소	발음형	관련 음운변동
아니오	아니-(형용사)	-오 (하오체 종결어미)	[아니오]	–
			[아니요]	반모음 첨가
아니요	아니-(형용사)	-요(연결어미)	[아니요]	–
아니요	아니(부사)	요(보조사)	[아니요]	–

종결어미 '-오'와 결합한 '아니오', 연결어미 '-요'와 결합한 '아니요'는 형용사 '아니다'의 활용형이다. 보조사 '요'와 결합한 '아니요'는 부사 '아니'와 '요'로 분석되는데, 감탄사로 『사전』에 등재되어 있다. '아니오'가 [아니요]로 발음되는 것은 반모음 첨가로 설명된다. 이들의 관계는 (3)과 같다.

중세국어의 'ㄱ' 약화 현상과 연결어미 '-요' 중세국어 'ᄒᆞ고, ᄒᆞ게, ᄒᆞ거늘'에서 어미 '-고, -게, -거늘'을 확인할 수 있다. 이들 어미의 'ㄱ'은 '百姓이오, 萬年이에, ᄆᆞᅀᆞ미어늘'에서처럼 서술격 조사 '이-' 뒤에서는 'ㅇ'으로 약화되었다.

'이다'는 음운변동뿐 아니라 여러모로 특수하다. 학교문법에서 '이다'는 의존형태소이고 체언과 결합한다는 점에서 서술격 조사로 분류하고, 자립형태소인 '아니다'는 형용사로 분류한다. 그러나 '이다'는 활용하는 가변어이고 '명사+이다'는 서술어 기능을 한다는 점에서 용언으로 분류되기도 하고, '아니다'와 함께 잡음씨(꼴 풀이씨, 형식용언, 지정사)로 불리기도 했고(최현배 1986: 182, 549), 계사(繫辭, copula)라 불리기도 했다. 'ㄱ' 약화 현상이 없어진 현대국어에서는 '-고/-오, -게/-에, -거늘/-어늘'의 교체가 없고, '-고, -게, -거늘'로 단일화되었다.

연결어미 '-요'는 '-고 → -오 〉 -요'의 과정을 거친 것이다. 중세국어에서 '-고 → -오' 변동은 'ㄱ' 약화지 탈락이 아니었다. 탈락이었다면 'ᄃᆞ외오'는 모음 연쇄이므로 'j'가 첨가되어 '*ᄃᆞ외요'로 나타났을 것이고, '알어늘'은 '*아러늘'로 연음되어야 하겠지만 그렇지 않았기 때문이다. 따라서 '-오, -어늘'의 'ㅇ'은 무음가가 아니라 유성 후두 마찰음 [ɦ]의 기능을 가지고 있었던 것으로 해석된다(이기문 2004: 142~144). '-오 〉 -요'는 반모음 'j'가 첨가된 것이므로 'ㄱ'이 완전히 탈락된, 즉 'ㅇ'이 자음 기능을 상실한 후의 일일 것이다.

'학생이에요'에서 '-에요'는 '이다'나 '아니다' 어간 뒤에만 붙는 종결어미다. '학생이에요/학생이어요', '저예요/저여요'처럼 'C+이에요/이어요',[33] 'V+예요/여요'로 쓰인다. '예요/여요'는 '이에요/이어요'의 축약이다. '이-에요'는 'j'첨가가 일어날 자리여서 [이예요]로 발음되기도 하는데 이는 '*학생이예요, *아니예요'와 같은 표기 오류를 유발하는 요인이 된다. '아니다'는 형용사이므로, 서술격 조사 '이다'와 그 활용형인 '이에요/예요', '이어요/여요'가 결합할 수 없다. 그래서 '*아니예요'라 쓰지 않고, 어간 '아니-'에 종결어미 '-에요', -어요'가 결합한 '아니에요', '아니어요'로 쓰고 축약형은 '아녜요', '아녀요'이다.

33 「표칙」 26항(한 가지 의미를 나타내는 형태 몇 가지가 널리 쓰이며 표준어 규정에 맞으면, 그 모두를 표준어로 삼는다.)에서는 '이에요/이어요'를 복수 표준어로 예시하고 있다. '이에요'는 '이-' 뒤에 종결어미 '-에요'가, '이어요'는 '-어요'가 붙은 말이다.

6.4. ‘ㄴ’첨가

현상과 규칙 ‘ㄴ’첨가는 ‘자음+i, j’가 ‘자음+ㄴi, j’로 되는 현상이다.

(1) ㄱ. 광주 역[광주역], 누비이불[누비이불]
ㄴ. 부산 역[부산녁], 솜이불[솜니불], 차렵이불[차렴니불], 핫이불[한니불], 홑이불[혼니불]

‘광주 역, 누비이불’은 앞말이 개음절로 끝났기 때문에 ‘ㄴ’이 첨가되지 않는다. 이에 비해 ‘부산’은 폐음절로 끝났기 때문에 ‘ㄴ’이 첨가된다. ‘솜이불, 차렵이불, 핫이불, 홑이불’은 모두 ‘ㄴ’이 첨가된다. 이 중 ‘차렵이불, 핫이불, 홑이불’에서는 첨가된 ‘ㄴ’으로 인해 앞말 끝소리도 비음화한다.

‘밭이랑’에서 ‘이랑’이 조사일 때는 [바치랑], 명사일 때만 ‘ㄴ’이 첨가되어 [반니랑]으로 발음된다. 따라서 ‘ㄴ’이 첨가되는 형태론적 조건은 ‘i, j’로 시작하는 뒷말이 실질형태소여야 한다.

‘설익다[-릭따], 물약[-략], 솔잎[-립], 길옆[-렵], 주말여행[--려-]’은 표면적으로는 ‘ㄹ’이 첨가된 것으로 보이지만, ‘홑이불’과 마찬가지로 ‘ㄴ’이 첨가된 것이다. 다만 ‘ㄴ’첨가와 순행적 유음화가 순차적으로 적용되었을 뿐이다. ‘서울 역’처럼 앞말이 ‘ㄹ’로 끝났을 때 ‘ㄴ’이 첨가되면 ‘ㄹ+ㄴ’ 연쇄가 되어 [ㄹㄹ]로 유음화한다.

(2) ㄱ. 부산 역[--녁], 옷 입다[온닙따], 한 일[-닐]
ㄴ. 서울 역[--력], 잘 입다[-립따], 할 일[-릴],
주말 연속극[--련속끅]

(2)처럼 'ㄴ'첨가는 어절 경계를 넘어서도 적용된다.

(3) ㄱ. 가윗일, 가을일, 가정일, 집안일, 들일, 옛일, 마른일
낯익다, 늦익다, 농익다, 설익다
걸입다, 덧입다, 언걸입다, 얼입다, 힘입다
ㄴ. 값있다, 가만있다, 뜻있다, 맛있다, 멋있다, 빛있다, 상관있다

'첫인사, 끝인사, 첫인상'과 같은 예외가 있긴 하나[34] 고유어가 포함된 복합어에서 'ㄴ'첨가는 규칙성이 높다. 'ㄴ'첨가의 적용 양상은 어휘별로 다르다. (3ㄱ)의 'X일, X익다, X입다' 복합어는 거의 예외 없이 'ㄴ'이 첨가된다. 반면, (3ㄴ)의 'X있다'는 모두 'ㄴ'첨가가 일어나지 않는다. '있다'는 '깨어 있다'에서처럼 보조동사로도 쓰이면서 문법화의 가능성을 지닌 말이다.

(4) 몰-인정, 몰-인식, 검-인정, 식물-인간, 홍익-인간, 불-인가

고유어가 포함된 복합어 또는 구에서 'ㄴ'첨가는 '첫인사, 첫인상', '멋있다, 맛있다, 값있다'처럼 'X+있다' 구조를 제외하면 규

34 '큰일'과 같은 동음이의어는 의미에 따라 '큰일1[크닐]', '큰일2[큰닐]'로 'ㄴ'첨가 여부가 나뉘기도 한다.

칙성이 강하다. 그러나 한자어에서는[35] (4)처럼 뒷말 첫소리가 'ㅣ'일 때는 실질형태소라도 'ㄴ'첨가가 일어나지 않는다.[36]

(5) ㄱ. 독점-욕[-쩜녹], 연습-용[연:슴뇽], 휘발-유[--류]
ㄴ. 금-요일[그묘-], 독-약[도갹], 간-염[가:념]

(5)를 보면 'j'일 때도 뒷말의 형태소 종류로 'ㄴ'첨가 여부를 가리기 어렵다. (5ㄱ)의 '-욕(欲), -용(用), -유(油)'는 접사지만 'ㄴ'이 첨가되고, ㄴ의 '요일(曜日), 약(藥), 염(炎)'은 명사인데도 'ㄴ'이 첨가되지 않기 때문이다.[37]

(6) '자음 + i, j'가 [자음 + ㄴi, j]로 변동된다.
단, 고유어가 포함된 복합어이고 뒷말은 실질형태소이다.

'ㄴ'첨가는 (6)과 같이 규칙화할 수 있다. 'ㄴ'첨가 규칙이 적용되는 음운론적 조건은 '자음+i, j'다. 단, (6)은 고유어가 포함된 복합어에서만 작동한다. 즉 앞말은 장애음이든 공명음이든 자음

35 한자어일 경우 'ㄴ'첨가 조건이 충족되는 예가 많지 않다. 복합어 뒷말이 실질형태소라면 그 첫소리 'i, j'는 본음이 아니라 '직행열차, 신여성'처럼 두음법칙 적용으로 인한 것이 많다.

36 뒷말이 'j'로 시작하는 '핫요가[한뇨가]'에는 'ㄴ'이 첨가되지만, 'ㅣ'일 때는 '핫이슈[하디슈]'처럼 'ㄴ'첨가가 일어나지 않는 것으로 보아 외래어나 외국어도 한자어와 유사하다.

37 '염(炎)'은 『사전』에는 명사로 등재되어 있으나 자립적으로 쓰이는 경우는 드물다.

으로 끝나고, 형태론적으로는 '홑-이불'처럼 접두사이든 '솜-이불'처럼 명사이든 'ㄴ'이 첨가된다. 뒷말은 'i, j'로 시작하는 실질형태소이다. 뒷말이 형식형태소일 때는 '밥이, 죽이다'처럼 연음되지 'ㄴ'이 첨가되지 않는다.

(7) 'ㄴ'첨가와 관련된 음운과정

표기형 / 규칙	꽃잎	콩엿	나뭇잎	물약	한 일
평파열음화	꼳입	콩엳	나묻입	–	–
'ㄴ'첨가	꼳닙	콩녇	나묻닙	물냑	한닐
비음화	꼰닙	–	나문닙	–	–
유음화	–	–	–	물략	–
발음형	꼰닙	콩녇	나문닙	물략	한닐

(7)은 'ㄴ'첨가 관련 음운과정을 보인 것이다. '나뭇잎, 꽃잎, 콩엿, 물약, 한 일'은 모두 '자음 + i, j' 연쇄이고, 뒷말이 실질형태소이므로 'ㄴ'첨가 규칙이 적용될 환경이다. '자음 + i, j'에서 자음이 사이시옷인 '나뭇잎'도 '꽃잎'의 음운과정과 동일하다. '물약'은 'ㄴ'이 첨가되면 [-냑]이 되어 순행적 유음화가 적용될 환경이어서 [-략]으로 실현된다.

관련 규정 앞서 살펴 보았듯이 한자어만으로 된 복합어의 'ㄴ'첨가는 규칙화하기 어려운데, 'ㄴ'첨가 관련 조항인 「발음법」 29항에서 예로 든 단어는 어종에 따른 분류 없이 섞여 있다.

「발음법」 29항: 합성어 및 파생어에서, 앞 단어나 접두사의 끝이 자음이고 뒤 단어나 접미사의 첫음절이 '이, 야, 여, 요, 유'인 경우에는, 'ㄴ' 음을 첨가하여 [니, 냐, 녀, 뇨, 뉴]로 발음한다.

① ㄱ. 홑-이불[혼니불], 막-일[망닐], 맨-입[맨닙], 꽃-잎 [꼰닙]
ㄴ. 한-여름[한녀름], 콩-엿[콩녇], 담-요[담:뇨], 눈-요기[눈뇨기], 밤-윷[밤:뉻][38]

② 식용-유[시굥뉴], 국민-윤리[궁민뉼리], 내복-약[내:봉냑], 영업-용[영엄뇽], 직행-열차[지캥녈차], 색-연필[생년필], 늑막-염[능망념], 신-여성[신녀성], 남존-여비[남존녀비]

다만, 다음과 같은 말들은 'ㄴ' 음을 첨가하여 발음하되, 표기대로 발음할 수 있다.

① 이죽-이죽[이중니죽/이주기죽], 야금-야금[야금냐금/야그먀금] 욜랑-욜랑[욜랑뇰랑/욜랑욜랑]

② 검열[검:녈/거:멸], 금융[금늉/그뮹]

[붙임 1] 'ㄹ' 받침 뒤에 첨가되는 'ㄴ' 음은 [ㄹ]로 발음한다.
들-일[들:릴], 솔-잎[솔립], 설-익다[설릭따], 물-약[물략], 불-여우[불려우], 서울-역[서울력], 물-엿[물렫], 휘발-유[휘발류], 유들-유들[유들류들]

[붙임 2] 두 단어를 이어서 한 마디로 발음하는 경우에도 이에 준한다.
한 일[한닐], 옷 입다[온닙따], 서른여섯[서른녀섣], 3 연대[삼년대]
할 일[할릴], 잘 입다[잘립따], 스물여섯[스물려섣], 1 연대[일련대]

다만, 다음과 같은 단어에서는 'ㄴ(ㄹ)' 음을 첨가하여 발음하지 않는다.

---

38 '홑이불, 막일, 맨입, 한여름'의 '홑-, 막-, 맨-, 한-'은 접두사이므로 파생어이다.

6·25[유기오], 3·1절[사밀쩔], 송별-연[송:벼련], 등-용문[등용문]

위 29항의 ①, ②는 고유어가 포함된 복합어와 한자어만으로 된 복합어로 재분류한 것이다. 본항의 ①만 대상으로 하여 'ㄴ'이 첨가되는 조건을 보면 1) 앞말 끝소리가 자음이고, 2) 뒷말이 'i, j'로 시작하는 실질형태소인 경우다.[39] 두 조건을 모두 충족하면 'ㄴ'을 첨가하여 [니, 냐, 녀, 뇨, 뉴]로 발음한다. 즉, '자음 + ㅣ, ㅑ, ㅕ, ㅛ, ㅠ'가 '자음 + 니, 냐, 녀, 뇨, 뉴'로 변동한다.

②의 한자어만으로 된 말은 뒷말이 접사인 '연습-용[연:습뇽]'은 'ㄴ'이 첨가되고, 명사인 '금요일[그묘일]'은 'ㄴ'이 첨가되지 않는 등 규칙화하기 어렵다. '국민윤리, 직행열차, 남존여비, 신여성'은 「발음법」이 표기형을 설명 대상으로 했음을 보여주는 예다. 이들은 어두가 아님에도 두음법칙이 적용되었다. 이에 대해서는 「맞춤법」 10항 붙임 2(접두사처럼 쓰이는 한자가 붙어서 된 말이나 합성어에서, 뒷말의 첫소리가 'ㄴ' 소리로 나더라도 두음 법칙에 따라 적는다.), 11항 붙임 4(접두사처럼 쓰이는 한자가 붙어서 된 말이나 합성어에서, 뒷말의 첫소리가 'ㄴ' 또는 'ㄹ' 소리로 나더라도 두음 법칙에 따라 적는다.)에 규정하였다.[40] 「맞춤법」에 따라 '국민윤리, 직행열차, 남존여비, 신여성'으로 표기형이 확정된 상태에서 발음형 [궁민뉼리, 지캥녈차, 남존녀비, 신

39 29항에서 뒷말을 '단어'라 하지 않고 '뒤 단어나 접미사'라 하여 접미사를 포함한 것은 한자어를 함께 놓고 봤기 때문이다.

40 두음법칙에 대해서는 7장 2.에서 상술할 것이다. '국민윤리(國民倫理), 직행열차(直行列車), 신여성(新女性)'에서 '倫, 列, 女'의 본음은 '인륜(人倫), 병렬(竝列), 남녀(男女)'에서와 같다.

녀성]을 'ㄴ'첨가로 설명한 것이다.

다만, ①의 '이죽이죽' 등은 'ㄴ'이 첨가되지 않은 것도 표준발음이다. 규정에 제시된 '검열[검ː녈/거ː멸], 금융[금늉/그뮹]'뿐 아니라 '공명자음+j' 연쇄의 한자어는 'ㄴ'첨가 여부가 임의적인 경우가 많다. 예컨대 '탐욕, 간염, 광야, 혈육'은 [타푝, 가ː념, 광ː야, 혀륙]만 표준발음이지만 'ㄴ'을 첨가한 발음이 통용되고 있다.

붙임 1은 'ㄹ + i, j'에서의 'ㄴ'첨가이다. '솔잎'은 'ㄴ'이 첨가되면 [솔닙]이 되고, [솔닙]은 순행적 유음화가 적용될 조건이어서 [솔립]으로 유음화한다. 결국 앞말이 'ㄹ'로 끝났을 때는 [리, 랴, 려, 료, 류]로 발음된다.

붙임 2의 '두 단어를 이어서'는 「발음법」에서 18항 붙임과 함께 두 번 사용되었는데 이는 규칙 적용 영역이 단어 경계를 넘어섬을 뜻한다.

다만, 고유어가 포함된 복합어와 달리 한자어만으로 된 말에서 'ㄴ'첨가는 규칙적이지 않다. 한자어는 '6·25[유기오], 3·1절[사밀쩔]'뿐 아니라, '몰인정, 검인정'처럼 뒷말이 /i/로 시작하는 경우 'ㄴ'첨가가 일어나지 않는다. '송별-연, 등-용문'은 둘 다 'ㄴ'이 첨가되지 않은 [송ː벼련], [등용문]이 표준발음이다.[41] 이처럼

41 『규정집』에 '등용-문'이라 된 것을 『사전』과 국립국어원 누리집에서는 '등-용문'으로 고쳤다. '등용문'이 잉어가 중국 황허(黃河) 강 상류의 급류인 용문을 오르면 용이 된다는 전설에서 유래했음을 고려한 것이다. 그러나 우리말에서는 〈어려운 관문을 통과하여 크게 출세하게 됨〉을 뜻하므로 언중들은 '등용의 문'으로 해석하는 경향이 강하다.

뒷말 첫소리가 'j'일 때도 한자어만으로 된 복합어에서 'ㄴ'첨가는 규칙화하기 어렵다.

(8) ㄱ. 해 보면요, 그럼요, 암요, 한 그릇요
ㄴ. [해보며뇨, 그러묘, 아묘, 한그르쇼]
ㄷ. [해보면뇨, 그럼뇨, 암뇨, 한그른뇨]

'ㄴ'첨가는 복합어에서 일어나는 첨가 현상이므로 보조사 '요'가 결합된 경우 'ㄴ'첨가 없이 연음한 것을 표준발음으로 보아야 한다. 그러나 (8ㄴ)처럼 연음해서 발음하는 경우는 드물다. 특히 '한 그릇요'를 [한그르쇼] 또는 [한그르됴]로 발음하는 경우는 거의 없다. 대부분 (8ㄷ)처럼 'ㄴ'을 첨가해서 발음한다. 체언뿐 아니라 종결어미, 연결어미, 부사와도 결합하는 보조사 '요'는 분리성이 강해서 허용 규정이 필요하다.

(9) ㄱ. 베갯잇, 깻잎, 나뭇잎, 도리깻열, 뒷윷, 뒷일
ㄴ. 첫여름, 첫윷, 첫이레, 잣엿, 덧입다, 덧입히다

(9ㄱ)은 사이시옷이 첨가된 표기형인데, 앞말은 자음 'ㅅ'으로 끝나고 뒷말은 실질형태소이므로, 본디 'ㅅ' 말음을 갖고 있는 (9ㄴ)의 '첫, 잣, 덧-'과 마찬가지로 'ㄴ'첨가가 적용될 조건이 충족된다. 그런데 (9ㄱ)에 대해 「맞춤법」 30항에서는 "뒷말의 첫소리 모음 앞에서 'ㄴㄴ' 소리가 덧나는 것"이라 했고, 「발음법」 30항에서는 "사이시옷 뒤에 '이' 음이 결합되는 경우에는 [ㄴㄴ]으로 발음한다."고 했다. 이는 사이시옷 표기만으로 [ㄴㄴ] 발음이 나는

것으로 생각하게 한다. 본디 'ㅅ'이든 사이시옷이든 뒷말이 'ㅣ, j'로 시작하는 실질형태소이면 'ㄴ'첨가의 조건이 된다는 점에서는 같다. '깻잎'은 'ㄴ'첨가도 적용되어야 [ㄴㄴ] 발음이 난다.

29항의 수정안 지금까지의 논의를 바탕으로 「발음법」 29항의 수정안을 제시하면 다음과 같다.

순우리말이 포함된 복합어에서 앞말의 끝이 자음이고 뒤 단어의 첫음절이 '이, 야, 여, 요, 유'인 경우에는, 'ㄴ' 음을 첨가하여 [니, 냐, 녀, 뇨, 뉴]로 발음한다.

① 솜-이불[솜ː니불], 홑-이불[한니불], 홑-이불[혼니불], 깻-잎[깬닙]

② 콩-엿[콩녇], 담-요[담ː뇨], 눈-요기[눈뇨기], 밤-윷[밤ː뉻], 뒷-윷[뒨ː뉻]

③ 들-일[들ː닐→들ː릴], 물-약[물냑→물략], 불-여우[불녀우→불려우]

다만, 받침에 보조사 '요'가 연결된 말은 'ㄴ' 음을 첨가하여 발음하되, 표기대로 발음할 수 있다.

해 보면요[해보면뇨/해보며뇨], 그럼요[그럼뇨/그러묘]

[붙임 1] 두 어절을 이어서 한 마디로 발음하는 경우에도 이에 준한다.

한 일[한닐], 부산 역[부산녁], 할 일[할릴], 서울 역[서울력]

[붙임 2] 한자어로만 이루어진 말에서 뒷말의 첫음절이 '이'일 때는 'ㄴ' 음이 첨가되지 않는다.[42]

식물인간[싱무린간], 검인정[거ː민정], 6·25[유기오], 3·1절[사밀쩔]

'ㄴ'첨가의 형태론적, 어휘론적 조건은 '순우리말이 포함된 복합어'이고, 음운적 조건은 '자음 + i, j'임을 기술했다. 예 ①은 뒷말이 'ㅣ'로, ②는 'j'로 시작하는 실질형태소이다. '깻-잎[깬닙], 뒷-윷[뒨:뉻]'은 사이시옷도 'ㄴ'첨가의 조건이 됨을 보인 것이다. ③은 'ㄹ + i, j'여서 'ㄴ'첨가 뒤에 유음화가 적용되는 예다.

한자어만으로 된 복합어의 'ㄴ'첨가를 「발음법」에서 수용하려면 본항에는 고유어가 포함된 말만 예시로 들고, 본항 아래 '붙임'으로 고유어와의 차이를 명시해야 할 필요가 있다. '탐욕, 선율, 광야, 혈육'처럼 '공명자음+j' 연쇄일 때 'ㄴ'첨가는 유동적인데 이를 「발음법」에서 어떻게 수용할 것인지에 대해서는 논의가 필요하다.

42 『사전』에는 '몰이상[몰리상], 몰이해[몰리해]'와 같은 예가 있으나 이 발음형이 정착될 것으로 보이지는 않는다.

제 7 장

표기에 반영된 음소 변동

1. 복수 표기형과 음소 변동

앞 장에서는 한 형태소가 하나의 표기형을 가진 예들에 대해 고찰하였다. 이들은 규칙에 의해 발음형이 변동되었고, 이 규칙은 「발음법」 9항~29항의 내용과 일치하였다. 이 장에서는 한 형태소가 복수의 표기형을 가진 예들에 대해 살필 것이다.

(1) ㄱ. 남녀(男女)/여자(女子), 금리(金利)/이익(利益), 근로(勤勞)/노동(勞動)
ㄴ. 살다/사는, 예쁘다/예뻐, 주어라/줘라
ㄷ. 먹으니까/가니까, 잡아라/접어라/서라
ㄹ. 가하다/가타, 생각하건대/생각건대
ㅁ. 차/찻길, 코/콧물, 깨/깻잎
ㅂ. 걷다/걸은, 걸으니까, 걸어서, 걸어요

(1ㄱ)에서 형태소 〈女〉, 〈利〉, 〈勞〉가 각각 '녀/여', '리/이', '로/노'로 달리 표기되었다. (1ㄴ)의 어간은 '살-/사-', '예쁘-/예ㅃ-', '주-/ㅈw'로, (1ㄷ)의 어미는 '-으니까/니까', '-아라/-어라/-∅라'로 달리 표기되었다. (1ㄹ)에서는 '가하-/가ㅎ', '생각하-/생각-', (1ㅁ)에서는 '차/찻', '코/콧', '깨/깻', (1ㅂ)에서는 '걷-/걸-'로 한 형태소가 달리 표기되었다. 복수 표기형은 대표형태 하나로 표기형을 고정하지 못하고 이형태 각각을 표기에 반영한

것이고, '소리대로' 기준은 충족되었지만 '어법에 맞도록' 적은 것은 아니다.

그래서 (1)의 음소 변동은 모두 「발음법」이 아니라 「맞춤법」에서 규정된다. 다만 (1ㅁ)의 사이시옷이 표기된 예는 「발음법」 30항에도 있는데 이는 「발음법」의 관점에서 보면 이질적이다. 왜냐하면 「발음법」은 표기형을 설명 대상으로 하기 때문이다.

이론적으로는 기저형을 단일화하고 표면형을 규칙으로 설명할 수도 있다. 특히 '살고/사는'에서 어간 끝 'ㄹ~∅', '예쁘고/예뻐'에서 'ㅡ~∅', '잡아라/접어라/가라'에서 어미 모음 '아~어~∅'는 음운적 조건에 따른 규칙적(regular) 교체여서 'ㄹ'탈락, 'ㅡ'탈락, 양성모음화, '아/어'탈락과 같은 규칙을 설정하여 이들이 기저형과 표면형을 매개하는 것으로 설명할 수도 있다. 심지어 불규칙적 교체인 '춥다, 추운'도 단일 기저형 설정이 불가능한 것은 아니다.

그러나 (1)은 규칙적 교체이든, 불규칙적 교체이든 단일어에서는 허용 가능한 음소 결합에서 일어나는 음소 변동이다. 그래서 대표형태 하나로 표기형을 고정하여 '*녀자, 살는, 예쁘어, 잡어라, 가하다, 차길, 걷은'으로만 쓰면 변동규칙으로 [여자, 사는, 예뻐, 자바라, 가타, 차낄, 걸은]을 매개할 수 없고 [*녀자, 살른, 예쁘어, 자버라, 가하다, 차길, 거든]으로 예측된다. 이는 /녀/의 'ㄴ'과 'ㅕ', /살는/의 'ㄹ'과 'ㄴ', /예쁘어/의 'ㅡ'과 '어', /잡어라/의 'ㅏ'와 '어', /하다/의 'ㅎ'과 'ㅏ', /차길/의 모음과 평음, /걷은/의 'ㄷ'과 'ㅡ' 결합제약이 단일어에는 없음을 뜻한다. 즉 'ㄹ'탈락, 'ㅡ'탈락, 양성모음화, '아/어'탈락 등은 이론적 규칙이지 언중들에게 심리적으로 내재화된 규칙은 아님을 알 수 있다.

이는 형태소 경계 음소의 결합에 제약이 있을 때 이를 허용 가능한 연쇄로 바꾸기 위한 변동규칙과 다른 점이다.

요컨대 (1)과 같은 복수 표기형의 형태소 경계 음소 배열은 단일어 내부에는 허용되는 것이다. 따라서 단수 표기형으로는 발음형을 도출할 변동규칙이 작동하지 않는 예들이다.

'녀(女), 리(利), 로(勞)'를 대표형태로 보면 '남녀/녀자, 금리/리익, 근로/로동'이라 적어야 한다. 그러나 '녀자, 리익, 로동'에서 [여자, 이익, 노동]을 매개하는 규칙은 작동하지 않는다. 어두 'ㄴ→∅, ㄹ→∅, ㄹ→ㄴ'이 규칙으로 작동하지 않음은 동일 환경의 '냠냠, 리듬, 로봇'이 '*유스, 이듬, 노봇'로 바뀌지 않는 것으로 알 수 있다.

'살다'의 어간 형태소 표기형으로 단일화하면 '살는, 살네, 살으시고'로 적어야 한다. 그러나 '살는, 살네'에 우선 적용되는 규칙은 'ㄹ'탈락이 아니라 유음화여서 유도되는 발음형은 [사는, 사네]가 아니라 [*살른, 살레]이다. 또 '살으시고'에 우선 적용되는 규칙은 'ㄹ'탈락이 아니라 연음규칙이어서 [사시고]가 아니라 [*사르시고]로 된다.

'예쁘고, 끄고'의 어간 표기형을 단일화하면 '예쁘어요, 끄어요'로 써야 한다. 그러나 '예쁘어요, 끄어요'에는 아무런 변동규칙도 적용되지 못한다. '골프에, 골프이다'에서처럼 'ㅡ'가 탈락하지 않기 때문이다. '먹어라~깎아라'의 어미 중 '-어라'로 표기형을 단일화하면 '깎어라'로 적어야 한다. 그러나 '깎어라'는 연음규칙이 적용되어 [*까꺼라]를 도출한다. '먹으니까, 가니까'의 '-(으)니까'도 마찬가지다. '*가으니까'로 표기하면 '으' 탈락이 작동하지 않고 [*가으니까]로 발음된다. '*먹니까'로 표기하면 '으' 첨가가 아니라 비음화 규칙이 작동하여 [*멍니까]가 된다.

'봤다, 둬라, 먹였다, 폈다'를 각각 '보았다, 두어라, 먹이었다, 피었다'의 어간을 대표형태로 삼아 어법에 맞도록 적는다면 '보았다, 두어라, 먹이었다, 피었다'로만 적어야 한다. 그러나 '보았다, 두어라, 먹이었다, 피었다'는 아무런 변동규칙도 적용되지 못한다. 마찬가지로 표기형 '연구하도록, 간편하게'는 적용될 변동규칙이 없어서 그대로 발음되어야 하고, [연구토록, 간편케]를 매개할 변동규칙이 없다.

어근의 원형을 밝혀 적는 원칙에 따라 '*차길, 코물, 깻잎'으로 적는다면 발음형은 [차길, 코물, 깨입]이어서 [차낄/찹낄, 콘물, 깬닙]을 도출할 수 없다. '묻고, 묻어서'로 쓰면 발음형은 [묻꼬, 무더서]여서 〈問〉이 아니라 〈埋〉의 뜻이 된다.

동일한 이유로 (1)은 표기형뿐 아니라 기저형도 복수로 볼 수 있다. 예컨대 'ㅡ' 탈락이나 첨가 규칙이 아니라 /으니까/와 /니까/를 각각 기저형으로, 'ㄷ' 불규칙 어간 기저형을 자음 앞에서는 /Xㄷ-/, 모음 앞에서는 /Xㄹ-/로 보는 것이다.

이처럼 7장에서 다룰 음운현상은 규칙적이든 불규칙적이든 표기형을 단일화할 수 없다. 단일어에는 허용되는 음소 결합인데도 일어나는 음운현상이어서 변동규칙이 작동하지 않기 때문이다. 이 장에서 다룰 음운현상은 두음법칙, 'ㄹ'탈락, 모음 탈락, 반모음화, 모음조화, '-하다' 관련 음운현상, 사잇소리현상, 불규칙활용이다. 이들은 음운현상이긴 하나 변동규칙과는 구별된다. 변동규칙을 표기형과 발음형을 매개하는 기제로 정의했을 때 이들은 포함되지 않는다. 단수 표기형을 기저형으로 본 이 책의 관점에서 보면 이 장에서 다룰 교체는 복수 기저형을 가지는 형태소들이다.

대치와 교체 '먹는다[멍는다], 신라[실라], 먹자[먹짜]'처럼 변동규칙에 따라 한 음소가 다른 음소로 바뀌는 것은 '대치'라 불렀다. 6장에서 '대치'는 '축약, 탈락, 첨가'와 동위개념으로 사용되었고, 이들은 특정한 음운 조건에서 일어나고, 현상 발생의 근본적 원인이 음운 질서에 있고, 규칙으로 작동하는 것들이었다.

7장에서 다룰 음운현상은 변동규칙이 작동하지 않는 것들이어서 한 형태소의 표기형이 여럿이다. 이들 음운현상은 '먹어라, 잡아라, 가라'의 '-어라/-아라/-∅라'처럼 이형태 실현 조건이 음운적인 경우도 있지만, '살고, 사는'의 '살-/사-', '묻고, 물어'의 '묻-/물-'처럼 음운 조건으로 설명하기 어려운 예도 있다. 그래서 현상 발생의 원인도 음운 질서에 한정되지 않는다.

변동규칙으로서의 '대치'와 구별하기 위해 7장에서는 '대치'라는 용어를 쓰지 않을 것이다. 대신 '교체'라 부를 것인데 여기서 교체는 형태론에서 '한 형태소가 환경에 따라 음상(phonetic shape)을 달리 하는 것'으로 정의하는 것과 같은 의미로 '대치, 축약, 탈락, 첨가'의 상위개념이다. '가라'의 '-라'는 음운론적으로는 '아' 탈락이지만 형태론적으로 '-아라'가 '-∅라'로 교체된 것이기도 하다.

교체 조건에 따라 본다면 '주어라, 줘라'의 '주-/ㅈw-', '생각하건대, 생각건대'의 '생각하-/생각∅-', '잡아라, 먹어라, 가라'의 '-아라/-어라/-∅라'는 음운적 이형태이고, '묻고, 물어'의 '묻-/물-'은 어휘적 이형태이다. 특정한 조건에서 교체가 규칙적이냐 불규칙적이냐로 나눈다면 음운적 이형태인 '-아라/-어라/-∅라' 뿐 아니라 음운적 이형태로 보기 어려운 '살-/사-'도[1] 규칙적 교체이다. 어휘적 이형태인 '묻-/물-'은 물론, '주-/ㅈw-', '생각하-/생각∅-'는 불규칙적이다.

교체가 '규칙적(regular)'이라 해서 '규칙(rule)'으로 이형태를 매개할 수 있는 것은 아니다. 예컨대 '-아라'는 어간 끝 모음이 'ㅏ, ㅗ'일 때, '-어라'는 그 외의 모음일 때 나타나므로 이들 이형태는 규칙적 교체다. 그러나 '*잡어라, 접아라'는 허용되는 음소 결합이므로 '어→아' 또는 '아→어'는 '규칙(rule)'으로 작동하지 않는다.

'규칙적 교체, 불규칙활용, 규칙용언' 등에서도 '규칙(적)'이라는 말이 쓰이면서 '변동규칙'에서 '규칙'과 혼동하게 한다. 그러나 '규칙적(regular)'과 '규칙(rule)'은 다르다. 어간 끝 '으~∅', 'ㄹ~∅', 어미 '-아/-어/-∅', '-습니다/-ㅂ니다'는 규칙적 교체이다. 그러나 이 현상을 변동규칙으로 설정하는 것은 별개의 문제다. 변동규칙을 '표기형과 발음형을 매개하는 기제'로 정의하면 이들 교체는 '규칙적'이지만 '규칙'은 아니다.

이 장에서 다룰 교체는 실현 조건이 음운적인 것도 있고 어휘적인 것도 있고, 실현 양상이 규칙적인 것도 있고 불규칙적인 것

1 '살다'의 어간은 대체로 '으'계 어미나 'ㄴ'으로 시작하는 자음어미와 결합할 때 /사-/로 실현된다는 점에서 '묻-/물-'에 비해 음운적 조건이 강하다. 음운적 이형태 중에도 어간, 실질형태소 등과 같은 형태론적 범주 조건이 부가되는 경우가 많아서 교체 조건이 순수하게 음운적이기만 한 경우는 드물다. 그러나 특정 어미를 조건으로 한다는 점에서 음운적 이형태로 보기는 어렵다.

도 있지만, 모두 비자동적 교체(non- automatic alternation)다. 여기서 비자동적 교체는 형태소 경계 음소의 결합이 단일어에서는 허용되는데도 일어나는 교체를 뜻한다.[2] 그래서 이형태가 표기에 반영되어 복수 표기형을 쓰고 언어 사용자들에게 심리적으로 내재화되지 않은 교체이다. 비자동적 교체는 자동적 교체와 짝이 되는 개념인데 다른 용어와 개념이 겹치는 부분이 있어 교육 현장에서 구별해 쓰기 어려운 면이 있다.[3]

형태소의 소리 바뀜이 모두 음운론적 설명 대상은 아닌데, 주격조사 '이/가'처럼 규칙적이고 음운적 조건에 따른 교체라도 서로 다른 어원의 형태일 때는 제외된다. 음운변동은 같은 어원의 형태를 대상으로 대표형태에서 이형태로의 바뀜으로 설명하는 것이다. 명령형어미 '-너라'는 '오-'와만 결합하지만, '-거라'는 모든 동사와 결합한다. 그러나 둘 다 '-아라/-어라'와는 어원이 다른 이형태여서 음운론의 설명 대상이 아니다.

2 다만, 비자동적 교체를 이형태가 표기에 반영된 경우로 정의하면, 사잇소리현상이 일어나지만 사이시옷을 쓰지 않는 '산길[-낄]'류를 포함할 수 없다. 이에 대해서는 8.2.에서 상술될 것이다.

3 고영근(2005)에 따르면 자동적 교체(automatic alternation)는 어떤 규칙이 형태소 내부든 형태소 경계든 그 언어의 모든 층위에서 적용되는 것을 말한다. 그러나 역행적 유음화, 'ㄴ'첨가는 변동규칙이지만 '권력[궐-], 생산력[--녁]', '독점욕[-쩜뇩], 독약[도갹]'처럼 규칙 적용 여부가 갈린다. 또한 규칙적, 불규칙적 교체는 자동적, 비자동적 교체와 대부분 겹치므로 따로 분류할 필요가 없다고도 했다. 그러나 규칙적 교체는 대부분 자동적 교체지만, '-아/-어', '-(으)니까', '-습니다/-ㅂ니다' 등은 규칙적이지만 비자동적이다.

2. 두음법칙

음운현상 두음법칙은 특정한 소리가 단어의 첫소리로 발음되지 않고 다른 소리로 바뀌거나 탈락되는 현상을 말한다. 두음법칙은 한자어의 어두음(語頭音) 'ㄴ, ㄹ'에만 적용된다.[4] 고유어는 이미 통시적으로 두음법칙이 적용되어 이런 음절이 거의 없다.

(1) ㄱ. 여자(女子)/남녀(男女), 익명(匿名)/은닉(隱匿), 요소(尿素)/당뇨(糖尿)
ㄴ. 이익(利益)/금리(金利), 유수(流水)/하류(下流), 이치(理致)/진리(眞理)
ㄷ. 노동(勞動)/근로(勤勞), 낙원(樂園)/쾌락(快樂), 내일(來日)/거래(去來)

두음법칙은 세 가지로 나눌 수 있다. (1ㄱ)처럼 'ㅣ, j' 앞에서 'ㄴ'이 탈락하는 현상, (1ㄴ)처럼 'ㅣ, j' 앞에서의 'ㄹ'이 탈락하는 현상, (1ㄷ)처럼 'ㅣ, j' 이외의 모음 앞에서 'ㄹ'이 'ㄴ'으로 대치되는 현상이 있다. (1)의 예는 같은 뜻을 가진 한자어 형태

4 음운변동을 가리킬 때 법칙이란 말은 '두음법칙'에서만 사용되었다. 법칙(法則)은 〈반드시 지켜야만 하는 규범〉의 뜻이지만 관용적으로 굳어진 용어일 뿐이다. 오히려 변동규칙에 비해 규칙성은 약하고, 적용범위도 한자어로 한정된다.

소 '女'를 '녀~여', '利'를 '이~리', '勞'를 '로~노'로 발음하고, 발음에 따라 표기도 달리한다. 〈力〉의 의미를 가진 형태소가 '역도'에서는 [역], '주력, 실력'에서는 [력], '권력'에서도 [력], '능력, 국력'에서는 [녁]으로 실현된다. 〈料〉의 의미를 가진 형태소가 '요금'에서는 [요], '원고료'에서는 [료], '관람료, 수업료'에서는 [뇨]로 실현된다. 만약 두음법칙을 공시적 변동규칙으로 보게 되면 기저형을 /력/, /료/로 보고, [역], [요]는 두음법칙, [녁], [뇨]는 'ㄹ'비음화로 설명해야 한다. 그러나 두음법칙은 규칙화하기에는 예외적 현상이 너무 많다.

(2) ㄱ. 고얀 녀석, 나쁜 년, 바느질 실 한 님, 엽전 한 닢
  ㄴ. 냠냠, 니글니글
  ㄷ. 뉴스, 리듬, 류머티즘, 라디오, 로그인, 레저, 룽런

현대국어에서 두음법칙은 한자어에만 적용되므로, 고유어나 외래어인 (2)는 적용 대상이 아니다. (2ㄱ)은 의존명사이고, (2ㄴ)은 음절이나 어근 전체를 반복(복제)하거나 일부를 반복하는 방법으로 만들어진 시늉말이다. 이들은 통시적 두음법칙이 적용되지 않은 채 남아있는 예다.

(3) ㄱ. 신여성, 순이익, 중노동
  ㄴ. 비율, 백분율
(4) ㄱ. 매장량/구름양, 금액란/가십난
  ㄴ. 태양력/율리우스력

(3)은 비어두이므로 두음법칙이 적용될 환경이 아니다. 그러나 (3ㄱ)처럼 'X+Y'로 만들어진 복합어에서 Y가 자립적으로 쓰이는 2음절 이상의 단어일 때, (3ㄴ)처럼 모음이나 'ㄴ' 받침 뒤의 '렬, 률'은 두음법칙을 적용한다. (4ㄱ)의 명사 '량(量), 란(欄)'은 한자어인지 혼종어인지에 따라 두음법칙 적용 여부가 갈린다. 그러나 '-력(曆)'은 접사여서 어종에 상관없이 '-력'으로 적는다.

한자 사용에 익숙하지 않은 세대일수록 '은닉(隱匿)'은 '은'과 '닉'으로 분리되어 인식되지 않고, '은닉, 익명'에서 '닉'과 '익'이 같은 한자임을 인식하지 못한다. 이런 화자에게는 두음법칙이 작동하지 않는다. '늠름(凜凜)하다, 낙락(落落)장송, 냉랭(冷冷)하다, 낭랑(朗朗)하다' 따위는 두음법칙 적용 여부에 따라 같은 한자를 달리 표기한 것이지만, 대부분의 언중에게 '늠름'은 하나의 형태소로 인지된다.

관련 규정 「맞춤법」 10, 11, 12항은 두음법칙 관련 조항인데, 셋으로 나눈 것은 두음법칙이 세 종류로 나뉘기 때문이다. 10항은 '남녀(男女), 여자(女子)'에서처럼 어두음 'ㄴ'이 탈락하는 경우, 11항은 '금리(金利), 이익(利益)'에서처럼 어두음 'ㄹ'이 탈락하는 경우, 12항은 '근로(勤勞), 노동(勞動)'에서처럼 어두음 'ㄹ'이 'ㄴ'으로 바뀌는 경우이다. 이때 '녀~여', '리~이', '로~노' 이형태 각각을 표기에 반영한다. 두음법칙에 따른 한자음 표기는 '소리대로'와 '어법에 맞도록'을 양립시킬 수 없어서 '소리대로'만 좇은 것이다.

「맞춤법」 10항: 한자음 '녀, 뇨, 뉴, 니'가 단어 첫머리에 올 적에는, 두음 법칙에 따라 '여, 요, 유, 이'로 적는다.

여자(女子), 연세(年歲), 요소(尿素), 유대(紐帶), 익명(匿名)

다만, 다음과 같은 의존 명사에서는 '냐, 녀' 음을 인정한다.

냥(兩), 냥쭝(兩-), 년(年)(몇 년)

[붙임 1] 단어의 첫머리 이외의 경우에는 본음대로 적는다.

남녀(男女), 당뇨(糖尿), 결뉴(結紐), 은닉(隱匿)

[붙임 2] 접두사처럼 쓰이는 한자가 붙어서 된 말이나 합성어에서, 뒷말의 첫소리가 'ㄴ' 소리로 나더라도 두음 법칙에 따라 적는다.

신여성(新女性), 공염불(空念佛), 남존여비(男尊女卑)

[붙임 3] 둘 이상의 단어로 이루어진 고유 명사를 붙여 쓰는 경우에도 붙임 2에 준하여 적는다.

한국여자대학, 대한요소비료회사

11항: 한자음 '랴, 려, 례, 료, 류, 리'가 단어의 첫머리에 올 적에는, 두음 법칙에 따라 '야, 여, 예, 요, 유, 이'로 적는다.

양심(良心), 역사(歷史), 예의(禮儀), 용궁(龍宮), 유행(流行), 이발(理髮)

다만, 다음과 같은 의존 명사는 본음대로 적는다.

리(里): 몇 리냐?

리(理): 그럴 리가 없다.

[붙임 1] 단어의 첫머리 이외의 경우에는 본음대로 적는다.

개량(改良), 수력(水力), 사례(謝禮), 쌍룡(雙龍), 급류(急流), 도리(道理)

다만, 모음이나 'ㄴ' 받침 뒤에 이어지는 '렬, 률'은 '열, 율'로 적는다.

① 나열(羅列), 비열(卑劣), 규율(規律), 비율(比率), 실패율(失敗率)

② 분열(分裂), 선열(先烈), 선율(旋律), 전율(戰慄), 백분율(百分率)

[붙임 2] 외자로 된 이름을 성에 붙여 쓸 경우에도 본음대로 적을 수 있다.

신립(申砬), 최린(崔麟), 채륜(蔡倫), 하륜(河崙)

[붙임 3] 준말에서 본음으로 소리 나는 것은 본음대로 적는다.

국련(국제연합), 대한교련(대한교육연합회)

[붙임 4] 접두사처럼 쓰이는 한자가 붙어서 된 말이나 합성어에서, 뒷말의 첫소리가 'ㄴ' 또는 'ㄹ' 소리로 나더라도 두음 법칙에 따라 적는다.

역이용(逆利用), 연이율(年利率), 열역학(熱力學), 해외여행(海外旅行)

[붙임 5] 둘 이상의 단어로 이루어진 고유 명사를 붙여 쓰는 경우나 십진법에 따라 쓰는 수(數)도 붙임 4에 준하여 적는다.

서울여관, 신흥이발관, 육천육백육십육(六千六百六十六)

12항: 한자음 '라, 래, 로, 뢰, 루, 르'가 단어의 첫머리에 올 적에는, 두음 법칙에 따라 '나, 내, 노, 뇌, 누, 느'로 적는다.

낙원(樂園), 내일(來日), 노인(老人), 뇌성(雷聲), 누각(樓閣), 능묘(陵墓)

[붙임 1] 단어의 첫머리 이외의 경우에는 본음대로 적는다.

쾌락(快樂), 극락(極樂), 거래(去來), 왕래(往來), 부로(父老), 연로(年老), 지뢰(地雷), 낙뢰(落雷), 고루(高樓), 광한루(廣寒樓), 가정란(家庭欄), 동구릉(東九陵)

[붙임 2] 접두사처럼 쓰이는 한자가 붙어서 된 단어는 뒷말을 두음 법칙에 따라 적는다.

내내월(來來月), 상노인(上老人), 중노동(重勞動), 비논리적(非論理的)

두음법칙이 적용되는 조건 중 하나로 10항에서는 '여, 요, 유, 이', 11항에서는 '야, 여, 예, 요, 유, 이' 모음을 열거하고 있지만 이들은 모두 'ㅣ'나 'j'계 이중모음이어서 'ㅣ, j'로 간추릴 수 있다. 'j'계 이중모음 중 일부가 빠진 것은 용례가 없어서일 뿐이다. 12항은 'ㅣ, j'를 제외한 나머지 모음으로 일반화할 수 있다. 즉 'ㄹ, ㄴ' 탈락은 'ㅣ, j' 앞에서, 'ㄹ'이 'ㄴ'으로 바뀌는 것은 'ㅣ, j' 외의 모음 앞에서일 때다.

어두음이 아닐 때는 본음대로 적는 것이 원칙이지만, 이에 벗어나는 경우가 많은데 이는 세 경우로 간추릴 수 있다.

첫째, 의존명사에는 두음법칙이 적용되지 않는다. 이는 10항 다만(다음과 같은 의존 명사에서는 '냐, 녀' 음을 인정한다.)과 11항 다만(다음과 같은 의존 명사는 본음대로 적는다.)에 명시된 내용이다. 의존명사는 문법적으로 명사이므로 띄어 쓰지만, '의존'이라는 용어에서도 암시되듯이 입말(구어)에서는 앞말에 붙여서 발음하지 끊어서 발음하지 않는다. 이런 이유로 의존명사에는 두음법칙을 적용하지 않고, '몇 년(年)째야, 몇 리(里)냐, 그럴 리(理)가 없다, 2푼 5리(厘), 객차(客車) 오십 량(輛)'으로[5] 쓴다.

둘째, 'X+Y'로 이루어진 복합어에서 Y는 비어두지만 자립적으로 쓰이는 2음절 이상의 단어이면 두음법칙을 적용한다. 이는 10항 붙임 2(접두사처럼 쓰이는 한자가 붙어서 된 말이나 합성어에서, 뒷말의 첫소리가 'ㄴ' 소리로 나더라도 두음 법칙에 따라 적는다.), 11항 붙임 4(접두사처럼 쓰이는 한자가[6] 붙어서 된 말이나 합성어에서, 뒷말의 첫소리가 'ㄴ' 소리로 나더라도

5 '금 석 냥, 은 두 냥쭝'에서 '냥, 냥쭝'은 어원적으로는 한자어 '량(兩), 량중(兩重)'에서 왔으나 음이 달라져 현대국어에서는 한자어로 보기 어렵다. 만약 '량'에 두음법칙이 적용되었다면 '*양'이 되었을 것이다.

6 '접두사처럼 쓰이는 한자'는 파생어에 준하는 단어라는 뜻이다. 파생어라 단정하지 않은 까닭은 한자어의 경우 접두사로 단정하기 어려운 경우가 많기 때문이다. 『사전』에 따르면 '신여성'의 '신'은 접사지만 '신구(新舊), 신식(新

두음 법칙에 따라 적는다.), 12항 붙임 2(접두사처럼 쓰이는 한자가 붙어서 된 단어는 뒷말을 두음 법칙에 따라 적는다.)에 명시된 내용이다. '신여성(新女性), 순이익(純利益), 중노동(重勞動)'의 '여, 이, 노'는 '남녀(男女), 금리(金利), 근로(勤勞)'의 '녀, 리, 로'와 마찬가지로 어두가 아니지만, 두음법칙을 적용한다. '여성, 이익, 노동'은 '남녀, 금리, 근로'의 '녀, 리, 로'와는 달리 독립적으로 쓸 수 있는 단어이기 때문이다.[7]

사자성어의 뒷부분도 '신-여성'류와 마찬가지다. '부화뇌동(附和雷同), 사상누각(砂上樓閣), 평지낙상(平地落傷)'에서 본음 '뢰, 루, 락'을 쓰지 않고 '뇌, 누, 낙'이라 쓰는 까닭은 '뇌동, 누각, 낙상'이라는 단어가 있기 때문이다. '남존여비(男尊女卑), 감언이설(甘言利說), 오비이락(烏飛梨落)'처럼 '女卑, 利說, 梨落'이라는 단어가 없는 경우도[8] 의미상 두 음절씩 구 또는 절의 성격을 띠고 있어서 두음법칙을 적용한다. '한국 여자 약사회'를 '한국여자약사회'로 붙여 쓰더라도 '여자'를 두음법칙에 따라 적는 것도 같은 이

式)'은 단일어이다. 『사전』에서는 한자어에서 2음절 이상의 자립형식 앞에 오는 1음절 한자 형태소만 접두사로 보아 표제어 내부를 분석하고 있다.

7 '미립자(微粒子), 소립자, 수류탄(手榴彈), 파렴치(破廉恥)'는 '입자, 유탄, 염치'라는 단어가 있지만 발음 때문에 '*미입자, 수유탄, 파염치'로 쓰지 않는다. '적나라(赤裸裸)하다'에서 첫 번째 '裸'를 '나'로 적는 것도 두음법칙에 맞지 않는 특수 예다. 왜냐하면 '*나라(裸裸)' 또는 '*나라(裸裸)하다'는 『사전』에도 없는 말이고, '적(赤)'이 접두사처럼 쓰이는 말도 아니고, '*적라라하다'로 써도 '국립[궁닙]'에서와 같은 규칙이 적용되어 [정나---]라는 발음을 예측하는 데 문제가 없기 때문이다.

8 '남존여비'는 10항 붙임 2에서 합성어 예로 제시되었다. 그러나 '여비(女卑)'라는 단어는 한국어에 없다는 점에서 조항과 맞지 않는 부적절한 예다.

유에서다.

셋째, 모음이나 'ㄴ' 받침 뒤에 이어지는 '렬, 률'은 어두음이 아니라도 '열, 율'로 적는데 이는 11항 붙임 1 다만에 해당한다. 두음법칙 자체가 소리대로의 기준을 좇은 것인데, 모음 뒤의 '렬, 률'은 어두가 아닌데도 [나열, 비율, 실패율]처럼 'ㄹ'이 탈락하고 [*나렬, 비률, 실패률]로 나지 않기 때문이다.

두음법칙 자체가 어법에 맞지 않게 쓴 것인데 거기에 또 너무 많은 예외 규정이 붙어 있어서 표기 오류는 물론이고 「발음법」에도 영향을 미친다. 10, 11, 12항의 다단계 예외 조항은 'ㄴ'첨가를 다룬 「발음법」 29항, 'ㄹ' 관련 변동을 다룬 19, 20항과 연관되어 있다. 「발음법」은 「맞춤법」에 따른 표기형을 설명 대상으로 하기 때문이다.

애초에 두음법칙 규정은 발음을 표기에 잘 반영하기 위해서였다. 그러나 두음법칙에 따른 표기형이 반드시 발음형을 더 쉽게 예측할 수 있도록 하는 것도 아니다. 예컨대 '率'은 '성공률, 합격률, 백분율, 환율, 비율'로 적고, 표준발음은 [성공뉼, 합꼉뉼, 백뿐뉼, 화:뉼, 비:율]이다. 1음절 접사 '-률'을 본음대로 적은 '성공률, 합격률'은 표기형과 발음형의 관계도 일반적 규칙과 일치한다. 성공률[--뉼]은 '비음+ㄹ' 환경이어서 '능력[-녁]'류와, 합격률[-껵뉼]은 '폐쇄음+ㄹ' 환경이어서 '국력[궁녁]'류와 동일한 변동이 일어난다. '자살률'은 '실력'처럼 'ㄹ+ㄹ' 연쇄이므로 본음대로 난다.

'백분율, 기준율'의 표준발음은 'ㄴ'이 첨가된 [백뿐뉼, 기준뉼]이다. 예외를 두지 않고 '*백분률, 기준률'로 적어도 규칙에 따라 발음형 [백뿐뉼, 기준뉼]을 예측하는 데 문제가 없다. '생산-력[--

녁]'과 같은 구조여서 'ㄹ'비음화가 적용되기 때문이다. 그런데 '백분율'에 'ㄴ'이 첨가되는 것과 달리 '환율, 선율'은 'ㄴ'이 첨가되지 않고 연음된 [화ː뉼, 서뉼]이 표준발음이다. 결국 「발음법」에 따르면 '백분율'과 '환율'은 발음형을 매개하는 규칙이 서로 다르다.

'백분율, 기준율'로 적는 것은 'ㄴ率'은 모두 'ㄴ율'로 적기 위함이겠지만 규정을 복잡하게 만드는 요인이 된다. '*환률'로 쓰면 '권력[궐-]과 같은 구조여서 유음화가 적용되어 [*활률]이라는 오류 발음을 이끌어 낼 수 있으나 '환율'로 쓴다고 해서 표기형이 발음형을 투명하게 반영하는 것도 아니다. 표기형 '환율'에서 유도되는 발음형은 연음된 [화ː뉼]뿐 아니라, 'ㄴ'이 첨가된 [*환ː뉼]도 가능하기 때문이다. 고유어와 달리 한자어에서 'ㄴ'첨가는 규칙화하기 어렵고, '검열, 금융'은 '환율'처럼 『사전』에서 단일어로 다루지만 'ㄴ'이 첨가된 발음도 표준발음이다. 실제로 'ㄴ'이 첨가된 [*환ː뉼]형의 사용 빈도가 높다. 11항에서 예로 든 '분열, 선열, 전열, 선율, 전율'도 모두 연음된 형태가 표준발음이지만 실제 발음에서는 'ㄴ'이 첨가된 발음이 흔히 사용된다.

'매장량, 금액란'에서 '량(量), 란(欄)'은 어두음이 아니기 때문에 본음대로 적으면서 '구름양, 가십난'에서는 어두음이 아닌데도 두음법칙이 적용된다. 앞말이 한자어가 아니라는 예외 기준을 적용한 것이다. 그러나 '*구름량, 가십란'으로 적어도 '담력, 국력'류와 같아서 [구름냥, 가심난]을 유도하는 데 문제가 없다. 두음법칙이 한자어에만 적용되는 현상이라는 점에서도 '*구름량, 가십란'이 더 바람직한 표기형으로 보인다.

'구름양'은 표기도 예외적이면서 '*구름량'보다 발음형을 더 잘 드러내는 것도 아니다. 게다가 동일한 음운 환경에서 발음도 같은 〈量〉을 '매장량[--냥]'에서는 'ㄹ'비음화로, '구름양[--냥]'에서는 'ㄴ'첨가로 설명해야 하는 불합리성을 노정하고 있다. 한자어끼리 만들어진 복합어인가 아닌가 하는 예외 기준이 늘 지켜지는 것도 아니다. '태양력'과 마찬가지로 '율리우스력'도 '력'으로 적는다. 이는 '-력(曆)'이 '양, 난'과 달리 명사가 아니라 접미사이기 때문으로 풀이되긴 하나 표기와 발음형 설명의 복잡성은 가중된다.

'신여성, 공염불, 실낙원, 불이익, 순이익, 연이율'로 쓰는 것은 발음 때문이라기보다 '여성, 염불, 낙원, 이익, 이율'이 단어이고 자립형식이므로 이 형태와 동일하게 하기 위함이다. '*신녀성, 공념불, 실락원, 불리익'으로 적으면 표기형대로 발음하면 되는데, 두음법칙이 적용된 표기형 '신여성, 공염불, 불이익'은 'ㄴ'첨가를, '실낙원'은 유음화를 적용해야 한다.

그러나 '순이익, 연이율'은 두음법칙을 적용하지 않고 '*순리익, 연리율'로 적으면 [순니익, 연니익]을 예측하기 어렵다(6장 5.2. 참조). 한자어만으로 된 복합어에서 뒷말 첫소리가 'ㅣ'일 때는 'ㄴ'이 첨가되지 않는 것이 원칙이라는 점에서(6장 6.4. 참조) '순이익, 연이율, 불이익'[순니익, 연니율, 불리익]은 특수한 경우다. '순이익, 연이율'은 'ㄴ'이 첨가되지 않은 [수니익, 여니율]도 표준발음이다.

3. 'ㄹ'탈락

3.1. 어간 끝 'ㄹ'탈락

음운현상 '살다'는 '사는, 사니, 사네'로 활용한다. /살+는/은 /ㄹ+ㄴ/ 연쇄로서 순행적 유음화가 일어날 음운 환경이지만, 유음화하지 않고 'ㄹ'이 탈락한다. 순행적 유음화가 적용되지 않고 'ㄹ'이 탈락하는 것은 'ㄹ'이 어간 말음일 때이다. '할는지'처럼 'ㄹ'이 어간 말음이 아니거나, '핥네, 앓는다'처럼 'ㄹ'이 겹받침의 일부로서 형태소 경계음이 아닐 때는 탈락하지 않는다.

(1) 어간 끝 'ㄹ'탈락

자음어미	모음어미	
	'으'계	'아'계[9]
살다, 살지	살러, 살면, 살며	살아, 살아라
사는, 사니, 사네, 삽니다	**사니까, 산, 살, 사시고**	살아서, 살았다

그런데 어간 끝 'ㄹ'은 (1)에서 보듯 'ㄴ' 앞에서만 탈락하는

9 자음어미는 '-고'처럼 자음으로 시작하는 어미, '아'계 어미는 '잡았다, 먹었다, 갔다'처럼 '-아/-어/-∅'로 교체되는 어미, '으'계 어미는 '먹으니, 가니'처럼 '으~∅'로 교체되는 어미를 뜻한다. 자세한 내용은 8.1.1. 참조.

것은 아니다. '사니까, 산, 살, 사시고, 살수록, 삽시다, 사세, 사오'에서 어미는 모두 '-(으)니까'처럼 '-으'계 어미다. '으'계 어미와 결합할 때 '잡으니까'처럼 '-으니까'와 결합하지 않고 '보니까'처럼 '-니까'와 결합한다. 어간 끝 'ㄹ'탈락은 대체로 어미 첫소리가 'ㄴ'이거나 '으'인 경우에 일어난다. '삽니다'의 '-ㅂ니다'는 '-습니다'와 교체되지만 1988 개정 이전에는 '-읍니다/-ㅂ니다'로 매개모음이 있었기에 생긴 예외로 볼 수 있다. 청유형 종결어미 '-(으)ㅂ시다'는 지금도 '으'계 어미다.

'으' '먹으니까, 가니까', '손으로, 발로'에서 '으'를 매개모음, 고룸소리, 조성 모음, 조음소라고 불렀다. '매개모음'이라는 용어는 자음 충돌을 피하기 위하여 그 사이에 끼워 넣는 모음이라는 뜻이므로 '-니까, 로'를 대표형태로 보고 '-으니까, 으로'는 '으' 삽입으로 보는 것이다. 반대로 '으니까, 으로'처럼 '으' 있는 형태를 기저형으로 보면 '으' 탈락이 적용된다. '-으니까/-니까'를 복수 기저형으로 보기도 하는데[10] 표기형도 '으/∅'의 교체를 각각 표기한다.

'으'는 형식형태소 '-(으)로', '-(으)ㄴ', '-(으)ㄹ', '-(으)니', '-(으)니까' 등에서 앞말 끝소리의 음운적 조건에 따라 '으'와 '∅'가 교체된다. 또 한국어 음절구조에 맞지 않는 외국어를 받아들여 외래어로 만들 때 삽입하는 모음이 '으'다. 이러한 '으'는 한국어에서 중립모음(neutral vowel)으로[11] 기능한다.

---

10 '-으'계 어미의 기저구조에 대해서는 '으' 탈락설, '으' 삽입설, 쌍형설, 셋 다 제기되었다(신승용: 1999, 박종희: 2004).

11 중립모음은 혀의 위치와 높낮이, 원순성 중 어떤 것도 극단값을 갖지

'ㄹ'탈락이 일어나는 어미의 첫소리는 '으' 있는 어미를 기저형으로 보면 'ㄴ, ㅂ, 으'이다. '으' 없는 어미를 기저형으로 보거나 '으' 탈락이 먼저 적용된다고 보면 'ㄹ'이 탈락하는 조건은 'ㄴ, ㅂ, ㅅ, ㅗ, ㄹ' 앞이 된다.[12] 이들 소리 간에 음운적 공통성을 찾을 수 없다. 또 '으'계 어미 앞에서 항상 'ㄹ'이 탈락하는 것도 아니어서 '-(으)러, -(으)면, -(으)며' 앞에서는 탈락하지 않는다. 이런 점에서 'ㄹ'탈락 현상을 변동규칙으로 보기 어렵고, 「맞춤법」에서도 이형태를 표기에 반영한다.

현대국어에서는 '놀다가, 살자'처럼 어미 'ㄷ, ㅈ' 앞에서는 어간 끝 'ㄹ'이 탈락되지 않는다. 그러나 중세국어에서는 '노더니이다, 사져'처럼 설음 'ㄴ, ㄷ'이나 치음 'ㅅ, ㅈ'과 결합할 때도 탈락되었다(허 웅 1988: 456~458). 현대국어에서는 '사시겠습니까'처럼 '-(으)시-'와 결합할 때 어간 끝 'ㄹ'이 탈락한다. 그러나 중세국어에서는 '사ᄅᆞ샤리잇고'처럼 탈락하지 않았다. 어간 끝 'ㄹ'탈락 현상은 중세국어에도 있었고 현대국어에도 있지만 그 조건은 '놀다가, 살자'처럼 'ㄷ, ㅈ' 앞에서는 축소되었고, '사시고'처럼 '-(으)시-' 앞에서는 확대된 셈이다.

관련 규정 「맞춤법」 18항은 불규칙활용에 대한 조항이다.

못해서 발성 전 성도의 모양과 가장 유사한 모음이라는 뜻이다. 중립모음은 중앙화된(centralized), 음가가 불분명한(obscured), 목표 지점에 덜 미친(undershoot), 음성적으로 약화된(weak, reduced) 모음이다.

12 「해설」에서는 어미의 첫소리 'ㄴ, ㅂ, ㅅ' 및 '-(으)오, -(으)ㄹ' 앞에서 준다고 하였다.

「맞춤법」에서 어간의 불규칙성 판단 기준은 활용형이 사전 기본형 '-다'와 결합할 때와 같은가 그렇지 않은가이다. '사는, 사니, 삽시다, 사시고, 사오'는 기본형 '살다'의 '살-'과 어간 형태가 다르므로 「맞춤법」의 관점에서는 어간이 불규칙한 것이다. '살-'과 '사-'를 모두 표기에 반영한 것은 '*살은, 살는'에서 변동규칙에 따라 예측되는 발음은 [*사른, 살른]이지 [산, 사는]이 아니기 때문이다. 반면, 학교문법에서는 동일 환경에서 'ㄹ'이 탈락하지 않는 규칙활용형이 없으므로 'ㄹ' 불규칙은 설정하지 않는다.

> 「맞춤법」 18항 1: 어간의 끝 'ㄹ'이 줄어질 적
> 갈다: 가니, 간, 갑니다, 가시다, 가오
> 불다: 부니, 분, 붑니다, 부시다, 부오
> 어질다: 어지니, 어진, 어집니다, 어지시다, 어지오
> [붙임] 다음과 같은 말에서도 'ㄹ'이 준 대로 적는다.
> 마지못하다, 마지않다
> (하)다마다, (하)자마자, (하)지 마라, (하)지 마(아)

붙임의 '마지못하다'는 어원 정보 【<마디몯ᄒᆞ다<금삼>←말-+-디+몯+ᄒᆞ-】를 갖고 있으므로 'ㄹ'탈락은 통시적 흔적이다. '-다마다, -자마자'는 공시적으로는 '말다'의 의미가 없으므로 단일 형태소로 된 어미로 처리된다. '(하)지 마라, (하)지 마(아)'는 '말다'가 '아'계 어미와 결합할 때 'ㄹ'이 탈락한 것이다. 'ㄹ'탈락은 '살아라, 불어서'처럼 '아'계 어미와 결합할 때는 적용되지 않는 것이 일반적이다. 그러나 보조동사 '말다'에 대해 『사전』은 "※ 명령형 어미 '-아', '-아라', '-아요' 따위가 결합할 때는 어간 끝

의 'ㄹ'이 탈락하기도 하고 탈락하지 않기도 한다."고[13] 하여 '말아라, 마라' 둘 다 맞는 것으로 기술했다. 그래서 어문규범과 『사전』이 서로 다른 판단을 보이게 되었다. 국립국어원의 2015년 표준어 추가 발표에서 '-지 마, -지 마라, -지 마요'와 더불어 '-지 말아, -지 말아라, -지 말아요'도 표준 활용형이라고 명시했다. 이는 『사전』의 기술대로 규범을 일치시킨 것이다.

(2) ㄱ. *녹슬은 기차, 날으는 새
ㄴ. *나르는, 나르니, 나른, 나르시고, 나릅니다, 날라
ㄷ. *날르는, 날르니, 날른, 날르시고, 날릅니다, 날라

끝소리가 'ㄹ'인 어간은 비표준발음이 광범위하게 퍼져있다. (2ㄱ)의 어간은 '녹슬-, 날-'이므로 관형사형 어미 '-(으)ㄴ, -는'과 결합하면 어간 끝 'ㄹ'이 탈락한 '녹슨 (기차), 나는 (새)'가 되어야 한다.

특히 '날다'의 활용형은 '나는, 나니, 난, 나시고, 납니다, 날아'여야 하는데 (2ㄴ, ㄷ)과 같은 형태가 사용되고 있다. (2ㄴ)은 어간이 '날다'가 아니라 '*나르다'로 재구조화된 것으로 해석된다. '*나르는'은 '나는'이 명사와 조사의 결합과 같아서 이를 피하기 위해 사용되는 것으로 볼 수 있다. (2ㄷ) 활용형의 기본형은 '*날르다'이다. (2ㄷ)은 '르' 불규칙 동사의 중부방언형과 유사하다. '르' 불규칙 동사인 '모르다, 다르다'류는 활용형은 [몰라, 달라]류를

13 『사전』에서 ※는 「맞춤법」에 대한 상세한 설명이 필요한 경우에 덧붙인 부가 정보 기호이다.

기준으로 [*몰르고, 달르다]와 같이 규칙활용형으로 발음하는 일종의 유추(analogy) 작용을[14] 보인다.

'알다'는 '*아다시피, 아다마다, 아지 못하는'이 아니라 '알다시피, 알다마다, 알지'가 규범에 맞는 표기이다. 이들 어미와의 활용형에서는 'ㄹ'이 탈락하지 않는다. '-다시피, -다마다, -자마자'는 어미로 사전에 등재된 말이다.

'먹지 마라/말아라'에서 '마라/말아라'는 해라체 명령형어미 '-아라'와 결합한 것임에 반해, '먹지 말라고 했다'에서 '말라고'는 하라체[15] 명령형어미 '-(으)라'와 결합한 것이다. 간접 인용 조사 '고'가 결합한 간접 인용절에서는 상대높임이 중화되기 때문에 해라체를 쓸 수 없고 이때는 어간 끝 'ㄹ'이 탈락하지 않는다. 그러므로 '말라고(←말+라+고)'가 맞는 표기다. '하지 말라면 하지 마라'에서 '말라면'도 '말라고 하면'의 축약으로 간접 인용된 말이다.

---

14 유추는 어떤 단어나 어법(語法)이 의미적·형태적으로 비슷한 다른 단어나 문법 형식을 모델로 하여 형성되는 과정으로 '서르', '바ᄅᆞ'가 '함부로', '저절로' 따위의 '-로'에 유추하여 '서로', '바로'로 변화하는 현상 따위이다.

15 하라체는 상대 높임법의 하나로 상대편이 특정 개인이 아닐 때 낮춤과 높임이 중화된 느낌을 주는 종결형이다. 주로 광고문, 연설문 따위의 문장에 쓴다. '현실을 똑바로 보라., 너 자신을 알라.'에서 '보라, 알라'가 이에 해당한다.

3.2. 복합어에서의 'ㄹ' 탈락

음운현상 　'별님, 달님, 설날, 칼날'은 'ㄹ+ㄴ'에서 순행적 유음화가 일어난다. 그러나 이와 음운적, 형태론적 조건이 같은 /딸님, 아들님, 버들나무, 솔나무/는 'ㄹ'이 탈락하여 '따님, 아드님, 버드나무, 소나무'가 된다.

복합어에서의 'ㄹ'탈락은 'ㄴ'뿐 아니라 'ㄷ, ㅅ, ㅈ' 앞에서도 일어난다. '다달이, 여닫이', '마소, 부삽, 화살', '바느질, 부젓가락, 싸전, 우짖다, 이부자리' 등이 그 예다. 그러나 음운적, 형태론적 조건이 같아도 '달님, 돌삽, 줄나비, 갈나무' 등 'ㄹ'이 탈락하지 않는 예도 많다. '물질적'처럼 한자어만으로 된 경우 대개 'ㄹ'이 탈락하지 않는다.[16]

앞서 다룬 어간 끝 'ㄹ'탈락은 현대국어에서도 일어나는 규칙적 현상임에 반해 복합어에서 'ㄹ'탈락은 'ㄹ→∅/___ X'에서 'ㄹ'탈락의 환경인 X의 음운, 형태적 조건을 한정할 수 없다. 또한 '불'과 '나비'가 결합한 합성명사는 'ㄹ'이 탈락한 '부나비'가 있는데도, 요즘은 대부분 '불나비'에 유음화를 적용하여 [불라비]라 하고 둘 다 표준어로 보고 있는데, 이는 복합어에서의 'ㄹ'탈락이 더 이상 생산성이 없음을 뜻한다. 따라서 복합어에서의 'ㄹ'탈락은 옛 규칙에 따라 만들어진 몇몇 복합어에만 그 흔적이 남은 것이지 공시적 생산성은 없다.

---

16 '부동(不同, 不凍, 不動), 부득이(不得已), 부정(不正, 不貞, 不定), 부조리(不條理)'처럼 한자 '불(不)'이 'ㄷ, ㅈ' 앞에서 [부]로 소리 나면 그대로 적는다.

복합어에 남은 통시적 흔적 통시적 변화 과정에서 고형이 잔재나 흔적을 남기는 현상을 화석화(fossilization)라 한다.

(1) 부나비/불나비, 다달이(*달달이), 마소(*말소), 바느질(*바늘질)
(2) 좁쌀, 입때, 볍씨
(3) 살코기, 안팎, 암캐, 수캐

복합어에서 'ㄹ'탈락은 중세국어에 있었던 규칙이지만 지금은 그렇지 않다. 그러나 옛 규칙에 따라 만들어진 복합어인 (1)에는 규칙의 흔적이 남아있다. '무지개, 무자맥질, 무자위, 무좀'도 '물(<믈)'의 'ㄹ'이 탈락한 것이다.

(2)의 '좁쌀'류는 뒷말이 ㅂ계 어두 자음군을 가진 말이었다. 어두 자음군은 사라졌지만 '쌀, 때, 씨'가 'ᄡᆞᆯ, ᄣᅢ, ᄡᅵ'였던 시대에 만들어진 몇몇 복합어에는 그 흔적을 남겼다. (3)은 'ㅎ' 말음 체언이던 '살, 안, 암, 수'가 몇몇 복합어에 'ㅎ'의 흔적을 남긴 것이다. (1)이 규칙의 화석이라면, (2), (3)은 음운의 화석이다.

관련 규정 「맞춤법」 28항은 복합어에서 'ㄹ'탈락에 대한 적기 규정이다. ①~④는 뒷말 첫소리에 따라 재분류한 것이다.

「맞춤법」 28항: 끝소리가 'ㄹ'인 말과 딴 말이 어울릴 적에 'ㄹ' 소리가 나지 아니하는 것은 아니 나는 대로 적는다.
① 따님(딸-님), 부나비(불-나비), 소나무(솔-나무)
② 다달이(달-달-이), 마되(말-되), 여닫이(열-닫이)
③ 마소(말-소), 부삽(불-삽), 부손(불-손), 화살(활-살)

④ 무자위(물-자위), 바느질(바늘-질), 싸전(쌀-전), 우짖다(울-짖다)

중세국어 시기 복합어에서 'ㄹ'탈락은 대체로 설음 'ㄴ, ㄷ'과 치음 'ㅅ, ㅈ' 앞에서 일어났는데 몇몇 단어에만 화석화된 채로 남아있다. 복합어의 어근은 원형을 밝혀 적는 것이 원칙이다. 28항은 이에 벗어나는 규정이고, 그 원인은 통시적인 데 있다.

4. 모음 탈락

4.1. 어간 끝 'ㅡ'탈락

음운현상　　'떠서, 꺼라, 따랐다, 예뻐요'의 어간은 '뜨-, 끄-, 따르-, 예쁘-'이다. 어간과 어미의 경계 음소가 'ㅡ + 모음'이다. 이때 어간 끝 'ㅡ'는 탈락하고, 이는 표기에 반영된다.

(1) 어간 끝 'ㅡ'가 탈락하는 활용형

자음어미	모음어미	
	'으'계	'아'계
따르다, 따르지, 따릅니다, 따르니, 따르네, 따르는	따른, 따를, 따르면, 따르니(까), 따름	**따라, 따라라, 따라서, 따랐다**

어간 끝 'ㅡ'탈락은 '아'계 어미 앞에서 일어난다. 단 끝음절이 'V르'인 용언 중 '이르러(이르다)'로 활용하는 '러' 불규칙용언은 어간 끝 'ㅡ'가 탈락하지 않는다. 이에 반해 '일러(이르다)'로 활용하는 '르' 불규칙은 어간 끝 'ㅡ'가 탈락한다.

관련 규정　　「맞춤법」 18항 4의 ②에 따라 '담그-/담ㄱ-'을 각각 표기한다. 'ㅡ +모음'이 '∅+모음'으로 바뀌면 바뀐 대로 적는데, 이는 표기형 '*담그어'에서 규칙에 근거하여 예측할 수 있는 발음은 [*담그어]이지 [담가]가 아니기 때문이다.

> 「맞춤법」 18항 4: 어간의 끝 'ㅜ, ㅡ'가 줄어질 적
> ① 푸다: 퍼 펐다
> ② 담그다: 담가, 담갔다 따르다: 따라, 따랐다
> 뜨다: 떠, 떴다 크다: 커, 컸다
> 고프다: 고파, 고팠다 바쁘다: 바빠, 바빴다

「맞춤법」 관점에서 봤을 때 '예뻐'의 어간 끝 'ㅡ'탈락은 기본형 '예쁘다'의 어간 '예쁘-'와 꼴이 달라졌으므로 어간 불규칙의 일종이다. 그래서 불규칙활용을 다룬 18항의 일부로 규정되어 있다. 반면, 학교문법에서는 모든 어간 끝 'ㅡ'는 '아'계 어미 앞에서 탈락해서 상대되는 규칙활용이 없기 때문에 불규칙으로 분류하지 않는다.

(2) *문을 잠궈요., *김치를 담궈서, *매점에 들렸다.

(2)에 사용된 용언의 기본형은 '잠그다, 담그다, 들르다'로 어간 말음이 'ㅡ'이다. 따라서 '아'계 어미와 결합하면 'ㅡ'가 탈락한다. '(배가) 고프다'가 '고파, 고팠다'로 활용하는 것처럼 '잠그+았다'에서 'ㅡ'가 탈락하면 어간 끝모음은 양성모음인 'ㅏ'가 되므로 '-았-'과 결합하여 '잠갔다'가 된다. '담그+아'도 '담가'가 되고, '치르+었어요'도 '치렀어요'이다. '들렸다'는 '들리+었다'이지 '들르+었다'가 아니다. '들르+었다'는 'ㅡ'가 탈락한 '들렀다'로 된다. '들르다'는 어간 끝 'ㅡ'만 탈락하여 '들러'로 되므로

'따르다, 따라', '잠그다, 잠가'와 같은 유형이다.

4.2. 어미 모음 '아/어'탈락

음운현상 '가, 서, 켜라, 베도, 셌다, 갰다'는 /가아, 서어, 켜어라, 베어도, 세었다, 개었다/에서 어미 모음 '아/어'가 탈락한 것이다. 어간과 어미 형태소 경계 음소가 'ㅏ, ㅓ, ㅔ, ㅐ + 아/어'인 예로서 모음이 연쇄되어 있는데, 이때 어미 모음 '아/어'가 탈락한다. 'ㅏ, ㅓ, ㅔ, ㅐ'는 반모음화가 일어나는 'ㅣ, ㅜ, ㅗ'와 탈락이 일어나는 'ㅡ'를 제외한 단모음이다. /가어/[가], /서어/[서], /켜어/[켜]'와 같이 어간 끝 모음이 'ㅏ, ㅓ'일 때는 동일 모음이 연쇄되고 이때는 탈락이 필수적이다. 어간 끝 모음이 'ㅔ, ㅐ'일 때는 '아'계 어미의 모음 탈락이 임의적이다.

관련 규정 어미 모음 '아/어'탈락 관련 규정은 「맞춤법」 34항이다.

「맞춤법」 34항: 모음 'ㅏ, ㅓ'로 끝난 어간에 '-아/-어, -았-/-었-'이 어울릴 적에는 준 대로 적는다.

나아/나, 서어/서, 펴어/펴, 나았다/났다, 서었다/섰다, 펴었다/폈다

[붙임 1] 'ㅐ, ㅔ' 뒤에 '-어, -었-'이 어울려 줄 적에는 준 대로 적는다.

개어/개, 베어/베, 개었다/갰다, 베었다/벴다

[붙임 2] '하여'가 한 음절로 줄어서 '해'로 될 적에는 준 대로 적는다. 하여/해, 흔하여/흔해, 하였다/했다, 흔하였다/흔했다

'나다, 서다, 펴다' 어간에 '아'계 어미가 결합되면 어미 모음 '아/어'탈락은 필수적이므로 '*나아, 나았다, 서어, 서었다, 펴어, 펴었다'는 사용되지 않는다. 그런데 34항에서 어미 모음 '아/어'탈락이 필수적인 것을 임의적인 '개어/개'와 마찬가지로 '서어/서'로 제시한 것은 문제가 있다. '*서어, 펴어'형은 표기형으로 사용되지 않는다.

탈락한 음소의 잠재적 기능 '(병이) 났어요'는 '나-았어요'에서 「맞춤법」 34항에 따라 어미 모음이 탈락한 대로 표기한 것이다. '(날이)갰어요, (사람을) 팼어요'도 '개-었어요, 패-었어요'에서 모음이 탈락한 대로 표기한 것이다.

그러나 표면적으로는 모음이 연속되어도 '아/어'가 탈락하지 않는 경우도 있다. '(병이) 나았어요, (아이를) 낳았어요'를 '*났어요', (땅이) 패었어요'를 '*팼어요'로 쓰지는 않는다. '나았어요'는 '낫-았어요'에서 어간 끝 'ㅅ'이 탈락한 것이고, '낳았어요'는 어간 끝 'ㅎ'이 발음에서만 탈락한 것이다. '나았어요'와 '낳았어요'의 발음은 둘 다 [나아써요]로 이철 동음관계다. 'ㅅ'과 'ㅎ'이 표면적으로는 탈락했지만 '*났어요'를 막는 잠재적 기능을 하는 것으로 해석된다. '*팼어요'를 막는 것도 '패었어요'의 어간이 '파이-'의 준말이기 때문이다.

다만 입말에서 '나았어요, 낳았어요'를 [나ː써요]로, '패었어요'를 [패ː써요]로 발음하는 경우도 많다. 모음이 탈락되는 대신 장음화가 일어난다.

5. 반모음화

음운현상 ‘두어라~둬라’, ‘보아도~봐도’, ‘피었다~폈다’에서 어간은 각각 [tu~tw], [po~pw], [p^hi~p^hj]로 교체된다. 기저형을 ‘두어라, 보아도, 피었다’로 보면 ‘둬라, 봐도, 폈다’는 기저형에 반모음화가 적용된 것이다. 반모음화는 ‘ㅗ, ㅜ’가 /w/로, ‘ㅣ’가 ‘j’로 바뀌는 것이기에 대치이기도 하지만, 단모음이 반모음으로 되면 음절 수가 준다는 점에서 음절 축약이기도 하다. 반모음으로 대치되는 ‘ㅗ, ㅜ’는 반모음 /w/와 [+후설성], [+원순성] 자질을 공유하고, ‘ㅣ’는 ‘j’ 와 [−후설성], [+고설성]을 공유한다. 반모음화는 표기에 반영된다.

(1) ㄱ. /오아서/와서, /게우어/게워, /배우어서/배워서, /비우어/비워
ㄴ. 두어라~둬라, 두었다~뒀다, 보아라~봐라, 주었다~줬다, 꿈꾸었다~꿈꿨다

(1)은 ‘ㅗ, ㅜ + 아/어’ 모음 연쇄이다. ‘ㅗ, ㅜ’로 끝난 어간에 ‘아’계 어미가 연결될 때, 어간 모음이 반모음 [w]로 대치되었다. 그런데, (1ㄱ)처럼 어간 끝 음절이 중성만으로 된 경우 반모음화가 필연적이어서 ‘와서’만 가능하고 ‘*오아서’는 허용되지 않는다. 이에 비해 (1ㄴ)처럼 어간 끝 음절에 초성이 있는 경우 반모음화

는 임의적이어서 '두어라', '둬라'가 다 가능하다.

(2) ㄱ. 기어~겨, 시어~셔, 피었다~폈다, 그때이었습니다~그때였습니다, 그리어~그려, 먹이었다~먹였다
ㄴ. 쓰이어~쓰여, 트이어~트여, 쏘이어~쏘여, 보이어~보여, 누이어~누여

(2ㄱ)은 'ㅣ + 어' 연쇄이다. 'ㅣ'로 끝난 어간에 '어'로 시작하는 어미가 연결될 때 어간 모음 'ㅣ'가 반모음 [j]로 대치된다. 반모음화한 음절이 어두 음절일 경우 보상적 장음화도 일어난다.

(2ㄴ)은 'ㅣ + 어' 연쇄에서 어간 모음 'ㅣ'가 반모음 'j'로 대치된 후, 어미 모음 '어'와 음절 축약되어 'ㅕ'로 된다는 점은 (2)과 같다. 그러나 형태소 경계 음절이 '이 + 어' 모음만으로 되어 있어서 '쓰이어'는 '-이어'가 축약된 '-여'로 표기될 수도 있지만, '쓰이'가 준 '씌-'로도 표기된다.

(3) '쓰이어, 트이어, 뜨이어'의 표기형과 발음형

표기형		기저형	발음형		
본말	준말		본말	반모음화	/ㅡ/ 탈락
쓰이어	쓰여/씌어	/쓰이어/	[쓰이어]	[쓰여]	[씨어]
트이어	트여/틔어	/트이어/	[트이어]	[트여]	[티어]
뜨이어	뜨여/띄어	/뜨이어/	[뜨이어]	[뜨여]	[띠어]

(3)은 '쓰이어, 트이어, 뜨이어'의 표기형과 발음형 관계를 정

리한 것이다. '쓰여'는 '쓰이어'에서 '이어'가, '씌어'는 '쓰이'가 준 형태로 본 것이다. 표기형 '씌어, 틔어, 띄어'의 발음형은 [씨어, 티어, 띠어]이다. 자음과 'ㅢ' 연쇄는 허용되지 않아서 자음을 첫소리로 갖고 있는 음절의 'ㅢ'는 [ㅣ]로 발음하기 때문이다. 그러므로 '씌어[씨어], 틔어[티어], 띄어[띠어]'는 표기와 달리, 음운론적으로는 어간 모음 'ㅡ'의 탈락이다.

'뛰어라/t'yəɾa/→[t'ɥəɾa], 쉬었다/syəs'ta/→[sɥət'a]'처럼 표기형에는 반영되지 않는 반모음화도 있다. 어간 모음 'ㅟ'에 어미 '어'가 결합되면 두 음절을 한 음절로 축약하여 발음한다. 그러나 'ㅟ'와 'ㅓ'의 축약을 반영할 문자는 없다.

관련 규정 「맞춤법」 35, 36항은 반모음화 관련 규정이다. 35항은 'ㅗ, ㅜ'가 반모음 /w/로, 36항은 'ㅣ'가 반모음 'j'로 되는 예다.

「맞춤법」 35항: 모음 'ㅗ, ㅜ'로 끝난 어간에 '-아/-어, -았-/-었-'이 어울려 'ㅘ/ㅝ, ㅘㅆ/ㅝㅆ'으로 될 적에는 준 대로 적는다.

꼬아/꽈, 두어/둬, 쑤어/쒀, 꼬았다/꽜다, 두었다/뒀다, 쑤었다/쒔다

[붙임 1] '놓아'가 '놔'로 줄 적에는 준 대로 적는다.

[붙임 2] 'ㅚ' 뒤에 '-어, -었-'이 어울려 'ㅙ, ㅙㅆ'으로 될 적에도 준 대로 적는다.

되어/돼, 괴어/괘, 뵈어/봬, 쇠어/쇄, 쐬어/쐐

괴었다/괬다, 되었다/됐다, 뵈었다/뵀다, 쇠었다/쇘다, 쐬었다/쐤다

'ㅗ, ㅜ'로 끝난 어간에 '아'계 어미가 연결되면 'ㅗ, ㅜ'가 /w/

로 반모음화한다. 단 '푸다'는 '*풔'로 반모음화하지 않고 '푸어→퍼'처럼 어간 모음 'ㅜ'가 탈락한다. 그래서 「맞춤법」 18항 4에서 'ㅜ' 불규칙으로 처리한다. 붙임 1은 '좋아'는 '*좌'로 줄지 않는다는 점에서 '놓아'가 '놔'로 주는 특수한 경우에 대한 규정이다.

35항 붙임 2에 따라 '되다'는 '되다, 되고, 되니, 되네, 된, 되니까', '돼, 돼서, 돼라, 됐다'로 적는다. 자음어미나 '으'계 어미와 결합할 때는 축약 또는 탈락된 것이 없기 때문에 어간 '되-'의 표기형에 변화가 없지만, '돼'는 '되어'가 준 것을 표기에 반영한 것이다. '되어[tweə~tøə]'는 반모음화가 적용될 환경도 아니고, 반모음화로 '돼'를 설명할 수도 없다. '되어~돼'는 음운론적 축약인 반모음화가 아니라 글자 줄임에 해당한다.[17] 음운적 축약이 아니라 글자 줄임이라는 것은 「맞춤법」 37, 38항에 더 뚜렷하게 드러난다.

「맞춤법」 37항: 'ㅏ, ㅕ, ㅗ, ㅜ, ㅡ'로 끝난 어간에 '-이-'가 와서 각각 'ㅐ, ㅖ, ㅚ, ㅟ, ㅢ'로 줄 적에는 준 대로 적는다.
싸이다/쌔다, 펴이다/폐다, 보이다/뵈다, 누이다/뉘다, 뜨이다/띄다
「맞춤법」 38항: 'ㅏ, ㅗ, ㅜ, ㅡ' 뒤에 '-이어'가 어울려 줄어질 적에는 준 대로 적는다.

17 그래서 '되다'뿐 아니라 이와 관련된 표기 오류가 빈번하다. 예컨대 복수 표준어인 '뵈다'는 모음어미와만 결합하는데 '뵈니까, 뵌'처럼 '으'계 어미와 결합할 때는 축약이나 탈락이 없어서 '뵈-'로 쓴다. 그러나 '아'계 어미와 결합할 때는 '뵈어요'에서 온 말임을 표기에 반영하기 위해 「맞춤법」 35항 붙임 2에 따라 '봬요'로 써야 하지만 '*뵈요'로 쓰는 경우가 많다.

싸이어/쌔어/싸여, 쓰이어/씌어/쓰여, 쏘이어/쐬어/쏘여,
누이어/뉘어/누여

37항은 음절은 줄었지만, 음소 축약으로 보기는 어려운 예들이다. '쌔-, 폐-'의 모음도 '싸이-, 펴이-'의 모음이 축약된 것이라기보다 글자의 합에 가깝다. 이를 발음의 축약으로 보려면 모음 'ㅐ, ㅔ, ㅚ, ㅟ, ㅢ'의 음가가 중세국어 시기처럼 하향 이중모음이어야 한다. '쌔다'와 '싸이다'는 '새'와 '사이'처럼 준말과 본말의 관계이지만 음운적 축약으로 보기는 어렵다.[18]

38항 '싸이어, 쓰이어, 쏘이어, 누이어'에서 '싸여, 쓰여, 쏘여, 누여'는 '/ㅣ/→/j/' 반모음화로 인한 음운론적 축약이다. 그러나 '쌔어, 씌어', '쐬어, 뉘어'는 반모음화로 인한 축약으로 보기 어렵다. 더구나 '씌어'는 [씨-]로만 발음되므로 음운론적으로는 '쓰이다'에서 모음 'ㅡ'가 탈락한 것이지 축약이 아니다. '뉘어'는 '누이어'에서 /ㅜ/→/w/로 볼 수도 있지만 '쐬어'는 그렇지 않다는 점에서 이 또한 글자 줄임이다. '싸이어, 쓰이어'에서 '쓰여' 또는 '씌어'는 쓸 수 있지만 '*씌여'는 쓸 수 없는 것도 '쓰이어'와의 관계 속에서 봤을 때 나올 수 없는 표기형이기 때문이다.

「맞춤법」 36항: 'ㅣ' 뒤에 '-어'가 와서 'ㅕ'로 줄 적에는 준 대

18 '개'는 대체로 '가히>가이>개[kaj]>개[kɛ]'의 과정을 밟았다. '가이'는 유성음 사이에 있는 'ㅎ'이 유성음화하여 탈락한 것이다. 17세기의 '개[kaj]'는 '가이'의 음운적 축약형이다. 그러나 'ㅐ'가 단모음화한 18~19세기 이후 형태인 '개[kɛ]'는 단모음화이지 '가이'의 축약으로 보기 어렵다.

로 적는다.
가지어/가져, 견디어/견뎌, 버티어/버텨, 치이어/치여
가지었다/가졌다, 견디었다/견뎠다, 버티었다/버텼다,
치이었다/치였다

36항은 'ㅣ'가 'j'로 반모음화할 때의 표기 규정이다. 'ㅣ+어'가 'j+ㅓ'로 대치되고, 음절 수는 줄어든다. 35항과 마찬가지로 이 반모음화도 임의적인데, 1음절 어간일 경우 '띠어, 시어요'를 '뗘, 셔요'로 표기하는 일은 드물다. '가지었다'에서 '-지었-'의 축약형임을 나타내기 위해 '가졌다'로 표기하지만 발음은 「발음법」 5항(용언의 활용형에 나타나는 '져, 쪄, 쳐'는 [저, 쩌, 처]로 발음한다.)에 따라 [저]로 해야 한다.

'*(트럭에) 치었다'의 어간은 '치다'의 피동사 '치이다'이므로 '치이-었'의 구조이고, '이었'의 음절 축약형은 '였'이므로 '치였다'로 써야 한다. 능동의 의미일 때는 '치다'를 써서 '사람을 치었다'로 쓸 수 있다. '*(돈을) 쥐어 주었다'에서 '쥐다'의 사동사는 '쥐이다'이고, '쥐이-어'의 구조이므로 축약형은 '쥐여'로 써야 한다.

준말과 축약 32~38항은 모두 「맞춤법」 5장 '4절 준말'에 포함된 것이다. '준말'은 조어법상의 용어로 음운론의 '축약'과는 구별할 필요가 있다. '국련'은 '국제연합'의 준말이지만 음운론적 축약으로 보기는 어렵기 때문이다. 『사전』에서는 준말을 '단어의 일부분이 줄어든 것'이라 하고 '사이'가 '새'로, '잘가닥'이 '잘각'으로 된 것을 예시했다.

(1) ㄱ. 쌔어(싸이어), 띄어(뜨이어)
ㄴ. 엊저녁(어제저녁), 딛고(디디고), 뭣이/무에(무엇이)
ㄷ. 윗동(윗동아리), 막대(막대기), 생손(생인손),
머물다(머무르다)

(1ㄱ, ㄴ)은 「맞춤법」에서 (1ㄷ)은 「표칙」에서 준말과 본말로 제시한 것이다. 이들 준말은 음절이 줄어들긴 했으나 음운론적 축약으로 보기는 어렵다. 음운론에서 축약은 단지 줄어들기만 하는 것이 아니라 준 결과가 음운론적 원인에 의해 설명되어야 하기 때문이다. 이런 이유로 (1ㄱ)의 '쌔어', '띄어[띠어]'는 '싸이어, 뜨이어'의 음운적 축약으로 보기는 어렵다. 『사전』에도 '쌔다, 띄다'는 '싸이다, 뜨이다'와는 별개로 등재되는 것처럼 조어론적 준말이다.

(2) ㄱ. 싸여, 쏘여, 누여, 쓰여
ㄴ. 갔다(가았다), 개(개어), 꽈(꼬아), 막혀(막히어),
견뎠다(견디었다)
ㄷ. 거북지(거북하지), 그렇잖은(그렇지 않은),
만만찮다(만만하지 않다)

(2)도 「맞춤법」 4장 5절 '준말'에 제시된 예다. 그러나 (1)과 달리 (2)는 축약이나 탈락이라는 음운론적 설명이 가능하다. '싸여'는 '싸이어'에서 반모음화, '갔다'는 '가았다'에서 '아/어' 탈락, '거북지'는 '거북하지'에서 '하' 탈락이 일어난 것이다. 이들은 『사전』에도 '싸여, 싸이어'는 '싸이다'로만, '거북지, 거북하지'는 '거북하다'로만 등재된다는 점에서도 조어론적 준말이 아니다.

38항에 따르면 '쓰이어'에서 '쓰이'가 줄면 '씌어'로, '이어'가 줄면 '쓰여'로 된다. 「맞춤법」에서는 '씌어'와 '쓰여' 둘 다 '쓰이어'의 준말이라 했다. 그러나 '씌어'의 기본형 '씌다'는 『사전』에 등재되는 준말이지만, '쓰여'는 '쓰이어'와 마찬가지로 '쓰이다'의 활용형이라는 점에서 양자는 다르다.

6. 모음조화

음운현상 모음조화(vowel harmony)는 일종의 모음동화 현상으로 한국어를 포함한 알타이제어의 음운적 특질 중 하나로 알려져 있다.

(1) ㄱ. 양성모음 : ·, ㅏ, ㅗ
ㄴ. 음성모음 : ㅡ, ㅓ, ㅜ
ㄷ. 중성모음 : ㅣ

15세기 국어의 모음 체계는 (1)처럼 모음조화에 따라 체계화되어 있었다. 양성모음(陽性母音), 음성모음(陰性母音)의 글자 모양은 음양설을 바탕으로 제자된 것이다. 아울러 『훈민정음』 제자해에서는 혀오그림(舌縮)의 정도로 양성모음과 음성모음의 조음 음성학적 특성을 설명하였다. '·'는 혀를 오그리고 발음하는 설축(舌縮), 'ㅡ'는 혀를 조금 오그리는 설소축(舌小縮), 'ㅣ'는 혀를 오그리지 않는 설불축(舌不縮)이라 했다. 그리고 'ㅏ, ㅗ'는 '·'와, 'ㅓ, ㅜ'는 'ㅡ'와 혀오그림이 같다고 했다. 그러므로 양성모음 '·, ㅏ, ㅗ'는 설축, 음성모음 'ㅡ, ㅓ, ㅜ'는 설소축이라는 조음음성학적 특성을 공유한 자연류이다.

	양성+양성모음	음성+음성모음
(2) ㄱ.	싸호아, ᄂᆞ라, 보내야 ᄇᆞᄅᆞ매, ᄀᆞᄆᆞ래, 六合애도	므러, 드러, 주거, ᄂᆞ려 뒤헤, 굴허에, 혁명에
ㄴ.	ᄂᆞᄅᆞ샤, 올ᄆᆞ샴, 맛ᄃᆞ시릴ᄊᆡ 남ᄀᆞᆫ, 나라ᄒᆞᆯ, 천자ᄅᆞᆯ, 소ᄂᆞ로	그츨ᄊᆡ, 여르시니, 주그니 므른, 그를, ᄡᅮ므로
ㄷ.	아롬(알+옴), 구호ᄃᆡ(구ᄒᆞ+오ᄃᆡ)	없숨(없+움), ᄡᅮᄃᆡ(ᄡᅳ+우ᄃᆡ)

중세국어의 모음조화는 현대국어보다 광범위한 환경에서 더 규칙적으로 적용되었다. 앞 형태소의 끝 모음이 양성이면 뒤 형태소의 첫 모음도 양성, 음성이면 음성으로 모음조화에 맞는 형태가 선택되었다. (2ㄱ)은 뒤 형태소의 첫소리가 '아'와 '어', (2ㄴ)은 'ᄋᆞ'와 '으', (2ㄷ)은 '오'와 '우' 중 하나가 선택되고 있다.

현대국어에도 모음조화 현상은 존재한다. 양성모음과 음성모음 부류는 대체로 언중들에게는 직관적으로 인식된다. 예컨대 음성 상징어에서 '졸랑졸랑'은 자연스러우나 '졸렁졸렁'은 어색하게 받아들여진다. 한 단어 안에 음성모음과 양성모음이 뒤섞인 '*졸렁졸렁, 줄랑줄랑'이 어색하게 느껴지는 것은 언중들의 언어 감각 속에 모음조화에 대한 인식이 살아 있다는 뜻이다.

(3) ㄱ. 알록달록, 살랑살랑, 오목오목, 졸졸, 찰찰, 달달,
(새)빨갛다, (샛)노랗다
ㄴ. 얼룩덜룩, 설렁설렁, 우묵우묵, 줄줄, 철철, 들들,
(시)뻘겋다, (싯)누렇다

양성모음이 들어있는 (3ㄱ)은 (3ㄴ)에 비해 '밝고, 경쾌하고, 가볍고, 빠르고, 날카롭고, 작은' 느낌을 준다. 그러나 '알록달록'과 '얼룩덜룩', '빨갛다'와 '뻘겋다'는 별개의 단어이다. 한국어에는 풍부한 의성어와 의태어, 감각어가 존재하는데 이들 단어가 분화되는 방법 중 하나가 양성모음과 음성모음을 교체하는 것이다. 그러므로 (3)과 같은 현대국어 모음조화는 음운변동이라기보다 단어 형성법이다. 현대국어에서는 '오순도순, 깡충깡충, 보슬보슬, 생글생글, 자글자글, 산들산들, 반들반들, 소꿉질, 오뚝이'와 같은 많은 단어들이 모음조화에 어긋난 채 표준어로 굳어져 쓰이고 있다.

모음조화가 변동규칙으로 기능하지 못하게 된 데는 여러 가지 통시적 원인이 작용하지만, 특히 '·'의 소실로 인해 모음조화에 따라 '·'와 '으'로 교체되던 '-ᄋᆞᆫ/-은, -ᄋᆞ시-/-으시-'와 같은 이형태가 없어진 것이 가장 큰 원인이 되었다. '알록달록', '얼룩덜룩'처럼 단어 형성에 관여하는 모음조화와는 달리, '아'계 어미의 교체 조건은 음운적이고 규칙적이다.

(4) 현대국어의 모음조화

어간 끝음절 모음	어미 형태	보기	
양성모음 ㅏ(ㅑ), ㅗ	-아 -아라, 아서, 아도, 아야 -았-, -았었-	잡-아 잡-아라 잡-았다	비좁-아 비좁-아서 비좁-았다
음성모음 'ㅏ, ㅗ' 외 모음	-어 -어라, 어서, 어도, 어야 -었-, -었었-	접-어 접-어라 접-었다	놓아줘 놓아줘서 놓아줬다

현대국어에서 형태소 교체에 관여하는 양성모음은 (4)처럼 어간 끝 모음 'ㅏ(ㅑ), ㅗ'뿐이다. 어간 끝 모음이 'ㅛ'인 예는 없는 듯하다. '-아/-어' 교체를 결정하는 것은 어간 끝 모음이므로, '놓아줘서'에서 어간 끝음절 '주'를 제외한 나머지 모음은 이 교체와 무관하다. '아껴도(←아끼+어도)'에서 어간 끝 모음이 'ㅣ'이므로 어미는 '-어도'가 선택된다. 어미도 첫 모음만 관여하므로 '-어도'에서 뒤 모음 'ㅗ'는 비관여적이다.

이론적으로는 '어'를 기저형으로 보고 '아'는 '어 → 아 / ㅏ, ㅗ ____'로 표현되는 양성모음화로 도출할 수도 있다. '-어'를 기저형으로 보는 것은 '어'가 '아'보다 분포의 제약이 덜하고, '크-, 쓰-, 뜨-'처럼 'ㅡ'로 끝나는 어간은 모음어미와 연결되면 'ㅡ'가 탈락하여 모음이 없는 상태인데, 이때도 '어'가 선택되기 때문이다.

관련 규정 모음조화 관련 규정은 「맞춤법」 16항이다. 16항에 따라 '아'계 어미의 이형태는 모두 표기에 반영한다.

「맞춤법」 16항: 어간의 끝음절 모음이 'ㅏ, ㅗ'일 때에는 어미를 '-아'로 적고, 그 밖의 모음일 때에는 '-어'로 적는다.

1. '-아'로 적는 경우

막아, 막아도, 막아서	얇아, 얇아도, 얇아서
돌아, 돌아도, 돌아서	보아, 보아도, 보아서

2. '-어'로 적는 경우

개어, 개어도, 개어서	되어, 되어도, 되어서
베어, 베어도, 베어서	쉬어, 쉬어도, 쉬어서
피어, 피어도, 피어서	희어, 희어도, 희어서

어간 끝 모음이 'ㅏ, ㅗ'인데도 음성모음으로 시작하는 어미가 선택된 '*잡어, 막어, 알어, 받어, 괜찮어, 귀찮어'는 비표준형이다. 이는 표준어권에 해당하는 중부방언에서 특히 많이 나타난다.

7. '-하다' 관련 음운현상

음운현상 '-하다'는 'ㅎ'의 음성적 특성과 더불어 접사라는 형태론적 특성으로 인해 축약과 탈락이 빈번하다.[19] 접미사 '-하다'는 '공부하다, 건강하다'처럼 일부 명사 뒤, '덜컹덜컹하다'처럼 의성·의태어 뒤, '잘하다, 빨리하다'처럼 일부 성상 부사 뒤, '착하다, 따뜻하다'처럼 몇몇 어근 뒤, '체하다, 뻔하다'처럼 몇몇 의존명사 뒤에 붙어 동사나 형용사를 만든다.

(1) 가하다/가타, 간편하다/간편타, 연구하도록/연구토록, 무심하지/무심치, 사임하고자/사임코자, 흔하다/흔타, 다정하다/다정타, 청하건대/청컨대, 정결하다/정결타

(1)은 'X하-' 용언이 격음의 짝이 있는 평음으로 시작하는 어미와 결합할 때이다. '-하-'의 'ㅏ'가 탈락하고 'ㅎ'과 어미가 축약되어 격음화한다. '-하다' 관련 변동은 임의적이어서 말할이의 의도에 따라 변동이 일어나지 않을 수도 있다.

19 '하다'는 접사가 아니라 동사일 때도 형식성이 강하여 어간 모음이 탈락하고, 'ㅎ'이 인접음에 자질로 얹혀 축약되는 경우가 많다. 동남방언에서 "가가 그카이 내 그카지 안 그카면 내 그카나?"(걔가 그렇게 하니까 나도 그렇게 하지 그렇게 안 하면 내가 그렇게 해?)와 같은 축약형이 가능한 것도 이 때문이다.

(2) 그러하다/그렇다, 아무러하다/아무렇다, 어떠하다/어떻다, 이러하다/이렇다, 저러하다/저렇다, 아니하다/않다

(1)의 '가하다[가타]'와 (2)의 '그러하다[그러타]'는 둘 다 '하'의 모음 'ㅏ'가 탈락하고 'ㅎ'과 어미가 결합하여 격음화한 것이다. 또한 탈락이 일어나는 조건도 동일하다. 그러므로 기저형은 (1)과 (2) 둘 다 /가하다/와 /그러하다/로 볼 수 있다.

그러나 표기형에서는 (1)의 [간편타]는 '간편타'처럼 소리대로 적고 (2)의 [그러타]는 'ㅎ'을 받침으로 하여 '그렇다'로 적는다. 이렇게 표기를 달리하는 까닭은 (1)에는 '-하다' 앞 어근 말음이 유성자음인 예도 있는데, 이 경우 '*간폖다'처럼 표기형에 없는 겹받침을 써야 하는 문제가 있다. (2)도 (1)처럼 소리대로 '그러타, 저러타, 안타'로 표기하는 것도 한 방법이지만 가능한 어미의 대표형태를 고정시키기 위해, 'ㅎ'이 어간의 끝소리로 굳어진 지시형용사와 부정의 뜻을 담고 있는 보조용언은 'ㅎ'을 받침으로 표기한다. 표기형 '그렇다'의 'ㅎ'은 'X+하다' 어간의 일부다.

(3) 섭섭하지 않다/섭섭지 않다, 깨끗하지 않다/깨끗지 않다, 못하지 않다/못지 않다, 생각하건대/생각건대, 거북하지/거북지, 생각하다 못해/생각다 못해, 넉넉하지 않다/넉넉지 않다, 익숙하지 않다/익숙지 않다

(3)은 'X+하다'에서 어근 X의 말음이 장애음 'ㄱ, ㄷ, ㅂ'인 경우다. 이때 '하' 음절 전체가 탈락하기도 하는데, '생각하건대'와 '생각건대' 둘 다 표기에 반영한다.

(4) 귀찮다, 여의찮다, 심심찮다, 안심찮다, 괜찮다, 대단찮다, 변변찮다, 시원찮다, 엔간찮다, 우연찮다, 당찮다, 마땅찮다, 수월찮다, 짭짤찮다

(4)는 '귀찮다'가 【←귀[<貴]+하-+-지+아니+하-】에서 온 말인 것처럼, '-찮다'는 어원적으로 '-하지 아니하다'에 탈락과 축약이 적용된 것이다. 이는 40항 본항의 '간편하게/간편케'처럼 '-하다' 앞 어근 말음이 유성음인 경우여서 '하'의 'ㅏ'만 탈락한 것이다. 이를 '*챦다'로 쓰지 않는 것은 경구개음과 'j'의 음소 결합제약 때문이고, 39항(어미 '-지' 뒤에 '않 -'이 어울려 '-잖-'이 될 적과 '-하지' 뒤에 '않 -'이 어울려 '-찮-'이 될 적에는 준 대로 적는다.)에 따른 것이다.

(5) ㄱ. 마뜩잖다, 야젓잖다
ㄴ. 되잖다, 같잖다, 남부럽잖다, 달갑잖다, 맞갖잖다[20]

(5ㄱ)도 '마뜩잖다'가 【←마뜩+하-+지-+아니+하-】에서 기원한 것처럼 어원적으로 어근에 '-하다'가 결합했던 말이다. 그러나 '-잖다'로 표기한다. 이는 40항 붙임 2의 '생각하건대/생각건대'처럼 '-하다' 앞 어근 말음이 무성음이어서 '하' 전체가 탈락한다고 본 것이다. (5ㄴ)은 '되잖다'가 【←되-+-지+아니+하-】에서 온 말인 것처럼 '되-'는 '-하다'와 결합할 수 없는 말이어서 'ㅎ'이 발

20 야젓잖다: 말이나 행동 따위가 좀스러워 점잖지 못하고 가벼운 데가 있다. 【←야젓+하-+지+아니+하-】
맞갖잖다: 마음이나 입맛에 맞지 아니하다. 【←맞-+갖-+-지+아니+하-】

음될 수 없다.

관련 규정 '-하-'의 축약과 탈락 관련 규정은 「맞춤법」 40항이다. 어간 끝음절 '하'의 'ㅎ'은 인접음에 격음성 자질로 얹히고 모음 'ㅏ'만 탈락하거나, '하' 음절 전체가 탈락하기도 한다. 어간 끝음절 '하'의 'ㅏ'나 '하' 탈락 시 이를 표기에 반영한다.

「맞춤법」 40항: 어간의 끝음절 '하'의 'ㅏ'가 줄고 'ㅎ'이 다음 음절의 첫소리와 어울려 거센소리로 될 적에는 거센소리로 적는다.

① 연구하도록/연구토록, 가하다/가타

② 간편하게/간편케, 다정하다/다정타, 정결하다/정결타, 흔하다/흔타

[붙임 1] 'ㅎ'이 어간의 끝소리로 굳어진 것은 받침으로 적는다.

않다, 않고, 않지, 않든지

그렇다, 그렇고, 그렇지, 그렇든지

[붙임 2] 어간의 끝음절 '하'가 아주 줄 적에는 준 대로 적는다.

① 거북하지/거북지, 생각하건대/생각건대, 익숙하지 않다/익숙지 않다

② 깨끗하지 않다/깨끗지 않다, 못하지 않다/못지않다

③ 섭섭하지 않다/섭섭지 않다

[붙임 3] 다음과 같은 부사는 소리대로 적는다.

결단코, 아무튼, 요컨대, 정녕코, 하마터면, 하여튼

40항 본항은 'ㅏ'만 탈락하는 경우인데 이는 'X하다'에서 어근인 X의 말음이 ①처럼 모음이거나 ②처럼 유성자음일 때다. 즉 '유성음+하다'의 구조에서는 모음 'ㅏ'만 임의적으로 탈락한다.

붙임 1은 보조용언 '아니하다'와 지시 형용사 '이러하다, 그러하다, 저러하다, 어떠하다, 아무러하다' 등의 준말에 대한 규정이다. "'ㅎ'이 어간의 끝소리로 굳어진 것"이라 함은 준말임을 뜻한다. 『사전』에 '아니하다, 그러하다' 등은 '않다, 그렇다'의 본말로 등재된다.

붙임 2는 '무성음+하다'의 구조, 즉 어근 말음이 무성음 'ㄱ, ㄷ, ㅂ'일 때는 '하' 전체가 탈락함에 대한 규정이다. 이는 임의적이고 '생각하건대'와 '생각건대'를 모두 표준어로 인정하고 각각 표기에 반영한다. [생각껀대], [깨끋찌안타]가 표준발음이다.

붙임 3의 '아무튼, 하마터면, 하여튼' 등은 공시적으로는 단일어이다. '*아무하다, 하마하다, 하여하다'와 같은 말이 사용되지 않으므로 단일 형태소로 된 부사이고 소리대로 적는 것이 총칙에 부합한다.

'않다'의 겹받침 중 일부인 'ㅎ'은 '아니하다'의 준말이다. '먹지 않는다'의 '않-'과 '안 먹는다'의 '안'은 둘 다 부정의 의미인데다 '않-'과 평음이 연결되어 격음화가 일어나지 않는 한 발음도 같다. 그러나 '않-'은 어간이기 때문에 뒤에 어미가 붙을 수 있지만, '안'은 부사이기 때문에 어미가 연결될 수 없다. 또 '않-'은 말음이 'ㅎ'이어서 격음화를 유발하지만 '안'은 격음화와 상관없다. '아무튼, 하여튼'과 달리 '이렇든(지), 그렇든(지), 저렇든(지), 아무렇든(지), 어떻든(지)' 따위는 '이렇다, 그렇다, 저렇다, 아무렇다, 어떻다'의 활용형이므로, '*튼(지)'으로 적지 않는다.

(6) ㄱ. *서슴치 않고, *생각컨대, *깨끗치 않다
ㄴ. 먹지 *안는다

ㄷ. *어떻튼지, *그렇튼

'*서슴하다'라는 말은 없으므로 '*서슴치'는 표기형도, 발음형도 표준이 아니다. '서슴다'의 어간에 어미 '-지'가 결합한 형태이므로 '서슴지'이다. 반면, '무심하다'가 있으므로 '무심치'는 '무심하지'에서 모음만 탈락한 것이다. 이는 40항에 따라 어근 끝소리가 유성음 'ㅁ'이므로 'ㅏ'만 탈락한 것이다. '생각건대, 깨끗지'는 '생각하건대, 깨끗하지'에서 어근 '생각, 깨끗'의 끝소리가 폐쇄음 'ㄱ, ㄷ'이므로 '하' 전체가 준다. 40항 붙임 2의 규정과 달리 통용음에서는 [*생각컨대, *깨끗치]처럼 'ㅎ'이 흔적을 남기는 경우가 많다. 『조선』 맞춤법은 13항의 예시 '넉넉치 않다, 섭섭치 않다' 등으로 보아 '하'의 'ㅏ'만 탈락한 것으로 보고 있다.

8. 사잇소리현상

'사잇소리'와 '사이시옷'은 같은 뜻으로 혼용하기도 하나 중세국어는 물론 현대국어에서도 구별할 필요가 있다. '사잇소리현상'은 '찻길[차낄/찬낄], 산길[산낄], 콧날[콘날], 나뭇잎[나문닙]'과 같은 합성명사에서 일어나는 불규칙적 음운변동을 뜻하고, 사이시옷은 사잇소리현상을 나타내기 위해 표기한 'ㅅ' 받침을 뜻한다.

(1) 洪ᅘᅩᆼㄱ字ᄍᆞᆼ, 軍군ㄷ字ᄍᆞᆼ, 覃땀ㅂ字ᄍᆞᆼ, 斗ᄃᆖᇦㅸ字ᄍᆞᆼ, 那낭ㆆᄍᆞᆼ, 戌ᄉᆑᇙ字ᄍᆞᆼ, 중국 소리옛 니쏘리

(1)은 『훈민정음』 언해본에 사용된 사잇소리 예다.[21] 선행어 말음이 유성음일 때 사용되었는데 'ㅇ, ㄴ, ㅁ'인 경우 각각 같은 위치의 'ㄱ, ㄷ, ㅂ'을 썼고, 'ㅱ'일 때는 'ㅸ', '모음, ㄹ'일 때는 'ㆆ'이나 'ㅅ'을 썼다. 그러므로 사이시옷이라 부를 수 없다. 이후 사잇소리 표기는 'ㅅ'으로 통일되어 갔다.[22]

---

21 중세국어의 사잇소리는 합성명사에도 나타났지만 조사와도 결합하는 등 분포가 현대국어보다 더 넓었다. 또 관형격 조사로서 문법적 기능을 담당했기 때문에 음운변동이 없어도 사용되었다.

22 '맷돌, 나룻배, 잇몸, 냇물, 나랏일'과 같은 합성명사는 처음부터 사이시옷이 표기되어 온 예들이다. 문증되는 최고형은 18세기 '맷돌', 'ᄂᆞ룻배', 15세기의 '닛므윰', 17세기의 '냇믈, 나랏일'이다.

「맞춤법」 30항: 사이시옷은 다음과 같은 경우에 받치어 적는다.
1. 순 우리말로[23] 된 합성어로서 앞말이 모음으로 끝난 경우
(1) 뒷말의 첫소리가 된소리로 나는 것
  뱃길, 선짓국, 킷값, 맷돌, 핏대, 모깃불, 햇볕, 고랫재, 아랫집, 찻집, 조갯살
(2) 뒷말의 첫소리 'ㄴ, ㅁ' 앞에서 'ㄴ' 소리가 덧나는 것
  멧나물, 아랫니, 텃마당, 아랫마을, 뒷머리, 잇몸, 깻묵, 냇물, 빗물
(3) 뒷말의 첫소리 모음 앞에서 'ㄴㄴ' 소리가 덧나는 것
  도리깻열, 뒷윷, 두렛일, 뒷일, 뒷입맛, 베갯잇, 욧잇, 깻잎, 나뭇잎
2. 순 우리말과 한자어로 된 합성어로서 앞말이 모음으로 끝난 경우
(1) 뒷말의 첫소리가 된소리로 나는 것
  샛강, 핏기, 봇둑, 귓병, 아랫방, 콧병, 전셋집, 찻잔, 찻종, 탯줄, 텃세, 햇수
(2) 뒷말의 첫소리 'ㄴ, ㅁ' 앞에서 'ㄴ' 소리가 덧나는 것
  곗날, 제삿날, 훗날, 툇마루, 양칫물
(3) 뒷말의 첫소리 모음 앞에서 'ㄴㄴ' 소리가 덧나는 것
  가욋일, 사삿일, 예삿일, 훗일
3. 두 음절로 된 다음 한자어
  곳간(庫間), 찻간(車間), 툇간(退間),
  숫자(數字), 횟수(回數), 셋방(貰房)

사이시옷 표기 규정인 「맞춤법」 30항을 톺아보면 사잇소리현상을 알 수 있다. 첫째, 사이시옷은 다음 세 음운변동 중 하나가 일어날 때만 받쳐 쓴다. ① '모음+평음'에서 평음이 경음화하는

23 『사전』에 따르면 '순 우리말'은 붙여 써야 하는 합성어다.

경우에 쓴다. 그래서 '모깃불[모기뿔]'은 사이시옷을 쓰지만 '쥐불'은 쓰지 않는다. ② '모음+비음'에서 앞말 종성으로 [ㄴ] 발음이 날 때 쓴다. '존댓말[-댄-]'은 사이시옷을 쓰지만 '예사말'은 쓰지 않는다. ③ '모음 + i, j'에서 앞말 종성으로 [ㄴ], 뒷말 초성으로 [ㄴ] 발음이 날 때 쓴다. 그래서 [나문닙]은 사이시옷을 받쳐서 '나뭇잎'으로 쓰고, [꼬마입]은 사이시옷 없이 '꼬마잎'으로 표기한다.

둘째, 형태론적으로 '어근+어근'으로 된 합성명사여야 한다. 규정에는 합성어로 되어 있지만 사이시옷은 합성명사에만 쓰인다. '햇살, 해님'에서 '햇살'은 합성명사지만, '해님'은 접미사 '-님'이 붙은 파생명사이기 때문에 사이시옷을 쓰지 않는다. '오랫동안'은 합성명사라서 사이시옷을 쓰지만, '오랜만'은 '오래간만'의 준말이어서 합성어로 볼 수 없기에 '*오랫만에'는 오류 표기이다. '도떼기시장'에서 '*도떼기'는 '시장'과만 결합하는 단일 형태소이기에 '*돗데기'로 쓰지 않는다.

셋째, 외래어가 포함되어서는 안 되고, 구성성분 중 적어도 하나는 순우리말이어야 한다. '호프집'은 '*호픗집'으로 쓸 수 없는데, 합성명사지만 외래어가 포함되어 있기 때문이다. '전셋집'과 달리 '전세방(傳貰房)'은 구성성분이 모두 한자어이기 때문에 '*전셋방'으로 쓸 수 없다. 한자어만으로 된 경우 「맞춤법」 30항 3에 제시한 6개 단어를 제외한 나머지는 뒷말이 경음으로 나도 사이시옷을 쓰지 않는다.

넷째, '어근+어근'에서 앞 어근 말음이 모음이어야 한다. '산-길, 등-불'은 합성명사이고 [낄, 뿔]로 발음된다는 점에서 '찻길, 촛불'과 마찬가지로 사잇소리현상이 일어난 것이지만 앞말이 폐음절어여서 사이시옷을 쓰지 않는다.

8.1. 사이시옷 있는 사잇소리현상

음운현상　　표기형 중심 설명 방법을 취하는 「발음법」의 체제에 따르면 일단 사이시옷이 표기된 '찻길, 콧날, 뒷윷'은 각각 '씻고, 씻는, 첫윷'의 본디 받침 'ㅅ'과 동일한 변동을 보인다.

(1) 본디 시옷과 사이시옷의 변동

표기형		뒷말 첫소리	음운변동	발음형
본디 시옷	사이 시옷			
씻고	찻길	평음	평파열음화, 경음화	[차낄~찯낄]
씻는	콧날	비음	평파열음화, 비음화	[콘날]
첫윷	뒷윷	i, j	'ㄴ' 첨가, 평파열음화, 비음화	[뒨:늋]

'ㅅ+평음'에서 'ㅅ'은 평파열음화가 적용되고 평음은 경음화한다. 이 점은 (1)에서 '씻고[씯꼬]'의 본디 받침 'ㅅ'과 '찻길[찯낄]'의 사이시옷이 같다. 'ㅅ+비음'에 평파열음화와 비음화가 적용된다는 점에서 '씻는[씬-]'과 '콧날[콘-]'은 동일하다. 'ㅅ+i, j'일 경우 'ㄴ'첨가와 비음화가 일어난다는 점에서 '첫윷[천늋]'과 '뒷윷[뒨:늋]'은 동일하다.

관련 규정 「맞춤법」 30항이 사이시옷 표기 관련 규정이라면, 「발음법」 30항은 표기된 사이시옷의 발음 관련 규정이다.

「발음법」 30항: 사이시옷이 붙은 단어는 다음과 같이 발음한다.

1. 'ㄱ, ㄷ, ㅂ, ㅅ, ㅈ'으로 시작하는 단어 앞에 사이시옷이 올 때는 이들 자음만을 된소리로 발음하는 것을 원칙으로 하되, 사이시옷을 [ㄷ]으로 발음하는 것도 허용한다.
   냇가[내ː까/낻ː까], 샛길[새ː낄/샏ː낄], 빨랫돌[빨래똘/빨랟똘], 콧등[코뜽/콛뜽]
   깃발[기빨/긷빨], 대팻밥[대ː패빱/대ː팯빱], 햇살[해쌀/핻쌀], 뱃속[배쏙/밷쏙], 뱃전[배쩐/밷쩐], 고갯짓[고개찓/고갣찓]
2. 사이시옷 뒤에 'ㄴ, ㅁ'이 결합되는 경우에는 [ㄴ]으로 발음한다.
   콧날[콛날→콘날], 아랫니[아랟니→아랜니],
   툇마루[퇻ː마루→퇸ː마루], 뱃머리[밷머리→밴머리]
3. 사이시옷 뒤에 '이' 음이 결합되는 경우에는 [ㄴㄴ]으로 발음한다.
   베갯잇[베갣닏→베갠닏][24], 깻잎[깯닙→깬닙], 뒷윷[뒫ː뉻→뒨ː뉻]
   나뭇잎[나묻닙→나문닙], 도리깻열[도리깯녈→도리깬녈]

「발음법」 30항 1은 'ㅅ+평음' 연쇄일 때이다. 이 경우 'ㅅ'은 평파열음화가 적용되고 평음은 경음화한다. 이 점은 '씻고[씯꼬]'의 본디 'ㅅ' 받침과 '찻길[찯낄]'의 사이시옷이 같다. 평파열음화는 「발음법」 9항, 경음화는 23항에 따른다.

2는 'ㅅ+비음' 연쇄일 때이다. 이 경우 평파열음화와 비음화가

24 '잇'은 〈거죽을 싸는 천〉인데, '베갯잇, 욧잇, 이불잇'에서는 합성어의 구성요소로 쓰였다.

적용된다. 이는 '씻는[씬-]'의 본디 'ㅅ' 받침과 '콧날[콘-]'의 사이시옷이 같다. 비음화는 「발음법」 18항에 따른다.

3은 'ㅅ + i, j' 연쇄일 때다. 이 경우 'ㄴ'첨가와 비음화가 일어난다. 이는 '첫윷[천늋]'의 본디 'ㅅ' 받침과 '뒷윷[뒨:늋]'의 사이시옷이 같다. 'ㄴ'첨가는 「발음법」 29항에 따른다.

「발음법」은 30항을 제외하면 모두 표기형을 설명 대상으로 한다. 이 논리에 따르면 30항의 사이시옷은 이미 표기된 것이기 때문에 첨가로 볼 수 없고 '7장 음의 첨가'에 넣을 수 없다. 7장에서 함께 첨가로 다룬 29항은 '솜이불'처럼 표기에 반영되지 않은 'ㄴ'첨가를 다루고 있다는 점에서 30항과 다르다.

본디 시옷과의 유일한 차이는 '찻길'의 발음형을 [차낄/찯낄]로 제시하여 평음만 경음화하고 'ㅅ'은 발음하지 않는 [차낄]를 원칙으로 본 점만 다르다. 「맞춤법」의 관점에서 보면 '찻길'이라 쓰는 까닭은 [차길]이 아니라 [-낄]로 발음되기 때문에 이를 반영하기 위함이므로 [차낄]이 표준발음이다. 「발음법」의 관점에서 보면 표기형 '찻길'에 변동규칙을 적용하면 도출되는 발음이 [찯낄]이다. 「맞춤법」의 논리에 따르면 [차낄]이 원칙이고, 「발음법」의 논리에 따르면 [찯낄]이 원칙이 될 것이다. 양자는 표기와 발음이 서로 영향을 주고받은 것이고, 실제 의사소통 상황에서 구별되지도 않는다. [차낄/찯낄]은 '사이시옷을 [ㄷ]으로 발음하는 것도 허용한다'는 「발음법」 30항 규정에 따라 제시한 발음형이다. 그러나 서로 구별되기 어려운 발음을 어문규범에서 [차낄/찯낄]처럼 원칙과 허용으로 나누는 것은 무의미하고 혼란만 가중시킬 뿐이다.

발음형 표기의 문제점 '햇살[해쌀/핻쌀], 콧등[코뜽/콛뜽]'은 '사이시옷을 [ㄷ]으로 발음하는 것도 허용한다'는 30항 규정에 따라 [원칙/허용]으로 발음형을 나타낸 것이다. '낳소[나쏘]'는 받침 'ㅎ'의 발음형을 다룬 12항에 따른 것이고, '낫소[낟쏘], 뻗대다[뻗때다], 학교[학꾜], 밥보다[밥뽀다]'는 23항의 경음화에 따른 발음형이다.

'낳소[나쏘]'와 '낫소[낟쏘]'를 구별하고, [해쌀/핻쌀]로 원칙과 허용을 구별하는 것은 지나치고, 복잡한 문제를 일으킨다. 무엇보다 같은 위치에서 폐쇄와 마찰이 연속되는 모음 간 /ㄷ-ㅆ/과 /ㅆ/은 구별해서 발음하기도 인식하기도 어렵다. 둘째, 햇살[해쌀/핻쌀], 낫소[낟쏘], 낳소[나쏘] 간에 일관성이 확보되지 않는다. 셋째, [내:까/낻:까] 두 발음의 변이는 음운론적으로 자음위치동화의 존재를 전제로 해야 하는데, 이를 표준발음으로 인정하지 않는 21항과 상충된다. "[기빨]은 [긷빨]→[깁빨]→[기빨]과 같은 과정을 거친 것이어서 원칙적으로는 [긷빨]을 표준발음으로 정하는 것이 합리적이지만, 실제 발음을 고려하여 [기빨]과 [긷빨] 모두를 표준발음으로 허용하게 하였다."는 「해설」은[25] 원칙과 허용이 규정과 상반된다. [긷빨]이 허용이든 원칙이든 이는 「발음법」 21항과 모순된다. '[긷빨]→[깁빨]'은 자음 위치 동화가 일어난 것인데 이는 표준발음으로 인정하지 않기 때문이다.

모음 사이의 경음은 장자음이어서 [코뜽]과 [콛뜽]은 동음이다. 동일한 또는 동기관 자음소의 연속인 중복자음(geminate consonant) /ㅂㅃ/, /ㅂㅍ/을 홑자음 /ㅃ/, /ㅍ/과 다르게 보

25 국어 어문 규정집(2012: 258).

는 것은 형태음운론적 해석으로 음절 또는 형태소 경계에 대한 지식 때문이다. 음성적 정보만으로는 모음 간 /ㅂㅃ/과 /ㅃ/, /ㅂㅍ/과 /ㅍ/을 구별 인식하기 어렵다.[26] '이끼, 익기'는 둘 다 [이끼=익끼]로 발음되고, '옵바, 옵빠, 오빠'의 발음형은 같고, '보코, 복호, 복코'는 셋 다 [보코=복코]로 발음된다. 경음과 격음은 평음보다 본디 장자음(long consonant)이어서 모음 사이에 있을 때는 앞 음절에 종성이 있는 것과 구별되는 음성형이 아니다.[27]

「맞춤법」과 「발음법」의 규정에는 사잇소리 현상과 'ㄴ'첨가의 구별을 모호하게 하는 면이 있다.

(2) ㄱ. 첫여름, 첫윷, 첫이레, 잣엿, 덧입다, 덧입히다[28]
ㄴ. 베갯잇, 깻잎, 나뭇잎, 도리깻열, 뒷윷, 뒷일

(2ㄱ)의 앞말 '첫, 잣, 덧-'은 본디 'ㅅ' 말음을 갖고 있는 말이고, 뒷말이 'i, j'로 시작하는 실질형태소여서 'ㄴ'첨가가 적용된다. (2ㄴ)은 「발음법」 30항 3에서 '사이시옷+i, j'일 경우 [ㄴㄴ]으로 발음된다고 한 예이다. 사이시옷이 첨가된 표기형은 앞말은 자음 'ㅅ'으로 끝나고 뒷말은 실질형태소이므로 (2ㄱ)과 마찬가지

26 'ㅂㅂ, ㄷㄷ, ㄱㄱ' 연쇄에서는 경음화가 일어나므로 C2는 경음이다.

27 허 웅(1988: 206)에서도 "된소리와 거센소리는 홀소리 사이에 끼이게 되면 겹침소리 또는 긴 소리가 된다."고 했다.

28 '덧니'는 「맞춤법」 27항 붙임 3에 따라 '이〈齒〉'를 '니'로 적으므로 표기형대로 발음된다.

로 'ㄴ'첨가가 적용될 조건이 충족된다. 따라서 사이시옷이 표기된 '베갯잇'은 'ㄴ'첨가로 [베갯닛], 평파열음화로 [베갣닛], 비음화로 [베갠닛]이 된다.

그런데 (2ㄴ) 관련 규정인 「맞춤법」 30항(뒷말의 첫소리 모음 앞에서 'ㄴㄴ' 소리가 덧나는 것), 「발음법」 30항(사이시옷 뒤에 '이' 음이 결합되는 경우에는 [ㄴㄴ]으로 발음한다)은 사이시옷 표기만으로 [ㄴㄴ] 발음이 나는 것으로 생각하게 한다.[29] 본디 'ㅅ'이든 사이시옷이든 뒷말이 'i, j'로 시작하는 실질형태소이면 'ㄴ'첨가의 조건이 된다는 점에서는 같다. '깻잎'은 'ㄴ'첨가도 적용되어야 [ㄴㄴ] 발음이 난다.

8.2. 사이시옷 없는 사잇소리현상

음운현상 '산길, 전세방'은 '찻길, 전셋집'에서와 마찬가지로 사잇소리현상이 발생한다. 그러나 '산길'은 고유어가 포함된 합성명사지만 앞말이 폐음절이기 때문에, '전세방'은 한자어만으로 된 말인데 「맞춤법」 30항 3의 예에 해당하지 않아서 사이시옷을 쓰지 않는다. 표기형 '산길, 전세방'은 합성어 어근의 대표형태대로 적었으므로 '어법에 맞도록' 적은 것이다.

29 양순임(2011ㄱ)에 따르면 'ㄴ'첨가와의 혼동은 '물약, 꽃잎'과 같은 예가 사이시옷 규정에 포함된 1940년 「맞춤법」에서부터 지속된다. 현행 규정에는 앞말이 자음으로 끝난 '물약, 꽃잎'류는 예에서 제외되지만 'ㄴㄴ 소리가 덧나는 것'이라는 표현으로 인해 여전히 'ㄴ'첨가와의 헛갈림이 남아 있다.

이 장은 이형태 각각을 표기에 반영한 예를 다루고 있다는 점에서 어근을 대표형태대로 적은 '산길, 전세방'류는 이질적 존재다. 그러나 사잇소리현상이 일어났다는 점에서 사이시옷을 표기한 '찻길, 전셋집'류와 같으므로 함께 다룬다. 고유어가 포함된 합성명사에서 사잇소리현상이 있어도 사이시옷을 쓰지 않은 것은 앞말이 폐음절어일 때이다. 따라서 사이시옷을 표기하지 않는 사잇소리현상은 '찻길'류만 있고 '콧물, 깻잎'류는 없다.

(1) ㄱ. 찻길[낄], 최젓값[깝], 김칫국[꾹], 귓병[뼝], 잔칫집[찝]
ㄴ. 산길[낄], 반찬값[깝], 된장국[꾹], 눈병[뼝], 살림집[찝]

(2) ㄱ. 셋방[빵], 숫자[짜], 횟수[쑤][30]
ㄴ. 전세방[빵], 문자[짜], 호수(戶數)[쑤]

(1)은 합성명사이고 (2)는 한자어로 된 복합어인데 모두 뒷말 첫소리가 경음화한다. (1ㄱ)과 (2ㄱ)의 '찻길, 셋방'류는 표기형에 사이시옷이 있으므로 표기형을 기저형으로 보면 '버섯국'의 본디 받침 'ㅅ'과 동일한 규칙적 경음화이다. 그러나 사이시옷이 표기되지 않은 (1ㄴ)과 (2ㄴ)은 표기형에서 경음화를 적용할 단서를 찾을 수 없다.

(3) ㄱ. 봄비, 손등, 물고기, 용돈, 상다리, 빵집, 초승달, 안방

30 사이시옷을 받쳐 적은 (1ㄱ)과 (2ㄱ)의 '찻길, 셋방'류는 'ㅅ'을 받침소리로 발음한 [찯낄, 섿빵]도 표준발음이다.

ㄴ. 눈비, 손발, 불고기, 금돈, 징검다리, 빈집, 반달, 찜질방

'산길, 전세방'류처럼 사이시옷도 적히지 않은 채 일어나는 경음화는 표기형과 발음형의 관계로 보면 불규칙적이다. 표기형에 사이시옷이 없는 (3)은 모두 합성명사이고 형태소 경계음이 '유성음+평음'이지만, (3ㄱ)만 경음화하고 (3ㄴ)은 그렇지 않다.

(4) 주가(株價), 감정가(鑑定價) / 대가(大家), 감정가(鑑定家)
요점(要點), 가산점(加算點) / 서점(書店), 백화점(百貨店)
소장(訴狀), 고소장(告訴狀) / 매장(賣場), 축구장(蹴球場)

이 불규칙성은 한자어도 마찬가지다. 한글 표기는 동일하지만 '價, 點, 狀'은 경음화하고 '家, 店, 場'은 경음화하지 않는다. 따라서 사이시옷이 없는 표기형에 적용되는 경음화는 음운적, 형태론적 조건을 한정하기 어려운 불규칙적 경음화이다. 사잇소리현상은 단어 형성과 밀접한 관련이 있어서 음운 조건뿐 아니라 형태론적, 의미론적 조건까지 필요하기 때문에 규칙화하기 어렵다.[31]

31 『사전』에서는 '주가(株價), 소장(訴狀)'의 '가(價), 장(狀)'은 분석하지 않고, '생산가(生産價), 고소장(告訴狀)'의 '가, 장'은 접사로 분석하였다. 이 분석을 받아들인다면, 접사가 일체 음운론적 제약 없이 항상 경음으로 실현되므로 이들은 사잇소리현상이 아니라 기저형이 경음이라는 뜻이 된다. 그러나 '가격, 대가, 생산가'의 '가(價)'가 모두 〈값〉의 뜻을 지니고 있음을 인지하는 언중의 지식과, '생산가'가 '생산가격'과 동의어임을 보면 '생산가'의 '가'는 접사가 아니라 어근으로 분류되어야 할 이유도 충분해 보인다.

관련 규정 「발음법」에서는 사이시옷 표기 여부에 따라 표기하지 않은 것은 28항, 표기한 것은 30항에서 규정하였다. 동일한 음운적, 형태론적 조건에서도 사이시옷을 언제 표기하는가는 규칙화하기 어렵다. 「발음법」 28항에서는 '관형격 기능을 지니는 사이시옷이 있어야 할 합성어'라 했는데[32] 'N1의 N2'로 해석할 수 있어도 사잇소리현상이 없는 '돼지고기, 보리밭, 가로줄, 인사말' 등이 있고, 'N1의 N2'로 해석하기 어려운데도 사잇소리현상이 있는 '모깃불, 돈줄, 물고기, 공밥'과 같은 예가 있다. 더구나 이런 의미론적 조건을 객관화하기도 어렵다.

「발음법」 28항: 표기상 <u>사이시옷이 없더라도</u>, 관형격 기능을 지니는 사이시옷이 있어야 할(휴지가 성립되는) 합성어의 경우에는, 뒤의 예사소리를 된소리로 발음한다.

① 문-고리[문꼬리], 눈-동자[눈똥자], 신-바람[신빠람], 산-새[산쌔], 손-재주[손째주]
② 길-가[길까], 물-동이[물똥이], 발-바닥[발빠닥], 굴-속[굴:쏙], 술-잔[술짠]
③ 바람-결[바람껼], 그믐-달[그믐딸], 아침-밥[아침빱], 잠-자리[잠짜리]

32 '관형격 기능'의 의미 관계를 국립국어원 누리집의 「해설」에서는 다음과 같이 설명하고 있다. "두 명사가 결합하여 합성 명사를 이룰 때, 앞의 명사가 뒤의 명사의 시간, 장소, 용도, 기원(또는 소유)과 같은 의미를 나타낼 때 '관형격 기능'을 지닌다고 할 수 있으며, 이런 경우 경음화가 잘 일어난다. 가령 '그믐달[그믐딸]'은 시간, '길가[길까]'는 장소, '술잔[술짠]'은 용도, '강줄기[강쭐기]'는 기원의 의미 관계가 있어서 경음화가 일어난 예이다."

④ 강-가[강까], 초승-달[초승딸], 등-불[등뿔], 창-살[창쌀]

28항은 앞말 끝소리가 자음이므로 「맞춤법」 30항(사이시옷은 다음과 같은 경우에 받치어 적는다. 1. …앞말이 모음으로 끝난 경우)에 따라 사이시옷을 적지 않는 예에 대한 발음 규정이다. ①은 'ㄴ', ②는 'ㄹ', ③은 'ㅁ' ④는 'ㅇ' 뒤의 경음화로 재분류했다. 그러나 '산길[-낄]'류는 '찻길[-낄]'류와 마찬가지로 합성명사이고, 합성명사의 구성성분이 본디 앞말은 유성음으로 끝나고 뒷말은 평음으로 시작되어서 경음화를 유발할 조건이 못 되는데 평음이 경음화한다는 점에서 둘 다 사잇소리현상이 일어난 것이다.

(5) ㄱ. (산, 지름, 갈림, 손, 여행 / 찻, 샛, 뱃)-길
ㄴ. (술, 쌀, 반찬, 껌, 얼굴 / 우윳, 나잇, 킷)-값
ㄷ. (강, 길, 눈 / 바닷, 시냇, 냇, 부둣, 귓)-가
ㄹ. (곰, 콩나물, 해장, 된장 / 만둣, 김칫, 조갯)-국

'산길'류는 '유성자음+평음' 연쇄로 표기형에서 경음화의 단서를 찾을 수 없다. 그러나 발음 오류는 거의 찾기 힘들다. (5)에서 '산길, 술값, 강가, 곰국' 등은 표기상으로는 경음화 규칙이 적용될 만한 조건이 없지만 후행 명사의 첫소리를 평음 [*-길, -갑, -가, -국]으로 발음하는 경우는 거의 없다. 왜냐하면 사잇소리현상은 합성명사에 가장 빈번하게 실현되고 이들 합성명사들은 형태론적, 의미론적 공통성을 토대로 낱말밭(어휘장)을 형성하기 때문이다. '길'은 '산길, 지름길, 갈림길, 손길, 여행길, 찻길, 샛길, 뱃길'처럼 복합명사의 뒷말이 되면 거의 항상 [낄]로 실현되면서

어휘장을 형성한다. '길'은 이른바 'ㅅ' 전치 명사이다.[33]

「발음법」은 개별 어휘의 발음이 아니라 변동규칙에 대한 규정이므로 28항에서는 대표적인 'ㅅ' 전치 명사를 나열하는 것이 바람직하다. 개별 어휘에 대한 발음정보는 『사전』의 영역으로 돌려야 할 것이다. 예컨대 28항에 예시된 '문고리'의 '고리'는 '끈고리, 나사고리, 귀고리, 쇠고리', '아침밥'의 '밥'은 '감자밥, 보리밥, 강정밥, 콩밥, 계란밥' 등의 예로 볼 때 'ㅅ' 전치 명사로 보기 어렵다.

(6) 어형성 규칙으로 작용하는 유추의 틀

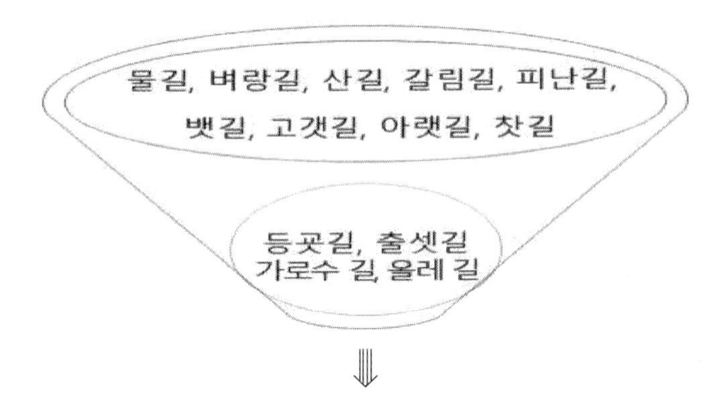

⇓

[등교낄, 출세낄, 가로수낄, 올레낄]

33 '길'처럼 합성명사의 뒷말로 쓰일 때 거의 항상 사잇소리현상이 일어나 경음화하는 명사를 'ㅅ' 전치 명사라 하고, '뒷일'의 '뒤'처럼 합성명사의 앞말로 쓰일 때 거의 항상 사잇소리현상이 일어나 사이시옷이 표기되는 명사를 'ㅅ' 후치 명사라 부르기도 한다(임홍빈: 1981).

합성명사에서 경음화는 사이시옷 표기 여부보다 음운·형태·의미론적 공통성을 토대로 한 유추의 틀이 어형성 규칙으로 작용한다. 그래서 사이시옷이 표기되지 않은 명사구 '올레 길, 가로수 길, 향교 길' 등도 [낄]로 발음하고, '최솟값, 최댓값'은 사이시옷 없이 '*최소값, 최대값'으로 적을 때도 발음은 [-깝]이었다. '등굣길, 하굣길, 출셋길, 최솟값, 최댓값, 장맛비, 배춧잎' 등 새로운 합성명사로 『사전』에 올릴 때 사이시옷을 붙이고 있다. 이는 시각적으로 익숙해진 어형을 바꿈으로써 표기 오용 사례를 양산하는 원인이 된다.[34] 『조선』은 14항(합친말은 매개 말뿌리의 본래형태를 각각 밝혀 적는것을 원칙으로 한다.)에 따라 사이시옷을 쓰지 않는다.

34 국립국어원 예규에 따르면 『사전』은 최대 연 4회 수정될 수 있고, 2014년부터 고친 내용을 『새국어생활』과 누리집(http://stdweb2.korean.go.kr/notice)에 분기별로 공지하고 있다. 수정되는 내용에는 새로 등재되는 단어도 포함된다.

9. 불규칙활용

용언의 활용형 '굽다가, 굽었다, 굽으니, 굽는'은 어간의 대표형태 [굽-]이 유지되거나, [구ㅂ, 굼]으로 나더라도 변동규칙을 적용하여 설명할 수가 있다. 이런 활용을 규칙적이라 한다. 이에 비해, '굽다가, 구웠다, 구우니'는 어간의 대표형태가 '굽~구w'로 교체되는데 이는 공시적 변동규칙으로 설명하기 어렵다. 이를 불규칙활용이라 한다.

(1) ㄱ. '굽다, 구워, 구우니까', '걷다, 걸어, 걸으니까'
　　ㄴ. '굽다, 굽어, 굽으니까', '걷다, 걷어, 걷으니까'

(2) ㄱ. 살다, 사는, 삽니다
　　ㄴ. 뜨다, 떠, 뜨니까

학교문법에서 어간 불규칙활용은 대응되는 규칙활용이 있는 경우에만 설정된다. 예를 들어 (1ㄱ)을 불규칙으로 보는 것은 음운적, 형태론적 조건이 같으면서 규칙활용하는 (1ㄴ)이 있기 때문이다.

(1)과 달리 상대되는 규칙활용형이 없는 (2)는 불규칙활용으로 분류하지 않았다. 어간 말음이 'ㄹ, ㅡ'인 말 중 동일 환경에서 이것이 탈락하지 않는 경우가 없기 때문이다. 특정한 음운적, 형태론적 환경에서 어간 끝 'ㄹ'과 'ㅡ'는 항상 탈락한다.

학교문법에서 어간 불규칙은 상대되는 규칙활용형이 있을 때 설정되는 반면, 「맞춤법」에서 어간 불규칙을 판단하는 기준은 『사전』에서 표제어로 쓰이는 기본형 '-다' 앞 형태와 같은가 다른가가 기준이다.[35] 따라서 「맞춤법」에서는 (1)뿐 아니라 (2)도 모두 어간이 불규칙한 것으로 풀이된다. 왜냐하면 '떠'의 어간 표기형 'ㄸ'은 '뜨다'의 어간 표기형 '뜨'와 다르기 때문이다.

(3) 『문법』과 「맞춤법」의 불규칙활용 분류

불규칙 유형	학교문법	한글 맞춤법	보기
어간	ㅅ	=	그어(긋다)
	ㄷ	=	걸어(걷다)
	ㅂ	=	기워(깁다)
	르	어간과 어미	갈라(가르다)
	ㅜ	=	퍼(푸다)
	×	ㄹ	사니(살다)
	×	ㅡ	떠(뜨다)

35 「해설」에서는 어간은 모양이 달라진 것, 어미는 예외적인 형태를 원칙에 벗어난 것으로 풀이했다. 그러나 어간의 모양이 무엇과 달라졌을 때를 뜻하는지 어미가 어떤 형태일 때 예외적인 것인지 명확하게 알려 주지 못하고 있다. 「해설」의 내용은 다음과 같다.

어휘적 형태소인 어간이 문법적 형태소인 어미와 결합하여 이루어지는 활용의 체계에는 (1) 어간의 모양은 바뀌지 않고, 어미만이 교체된다(변화한다). (2) '어미는 모든 어간에 공통되는 형식으로 결합한다.'라는 원칙이 있다. '원칙에 벗어나면'이란, 이 두 가지 조건에 맞지 않음을 뜻하는 것이니, ① 어미가 예외적인 형태로 결합하는 것 ② 어간의 모양이 달라지고, 어미도 예외적인 형태로 결합하는 것 등, 두 가지 형식을 들 수 있다.

어미	여	=	하여(하다)
	러	=	이르러(이르다)
	너라	×	오너라(오다)
	오	×	다오(달다)
어간과 어미	ㅎ	어간만	하야니, 하얘서(하얗다)

(3)은 『문법』과 「맞춤법」의 불규칙활용 분류가 'ㅅ, ㄷ, ㅂ, ㅜ, 여, 러' 불규칙만 일치하고 나머지 '르, ㄹ, ㅡ, 너라, 오, ㅎ'36 불규칙은 서로 다름을 보여준다. 『문법』에서는 'ㅅ, ㄷ, ㅂ, 르, ㅜ' 불규칙은 어간이, '여, 러, 너라, 오' 불규칙은 어미가, 'ㅎ' 불규칙은 어간과 어미 둘 다 바뀌는 것으로 보았다. 「맞춤법」에서는 'ㅅ, ㄷ, ㅂ, ㅜ, ㄹ, ㅡ, ㅎ'는 어간이, '여, 러'는 어미가, '르' 불규칙은 어간과 어미 둘 다 바뀌는 것으로 보았다.

> 「맞춤법」 18항: 다음과 같은 용언들은 어미가 바뀔 경우, 그 어간이나 어미가 원칙에 벗어나면 벗어나는 대로 적는다.

「맞춤법」 18항의 '원칙에 벗어나면'은 학교문법의 '불규칙활용'에 해당한다. 양자의 '불규칙활용' 판단 기준은 앞서 언급한 이유로 약간의 차이가 있지만, '원칙에 벗어나면'보다 '불규칙활용'이

36 「맞춤법」에서 어간 모음은 'ㅏ, ㅓ'처럼 자소로 적고 어미 모음은 '아, 어'처럼 음가 없는 'ㅇ'을 써서 음절로 적어 구별하고 있다.

더 명확하고 익숙한 개념이다.

9.1. 어간 불규칙

'ㅅ, ㄷ, ㅂ, 르, ㅜ' 불규칙은 불규칙활용에 관여하는 어간 말음으로 지은 이름이다. 어간 말음은 모음으로 시작하는 형식형태소와 결합하면 '씻어라[씨서라]'처럼 뒤 음절로 연음되는 것이 일반적이다. 그러나 'ㅅ, ㄷ, ㅂ' 불규칙용언의 어간 말음은 같은 조건에서도 연음되지 않고 '잇고~이어서'처럼 ㅅ~∅, '묻고~물어서'처럼 ㄷ~ㄹ, '춥고~추워서'처럼 ㅂ~w로 교체된다. 어간 말음이 'ㅡ'인 용언은 모음어미와 결합하면 'ㅡ'만 탈락하지만, '르' 불규칙용언인 '모르다'는 '몰라'처럼 'ㅡ'가 탈락하고 'ㄹ'이 덧난다. 어간 말음 'ㅜ'는 '아'계 어미와 결합하면 반모음화하는 것이 일반적이지만 'ㅜ' 불규칙용언인 '푸다'는 'ㅜ'가 탈락한다.

어간의 규칙성 유무는 결합하는 어미를 자음어미와 모음어미로 나누고 모음어미는 '으'계와 '아'계로 나누어 살펴야 한다. 자음어미와 결합될 때는 원칙적으로 불규칙이 없고, '으'계, '아'계 어미와 결합할 때 둘 다 불규칙한 것도 있고 '아'계 어미와 결합할 때만 불규칙한 경우도 있기 때문이다.

어미는 첫소리가 자음이냐 모음이냐에 따라 자음으로 시작하는 어미(이하 '자음어미'로 약칭)와 모음으로 시작하는 어미(이하 '모음어미'로 약칭)로 나뉜다. 모음어미는 다시 '-아/-어/-∅'로 교체되는 어미(이하 '아'계 어미로 약칭), '으~∅'로 교체되는 어미

(이하 '으'계 어미로 약칭)로 나뉜다. 이들 어미는 음운론적 조건에 따라 규칙적으로 교체된다. -고, -지, -는, -네, -니 등은 자음어미이고, '-(으)니(까), -(으)ㄴ데, -(으)ㄴ, -(으)면, -(으)므로, -(으)ㄹ, -(으)시-' 등은 '으'계 어미, '-아/-어, -아서/-어서, -아요/-어요, -았-/-었-' 등은 '아'계 어미이다.

어간 불규칙은 어미 종류에 따라 다르다. 자음어미와 결합할 때는 원칙적으로 어간 불규칙이 없다. 'ㅅ, ㄷ, ㅂ' 불규칙은 모음어미와 결합할 때 불규칙하고, '르, ㅜ' 불규칙은 '아'계 어미와의 활용형만 불규칙하다.

9.1.1. 'ㅅ' 불규칙

'ㅅ' 불규칙은 어간 말음 'ㅅ'이 모음어미 앞에서 탈락하는 것을 말한다. 규칙용언 '씻다'와 비교해 보면 자음어미 앞에서는 '잇다'도 규칙적이다. 그러나 모음어미와 결합한 '이은, 이어'는 '씻은, 씻어'와 달리 어간 말음 'ㅅ'이 연음되지 않고 탈락한다.

(1) 'ㅅ' 불규칙과 규칙활용

어간 / 어미	불규칙 '잇-' 규칙 '씻-'
자음	잇고, 잇지, 잇습니다, 잇는다, 잇니, 잇네 씻고, 씻지, 씻습니다, 씻는다, 씻니, 씻네
'으'계	**이은, 이을, 이으면, 이으니까, 이음** 씻은, 씻을, 씻으면, 씻으니까, 씻음
'아'계	**이어, 이어라, 이어서, 이었다** 씻어, 씻어라, 씻어서, 씻었다

‘ㅅ’ 불규칙용언 어간은 가상적 기저형이고 표기형이다. 모음어미 앞에서도 ‘ㅅ’이 연음되지 않으므로 실제 표면형에서 ‘ㅅ’이 음가를 드러내는 경우가 없기 때문이다. ‘잇다’ 외에도 ‘(선을)긋-, (몸이, 물을)붓-, 짓-, 젓-, (병이, 남보다)낫-’ 등 어간 말음이 ‘ㅅ’인 많은 용언이 불규칙활용한다. ‘ㅅ’ 불규칙용언 중 1음절 어간은 대부분 긴소리다. 「발음법」 7항에 따라 1음절 어간의 긴소리는 모음어미와 결합되면 짧은소리로 변동한다. ‘(선을) 긋다’는 [긋ː고, 그으면, 그어서]로 실현된다.

규칙용언 ‘벗다’는 중세국어에서도 ‘벗고, 벗ᄂᆞᆫ, 벗디, 버서, 버스니’로 규칙활용했고, ‘잇다, 짓다, 붓다’ 등 ‘ㅅ’ 불규칙용언은 중세국어에서 ‘닛게~니ᅀᅳ샤도, 짓디~지ᅀᅥ, 붓ᄂᆞ니라~브ᅀᅳ며’처럼 어간 말음이 ‘ㅅ~ㅿ’로 교체하던 것이다.[37] ‘ㅅ’ 불규칙용언의 어간 말음 ‘ㅅ’은 15세기에는 모음어미 앞에서는 ‘ㅿ’로 실현되었는데 ‘ㅿ’의 소실로 인해 불규칙용언이 된 것이다. ‘ㅿ’가 ‘ㅅ’로 변천한 서남방언이나 동남방언에서는 지금도 규칙적으로 활용한다. 이처럼 불규칙활용은 대부분 통시적인 원인에서 비롯된 것이다. 다만, ‘웃다, 앗다, 빼앗다’는 15세기에서는 어간 말음이 ‘ㅅ~ㅿ’로 교체하였지만, 현대국어에서는 규칙적으로 활용한다.

「맞춤법」 18항 2: 어간의 끝 ‘ㅅ’이 줄어질 적
긋다: 그으니, 그어, 그었다

37 음소 목록에 ‘ㅿ’가 있었던 중세국어에서는 단일 기저형 /지ᇫ/를 설정하고, 자음어미 앞에서 열림도 동화가 일어난 것으로 보면 규칙활용으로 볼 수도 있다.

낫다: 나으니, 나아, 나았다

「맞춤법」 18항 2는 'ㅅ' 불규칙 관련 규정이다. /ㅅ+모음/이 '∅+모음'으로 발음되면 소리대로 적는다. 규칙용언 '씻으니(씻다)'처럼 불규칙용언 '이으니(잇다)'도 어미의 '으'가 실현된다. 이는 'ㅅ'이 표면적으로는 탈락했지만 잠재적 기능을 하는 것으로 해석된다.

9.1.2. 'ㄷ' 불규칙

'ㄷ' 불규칙은 어간 끝 'ㄷ'이 모음어미와 결합할 때 'ㄹ'로 바뀌는 것을 말한다. 규칙용언 '(땅에) 묻다'와 비교해 보면 자음어미 앞에서는 〈질문하다〉의 '묻다'도 규칙적이다. 그러나 규칙용언 '묻으니까, 묻었다'와 달리, 모음어미 앞에서 '물으니까, 물었다'처럼 어간 말음 'ㄷ'이 'ㄹ'로 교체된다.

(2) 'ㄷ' 불규칙과 규칙활용

어간 / 어미	불규칙 '묻-〈問〉' 규칙 '묻-〈埋〉'
자음	묻고, 묻지, 묻습니다, 묻는다, 묻니, 묻네 묻고, 묻지, 묻습니다, 묻는다, 묻니, 묻네
'으'계	**물은, 물을, 물으면, 물으니까, 물음** 묻은, 묻을, 묻으면, 묻으니까, 묻음
'아'계	**물어, 물어라, 물어서, 물어도, 물었다** 묻어, 묻어라, 묻어서, 묻어도, 묻었다

'(걸음을) 걷-, 긷-, 싣-, 눋-, 듣-, 깨닫-, 엿듣-, 일컫-, 치닫-' 등도 모두 'ㄷ' 불규칙용언에 속한다. 'ㄷ' 불규칙용언인 '(물을) 긷다'는 15세기에도 '긷고, 긷더니, 기르라, 기러'로 불규칙활용했고, 규칙용언인 '얻다'는 '얻고져, 얻ᄂᆞ다, 어드니라, 어더'로 규칙활용했다.

「맞춤법」 18항 5: 어간의 끝 'ㄷ'이 'ㄹ'로 바뀔 적			
걷다[步]:	걸어	걸으니	걸었다
묻다[問]:	물어	물으니	물었다
싣다[載]:	실어	실으니	실었다

「맞춤법」 18항 5에 따라 /ㄷ+모음/이 'ㄹ+모음'으로 발음되면 소리대로 적는다. '싣다'는 [시럳따, 시러서, 시르면, 싣꼬, 신는다]으로 활용하는 'ㄷ' 불규칙용언이다. 그런데 [시럳따, 시러서, 시르면, *실꼬, *실른다]로 발음하는 경우가 많다. 이는 [시럳따, 시러서, 시르면]에서 어미 '-었다, -어서, -으면'을 분리하면 추출되는 어간 '실-'에 유추하여 동일 형태로 발음한 까닭일 것이다.

(3) ㄱ. 불다, 불고, 부는, 부네, 붑니다　　분, 불면
　　불어, 불어서, 불었다
　ㄴ. 붓다, 붓고, 붓는, 붓네, 붓습니다　　부은, 부으면
　　부어, 부어서, 부었다
　ㄷ. 붇다, 붇고, 붇는, 붇네, 붇습니다　　불은, 불으면
　　불어, 불어서, 불었다

(3)의 '불다, 붓다, 붇다'는 활용형에 따라 동음관계를 형성하여 '붓고'와 '붇고'의 혼용이 나타나는 원인이 되기도 한다. '(얼굴이) 붓다, (라면이) 붇다'는 모음어미와의 활용형은 동음관계가 아니지만 자음어미와의 활용형은 이철 동음관계를 형성한다. '붓다'는 모음어미와 결합할 때 어간 끝 'ㅅ'이 탈락하므로 'ㅅ' 불규칙용언이고, '붇다'는 모음어미와 결합할 때 어간 끝 'ㄷ'이 'ㄹ'로 바뀌므로 'ㄷ' 불규칙용언이다. '불다'와 '붇다'는 동음관계가 아니지만, '아'계 어미와 결합한 활용형 '불어, 불어서, 불었다' 등은 동철 동음관계를 형성한다.

9.1.3. 'ㅂ' 불규칙

규칙용언 (허리가) '굽-'와 비교해 보면 자음으로 시작하는 어미 앞에서는 차이가 없다. 규칙용언은 모음어미와 결합할 때도 어간 말음이 그대로 연음된다. 그러나 'ㅂ' 불규칙용언은 모음어미와 결합할 때는 어간 끝 'ㅂ'이 유지되지 않고 /w/ 또는 'ㅜ'로 교체된다. /w/로 교체된다고 보면 /구w어/가 '구워'로, /구w은/이 '구운'으로 됨을 설명해야 하고, /ㅜ/로 교체된다고 보면 /구우어/가 '구워'로, /구우은/이 '구운'으로 됨을 설명해야 한다.

(4) 'ㅂ' 불규칙과 규칙활용

어간 어미	불규칙 '굽-⟨炙⟩' 규칙 '굽-⟨曲⟩'
자음	굽고, 굽지, 굽습니다, 굽는다, 굽니, 굽네 굽고, 굽지, 굽습니다, 굽는다, 굽니, 굽네
'으'계	**구운, 구울, 구우면, 구우니까, 구움** 굽은, 굽을, 굽으면, 굽으니까, 굽음
'아'계	**구워, 구워라, 구워서, 구워도, 구웠다** 굽어, 굽어서, 굽어도, 굽었다

어간 말음이 'ㅂ'인 경우, '깁다, 돕다, 눕다, 줍다, (얼굴이) 곱다, 쉽다, 덥다, 노엽다, 놀랍다, 마렵다, 간지럽다, 부드럽다, 징그럽다' 등 대부분 불규칙활용을 한다. 접미사 '-답-, -롭-, -스럽-'과 결합한 형용사도 모두 불규칙용언이다. 'ㅂ' 규칙용언이 오히려 소수다. 'ㅂ' 불규칙용언 어간도 1음절일 경우 대부분 긴소리다.

15세기 국어에서도 규칙용언 '잡다'의 활용형 '잡고, 잡ᄂᆞ다, 자ᄇᆞ며, 자바'와 달리, 'ㅂ' 불규칙용언 어간 말음은 모음어미 앞에서는 /ㅸ/로 실현되었다. '어듭다, 곱다' 등 'ㅂ' 불규칙용언은 '어듭게~어드ᄫᅳᆫ, 곱도다~고ᄫᆞᆫ'처럼 어간 말음이 'ㅂ~ㅸ'으로 교체하였다. 'ㅸ/β/'이 /w/로 변천하면서 'ㅂ' 불규칙활용을 하게 된 것이다. 'ㅸ'이 'ㅂ'으로 변천한 방언에서는 지금도 규칙적으로 활용한다. 음소 목록에 /ㅸ/가 있었던 중세국어에서는 /덯/을 기저형으로 보고 자음어미 앞에서 열림도 동화된 것으로 보면 규칙활용으로 볼 수 있다.

「맞춤법」 18항 6: 어간의 끝 'ㅂ'이 'ㅜ'로 바뀔 적
  깁다: 기워, 기우니, 기웠다
  굽다[炙]: 구워, 구우니, 구웠다
  가깝다: 가까워, 가까우니, 가까웠다
다만, '돕-, 곱-'과 같은 단음절 어간에 어미 '-아'가 결합되어 '와'로 소리 나는 것은 '-와'로 적는다.
  돕다[助]: 도와, 도와서, 도와도, 도왔다
  곱다[麗]: 고와, 고와서, 고와도, 고왔다

「맞춤법」 18항 6에 따라 /ㅂ+모음/이 'ㅜ-모음'으로 발음되면 소리대로 적는다. 단, '돕다, 곱다'의 활용에서는 'ㅗ'로 적는다.

(5) ㄱ. [줍꼬, 주워라, 주워 먹지 마, 주우면]
  ㄴ. [*준꼬, 주서라, 주서 먹지 마, 주스면]

'줍다'는 (5ㄱ)으로 활용하는 'ㅂ' 불규칙용언인데, (5ㄴ)으로 발음하는 경우가 많다. (5ㄴ) 화자의 언어지식에 따르면, 어미 '-어라, -어, -으면'이 분리되므로 기본형은 '*줏다'가 된다. [주서라, 주서, 주스면]은 모음어미와 결합되어 연음된 것이고, [준꼬]는 자음어미 앞에서 평파열음화와 경음화가 적용된 것이다. '*줏다'의 활용형 [준꼬, 주서라, 주서, 주스면]은 규칙활용이고 이를 표기하면 '*줏고, 줏어라, 줏어, 줏으면'이 된다. '줍다'의 방언형 '*줏다'는 상당히 널리 사용되고 있고, 15세기 국어에서도 '주ᅀᅥ, 주ᅀᅳᆫ, 줏도다, 줏고'로 나타나므로 기본형은 '줏-' 또는 '줏-'이었다. '주섬주섬'은 어원적으로 '줏다'에서 파생된 부사이다.

'고집스런'의 기본형은 '고집스럽다'이고 'ㅂ' 불규칙용언이다. 'ㅂ' 불규칙활용형은 '고집스러운, 고집스러우니까, 고집스러웠다'이지 'ㅂ'이 탈락한 '*고집스런'이 아니다. 접미사 '-스럽-'으로 끝난 어간이 모두 그러하다. '*자랑스런'이 아니라 '자랑스러운'이다. '정겹다'도 'ㅂ' 불규칙용언이어서 모음어미와 결합하면 '정겨운, 정겨워'로 활용한다. 그러나 자음어미와의 결합은 규칙적이어서 '정겹게'가 규범에 맞다. '*정겨웁게'는 '정겨운, 정겨워'를 기준으로 활용형을 통일하려는 언중들의 유추 작용을 보여주는 예다.

9.1.4. '르' 불규칙

'르' 불규칙은 어간 끝 음절이 '르'인 용언이 '아'계 어미와 결합할 때 나타난다. '따르다'는 '아'계 어미와 결합할 때 '따라, 따라서, 따랐다'로 어간 끝 'ㅡ'가 탈락한다. 이에 비추어 보면 '모르다'의 활용형은 '*모라, 모라서, 모랐다'로 예측되지만, '몰라, 몰라서, 몰랐다'로 된다. 이를 학교문법에서는 /르+어/가 'ㄹㄹ+아/어'로 바뀐다고 보아 어간 불규칙으로 분류한다. 어간 끝 'ㅡ' 탈락은 학교문법에서는 'ㅡ'탈락 규칙의 적용으로 보기 때문이다.

(6) '르' 불규칙과 규칙활용

어미 \ 어간	불규칙 '모르-' 규칙 '따르-'
자음	모르고, 모르지, 모르니, 모르는, 모르네 따르고, 따르지, 따르니, 따르는, 따르네
'으'계	모른, 모를, 모르면, 모르니까, 모름 따른, 따를, 따르면, 따르니까, 따름
'아'계	**몰라, 몰라서, 몰라도, 몰랐다** 따라, 따라서, 따라도, 따랐다

어간 끝 음절이 '르'인 용언은 '이르러(이르다)처럼 '러' 불규칙 용언과, '따르다'류의 규칙용언을 제외한 나머지 '마르-, 가르-, 고르-, 구르-, 자르-, 엎지르-, 주무르-, 너르-, 다르-, 이르-, 게으르-' 등은 모두 '르' 불규칙에 해당된다. '이르다'가 〈어떤 장소나 시간에 닿다〉의 뜻일 때는 '(부산에) 이르러'로 활용하므로 '러' 불규칙이고, 〈기준보다 빠르다〉의 뜻일 때는 '(시간이) 일러'로 활용하므로 '르' 불규칙이다.38

「맞춤법」 18항 9: 어간의 끝음절 '르'의 'ㅡ'가 줄고, 그 뒤에 오는 어미 '-아/-어'가 '-라/-러'로 바뀔 적

가르다: 갈라	갈랐다	거르다: 걸러	걸렀다
오르다: 올라	올랐다	이르다: 일러	일렀다

「맞춤법」의 시각에서 보면, '르' 불규칙은 어간뿐 아니라 어미

38 피·사동 접미사 '-이-'가 결합하는 경우에도 '눌리다(←누르이다), 올리다(←오르이다), 흘리다(←흐르이다)'로 쓴다.

도 원칙에 벗어난 것이다. 18항 9에서 /르+어/가 'ㄹ+라/러'로 발음되었다고 보았기 때문에 '갈라'는 '가르다'의 어간과 형태가 달라졌고 어미도 '-아/-어/-∅'가 아니다. 이에 반해 어간 끝 'ㅡ'탈락을 규칙으로 본 학교문법에서는 /르+어/가 'ㄹㄹ+아/어'로 바뀌었다고 보므로 어간만 불규칙하다.

'모르다'는 '르' 불규칙용언으로 '아'계 어미와 결합할 때만 불규칙활용한다. 그런데 '*몰르-'로 표기하는 경우는 거의 없지만 [*몰르고/몰르구, 몰르는]으로 발음하는 경우는 중부방언에서 특히 빈번하다. 용언에 대한 지식은 기본형뿐 아니라 활용형도 포함되고, 이들은 계열을 형성하므로 가능한 동일한 형태를 유지하려는 유추 작용이 일어난다. 유추는 교체 조건을 단순화하고 불규칙 형태를 규칙화하는 작용을 한다. 예를 들어 국어사적으로도 '가+거늘'에서 유추하여 '오나ᄂᆞᆯ 〉 오거늘'의 변화가 일어났다. 이처럼 '*몰르고, 몰르는'은 '몰라, 몰라서, 몰랐다'의 어간인 '몰ㄹ-'을 기준으로 자음어미와 '으'계 어미와의 결합에서도 동일 어간 형태를 유지하려는 화자들의 유추 작용으로 인한 것으로 보인다.

9.1.5. 'ㅜ' 불규칙

'ㅜ' 불규칙은 어간 끝 'ㅜ'가 '아'계 어미와 결합할 때 탈락하는 것으로 '푸다' 하나뿐이다.

(7) 'ㅜ' 불규칙과 규칙활용

어간 / 어미	불규칙 '푸-' 규칙 '주-'
자음	푸고, 푸지, 풉니다, 푸니, 푸는, 푸네 주고, 주지, 줍니다, 주니, 주는, 주네
'으'계	푼, 풀, 푸면, 푸니까, 품 준, 줄, 주면, 주니까, 줌
'아'계	**퍼, 퍼라, 퍼서, 퍼도, 펐다** 주어라/줘라, 주어서/줘서, 주어도/줘도, 주었다/줬다

규칙 용언 '주다'의 활용과 비교하면 자음어미, '으'계 어미와의 활용상은 동일하다. 그런데 '아'계 어미와 결합하면 '주다'가 '주었다/줬다'로 되는 것에 비추어 보면 '*푸었다, 풨다'가 되어야 하지만 '펐다'가 된다.39

「맞춤법」 18항 4: 어간의 끝 'ㅜ, ㅡ'가 줄어질 적

① 푸다: 퍼 펐다

② 담그다: 담가, 담갔다 따르다: 따라, 따랐다
　뜨다: 떠, 떴다 크다: 커, 컸다
　고프다: 고파, 고팠다 바쁘다: 바빠, 바빴다

18항 4는 /ㅜ + 어/가 '∅+어'로 발음되면 소리대로 적는 ①과, /ㅡ +모음/이 '∅-모음'으로 발음되면 소리대로 적는 ②로 나뉜다. ①이 'ㅜ' 불규칙에 해당하고, ②는 학교문법에서는 불규

39 '푸다'의 중세국어 형태는 '프다'였고 그 활용형 '퍼'는 '프어'에서 'ㅡ'가 탈락한 것이었다.

칙활용으로 보지 않는다. 어간 말음 'ㅡ'가 모음어미와 결합할 때 탈락하지 않는 예가 없기 때문이다.

9.2. 어미 불규칙

어미가 바뀌는 경우로는 '여, 러, 너라, 오' 불규칙활용이 있다. '여, 러, 너라, 오' 불규칙이라는 용어는 어미 형태를 따라 이름 지은 것이다. '아'계 어미가 나타날 환경에서 음운적 이형태인 '-아/-어/-∅'가 아니라, 어휘적 이형태가 실현된 것이다. 따라서 이는 음운론적 설명 대상이 아니다. 이는 주격조사 '이/가'가 음운적 이형태이고 규칙적 교체이지만 같은 어원의 것이 아니어서[40] 음운론적 설명 대상이 아닌 것과 같다. 다만 여기서는 기왕 불규칙활용에 대한 논의를 하고 있었기 때문에 함께 다룬다.

어미는 교체 조건이 음운적이고 규칙적이면 규칙활용으로 보았기 때문에 「해설」의 '어미가 예외적인 형태'는 음운적 조건에서 규칙적으로 교체되는 어미를 제외한 것이다. 음운적, 규칙적으로

---

40 '하여'의 옛 형태인 'ᄒᆞ야'를 'ᄒᆞ아'에서 모음충돌을 피하기 위한 'j'첨가로 해석한다면 '여' 불규칙은 역사적으로 동일 어원의 것이다.

『조선』에서는 '아'계 어미의 규칙적 교체형을 '-아/-어/-여'로 보므로 '하여'는 불규칙이 아니다. 맞춤법 11항 3(말줄기의 모음이 ≪ㅣ, ㅐ, ㅔ, ㅚ, ㅟ, ㅢ≫인 경우와 줄기가 ≪하≫인 경우에는 ≪여, 였≫으로 적는다.)에 따라 '하다-하여, 하였다' 뿐 아니라 '기다-기여, 기였다' 등도 '-여'로 쓴다.

교체되는 어미는 자음어미, '-아/-어/-∅'로 교체되는 '아'계 어미, '으~∅'로 교체되는 '으'계 어미이다.

어미 불규칙 판단 기준 『문법』과 「맞춤법」 둘 다 어미가 음운적 조건에서 규칙적으로 교체될 때는 원칙에 벗어난 것으로 분류하지 않는다.

(1) -고 [고~꼬~코]: 가고, 먹고, 좋고
(2) -아/-어/-∅: 잡아, 접어, 가
-(으)니까: 먹으니까, 주니까
-습니다/-ㅂ니다: 먹습니다, 갑니다
(3) -여, -러, -너라, -오: 하여, 이르러 / 오너라, 다오

(1)은 대표형태로 표기를 고정해도 발음형을 예측할 수 있는 변동규칙이 있어서 이형태를 표기하지 않는다. '고'와 [꼬]는 경음화, '고'와 [코]는 격음화 규칙으로 매개된다.

(2)는 음운적 이형태지만 어휘적 이형태인 (3)처럼 이형태를 표기에 반영한다. (2)도 '*먹아, 먹니까, 가습니다'로 쓰면 예측되는 발음형은 [*머가, 멍니까, 가습니다]이기 때문이다. '-아/-어/-∅'의 교체형을 직접 표기에 반영하는 것은 16항(어간의 끝음절 모음이 'ㅏ, ㅗ'일 때에는 어미를 '-아'로 적고, 그 밖의 모음일 때에는 '-어'로 적는다.), 34항(모음 'ㅏ, ㅓ'로 끝난 어간에 -아/-어, -았-/-었-'이 어울릴 적에는 준 대로 적는다.)에 규정되어 있다. 16항, 34항에 비추어 보면 '으~∅'에 대한 언급도 있어야 할 것이나 이에 대한 규정은 없다.

(3)은 '-아/-어/-∅'와 달리 음운적 이형태가 아니다. 이때는

원칙에서 벗어난 불규칙으로 본다. '하여서, 하였다(하다)', '이르러서, 이르렀다(이르다)'와 같은 활용은 각각 어미가 불규칙한 '여, 러' 불규칙으로 보았다.

어미의 불규칙 판단 기준은 학교문법과 「맞춤법」이 일치한다. 그래서 학교문법에서는 '오다'와 결합하는 '-너라', '달다'와 결합하는 '-오'도 불규칙활용으로 분류했다.[41] '오너라(오다)', '다오(달다)'의 '-너라, -오'도 '-아/-어/-∅' 자리에 나타난 이형태로 본 것이다. 그러나 '-너라'와 '-오'는 「맞춤법」 18항에는 빠져있다. 이 두 어미는 각각 '오다', '달다'와만 결합하고, '-오'는 불완전동사나 보충법으로 처리하는 등 불규칙활용의 테두리에 넣기 곤란한 점도 있다.

9.2.1. '여' 불규칙

'여' 불규칙은 '아'계 어미가 나타날 자리에 음운적 이형태 '-아/-어/-∅' 중 하나가 아니라 '-여'로 실현되는 것을 말한다. '여' 불규칙용언은 '하다' 하나뿐이다. '하다'와 음운 조건이 같은 규칙용언 '가다'와 비교해 보면, 자음어미, '으'계 어미와는 활용상이 같지만 '아'계 어미와 결합할 때는 음운적 이형태인 '-아/-어/-∅' 중 하나가 아니라 '여'가 실현된다. '가서'에 비추어 보면 '하-'는 '*하서'로 실현되어야 하지만, '하여서'로 실현된다.

41 '-거라'는 '오다'를 제외한 모든 동사 어간에 붙고 '-어라'와는 어감 차이가 있다고 보아 '-어라'의 이형태가 아니라 별개의 형태소로 본다.

(1) '여' 불규칙과 규칙활용

어간 / 어미	불규칙 '하-' 규칙 '가-'
자음	하다, 하고, 하지, 하는 가다, 가고, 가지, 가는
'으'계	한, 할, 하면, 하니까, 하려고, 함 간, 갈, 가면, 가니까, 가려고, 감
'아'계	**하여/해, 하여라/해라, 하여서/해서, 하여도/해도, 하였다/했다** 가, 가라, 가서, 가도, 갔다

입말에서는 '하여서, 하여도, 하였다'는 잘 쓰이지 않고, '해서, 해도, 했다'의 사용빈도가 압도적으로 높다. 규범문법에서는 '해서, 해도, 했다'를 '하여서, 하여도, 하였다'의 줄임으로 본다. 그러나 '하여요'와 명령형으로서의 '하여'는 쓰이지도 않는다. 『사전』에서 '-여23'은 연결어미이기도 하지만, 서술하거나 물음, 명령, 청유를 나타내는 종결어미이기도 하다. 종결어미로 쓰인 예로 '그 아이는 행실이 참 얌전하여.'를 제시하고 '구어에서는 준말로만 쓰인다.'고 부가 정보를 제시했다. 그러나 종결어미 '-여, -여요'와 결합한 '얌전하여, 얌전하여요.'는 입말이든 글말이든 거의 쓰이지 않고 '얌전해, 얌전해요.'로 나타난다. 이런 점에서 종결형 '해, 해요'는 공시적으로는 '하여, 하여요'와 관련짓기 어려운 점이 있다.

「맞춤법」 18항 7: '하다'의 활용에서 어미 '-아'가 '-여'로 바뀔 적
하다: 하여, 하여서, 하여도, 하여라, 하였다

「맞춤법」 18항 7에 따라 /하+아/가 '하+여'로 발음되면 소리대로 적는다. 음운적 이형태인 '-아/-어/-∅'와 달리, '-여'는 '하-'에만 결합하기 때문에 원칙에 벗어난 것이다. 학교문법에서도 같은 이유로 '여' 불규칙으로 본다. '여' 불규칙은 15세기에도 'ᄒᆞ야, ᄒᆞ야셔, ᄒᆞ야도'로 불규칙용언이었다.

9.2.2. '러' 불규칙

'러' 불규칙은 어간이 '르'로 끝나는 일부 용언에서 '아'계 어미가 실현될 자리에 음운적 이형태인 '-아/-어/-∅' 중 하나가 아닌 '-러'가 실현되는 것을 말한다. 규칙용언 '따르다'는 'ㅡ'탈락을 거쳐 '따라'가 되므로 '이르다'가 같은 음운과정을 겪는다면 '*이러'가 될 것으로 예상된다. 그러나 '이르러, 이르렀다'는 어간모음 'ㅡ'가 탈락하지도 않고 어미는 '-러, -렀-'으로 바뀐다는 점에서 불규칙활용이다.

(2) '러' 불규칙과 규칙활용

어간 / 어미	불규칙 '이르-'	규칙 '따르-'
자음	이르다, 이르고, 이르지, 이르는	따르다, 따르고, 따르지, 따르는
'으'계	이를, 이르면, 이르니까, 이름	따를, 따르면, 따르니까, 따름
'아'계	**이르러, 이르러서, 이르렀다**	따라, 따라서, 따랐다

학교문법에서 '러' 불규칙은 어미가 불규칙한 유형이다. 그러나 '따르+아/어'에서 어간 끝 'ㅡ'가 탈락하는 데 반해 '이르+아/어'

는 'ㅡ'가 탈락할 환경인데도, 탈락하지 않고 '이르+러'로 실현되었다. 'ㅡ'탈락 규칙을 설정한 학교문법의 체제에 따르면 '러' 불규칙은 어간과 어미가 모두 불규칙한 예로 볼 수 있다.

어간 끝 음절이 '르'인 용언은 대부분 '르' 불규칙이고 '러' 불규칙용언은 '이르다(至), 노르다, 누르다, 푸르다'뿐이다. '이르다, 일러'로 활용하는 '르' 불규칙용언에서는 어간 모음 'ㅡ'가 탈락하고 'ㄹ'이 덧나는 반면, '이르다, 이르러'로 활용하는 '러' 불규칙용언에서는 어간의 'ㅡ'가 탈락하지 않고, 어미 '어'는 '러'로 된다.

「맞춤법」 18항 8: 어간의 끝음절 '르' 뒤에 오는 어미 '-어'가 '-러'로 바뀔 적

이르다[至]:	이르러, 이르렀다
노르다:	노르러, 노르렀다
누르다:	누르러, 누르렀다
푸르다:	푸르러, 푸르렀다

「맞춤법」 18항 8에 따라 /르+어/가 '르+러'로 발음되면 소리대로 적는다. 어간 끝 'ㅡ'탈락도 불규칙으로 본 「맞춤법」 체제에서 보면 '이르러'는 어미만 불규칙하다.

9.2.3. '너라' 불규칙

'너라' 불규칙은 음운적 이형태 '-아라/-어라/-∅라'가 나타날 자리에 '너라'가 실현되는 것을 말한다. '너라' 불규칙용언은 '오

다' 하나뿐이다. 「맞춤법」에는 언급되지 않은 것이다.

(3) '너라' 불규칙과 규칙활용

어간 어미	불규칙 '오-'	규칙 '쏘-'
자음	오다, 오고, 오지, 오는	쏘다, 쏘고, 쏘지, 쏘는
'으'계	올, 오면, 오니까, 옴	쏠, 쏘면, 쏘니까, 쏨
'아'계	**오너라**	쏘아라/쏴라
	와서, 와도, 왔다	쏘아서/쏴서, 쏘아도/쏴도, 쏘았다/쐈다

(3)에서 '오다'의 명령형은 음운 조건이 같은 '쏘다'가 '쏘아라~쏴라'로 활용하므로 '오아라~와라'가 될 것으로 예측되지만 '오너라'로 실현된다. 그래서 '너라' 불규칙활용이라 한다.

9.2.4. '오' 불규칙

'오' 불규칙은 '이리 다오.'의 '-오'를 명령형 어미 '-아라/-어라/-∅라'가 나타날 자리에 실현된 불규칙 형태로 본 것이다. 「맞춤법」에는 언급되지 않은 것이다.

(4) '오' 불규칙과 규칙활용

어간 / 어미	불규칙 '달-'	규칙 '살-'
자음	–	살다, 살고, 살지, 사는, 삽니다
'으'계	–	살, 살면, 사니까, 사오
'아'계	**다오**, 달라고	살아라, 살라고

'말하는 이가 듣는 이에게 어떤 것을 주도록 요구하다'의 뜻인 '달다'는 【…을】 '달라', '다오' 꼴로만 쓰인다. 음운 조건이 같은 '살다'가 '살라고, 사오'로 활용하는 것을 보면, '달라, 다오'가 형태적으로 불규칙한 것은 아닌 듯하다. 그러나 '(옷을) 다오'의 '-오'는 형태상으로는 하오체 어미이나, 의미상으로는 하오체가 아니라, 해라체로 기능한다. '그대를 사랑하오.'의 '-오'는 하오체 종결어미이지만, '옷을 다오.'는 하오체가 아니라 해체 또는 해라체에 해당하는 낮춤말이다. '-아라/-어라/-∅라'가 나타날 자리에 '-오'가 실현된다는 점에서 '오' 불규칙으로 본 것이다. 그러나 '다오'의 '오'는 『사전』에 등재되어 있지도 않아서 규범 내 불일치를 보인다.

(5) ㄱ. (남에게) 주어라 / 주게 / 주(시)오 / 주십시오 / 줘(요) / 주라고 했다.
ㄴ. (나에게) 다오 / / 달라고 했다.

'달다'에 대한 설명은 크게 두 가지로 나뉜다. 첫째, '달다'를 독립된 단어로 보되, '데리다, 더불다, 가로다'처럼 제한된 어미와 만 결합하는 동사로 보는 것이다. '주다'는 '주어라, 주게, 주오, 주십시오, 주어/줘, 주어요/줘요, 주라'로 상대높임 등분 모두에 해당하는 어형이 있다. 그러나 〈자기에게 건네다〉의 뜻인 '달다'는 해라체와 하라체에서만 각각 '옷을 다오, 옷을 달라고 한다'처럼 쓰인다. 나머지는 '주게, 주오, 주십시오, 주어/줘, 주어요/줘요'로 '주다' 동사를 써야 한다. 이처럼 '달다'는 활용 체계에 빈칸(defective paradigm)이 생기므로 모자란움직씨(불완전동사)라고 불렀다(최현배 1986: 348~349).

또 하나는 '다오, 달라'를 '주다'의 보충법 형태로 보는 것이다(고영근 1991: 112). 보충법은 어떤 형태소의 이형태가 그 기본형과 어원적인 관련이 거의 없는 다른 형태로 나타나는 현상을 말한다. 이는 '달-, 다-'를 '-(으)라, -(으)오' 앞에서만 나타나는 '주다'의 보충법 형태로 보고, '달다'를 독립된 단어로 인정하지 않는 것이다.

9.3. 어간과 어미 불규칙

'ㅎ' 불규칙은 어간 말음이 'ㅎ'인 용언이 모음어미와 결합할 때 나타난다. 불규칙용언은 '까맣다, 뿌옇다, 높다랗다'처럼 모두 2음절 이상이다.[42] 이에 반해 'ㅎ' 규칙용언은 모두 1음절 어간이다. 'ㅎ' 규칙용언은 동사로는 '낳다, 넣다, 놓다, 닿다, 땋다, 빻다, 쌓다, 찧다'가 전부이다. 형용사로는 '좋다'가 유일해서,[43] '좋다'를 제외한 어간 말음이 'ㅎ'인 형용사는 모두 불규칙용언이다.

(1) 'ㅎ' 불규칙과 규칙활용

어간 / 어미	불규칙 '까맣-' 규칙 '낳-'
자음	까맣고, 까맣지, 까맣습니다, 까맣니, 까맣네 낳고, 낳지, 낳습니다, 낳니, 낳네
'으'계	**까만, 까마면, 까마니까** 낳은, 낳으면, 낳으니까
'아'계	**까매요, 까매서, 까맸다, 까매지다** 낳아요, 낳아서, 낳았다, 낳아지다

발음형 [까마코, 까만네]에서 어미 '-고, -네'를 분리하면 어간은 '까맣-'으로 보는 것이 합리적이다. '까맣고'와 [까마코]는 격음화, '까맣네'와 [까만네]는 평파열음화, 비음화가 매개할 수 있기 때문에 원형을 밝혀 쓴다. 이는 규칙용언인 '낳다'와 같다.

규칙용언 '낳다'의 활용형 '낳은, 낳아요'에 비추어 보면 '까맣다'는 '*까맣은, 까맣아요'가 될 것으로 예상된다. 그러나 '*까맣은'이 아니라 어미 모음 '으' 없이 '까만'으로 실현된다. 불규칙용

42 『조선』 맞춤법 10항 3 [붙임]에서도 "≪ㅎ≫받침으로 끝난 본래의 말줄기가 두 소리마디이상으로 된 형용사, 동사는 모두 여기에 속한다."로 규정하고 있다.

43 'ㅎ' 말음 동사 어간은 '처넣다'처럼 접두사가 붙거나, '끝닿다'처럼 명사가 붙거나, '잡아넣다'처럼 동사가 붙어서 복합어를 이루기도 한다. 또 '쌓다, 놓다, 넣다'는 보조동사로 쓰이기도 한다. 이들은 모두 왼쪽으로 확장된 형태이므로 단일어일 때와 활용 양상이 같다.

언 '까만[까만]'과44 규칙용언 '낳은[나은]'의 발음 차이는 'ㅎ'탈락이 아니라 '으' 탈락에 있다. '아'계 어미와 결합할 때는 '*까맣아요'가 아니라 어간 끝 모음과 어미 첫 모음이 합쳐져 '까매요'가 되므로 어간과 어미 둘 다 불규칙한 형태다.

'ㅎ' 불규칙과 규칙활용의 차이점을 간추리면 다음과 같다. 첫째, 불규칙용언 '까만, 까매'에는 'ㅎ'이 표기되지 않고, 규칙용언 '낳은, 낳아'에는 'ㅎ'이 표기된다. 그러나 발음형은 규칙용언 '낳은, 낳아'도 'ㅎ'이 발음되지 않는다.45 둘째, 불규칙용언은 '까만'처럼 어미 모음 '으'도 탈락하는 반면, 규칙용언은 '낳은'처럼 어미 모음 '으'는 탈락하지 않는다. 셋째, 불규칙용언은 '까매'처럼 '아'계 어미와 결합할 때 어간 모음과 어미 모음이 합쳐져 '-에/애'로 되는 반면, 규칙용언은 '낳아[나아]'처럼 어미 모음이 그대로 유지된다.

---

44 '누렇다'는【<누러ᄒᆞ다<두시-초>←누르-+-어+ᄒᆞ-】의 변천을 겪었는데 '누러ᄒᆞ도다, 누런'으로 나타났다. '누런'은 '누러ᄒᆞ-ㄴ'으로 분석되는데 'ᄒᆞ'가 탈락한 '퍼런, 이런'과 같은 예는 중세국어부터 있었다.

45 모음어미와 결합할 때 'ㅎ' 규칙용언의 'ㅎ'에 대해 최현배(1986: 519), 성낙수(2008)에서는 탈락하지 않는다고 했고, 고영근(2005)에서는 탈락이 임의적이라고 했다. 이러한 기술은 대체로 「맞춤법」 18항 3(어간의 끝 'ㅎ'이 줄어질 적)의 기술이 규칙용언은 'ㅎ'이 줄지 않는다는 뜻으로 해석할 수 있기 때문에 빚어진 일일 것이다.

그러나 '낳으니까[나흐니까], 낳아서[나하서]'는 적어도 어문규범이나 학교문법의 틀 안에서는 수용하기 어렵다. 「발음법」 12항(…모음으로 시작된 어미나 접미사가 결합되는 경우에는, 'ㅎ'을 발음하지 않는다)과 상충되고, 학교문법의 'ㅎ'탈락 규칙은 규칙용언에도 적용되기 때문이다. 음운변동에 있어서도 '낳+아서'는 [나아서] 또는 [나:서]로 발음되는데, [나:서]는 'ㅎ'탈락을 전제로 하지 않으면 음운론적 설명이 어렵다.

[까마]가 되지 않고 [까매]로 되는 것은 공시적 원인과 통시적 원인으로 나누어 생각할 수 있다. 'ㅎ' 불규칙용언은 모두 어간이 2음절 이상이면서 어간 끝 모음이 'ㅏ' 또는 'ㅓ'이다. 만약 규칙 활용을 한다면 '까맣+아', '꺼멓+어'처럼 동일 모음이 중복될 것이고 이를 회피하려는 것도 'ㅎ' 불규칙용언의 공시적 원인이 된 것으로 보인다.

(2) ㄱ. 그래(←그렇+어, 그러+어),
저랬어(←저렇+었어, 저러+었어)
ㄴ. *바래(←바라+아), *같애(←같+아), *놀랬다(←놀라+았다)
ㄷ. 공부해(←공부하+아), 공부했다(←공부하+았다)

(2ㄱ)처럼 지시 형용사인 '그렇다'류와 지시 동사인 '그러다'류가 '-아'계 어미와 결합할 때 활용형이 같아지는 것도 모음 사이에서 'ㅎ'이 탈락하면 둘 다 'ㅓ+ㅓ'의 연쇄가 되기 때문일 것이다. 또 표준어는 아니지만 (2ㄴ)의 '*바래, 같애, 놀랬다'와 같은 비표준형도 동일한 이유로 설명될 수 있을 것이다. 이 현상은 동일 모음 연쇄를 피하기 위해 확대되고 있는 것으로 보인다. '하다' 동사의 활용형인 '해, 해서, 했다'도 같은 이유로 생성되었다고 볼 수 있다.

통시적 원인으로는 'ㅐ'가 실현되는 용언의 15세기 형태는 '하야ᄒᆞ다, 그러ᄒᆞ다, 그리ᄒᆞ다'처럼 'Xᄒᆞ다'의 형태였다. 그러므로 이들은 '하여'가 '해'로 실현되는 것과 동궤의 것이다.

「맞춤법」 18항 3: 어간의 끝 'ㅎ'이 줄어질 적

그렇다:	그러니, 그럴, 그러면, 그러오
까맣다:	까마니, 까말, 까마면, 까마오
동그랗다:	동그라니, 동그랄, 동그라면, 동그라오
퍼렇다:	퍼러니, 퍼럴, 퍼러면, 퍼러오
하얗다:	하야니, 하얄, 하야면, 하야오

18항 3에서는 '어간의 끝 ㅎ이 줄어질 적'으로 되어 있어서 'ㅎ' 불규칙을 어간만 불규칙한 것으로 규정한 셈이다. 그러나 「맞춤법」의 관점에서 봐도 '까마면'은 어간 'ㅎ'뿐 아니라 '으'계 어미의 '으'도 탈락하고, '까매요'는 어간 끝 모음과 '아'계 어미가 합쳐져 '애/에'로 바뀌므로 어간과 어미가 모두 원칙에 벗어난 것이다.

「맞춤법」에는 '아'계 어미와 결합한 '까매요'류는 예시되지 않고 '으'계 어미와 결합한 것만 예시되었다. '아'계 어미와 결합한 '노래, 노래지다'와 같은 예는 「해설」에서만 다루었다. '아'계 어미와의 활용형도 포함한 것은 1980년 「맞춤법」뿐이다.[46] 현행 「맞춤법」도 1980년 것처럼 「해설」에서가 아니라, 본 규정에 '-아'계 어미와 결합한 활용형에 대한 것이 포함되어야 18항의 기술 원리에 맞다. 「맞춤법」은 규정의 타당성, 정확성을 해치지 않는 범위 내에서는 다른 어문규정, 학교문법과 상충되지 않게 기술될 필요가 있다. 이는 어문규범과 학교문법의 밀접한 관계를 고려한

46 "줄기의 끝소리 'ㅎ'이 고룸소리 '으' 앞에서 줄거나, 씨끝 '아/어' 앞에서 줄 적에 줄기의 끝 홀소리 'ㅏ, ㅑ, ㅓ'와 씨끝이 한 소리마디로 다시 줄어서 'ㅐ, ㅒ'로 바뀔 적"으로 되어 있다.

통합적 관점 정립과 교육의 수월성 확보를 위해서도 필요하다.

(3) 노랗네/노라네, 누렇네/누러네, 까맣네/까마네, 꺼멓네/꺼머네

'-네' 앞에서도 'ㅎ'이 탈락하는 '노라네'를 제시한 것은 「해설」에서이다. 그러나 "형용사의 어간 끝 받침 'ㅎ'이 어미 '-네'나 모음 앞에서 줄어지는 경우"라는 「해설」은[47] '-네'가 자음어미이고 자음어미와는 불규칙활용이 없다는 점에서 체계에 주는 부담이 크고, '쌓네'의 발음을 [싼네]로 명시한 「발음법」 12항 3('ㅎ' 뒤에 'ㄴ'이 결합되는 경우에는, [ㄴ]으로 발음한다.)과도 상충되며[48] 실제 발음과의 일치도도 낮다는 점에서 문제가 있었다. 「해설」 때문에 한동안 '노랗네'를 오류로 판정했었다. 「해설」대로라면 동사 '그리하다'의 준말인 '그러다'와 형용사 '그러하다'의 준말인 '그렇다'는 '그러네'로 활용형이 같아진다. 국립국어원은 2015년 표준어 추가 발표에서 'ㅎ' 불규칙용언은 '노랗네/노라네', '그렇네/그러네'를 모두 표준 활용형으로 인정했다. '노랗네'가 제 자리를 찾은 것은 다행이지만, 애초에 이는 「해설」에서 비롯된 문제이므로 '노랗네'만 표준 활용형으로 하는 것이 혼란을 줄이는 방법이다.

47 최현배(1986: 519)에서도 "ㄴ으로 비롯한 씨끝 앞에서는 그 ㅎ이 줄어지나니"라고 하고 '가마네, 발가네'를 예로 들고 있는데 「해설」은 여기에 기대어 나온 것으로 보인다.

48 「발음법」 12항 예에 'ㅎ' 불규칙용언을 들지는 않았다. 그러나 '받침 ㅎ의 발음은 다음과 같다'고 규정했기 때문에 규칙, 불규칙 상관없이 적용되는 것으로 해석된다.

(4) ㄱ. 좋니~좋으니, 좋냐~좋으냐

ㄴ. 좋네/*좋으네, 같네/*같으네, 얕고/*얕으고, 좋다/*좋으다

『사전』에 따르면 (4ㄱ)의 '좋으니, 좋으냐'는 맞고 (4ㄴ)의 '*좋으네, 좋으고, 좋으다'는 틀렸다. 『사전』에는 물음의 뜻을 나타내는 종결어미 '-으니04'의 예문으로 '아빠보다 엄마가 더 좋으니?, 책이 그렇게 많으니?'를 들었다. 『사전』에 '-으니'는 있고, '*-으네, -으고'는 없다.

그러나 종결어미 '-니'는 '-네, -고, -다'와 마찬가지로 앞말 끝소리에 따라 '으'가 실현되는 '으'계 어미가 아니라 자음어미다. '으'계 어미는 최현배(1986: 166)의 가름씨끝, 자음어미는 두루씨끝에 해당한다. 연결어미 '-(으)니(까)'와 달리 의문형 종결어미 '-니'는 본디 '-ᄂᆞ니'에서 온 것으로 '으'를 취하지 않는 자음어미였다.

자음 연쇄에 '으'를 삽입하는 것은 CVCV 연쇄를 유지하여 발음을 편하게 하려는 것이어서 구어체에서는 '좋으니'뿐 아니라 '*좋으네, 좋으고, 좋으다'와 같은 형태가 빈발한다. 이러한 임의적 '으' 삽입을 규범에서 수렴하게 되면 혼란만 가중될 것이다. '으'계 어미가 아닌데 '으'가 들어간 것은 비표준 어형으로 보는 것이 규범다운 태도다. 동일 환경에서 임의적으로 '으'가 삽입되는 경우는 '으'를 기저음으로 보기 어렵다.

종결어미 '-세'는 최현배(1986: 166)에서 두루씨끝으로 봤던 것인데 현재 『사전』에는 어간 말음이 'ㄹ' 외의 자음일 때는 '-으세', 모음이나 'ㄹ'일 때는 '-세'로 되어 있다. 이는 「맞춤법」과의 일관성도 잃은 것이다. 18항 1의 「해설」에 제시된 '(살네)사

네, (살세)사세'와 '(살으오)사오, (살을수록)살수록'의 괄호 안 표기는 '-세'를 '으' 없는 어미로 본 것이기 때문이다.[49] 자음 연쇄에서는 늘 '으'가 삽입될 가능성이 있어서 이런 변화는 지속적으로 일어날 것이고 규범은 입말에서의 변화가 완결되었다고 판단되었을 때 수용하는 것이 혼란을 막는 방법이다.

'으'계 형식형태소 표기 어문규범에서는 '-(으)ㄹ걸', '(으)로서'처럼 '으'계 형식형태소는 괄호 속에 '으'를 넣어 '으' 포함형과 비포함형을 함께 표시한다.[50]

그러나 『사전』에서는 '으' 있는 '-을걸'과 없는 '-ㄹ걸'을 각각 표제어로 삼는다. 이는 표제어를 단일화하고 교체 조건을 설명하는 것에 비해 '으'계 어미와 자음어미의 구별에 대해 소극적이어서, '*좋으네, 싫으네요, 얕으고'와 같은 발화를 양산하는 부분적 원인이 될 수 있다.[51]

49 정철의 '將進酒辭'에서 'ᄒᆞᆫ 盞잔먹새근여또ᄒᆞᆫ盞잔먹새근여'와 같은 예로 보아 '-세'도 본디 '으' 없는 자음어미였던 것으로 보인다. 따라서 『사전』이 수정될 필요가 있다.

50 예는 「맞춤법」 53, 57항, 「표칙」 17, 26항, 「발음법」 27항 참조.

51 '-을걸'에는 '-ㄹ걸'이, '-ㄹ걸'에는 '-을걸'이 「참고 어휘」로 제시되지만 『사전』의 「참고 어휘」 범위는 음운적 이형태로 한정되지 않는다. '액체(液體)'의 「참고 어휘」로, '고체03(固體);기체03(氣體)', '달가닥'의 「참고 어휘」로 '달까닥;달카닥;덜거덕;딸가닥;딸까닥;딸카닥;탈가닥;탈카닥'이 제공되는 것처럼 모음이나 자음의 차이에 따라 그 의미가 미세하게 달라지는 말, 유의관계에 있는 일반어와 전문어, 별칭이나 이칭 등 표제어의 의미를 이해하는 데 참조가 되는 말, 구별해야 하는 말 등을 모두 포함한다.

'빨개'와 '벌게'처럼 /ㅏ+아/를 '애'로, /ㅓ+어/를 '에'로 쓴다. 규정에는 없고 「해설」에서만 "…어미 '-아/-어'와 결합할 때는 '-애/-에'로 나타난다."로 '아'계 어미와의 불규칙활용을 언급하고 있다. 규칙용언일 때 '아'계 어미가 '좋아요, 넣어요'처럼 어간 끝 모음과의 조화에 따라 '-아/-어'로 교체되는 것처럼 불규칙용언도 /ㅏ+아/는 '애'로 /ㅓ+어/는 '에'로 쓴다.

그러나 '파래서/퍼레서, 노래지다/누레지다, 하얘지다/허예지다'처럼 'ㅐ'와 'ㅔ'의 구별 표기는 다음과 같은 이유로 오류가 빈발한다. 첫째, 실제 발음에서 '파래서(←파랗+아서)'의 'ㅐ'와 '퍼레서(←퍼렇+어서)'의 'ㅔ' 음가 차이는 거의 실현되지 않는다. 둘째, 지시형용사 '그렇다, 어떻다, 아무렇다' 등은 어간 끝 모음이 'ㅓ'인데도 활용형은 '그래, 어때, 저래, 아무래도'처럼 모두 'ㅐ'로 쓴다는 점에서 공시적으로도 일관성 확보가 어렵다. 셋째, 색채, 지시 형용사는 대부분 '파라ᄒᆞ다, 퍼러ᄒᆞ다, 그러ᄒᆞ다'처럼 '-ᄒᆞ다' 동사였고, '아'계 어미와 결합하면 'ᄒᆞ야'로 되었다. 현대 국어에서 '하다'는 '여' 불규칙용언으로 '하여/해'로 된다. '파래'가 '해'와 동궤의 것이라면 역사적으로도 '파래, 퍼레'의 구별 표기는 지지되기 어렵다. 1980년 「맞춤법」에서도 '퍼래'를 예로 제시한 바 있고, 『조선』 맞춤법 10항 3(말줄기의 끝을《ㅎ》으로 적거나 적지 않는 경우)에도 '벌개서, 커다래서'를 예로 들었다.

「맞춤법」 18항 3 수정안 지금까지의 논의를 바탕으로 18항 3에 대한 수정안을 제시하면 아래와 같다.

2음절 이상 어간의 끝 'ㅎ'이 어미 '으'와 함께 줄어지거나, '-

아/-어' 앞에서 어간 끝 모음과 어미가 한 음절로 줄어서 'ㅐ'로 바뀔 적.

그렇다: 그러니까, 그런, 그러면　　그래서, 그랬다, 그래요
까맣다: 까마니까, 까만, 까마면　　까매서, 까맸다, 까매요
퍼렇다: 퍼러니까, 퍼런, 퍼러면　　퍼래서, 퍼랬다, 퍼래요

어미 모음 '으'가 준다는 것을 명시하고 '아'계 어미 앞에서는 'ㅐ'로 됨을 명시했다. 이는 '까매요'와 '꺼메요'로 구별 표기하지 않는다는 뜻이다.

현행 규정에는 '그러니, 까마니'를 예시했는데 이때 '니'는 '으'계 어미인 연결어미 '-(으)니'로 해석된다. 그런데 이는 '으'가 없는 자음어미인 종결어미 '-니'와 혼동될 가능성이 높아서 '-(으)니'보다 '-(으)니까'를 예시했다. 현행 규정에는 '까말, 퍼럴, 하얄'로 관형사형 어미 '-(으)ㄹ'을 예시했다. 그러나 형용사는 관형사형 어미 '-(으)ㄹ'과 제약이 많아서 '-(으)ㄴ'으로 했다. '까매서'류는 예가 없었으나 추가했다.

참고문헌

고영근(1991), 『표준 중세국어문법론』, 탑출판사.

고영근(2000), 우리나라 학교 문법의 역사, 『새국어생활』 10-2, 국립국어원, 27~46.

고영근(2005), 형태소의 교체와 형태론의 범위—형태음운론적 교체를 중심으로, 『국어학』 46, 국어학회, 19~52.

곽충구(2011), 구개음화 규칙의 전파와 어휘 확산, 『국어학』 61, 국어학회, 3~40.

교육인적자원부(2004), 『고등학교 문법』, (주)두산.

교육인적자원부(2006), 『고등학교 교사용 지도서 문법』, (주)두산.

김선철·권미영·황연신(2004), 서울말 장단의 연령별 변이, 『말소리』 50, 한국음성학회, 1~22.

김영송(1981), 『우리말 소리의 연구』(고친판), 과학사.

김영송(1994), 음성 분류에 있어서의 h의 처리—말소리 산출 과정에서 본, 『우리말연구』 4, 우리말학회, 1~16.

김유범·박선우·안병섭·이봉원(2002), ‘ㄴ’ 삽입 현상의 연구사적 검토, 『어문논집』 46,민족어문학회, 41~71.

김유범·오재혁(2013), 경음화와 관련된 동일 조음 위치의 연속된 두 자음의 발음에 대하여, 『한국어학』 58, 한국어학회, 31~53.

김정남(2008), 한글맞춤법의 원리—총칙 제1항의 의미 해석을 중심으로, 『한국어의미학』 27, 한국어의미학회, 21~44.

김종수 역(2007), 『문자언어학』, 유로서적. Christa Dürscheid(2006), Ein-führung in die Schriftlingusistik.

김차균(1998), 『나랏말과 겨레의 슬기에 바탕을 둔 음운학 강의』, 태학사.
남기심 · 고영근(1992), 『표준국어문법론』, 탑출판사.
남길임(2007), 국어 억양 단위의 통사적 상관성 연구—구어 독백 말뭉치를 중심으로, 『어문학』 96, 한국어문학회, 21~50.
문화체육관광부(2012), 『국어 어문 규정집』, 대한교과서.
민현식(2008), 한글 맞춤법 교육의 체계화 방안, 『국어교육연구』 21, 서울대 국어교육연구소, 7~75.
박선우(2004), 불규칙활용의 불규칙성에 대한 검토, 『청람어문교육』 30집, 청람어문학회, 223~249.
박영목 외 공저(2015), 고등학교 『독서와 문법 II』, 천재교육.
박종희(2004), '-으X'계 활용어미의 음운론적 고찰, 『한글』 264, 한글학회, 67-94.
박준범(2012), 부사 파생 접미사 '-이', '-히' 관련 몇 가지 문제—한글 맞춤법 제25항과 제51항을 중심으로, 『인문연구』 65, 95~126.
배성봉·이광오(2012), 사이시옷이 단어 재인에 미치는 영향, 『인지과학』 23-3, 한국인지과학회, 349~366.
배영환(2010), 오 불규칙 동사와 관련된 몇 가지 문제, 『국어국문학』 156, 국어국문학회, 43~70.
배주채(2009), 달라, 다오의 어휘론, 『국어학』 56, 국어학회, 191~220.
새국어생활 편집실(1985), 학교문법 교과서의 변천 과정, 『새국어생활』 1, 국립국어원, 29~37.
성낙수(2008) 불규칙용언의 학교문법, '한글 맞춤법'에 수용된 양상과 기본형태 분석, 『청람어문교육』 38, 367~399.
송창선(2010), '르' 불규칙과 '러' 불규칙의 발생 원인, 『어문학』 109, 한국어문학회, 123~143.

신성만·박권생·박승호 옮김(2012), Richard A. Griggs 지음, 『심리학과의 만남』 시그마프레스.
신승용(1999), '-으X~-X'계 어미의 기저구조, 『국어학』 34, 국어학회, 3~29.
신지영(2006), 표준 발음법에 대한 비판적 검토, 『한국어학』 30, 한국어학회, 133~158.
안병섭(2007), 휴지(pause)의 역할에 대한 반성적 검토, 『우리어문연구』 28, 우리어문학회, 67~87.
양순임(2001), 유기음과 성문 열림도, 『우리말연구』 11, 우리말연구회, 101~121.
양순임(2002), 음절 말 자음의 음성 자질, 『한글』 258, 한글학회, 55~81.
양순임(2003ㄱ), 유기음화와 관련된 한국어 발음교육, 『이중언어학』 22, 이중언어학회, 225~240.
양순임(2003ㄴ), 한국어 모음의 인지 및 발음교육 방안, 『이중언어학』 23, 이중언어학회, 187~209.
양순임(2005), 한국어 음절 말 폐쇄음에 대한 음향 및 청각 음성학적 연구, 『한글』 269, 한글학회, 77~100.
양순임(2009), 불파음화와 경음화의 실현 양상 분석—중국인 학습자언어를 대상으로, 『우리말연구』 24, 우리말학회, 5~28.
양순임(2010), 한국어 발음교육에서의 길이, 『우리말연구』 26, 우리말학회, 65~88.
양순임(2011ㄱ), 사잇소리현상과 사이시옷 표기에 대하여, 『한글』 293, 한글학회, 117~167.
양순임(2011ㄴ), 한국어 중첩 비음의 길이에 대한 고찰, 『한국어학』 51, 한국어학회. 93~116.
양순임(2012ㄱ), 『말소리—학교문법의 이해』(4판), 월인.

양순임(2012ㄴ), 'ㅎ' 불규칙용언의 표기 규정에 대한 고찰, 『한민족어문학』 62, 한민족어문학회, 315~338.
양순임(2014), 『한국어 발음교육의 내용과 방법』, 태학사.
양순임(2016), 『한국어 어문규범 연구』, 태학사.
양순임(2018), 단모음 연구에 대한 비판적 고찰—한국어교육학과 음성·음운론의 접점에서, 『국어학』 85, 국어학회, 429~462.
양순임(2023), 한문 기원 한자어의 음운현상에 관한 계량적 연구—四書를 중심으로, 『국어학』 107, 국어학회, 3~33.
양순임(2024), 기층한자어 음운현상 연구—朱熹의 四書集註 출현 한자어를 중심으로, 『우리말연구』 76, 우리말학회, 5~31.
엄태수(2007), 사이시옷 현상과 한글 맞춤법, 『시학과 언어학』 13, 시학과언어학회, 239~288.
오재혁(2014), 한국어 억양 곡선의 정규화 방안에 대한 연구, 『한국어학』 62, 한국어학회, 395~420.
우형식(2014), 국어 된소리 표기법의 변천 양상, 『우리말연구』 39, 우리말학회, 141 ~179.
유성희·김정남(2013), 'X-이'형 부사와 'X-히'형 부사의 형태와 표기, 『우리말 글』 58, 우리말글학회, 81~126.
윤국한(2007), '맞히다'의 음운론, 『청람어문교육』 35, 청람어문교육학회, 153~175.
이기문(1998/2004), 신정판 『국어사개설』, 태학사.
이삼형 외 공저(2016), 고등학교 『독서와 문법』, 지학사.
이익섭(1992), 『국어 표기법 연구』, 서울대학교 출판부.
이익섭(2008), 『사회언어학』, 민음사.
이익섭(2010), 『국어학개설』, 학연사.
이익섭·임홍빈(1990), 『국어문법론』, 학연사.
이진호(1998), 국어 유음화에 대한 종합적 고찰, 『국어학』 31, 국어학회, 81~120.
이진호(2003), 국어 ㅎ 말음 어간의 음운론, 『국어국문학』 133, 167~195.
이진호(2008), 국어 표준 발음법의 제정 과정, 『어문학』 100, 한국어문학회, 173~203.
이호영(1996), 『국어 음성학』, 태학사.
이호영·지민제·김영송(1993), 동시조음에 의한 변이음들의 음향적 특성, 『한글』 220, 5~28.
임홍빈(1981), 사이시옷 문제의 해결을 위하여, 『국어학』 10, 국어학회, 1~35.
임홍빈(2000), 학교 문법, 표준 문법, 규범 문법의 정의, 『새국어생활』 10-2, 국립국어원, 5~26.
장소원(1998), 국어 의문사 어휘의 실제적 용법 연구, 『언어』 23-4, 한국언어학회, 691~708.
장소원(2000), 방송인의 언어사용 실태와 문제점—보도 프로그램의 경우를 중심으로, 『방송통신연구』 51, 한국방송학회, 255~283.
전상범(2005), 개정판 『영어 음성학개론』, 을유문화사.
전수태(2004), 『남북한 어문규범 비교 연구』, 국립국어원.
정희창(2011), 한글 맞춤법의 '역사적 표기법'과 교육 내용 구성, 『문법 교육』 14, 한국문법 교육학회, 99~122.
조선민주주의인민공화국 국어사정위원회(2010), 『조선말규범집』, 사회과학출판사.
조창규(2015), 중등학교 문법 수업과 연계한 어문 규범 교육 방안, 『한국언어문학』 95, 한국언어문학회, 611~635.
지민제(1993), 소리의 길이, 『새국어생활』 3-1, 국립국어원, 39~57.
차재은·정명숙·신지영(2003), 공명음 사이의 /ㅎ/의 실현에 대한 음성·음운론적 고찰, 『언어』 28-4, 765~783.

채서영(2008), 한국어 사이시옷 표기 혼란과 표준어 정책의 방향, 『언어학』 52, 한국언어학회, 187~214.
최성원·전종호(1998), 한국어 경음·기음은 중복자음인가?—폐음절 모음의 단축화를 중심으로, 『어학연구』 34-3, 서울대학교 어학연구소. 521~546.
최승언 옮김, Saussure, F. 지음(1996), 『일반 언어학 강의』, 민음사.
최현배(1986), 『우리말본』(5판), 정음문화사.
최형용(2003), 규범문법과 학문문법의 친소—한글 맞춤법과 표준어 규정을 중심으로, 『한중인문학연구』 11, 한중인문학회, 70~95.
최형용(2009), 한글 맞춤법 총칙 제1항과 표기의 원리, 『한중인문학연구』 26, 한중인문학회, 167~183.
최호철(2012), 북한 「조선말규범집」의 2010년 개정과 그 의미, 『어문논집』 65, 민족어문학회, 251~286.
한국교육과정평가원 감수(2017), 『수능특강 국어영역 화법·작문·문법』, 한국교육방송공사.
한글학회 편(1958), 『한글 맞춤법 통일안(원본 및 고침판 모음)』, 한글학회.
한글학회 편(1960), 『(개정한)한글맞춤법통일안』, 한글학회.
한글학회 편(1980), 『한글 맞춤법』, 한글학회.
한문희 옮김(1991), Troubetzkoy, N.S. 지음, 『음운학 원론』, 민음사.
허 웅(1963), 『중세국어연구』, 정음사.
허 웅(1988), 『우리 옛말본』, 샘문화사.
허 웅(1981), 『언어학—그 대상과 방법』, 샘문화사.
허 웅(1985), 『국어음운학』, 샘문화사.
Brosnahan, L. F., Malmberg B.(1976), *Introduction to Phonetics*, Cambridge Univ. Press.
Catford, John. C.(2001), *A Practical Introduction to Phonetics* 2nd

Ed., Oxford : Blackwel

Chomsky, N., Halle, M.(1968), *The Sound Pattern of English*, New York: Harper & Row.

Jakobson, R.C., Fant, G.M., Halle, M.(1969), *Preliminaries to Speech Analysis: The Distinctive Features and their Correlates*, Cambridge: The M.I.T. Press.

Jones, D.(1967), *An Outline of English Phonetics*(9th ed.), Cambridge: Heffer.

Jun, Sun-Ah(2000), K-ToBI Labelling Conventions(ver 3.1), http://www. humnet. ucla.edu/humnet/linguistics, Dept. of Linguistics, UCLA.

Ladefoged, P.(1982), *A course in Phonetics*(2th ed.), Orlando: Harcourt Brace.

Pickett, J.M.(1985), *The Sounds of Speech Communication*, Baltimore: University Park Press.

Prince, Alan. & Paul Smolensky(1993), Optimality Theory: constraint interaction in generative grammar, Available from Rutgers University Libraries.

Sampson, Geoffrey(1985), *Writing systems—a linguistic introduction*, CA: Stanford University Press.

Shriberg, L. D., Kent, R. D.(1995), *Clinical Phonetics*, Allyn & Bacon: Boston.

Vennemann T.(1988), *Preference Laws for Syllable Structure and the Explanation of Sound Change*, Mouton de Gruyter.

찾아보기

ㅂ

ㅅ

ㅇ

ㅈ

ㅊ